CB072955

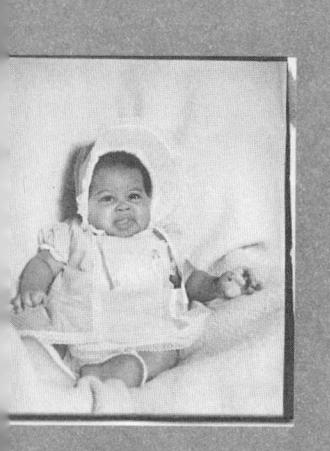

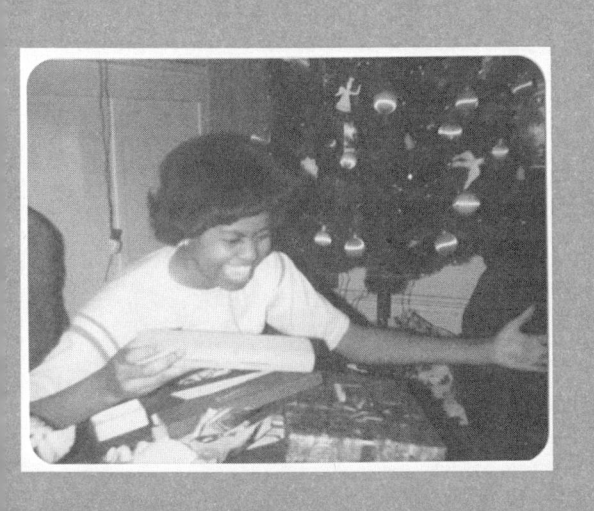

MINHA HISTÓRIA

MINIMA HISTORIA

Michelle Obama

Minha história

TRADUÇÃO
Débora Landsberg
Denise Bottmann
Renato Marques

15ª reimpressão

OBJETIVA

Copyright © 2018 by Michelle Obama

Grafia atualizada segundo o Acordo Ortográfico da Língua Portuguesa de 1990, que entrou em vigor no Brasil em 2009.

Título original
Becoming

Capa
Christopher Brand

Foto de capa
Miller Mobley

Preparação
Ângelo Lessa
Sheila Louzada

Revisão
Jane Pessoa
Angela das Neves

Dados Internacionais de Catalogação na Publicação (CIP)
(Câmara Brasileira do Livro, SP, Brasil)

Obama, Michelle, 1964-
    Minha história / Michelle Obama ; tradução Débora Landsberg, Denise Bottmann, Renato Marques. — 1ª ed. — Rio de Janeiro : Objetiva, 2018.

    Título original: Becoming.
    ISBN 978-85-470-0064-6

    1. Advogadas afro-americanas — Autobiografia 2. Cônjuges de presidentes — Estados Unidos — Autobiografia 3. Obama, Michelle, 1964- I. Título.

18-20873   CDD-920.72

Índice para catálogo sistemático:
1. Mulheres : Autobiografia   920.72

Maria Paula C. Riyuzo — Bibliotecária — CRB-8/7639

[2021]
Todos os direitos desta edição reservados à
EDITORA SCHWARCZ S.A.
Praça Floriano, 19, sala 3001 — Cinelândia
20031-050 — Rio de Janeiro — RJ
Telefone: (21) 3993-7510
www.companhiadasletras.com.br
www.blogdacompanhia.com.br
facebook.com/editoraobjetiva
instagram.com/editora_objetiva
twitter.com/edobjetiva

*A todas as pessoas que me ajudaram a me tornar quem sou:
as pessoas que me criaram — Fraser, Marian, Craig – e minha enorme
família estendida, meu grupo de mulheres fortes que sempre me anima,
minha equipe leal e dedicada que sempre me deixa orgulhosa.*

*Aos amores da minha vida:
Malia e Sasha, minhas duas gotinhas preciosas,
minhas razões de viver,
e, por fim, Barack, que sempre me prometeu uma jornada interessante.*

Sumário

Prefácio 13

A HISTÓRIA COMEÇA 19
A NOSSA HISTÓRIA 125
UMA HISTÓRIA MAIOR 297

Epílogo 429
Agradecimentos 435
Créditos das imagens 439

Prefácio

Março de 2017

Quando eu era criança, tinha aspirações simples. Queria um cachorro. Queria uma casa com escada — dois andares para uma família. Por algum motivo, queria uma perua de quatro portas em vez do Buick de duas portas que era a menina dos olhos do meu pai. Eu falava para as pessoas que, quando crescesse, seria pediatra. Por quê? Porque adorava crianças pequenas e logo aprendi que a resposta era agradável aos ouvidos dos adultos. *Ah, vai ser médica! Boa escolha!* Na época, eu usava maria-chiquinha e vivia mandando no meu irmão mais velho, e não importava o que acontecesse, sempre tirava 10 na escola. Era ambiciosa, embora não soubesse muito bem qual era minha meta. Hoje em dia penso que essa é uma das perguntas mais inúteis que um adulto pode fazer a uma criança — *O que você quer ser quando crescer?* Como se crescer fosse algo finito. Como se a certa altura você se tornasse algo e ponto-final.

Até agora, fui advogada. Fui vice-presidente de um hospital e diretora de uma ONG que ajuda jovens a construírem uma carreira significativa. Fui estudante negra da classe trabalhadora em uma faculdade de elite de maioria branca. Fui a única mulher, a única afro-americana, em todos os tipos de ambientes. Fui a noiva, a mãe estressada de uma recém-nascida, a filha consternada pelo luto. E até pouco tempo atrás, fui a primeira-dama dos Estados Unidos da América — emprego que não é oficialmente um emprego, mas que ainda assim me deu uma plataforma que eu jamais imaginaria. Ele me desafiou e me deu uma lição de humildade, me estimulou e me retraiu, às vezes tudo ao mesmo tempo. Só agora estou começando a processar o que aconteceu nesses últimos anos — do instante, em 2006, em que meu marido começou a falar em concorrer à presidência até a manhã fria de inverno quando entrei em uma limusine com Melania Trump, para acompanhá-la à posse do marido. Foi uma jornada e tanto.

Quando se é a primeira-dama, você enxerga os Estados Unidos em seus extremos. Fui a festas beneficentes em casas que mais pareciam museus de arte, casas em que as pessoas têm banheiras feitas de pedras preciosas. Visitei famílias que perderam tudo no furacão Katrina e choravam de gratidão só por terem uma geladeira e um fogão funcionando. Conheci pessoas fúteis e hipócritas, mas também outras — professores, esposas de militares e tantas mais — cujas almas me surpreenderam pela imensidão e pela força. E conheci crianças — muitas, no mundo inteiro — que me fizeram rir e me encheram de esperança e, felizmente, conseguiam esquecer meu título depois que começávamos a remexer a terra de um jardim.

Desde que entrei, relutante, na vida pública, fui considerada a mulher mais poderosa do mundo e apontada como uma "mulher negra raivosa". Queria perguntar aos meus detratores qual parte da expressão eles consideram a mais relevante — "mulher", "negra" ou "raivosa"? Sorri para fotos com gente que chamava meu marido de nomes horríveis em cadeia nacional, mas mesmo assim queriam uma lembrança emoldurada para pôr no console da lareira. Ouvi falar dos lugares lamacentos da internet que questionam tudo a meu respeito, até se sou homem ou mulher. Um congressista americano já fez piada da minha bunda. Fui magoada. Fiquei furiosa. Mas, acima de tudo, tentei rir dessas coisas.

Ainda não sei muito sobre os Estados Unidos, sobre a vida, sobre o que o futuro trará. Mas eu me conheço. Meu pai, Fraser, me ensinou a trabalhar duro, rir com frequência e cumprir com a minha palavra. Minha mãe, Marian, me ensinou a pensar com a minha própria cabeça e a usar minha voz. Juntos, no nosso apartamento apertado no South Side de Chicago, eles me ajudaram a enxergar o valor da nossa história, da minha história, da história mais ampla deste país. Mesmo quando não é bonita ou perfeita. Mesmo quando é mais real do que você gostaria que fosse. Sua história é o que você tem, o que sempre terá. É algo para se orgulhar.

Durante oito anos morei na Casa Branca, lugar com um número incontável de escadas — além de elevadores, uma pista de boliche e um florista. Dormia em uma cama com lençol de linho italiano. Nossas refeições eram preparadas por uma equipe de chefs de nível internacional e servidas por profissionais mais bem treinados do que os de qualquer restaurante ou hotel cinco estrelas. Agentes do Serviço Secreto, com seus fones de ouvido, suas armas e expressões intencionalmente neutras, ficavam diante de nossas portas, fazendo o possível para manter distância da vida particular da nossa família. De certo modo, acabamos nos acostumando com isso — com a estranha grandiosidade da nossa nova casa e também com a presença constante, embora silenciosa, de outras pessoas.

Era na Casa Branca que nossas duas meninas jogavam bola nos corredores e subiam nas árvores do Gramado Sul. Era onde Barack se sentava tarde da noite, estudando informes e rascunhos de discursos na Sala dos Tratados, e onde Sunny, um dos nossos cachorros, às vezes fazia cocô no tapete. Eu podia ficar na Varanda Truman observando os turistas posando com seus paus de selfie e espiando pela cerca de ferro, tentando imaginar o que acontecia lá dentro. Em certos dias me sentia sufocada pelo fato de nossas janelas precisarem ficar fechadas por segurança, de que eu não podia tomar um ar fresco sem gerar alvoroço. Havia momentos em que ficava boquiaberta com as magnólias brancas que floresciam do lado de fora, a agitação cotidiana dos assuntos do governo, a grandiosidade das boas-vindas militares. Havia dias, semanas, meses em que odiava política. E havia momentos em que a beleza do país e de seu povo me deixava tão absorta que eu nem sequer conseguia falar.

E então acabou. Mesmo já esperando por isso, mesmo que as últimas semanas tenham sido cheias de despedidas emotivas, o dia em si ainda é um borrão. A mão sobre a Bíblia; o juramento repetido. A mobília de um presidente é retirada enquanto a do outro chega. Closets são esvaziados e reabastecidos em poucas horas. De repente, há novas cabeças em novos travesseiros — novos temperamentos, novos sonhos. E quando termina, quando você sai pela última vez de um dos endereços mais famosos do mundo, é preciso, sob muitos aspectos, se encontrar outra vez.

Então vamos começar por aqui, por uma coisinha que aconteceu não faz muito tempo. Eu estava na casa de tijolos vermelhos para a qual nos mudamos recentemente. Nossa casa nova fica a cerca de três quilômetros da antiga, em uma rua residencial tranquila. Ainda estamos nos acomodando. Na sala de estar, nossos móveis foram dispostos como na Casa Branca. Temos recordações espalhadas pela casa, nos lembrando de que foi tudo verdade — fotos das nossas férias em família em Camp David, vasos feitos à mão por estudantes indígenas, um livro autografado por Nelson Mandela. O esquisito dessa noite foi que não havia ninguém em casa. Barack estava viajando. Sasha tinha saído com os amigos. Malia está morando e trabalhando em Nova York, terminando o ano sabático antes de começar a faculdade. Éramos só eu, nossos dois cachorros e uma casa silenciosa, vazia, algo que eu não via havia oito anos.

E eu estava com fome. Saí do quarto e desci a escada com os cachorros no meu encalço. Na cozinha, abri a geladeira. Achei um saco de pão, peguei duas fatias e as coloquei no forno elétrico. Abri o armário e peguei um prato. Sei que é esquisito, mas esse momento — de tirar um prato do armário da cozinha sem antes alguém insistir em pegá-lo para mim e ficar parada sozinha vendo o pão tostar no forninho — me pareceu o que há de mais próximo de uma retomada da minha antiga vida. Ou talvez seja minha nova vida começando a se anunciar.

No fim das contas, não fiz só uma torrada; fiz queijo quente, pondo as fatias de pão no micro-ondas e derretendo uma massa pegajosa e gordurosa de cheddar no meio delas. Depois, levei o prato para o quintal. Não precisava dizer a ninguém aonde estava indo. Simplesmente fui. Estava descalça, de shorts. O frio do inverno havia enfim se dissipado. Os crocos começavam a irromper dos canteiros junto ao muro dos fundos. O ar cheirava a primavera. Sentei-me na escadinha da varanda, sentindo o calor de um dia inteiro de sol ainda na ardósia sob meus pés. Um cachorro começou a latir em algum lugar distante, e meus cachorros prestaram atenção, confusos por um instante. Foi então que me passou pela cabeça que aquele era um barulho surpreendente para eles, pois não tínhamos vizinhos, muito menos cachorros vizinhos, na Casa Branca. Para eles, tudo era novidade. Enquanto os cães exploravam o quintal, eu comia meu queijo quente no escuro, me sentindo sozinha da melhor maneira possível. Minha cabeça não estava no grupo de guardas armados a menos de cem metros de mim, no posto de comando construído especialmente para a nossa garagem, ou no fato de que ainda não posso andar na rua sem seguranças. Não estava pensando no novo presidente nem no antigo presidente.

Na verdade, estava pensando que dali a alguns minutos eu voltaria para dentro de casa, lavaria o prato na pia e iria para a cama, e talvez abrisse a janela para sentir o ar da primavera — que glória seria! Também estava pensando que aquele sossego me oferecia a primeira oportunidade verdadeira de refletir. Quando era primeira-dama, eu chegava ao fim de uma semana movimentada precisando que me lembrassem como ela havia começado. Mas a noção de tempo está começando a ficar diferente. Minhas meninas, que chegaram à Casa Branca com bonecas, uma cobertinha de estimação e um tigrinho de pelúcia chamado Tiger agora são adolescentes, jovens com planos e vozes próprias. Meu marido está se adaptando à vida depois da Casa Branca, recuperando o fôlego. E aqui estou eu, nesse lugar novo, com vontade de falar muita coisa.

A HISTÓRIA COMEÇA

1

Passei boa parte da infância escutando o som do esforço. Chegava a mim sob a forma de música ruim, ou pelo menos amadora, atravessando as tábuas do assoalho do meu quarto — o *plim-plim-plim* dos alunos sentados no andar de baixo, diante do piano da minha tia-avó Robbie, aprendendo as escalas devagar e com muitos erros no caminho. Minha família vivia no bairro South Shore, em Chicago, em uma construção de tijolos que era de Robbie e de seu marido, Terry. Meus pais alugavam o apartamento do segundo andar e Robbie e Terry moravam no primeiro. Robbie era tia da minha mãe e foi muito generosa com ela ao longo dos anos, mas comigo era um terror. Empertigada e séria, ela dirigia o coro da igreja local e também era a professora de piano oficial da nossa comunidade. Usava saltos confortáveis e mantinha o par de óculos de leitura em uma correntinha em volta do pescoço. Tinha um sorriso maroto mas, ao contrário da minha mãe, não gostava de sarcasmo. Às vezes, eu a ouvia dando bronca nos alunos por não terem praticado o suficiente ou até nos pais, por chegarem atrasados com os filhos para as aulas.

"Boa noite!", exclamava ela no meio da tarde, no mesmo tom exasperado que outra pessoa diria "Ah, pelo amor de Deus!". Parecia que poucos conseguiam corresponder às expectativas de Robbie.

Mas o som das pessoas tentando tocar piano virou a trilha sonora da nossa vida. Havia plim-plim à tarde, plim-plim à noite. As senhoras da igreja às vezes iam ensaiar os hinos, entoando a devoção através das paredes. Segundo as normas de Robbie, crianças que faziam aulas de piano só podiam trabalhar uma música por vez. Do meu quarto, eu as ouvia tentando, notas e mais notas incertas, conquistar a aprovação dela, passar da canção de ninar folclórica "Hot Cross Buns" para a de Brahms, mas só depois de inúmeras tentativas. A música nunca era irritante, apenas persistente. Galgava a escada que separava nosso espaço do de Robbie. Entrava pelas janelas abertas no verão, acompanhando meus pensamentos quando eu brincava com as minhas Barbies ou construía pequenos reinos com bloquinhos de montar. A única trégua era quando meu pai chegava do turno matinal na estação de tratamento de água da cidade e sintonizava na TV um jogo de beisebol dos Cubs, aumentando o volume o suficiente para não ouvir o piano.

Era o finzinho da década de 1960 no South Side de Chicago. Os Cubs não eram ruins, mas também não eram bons. Eu me sentava no colo do meu pai, na cadeira reclinável dele, e o ouvia contar que os Cubs estavam sofrendo uma crise de fim de temporada ou dizer que Billy Williams — que morava na Constance Avenue, esquina com a nossa rua — dava ótimas tacadas no lado esquerdo da base. Fora dos estádios de beisebol, os Estados Unidos estavam no meio de uma mudança gigantesca e duvidosa. Os Kennedy tinham morrido. Martin Luther King Jr. fora assassinado em uma sacada em Memphis, desencadeando motins país afora, inclusive em Chicago. A Convenção Nacional Democrata de 1968 se transformou em um banho de sangue quando a polícia atacou os manifestantes contrários à Guerra do Vietnã com bastões e gás lacrimogêneo em Grant Park, a uns quinze quilômetros da nossa casa. Nesse ínterim, famílias brancas deixavam a cidade aos bandos, seduzidas pelos subúrbios — a promessa de escolas melhores, mais espaço e provavelmente mais brancura também.

Na verdade, não absorvi nada disso. Eu era apenas uma criança, uma menina que brincava com Barbies e bloquinhos de montar, com os pais e com um irmão mais velho que dormia sempre com a cabeça a um metro da minha. Minha família era o meu mundo, o centro de tudo. Minha mãe me ensinou a ler cedo — me levava à biblioteca pública e se sentava a meu lado enquanto eu pronunciava as palavras em cada página. Todo dia meu pai ia trabalhar com o uniforme azul de funcionário municipal, mas à noite nos mostrava o que era amar o jazz e a arte. Quando menino, ele teve aulas no Instituto de Arte de Chicago, e no ensino médio pintava e esculpia. Nessa época também foi nadador e boxeador, competindo pela escola. Quando adulto, tornou-se fã de todos os esportes televisionados, de golfe profissional à Liga Nacional de Hóquei. Gostava de ver pessoas fortes se sobressaírem. Quando meu irmão, Craig, se interessou por basquete, meu pai passou a colocar moedas na moldura da porta da cozinha, incentivando-o a saltar para pegá-las.

Tudo o que tinha importância ficava a no máximo cinco quarteirões dali — meus avós e primos, a igreja na esquina onde não frequentávamos regularmente a escola dominical, o posto de gasolina onde minha mãe me mandava comprar um maço de Newports, e a loja de bebidas, que também vendia pão Wonder, bala barata e galões de leite. Nas noites quentes de verão, Craig e eu cochilávamos ao som dos jogos de softball da liga adulta que aconteciam no parque público próximo dali, o qual visitávamos de dia para subir no trepa-trepa do parquinho e brincar de pega-pega com as outras crianças.

Craig é menos de dois anos mais velho que eu. Ele tem o olhar afável e o jeito otimista do meu pai, mas a inflexibilidade da minha mãe. Sempre fomos próximos, em parte graças à dedicação inabalável e um tanto inexplicável que ele pareceu sentir pela irmã caçula desde o início. Existe uma foto antiga da família, em preto e branco, de nós quatro sentados no sofá, minha mãe sorridente ao me segurar em seu colo, meu pai sério e orgulhoso com Craig no seu. Estávamos vestidos para ir à igreja ou talvez a um casamento. Eu tinha uns oito meses, uma menina de cara fechada e rosto gorducho, de fralda e vestido branco passado, pronta para escapar das garras da minha mãe, o olhar fixo na câmera como se fosse comê-la. A meu lado está Craig, todo arrumado, de gravatinha-borboleta e paletó, a expressão séria. Ele tinha dois anos e já era o retrato da vigilância e da responsabilidade fraternal — o braço esticado até o meu, os dedos fechados em torno do meu punho gordinho em um gesto protetor.

Na época em que a foto foi tirada, morávamos no mesmo andar dos meus avós paternos em Parkway Gardens, um conjunto habitacional de prédios modernistas a preço acessível no South Side de Chicago. Construído na década de 1950 e planejado para ser um edifício em cooperativa, em que não se tem de fato a escritura da casa, apenas ações da empresa que lhe permite morar nela, tinha o intuito de amenizar a escassez de moradia para famílias negras da classe trabalhadora depois da Segunda Guerra Mundial. Mais tarde, ficaria deteriorado sob o jugo da pobreza e da violência das gangues, virando um dos lugares mais perigosos da cidade. Muito antes disso, porém, quando eu era pequena, meus pais — que se conheceram na adolescência e se casaram com vinte e poucos anos — aceitaram a oferta de se mudar alguns quilômetros mais ao sul, para a casa de Robbie e Terry, que ficava numa área mais bacana.

Na Euclid Avenue, éramos duas famílias vivendo sob um teto não muito grande. A julgar pela planta, o segundo andar provavelmente fora projetado como um anexo para uma ou duas pessoas, mas nós quatro achamos um jeito de caber ali dentro. Meus pais dormiam no único quarto, Craig e eu dividíamos uma área mais ampla que imagino ter sido concebida como sala de estar. Mais tarde, quando crescemos, meu avô — Purnell Shields, pai da minha mãe, um apaixonado por carpintaria, apesar de não muito habilidoso — levou uns painéis de madeira baratos e improvisou uma divisória que separava o ambiente em dois espaços semiprivados. Acrescentou uma porta sanfonada de plástico a cada ambiente e criou uma pequena área comum na frente, onde guardávamos brinquedos e livros.

Eu adorava meu quarto. Tinha espaço suficiente para minha cama de solteiro e uma escrivaninha estreita. Deixava meus bichinhos de pelúcia na cama, arrumando todos meticulosamente em volta da minha cabeça à noite como uma forma de ritual reconfortante. Do outro lado da parede, Craig vivia uma espécie de existência espelhada, sua cama junto ao painel, paralela à minha. A divisória era tão fina que conseguíamos conversar deitados na cama, muitas vezes jogando uma bola de meia de um lado para outro pelo vão de 25 centímetros entre a divisória e o teto.

Tia Robbie, por sua vez, fazia de sua parte da casa um mausoléu, a mobília coberta por plástico protetor, um material frio que grudava nas minhas pernas nuas quando eu tinha coragem de me sentar. As prateleiras eram cheias de bibelôs de porcelana que não podíamos tocar. Eu deixava minha mão pairar sobre um conjunto de poodles de vidro com expressões dóceis — uma mãe de aparência delicada e três filhotes minúsculos — e depois a retirava, com medo da ira de Robbie. Quando não havia aula de piano, o primeiro andar era tomado por um silêncio mortal. A TV e o rádio nunca eram ligados. Não sei nem se os dois conversavam muito ali embaixo. O nome completo do marido de Robbie era William Victor Terry, mas por alguma razão só o chamávamos pelo último sobrenome. Terry era como uma sombra, um homem de aparência distinta que usava terno completo todos os dias da semana e basicamente não falava nem uma palavra.

Passei a considerar o andar de cima e o de baixo dois universos diferentes, governados por sentimentos opostos. No andar de cima, fazíamos o maior barulho sem nos preocupar. Craig e eu jogávamos bola e corríamos pelo apartamento. Borrifávamos lustra-móveis no assoalho de madeira do corredor para deslizar com as meias, muitas vezes batendo nas paredes. Lutávamos boxe na cozinha, usando pares de luvas que meu pai nos dera de Natal junto com instruções personalizadas de como dar um jab certeiro. À noite, em família, jogávamos jogos de tabuleiro, contávamos histórias e piadas e escutávamos discos do Jackson 5. Quando ficava insuportável para Robbie, ela ia até o interruptor e ficava acendendo e apagando a luz da escada que compartilhávamos e que também controlava a lâmpada do corredor do segundo andar — era seu jeito educado de pedir que parássemos com o barulho.

Robbie e Terry eram mais velhos. Cresceram em outra época, com preocupações diferentes. Viram coisas que nossos pais não viram — coisas que Craig e eu, aquelas crianças barulhentas, nem imaginávamos. Essa é uma versão do que minha mãe dizia quando nos irritávamos com o mau humor do andar de baixo. Mesmo não conhecendo o contexto, éramos instruídos a lembrar que ele existia. Todos os habitantes da Terra, diziam-nos eles, carregavam uma história invisível, e só por isso já mereciam tolerância. Muitos anos mais tarde eu ficaria sabendo que Robbie havia processado a Universidade Northwestern por discriminação, pois se inscrevera para participar de uma oficina de coral na faculdade em 1943 e lhe negaram um quarto no dormitório feminino. Fora instruída a se hospedar em uma pensão na cidade — um lugar "para gente de cor", lhe explicaram. Já Terry tinha sido assistente de vagões em uma das linhas férreas noturnas que chegavam e saíam de Chicago. Era uma profissão respeitável, mas não muito bem remunerada, composta totalmente de homens negros que mantinham o uniforme imaculado enquanto arrastavam malas, serviam refeições e atendiam às necessidades dos passageiros, inclusive engraxando seus sapatos.

Anos depois de se aposentar, Terry ainda vivia em um estado de formalismo entorpecido — impecavelmente vestido, levemente subserviente, nunca se afirmando de forma alguma, pelo menos até onde eu soubesse. Era como se tivesse renunciado a uma parte de si como forma de perseverar. Eu o observava aparar a grama no calor do verão calçando sapatos sociais, usando suspensório e um chapéu de feltro de aba curta, as mangas da camisa arregaçadas com zelo. Ele se permitia fumar exatamente um cigarro por dia e tomar exatamente um coquetel por mês, quando, mesmo assim, não se soltava como o meu pai e a minha mãe depois que tomavam um drinque ou uma cerveja, o que faziam algumas vezes por mês. Parte de mim queria que Terry falasse, que desabafasse os segredos que carregava. Eu imaginava que ele tinha várias histórias interessantes sobre as cidades que visitara e sobre o comportamento dos ricos nos trens, ou talvez não tivesse. Por algum motivo, ele nunca falava.

Eu tinha uns quatro anos quando resolvi aprender a tocar piano. Craig, que estava no primeiro ano, já visitava o andar de baixo para tomar aulas semanais no piano vertical de Robbie e voltava relativamente ileso. Achei que estava pronta. Estava convicta de que, na verdade, já *tinha* aprendido piano por osmose — aquelas horas todas ouvindo as outras crianças tateando canções. A música já estava na minha cabeça. Eu só queria descer e demonstrar à minha exigente tia-avó que eu era uma menina muito talentosa, que não seria preciso esforço algum para me tornar sua melhor aluna.

O piano de Robbie ficava em um quartinho nos fundos da casa, perto da janela que dava para o quintal. Ela deixava um vaso de planta em um canto do cômodo e no outro uma mesa dobrável onde os alunos podiam preencher partituras. Durante as aulas, Robbie se sentava de coluna ereta em uma cadeira estofada de encosto alto, marcando o ritmo com um dedo, a cabeça erguida enquanto ficava atenta a qualquer erro. Eu tinha medo de Robbie? Não exatamente, mas algo nela era amedrontador: ela representava a autoridade rigorosa com que eu ainda não tinha me deparado em nenhum outro lugar. Exigia excelência de todas as crianças que se sentavam ao piano. Eu a enxergava como alguém a conquistar, ou talvez, de alguma forma, a vencer. Com ela, eu sempre sentia que tinha algo a provar.

Na minha primeira aula, minhas pernas pendiam do banco, curtas demais para eu pisar no chão. Robbie me deu um livro de atividades básico, que me fascinou e me mostrou a forma certa de posicionar as mãos sobre as teclas.

"Muito bem, preste atenção", disse ela, me repreendendo antes de sequer começarmos. "Ache o dó central."

Quando você é pequeno, parece que o piano tem mil teclas. Você fica olhando aquela vastidão de preto e branco que se estende muito além do que dois bracinhos podem alcançar. O dó central, logo aprendi, era a âncora, a fronteira entre onde a mão direita e a mão esquerda viajavam, entre a clave de sol e a clave de fá. Se você conseguisse colocar o polegar no dó central, tudo o mais se encaixava automaticamente. As teclas do piano de Robbie tinham uma sutil irregularidade de cor e forma, pontos em que pedacinhos de marfim tinham se quebrado com o tempo, deixando-as como uma série de dentes lascados. Por sorte, faltava um canto inteiro ao dó central, um pedaço mais ou menos do tamanho da minha unha, e eu usava essa falha para me guiar.

No fim das contas, eu gostava de piano. Sentar-me diante dele me parecia uma coisa natural, como algo que eu estava destinada a fazer. Minha família era repleta de músicos e amantes da música, principalmente do lado da minha mãe. Um tio meu tocava em uma banda profissional. Várias das minhas tias cantavam no coro da igreja. Eu tinha Robbie, que além do coro e das aulas dirigia a Operetta Workshop, um programa precário de teatro musical para crianças que Craig e eu frequentávamos todo sábado de manhã no porão da igreja dela. Porém, o centro musical da família era meu avô Shields, o carpinteiro, irmão caçula de Robbie. Era um homem despreocupado, dono de uma barriga redonda, uma risada contagiante e uma barba grisalha e desgrenhada. Quando eu era mais nova, ele morava no West Side de Chicago, e Craig e eu nos referíamos a ele como Westside. Mas ele se mudou para o nosso bairro no ano em que comecei a fazer aulas de piano, e o rebatizamos de Southside.

Southside havia se separado da minha avó décadas antes, quando minha mãe era adolescente. Morava com a minha tia Carolyn, irmã mais velha da minha mãe, e meu tio Steve, irmão caçula dele, a dois quarteirões de nós, em uma casa térrea aconchegante que ele havia preparado para a música de cima a baixo, instalando alto-falantes em todos os cômodos, inclusive no banheiro. Na sala de jantar, fez um móvel complexo para comportar seu equipamento de som, em grande parte montado com peças compradas em vendas de garagem. Tinha duas picapes descombinadas e um toca-fitas de carretel antigo e bambo, além de prateleiras entupidas de discos que havia colecionado ao longo de muitos anos.

Southside desconfiava de muitas coisas. Ele era aquele clássico defensor da teoria da conspiração. Não confiava em dentistas, o que o deixou praticamente sem dentes. Não confiava na polícia, e nem sempre confiava em brancos, pois era neto de uma escrava da Geórgia e passara os primeiros anos de vida no Alabama, na época da segregação, antes de rumar para o norte e chegar a Chicago na década de 1920. Quando teve filhos, Southside fez questão de mantê-los em segurança — assustando-os com histórias verdadeiras e inventadas sobre o que acontecia com crianças negras que entravam no bairro errado, dando-lhes sermões sobre evitar a polícia.

A música parecia ser um antídoto para suas preocupações, uma forma de relaxar e afastá-las. Quando recebia por seu trabalho de carpinteiro, às vezes Southside esbanjava e comprava um álbum novo. Vivia dando festas para a família, forçando todo mundo a falar alto para se fazer ouvir, pois a música sempre dominava o ambiente. Comemoramos a maioria dos principais momentos de nossas vidas na casa de Southside, o que significa que ao longo dos anos desembrulhamos presentes de Natal ao som de Ella Fitzgerald e assopramos velas de aniversário ao som de Coltrane. Segundo minha mãe, quando era mais novo, Southside fazia questão de incutir jazz nos sete filhos, volta e meia acordando todo mundo ao amanhecer quando colocava um de seus discos no volume máximo.

Seu amor à música era contagiante. Depois que Southside se mudou para o nosso bairro, eu passava tardes inteiras na casa dele, puxando álbuns das prateleiras ao acaso e colocando-os no toca-discos, cada um deles uma aventura imersiva. Embora fosse pequena, ele não impunha restrições ao que eu podia ouvir. Southside foi quem me deu meu primeiro disco, *Talking Book*, de Stevie Wonder, que eu deixava na casa dele, em uma prateleira especial que havia separado para meus discos prediletos. Quando eu estava com fome, ele fazia milk-shake ou fritava um frango inteiro enquanto escutávamos Aretha, Miles ou Billie. Para mim, Southside era grandioso como o céu. E o céu, da forma que eu o imaginava, tinha que ser um lugar cheio de jazz.

Em casa, eu continuava me empenhando para progredir como musicista. Sentada diante do piano de Robbie, eu aprendia escalas rapidamente — a coisa da osmose era verdade — e mergulhava de cabeça na leitura das partituras que ela me dava. Como não tínhamos piano, eu tinha de praticar lá embaixo, no dela, esperando até ninguém estar em aula, não raro arrastando minha mãe para que ela se sentasse na cadeira estofada e me escutasse tocar. Aprendia uma canção atrás da outra no livro de partituras. Provavelmente eu não era melhor do que os outros alunos, nem menos desastrada, mas era determinada. Para mim, aprender era algo mágico. Me trazia uma satisfação enorme. Em primeiro lugar, porque havia entendido a simples e instigante correlação entre o tempo que eu praticava e o que conseguia realizar. E também sentia algo em Robbie — um sentimento enterrado fundo demais para ser um deleite categórico, mas ainda assim a pulsação de algo mais leve e mais feliz que emanava dela quando eu chegava ao fim de uma canção sem me atrapalhar, quando minha mão direita captava a melodia e a esquerda tocava um acorde. Percebia de canto de olho: os lábios de Robbie se abriam de leve; o dedo que batia para marcar o tempo saltava um pouquinho mais.

Essa, no fim das contas, foi nossa fase de lua de mel. Talvez Robbie e eu tivéssemos continuado assim, caso eu fosse menos curiosa e mais reverente ao seu método ao piano. Mas o livro de partituras era tão grosso, e meu progresso nas primeiras poucas canções tão lento, que perdi a paciência e comecei a espiar páginas mais adiante — e não poucas páginas, mas muito à frente, lendo os títulos das canções mais avançadas e começando a tocá-las durante as sessões de exercícios. Quando apresentei, toda orgulhosa, uma dessas músicas a Robbie, ela explodiu, repudiando minha façanha com um cruel "Boa *noite!*". Fui repreendida da forma como a ouvira repreender tantos outros alunos. Eu estava apenas tentando aprender mais coisas e mais rápido, porém Robbie considerou minha atitude praticamente um crime de traição. Não se impressionou nem um pouco.

Mas eu também não me deixei subjugar. Era do tipo de criança que gostava de respostas concretas para as perguntas, que gostava de dissecar as coisas até chegar a uma conclusão lógica, mesmo que fosse exaustivo. Eu parecia uma advogada, e com uma propensão a ditadora, algo que meu irmão, que volta e meia eu expulsava da nossa área de recreação compartilhada, pode atestar. Quando achava que tinha uma boa ideia, não gostava que me dissessem não. Foi assim que minha tia-avó e eu acabamos discutindo, as duas furiosas e inflexíveis.

"Como a senhora pode estar com raiva de mim por querer aprender uma canção nova?"

"Você não está pronta. Não é assim que se aprende a tocar piano."
"Mas eu *estou* pronta. Acabei de tocar."
"Não é assim que se faz."
"Mas *por quê*?"

As aulas de piano se tornaram épicas e penosas, em grande parte porque eu me recusava a seguir o método de Robbie e ela se recusava a ver algo de bom na minha abordagem desregrada a seu livro de partituras. Lembro-me de discutirmos toda semana. Eu era teimosa e ela também. Tinha meu ponto de vista e ela o dela. Em meio às discussões, continuei tocando piano, e ela continuou escutando, fazendo infinitas correções. Eu lhe dava pouco crédito pela minha melhora. Ela me dava pouco crédito por melhorar. Mas mesmo assim as aulas continuaram.

Lá em cima, meus pais e Craig achavam tudo muito engraçado. Caíam na gargalhada à mesa de jantar quando eu narrava minhas batalhas com Robbie, ainda fervendo de raiva enquanto comia espaguete com almôndegas. Craig não tinha problemas com Robbie, pois era um garoto alegre e que seguia as regras, além de um aluno de piano pouco interessado. Meus pais não demonstravam compaixão nem pelas minhas desgraças nem pelas de Robbie. Não eram de interferir em questões fora dos estudos, esperando desde cedo que meu irmão e eu cuidássemos das nossas próprias vidas. Pareciam considerar que sua função era basicamente ouvir e nos apoiar conforme necessário dentro das quatro paredes da nossa casa. Outro pai teria repreendido o filho por ser petulante com uma pessoa mais velha, como eu fui, mas eles deixavam passar. Minha mãe vivera com Robbie esporadicamente desde que tinha uns dezesseis anos, seguindo todas as regras enigmáticas que a mulher definia, e é bem possível que estivesse feliz em me ver desafiar a autoridade de Robbie. Hoje em dia olho para trás e acho que meus pais gostavam da minha determinação e fico contente por isso. Era uma chama dentro de mim que eles queriam manter acesa.

Uma vez por ano, Robbie organizava um recital sofisticado para que os alunos se apresentassem para uma plateia. Até hoje não sei como, mas ela dava um jeito de ter acesso a uma sala de ensaios da Universidade Roosevelt no centro de Chicago, realizando seus recitais em um magnífico edifício de pedra na Michigan Avenue, bem ao lado de onde a Orquestra Sinfônica de Chicago se apresentava. Só de pensar em entrar ali eu já ficava nervosa. Nosso apartamento na Euclid Avenue ficava a cerca de quinze quilômetros do Loop, o centro financeiro que, com seus arranha-céus reluzentes e calçadas movimentadas, me parecia outro mundo. Minha família ia ao coração da cidade apenas algumas vezes por ano, para visitar o Instituto de Arte ou assistir a uma peça teatral, nós quatro viajando feito astronautas no carro do meu pai.

Meu pai adorava ter qualquer desculpa para dirigir. Era dedicado ao carro, um Buick Electra 225 cor de bronze com duas portas, ao qual se referia pelo apelido do modelo, "Dois e Vinte e Cinco". O automóvel estava sempre polido e encerado, e meu pai era rigoroso quanto ao calendário de manutenção, levando-o à oficina da Sears para fazer o rodízio dos pneus e trocar o óleo do mesmo jeito que minha mãe nos levava para o pediatra para exames de rotina. Nós também adorávamos o Dois e Vinte e Cinco. As linhas harmoniosas e as lanternas traseiras estreitas davam a ele um visual descolado e futurista. Era tão espaçoso que parecia uma casa. Eu conseguia praticamente ficar de pé dentro dele, passando as mãos no teto revestido de tecido. Como na época usar cinto de segurança não era obrigatório, Craig e eu passávamos boa parte do tempo cochilando no banco de trás ou apoiando o corpo no banco da frente quando queríamos falar com nossos pais. Na metade do tempo eu me levantava junto ao apoio para a cabeça e levava o queixo à frente, para meu rosto ficar lado a lado com o do meu pai e termos a mesma visão.

O carro propiciava outro tipo de proximidade para minha família, a oportunidade de conversar e viajar ao mesmo tempo. À noite, depois do jantar, às vezes Craig e eu suplicávamos para meu pai nos levar num passeio sem rumo. Nas noites de verão ele nos fazia um agrado: íamos a um cinema drive-in a sudoeste do nosso bairro para assistir aos filmes do *Planeta dos macacos*, estacionando o Buick ao anoitecer e nos acomodando, minha mãe distribuindo o frango frito e as batatas chips que levava de casa para jantarmos, Craig e eu com a comida apoiada no colo, sentados no banco de trás e tomando o cuidado de limpar as mãos no guardanapo e não no assento.

Eu ainda levaria muitos anos para entender o que dirigir aquele carro significava para o meu pai. Quando criança, eu apenas percebia a liberdade que ele sentia ao volante, o prazer que tinha ao dirigir com um motor que funcionava bem e pneus perfeitamente equilibrados zunindo sob seus pés. Meu pai tinha trinta e poucos anos quando um médico lhe informou que a fraqueza esquisita que vinha começando a sentir em uma das pernas seria apenas o início de uma longa e provavelmente dolorosa derrocada rumo à imobilidade, que havia chance de que um dia, devido a um misterioso desprendimento de neurônios no cérebro e na medula espinhal, ele ficaria totalmente incapaz de andar. Não sei a data exata, mas a impressão é de que o Buick entrou na vida do meu pai praticamente junto com a esclerose múltipla. E apesar de ele nunca ter dito, o carro lhe deu uma espécie de alívio.

Nem ele nem minha mãe se concentraram no diagnóstico. Isso foi há décadas, época em que ainda não havia o Google e não era possível fazer uma simples pesquisa para ver um rol estonteante de gráficos, estatísticas e explicações médicas que dão ou tiram a esperança. De qualquer forma, duvido que eu fosse querer vê-los. Embora meu pai tenha sido criado na igreja, não teria rezado para que Deus o poupasse. Não teria procurado tratamentos alternativos, um guru ou um gene defeituoso no qual jogar a culpa. Na minha família, temos o velho hábito de ignorar as notícias ruins, de tentar esquecê-las praticamente no instante em que chegam. Ninguém sabia há quanto tempo meu pai se sentia mal quando foi ao médico pela primeira vez, mas meu palpite é de que já fazia meses, se não anos. Ele não gostava de consultas médicas. Não tinha interesse em reclamar. Era o tipo de pessoa que aceitava o que viesse e seguia em frente.

O que sei é que no dia do meu grande recital de piano, ele já mancava de leve, o pé esquerdo incapaz de acompanhar o ritmo do direito. Todas as minhas lembranças do meu pai incluem alguma manifestação dessa deficiência, ainda que nenhum de nós estivesse disposto a chamá-la desse nome na época. O que eu sabia então era que meu pai se movimentava um pouco mais devagar que os outros pais. Às vezes eu o via hesitar antes de subir um lance de escadas, como se precisasse refletir sobre a manobra antes de tentá-la de fato. Quando íamos fazer compras no shopping, ele se acomodava em um banco, satisfeito em ficar de olho nas sacolas ou tirar um cochilo enquanto o resto da família perambulava pelas lojas.

A caminho do centro para o recital, eu estava sentada no banco de trás do Buick usando um belo vestido e sapatos de couro envernizado, o cabelo preso em marias-chiquinhas, suando frio pela primeira vez na vida. Estava apreensiva com a apresentação, apesar de ter praticado minha canção no apartamento de Robbie quase até a morte. Craig também estava de terno e preparado para tocar sua canção. Mas a perspectiva não o incomodava. Na verdade, ele dormia profundamente, desmaiado no banco de trás, a boca aberta, a expressão feliz e despreocupada. Craig era assim. Eu passaria a vida admirando sua serenidade. Àquela altura, ele já jogava em uma liga infantil de basquete com partidas todo fim de semana e parecia ter dominado o nervosismo quanto a apresentações públicas.

Meu pai sempre escolhia o estacionamento mais próximo possível do nosso destino, pagando mais pela vaga para reduzir a distância que precisaria andar com suas pernas instáveis. Naquele dia, não tivemos problema para achar a Universidade Roosevelt, e fomos até o que parecia um salão enorme e ecoante onde aconteceria o recital. Eu me senti minúscula ali. O salão tinha janelas elegantes do chão ao teto, que davam para o gramado amplo de Grant Park e, mais adiante, para as ondas brancas do lago Michigan. Havia cadeiras cinza-chumbo arrumadas em fileiras que aos poucos eram ocupadas por crianças nervosas e pais ansiosos. E na frente, no palco elevado, estavam os dois primeiros pianos de meia cauda que vi na vida, os gigantescos tampos de madeira de lei abertos como asas de melros. Robbie também estava lá, irrequieta em um vestido floral, como se fosse a bela do baile — uma bela meio matrona, é verdade —, se certificando se todos os alunos haviam chegado com a partitura na mão. Ela pediu silêncio ao salão quando estava na hora do show começar.

Não lembro a ordem em que tocamos naquele dia. Só sei que, na minha vez, me levantei da cadeira e caminhei com a minha melhor postura até a frente do salão, subi os degraus e tomei meu assento diante de um dos reluzentes pianos de meia cauda. A verdade é que estava pronta. Embora achasse Robbie ríspida e inflexível, eu tinha internalizado sua dedicação ao rigor. Sabia minha música tão bem que mal tive que pensar nela. Simplesmente comecei a movimentar as mãos.

E no entanto havia um problema, que descobri na fração de segundo em que levei meus dedinhos às teclas. Eu estava sentada diante de um piano perfeito, com superfícies espanadas com cuidado, as cordas internas afinadas com precisão, as 88 teclas dispostas em uma faixa impecável de preto e branco. A questão é que eu não estava acostumada com o impecável. Na verdade, nunca o tinha visto na vida. Toda a minha experiência com piano vinha da salinha de música de Robbie, com seu vaso de planta desalinhado e com vista para o nosso modesto quintal. O único instrumento que havia tocado era seu vertical nada perfeito, com suas teclas amareladas e o conveniente dó central lascado. Para mim, um piano era desse jeito — assim como meu bairro era meu bairro, meu pai era meu pai, minha vida era minha vida. O piano de Robbie era o único que eu conhecia.

De repente, naquele momento me conscientizei de que as pessoas me observavam enquanto eu olhava fixo para o brilho das teclas do piano, achando todas iguais. Não fazia ideia de onde pôr as mãos. Com a garganta apertada e o coração disparado, olhei para a plateia, tentando não transparecer meu pânico, buscando o rosto da minha mãe — meu porto seguro ali. O que vi foi um vulto se levantando da primeira fila e se aproximando de mim lentamente. Era Robbie. Àquela altura já tínhamos brigado à beça, tanto que eu meio que a enxergava como uma inimiga. Mas ali, no momento em que a repreensão era merecida, ela se aproximou do meu ombro como um anjo. Talvez entendesse meu choque. Talvez soubesse que as disparidades do mundo tinham acabado de se apresentar silenciosamente a mim pela primeira vez. Talvez ela apenas precisasse apressar as coisas. De qualquer forma, sem dar uma palavra, Robbie pôs o dedo no dó central para que eu soubesse de onde começar. Em seguida, virou-se para trás com um leve sorriso de incentivo e me deixou sozinha para tocar.

2

Comecei o jardim de infância na Escola Primária Bryn Mawr no outono de 1969, me apresentando com duas vantagens iniciais: já sabia ler palavras básicas e tinha um irmão popular no segundo ano. A escola, um edifício de tijolos de quatro andares com um pátio na frente, ficava a poucos quarteirões da nossa casa na Euclid Avenue. A distância era uma caminhada de dois minutos ou, ao estilo de Craig, uma corrida de um minuto.

Gostei da escola logo de cara. Gostei da professora, uma senhora branca e pequenina chamada sra. Burroughs, que me parecia uma anciã, mas devia ter uns cinquenta anos. Sua sala de aula tinha janelas amplas ensolaradas, uma coleção de bonecas e uma casinha de papelão gigantesca nos fundos. Fiz amizades na minha turma, atraída pelas crianças que, assim como eu, pareciam loucas para estar ali. Eu confiava na minha capacidade de ler. Em casa, devorei os livros da coleção infantil Dick and Jane, graças ao cartão da biblioteca da minha mãe, portanto vibrei ao saber que nossa primeira tarefa como alunos do jardim de infância seria aprender a ler conjuntos de palavras à primeira vista. Recebemos uma lista de cores para estudar, não os tons, mas as próprias palavras — "vermelho", "azul", "verde", "preto", "laranja", "roxo", "branco". Em aula, a sra. Burroughs testava um aluno de cada vez, exibindo uma série de cartões grandes de papel pardo e nos pedindo para ler a palavra impressa em letras pretas. Fiquei observando as meninas e os meninos que eu estava conhecendo. Eles se levantavam e enfrentavam os cartões, se saindo bem ou mal em diferentes graus. Quando se atrapalhavam recebiam a ordem de se sentar. Acho que era para ser uma espécie de jogo, quase como um jogo de soletrar, mas dava para ver uma triagem sutil acontecendo e uma dose intencional de humilhação nas crianças que não passavam do "vermelho". Estávamos em 1969, em uma escola pública no South Side de Chicago. Ninguém falava de autoestima ou mentalidade de crescimento. Se você vinha de casa com uma vantagem inicial, era recompensado na escola, considerado "inteligente" ou "talentoso", o que por sua vez só aumentava sua autoconfiança. E essas vantagens se acumulavam rapidamente. As duas crianças mais inteligentes da minha turma eram Teddy, um menino de ascendência coreana, e Chiaka, uma afro-americana. E eles continuariam sendo os melhores da classe por anos a fio.

Eu estava decidida a não ficar atrás deles. Quando chegou minha vez de ler as palavras, me levantei e dei tudo de mim, recitando "vermelho", "verde" e "azul" sem dificuldade. Em seguida, levei um instante no "roxo". O "laranja" foi difícil. Mas só quando as letras B-R-A-N-C-O apareceram foi que gelei — minha garganta secou na hora, minha boca não se mexia, incapaz de emitir qualquer som enquanto meu cérebro entrava em pane, tentando desenterrar a cor. Foi um apagão total. Senti os joelhos bambearem, como se fossem dobrar. Mas, antes disso, a sra. Burroughs ordenou que eu me sentasse. E foi exatamente nessa hora que a palavra me veio em toda sua perfeição natural. *Branco. Braaaanco.* A palavra era "branco".

Naquela noite, deitada na cama com os bichinhos de pelúcia em torno da cabeça, eu só pensava em "branco". Soletrei a palavra na minha cabeça, de trás para a frente e de frente para trás, me repreendendo pela minha burrice. O constrangimento parecia um peso, algo do qual nunca conseguiria me livrar, embora soubesse que para os meus pais não importava se eu tinha lido todos os cartões da forma certa. Eu só queria conseguir. Ou talvez não quisesse ser vista como incapaz de conseguir. Tinha certeza de que a professora passou a me enxergar como alguém que não sabia ler ou, pior, que nem tentava. Eu tinha ficado obcecada pelas estrelinhas douradas que a sra. Burroughs tinha dado a Teddy e Chiaka naquele dia, para que usassem no peito como um emblema de sua realização, ou talvez como um sinal de que estavam destinados à grandeza, ao contrário dos outros — afinal, os dois tinham lido todas as cores sem vacilar.

Na manhã seguinte, pedi uma revanche.

Quando a sra. Burroughs disse não, acrescentando com satisfação que nós do jardim de infância tínhamos outras coisas para fazer, eu exigi.

Coitadas das crianças que tiveram de me ver encarando os cartões coloridos novamente, dessa vez mais devagar, fazendo pausas propositais para respirar depois de pronunciar cada palavra, me recusando a deixar meus nervos criarem um curto-circuito no cérebro. E funcionou com "preto", "laranja", "roxo" e principalmente "branco". Aliás, eu praticamente berrei a palavra "branco" antes mesmo de olhar as letras no cartão. Hoje gosto de imaginar que a sra. Burroughs ficou impressionada com aquela menininha negra que tivera coragem de se defender. Não sabia se Teddy e Chiaka tinham sequer percebido. Fui logo reivindicando meu troféu, e naquela tarde voltei para casa de cabeça erguida, com uma daquelas estrelinhas de papel dourado grudada na blusa.

Em casa, eu vivia em um universo de muito conflito emocional e intriga, mergulhando numa novela eterna interpretada pelas minhas bonecas. Havia nascimentos, brigas e traições. Havia esperança, ódio e de vez em quando até sexo. Minha maneira predileta de passar o tempo entre a escola e o jantar era me apossar da área comum ao meu quarto e ao de Craig e espalhar minhas Barbies pelo chão, elaborando situações que me pareciam tão reais quanto a vida, às vezes incluindo os bonecos do Comandos em Ação de Craig no enredo. Guardava as roupas das minhas bonecas em uma pequena mala de vinil com estampa floral. Dei a cada Barbie e Comandos em Ação uma personalidade. Também recrutei os serviços dos blocos de alfabeto que minha mãe tinha usado anos antes para nos ensinar as letras. Eles também ganharam nomes e vida interior.

Eu quase nunca saía para brincar com as crianças da vizinhança depois da escola, tampouco convidava os amigos da escola para irem a minha casa, em parte porque era uma criança meticulosa e não queria ninguém mexendo nas minhas bonecas. Já tinha ido à casa de outras meninas e visto cenas dignas de um show de horrores — Barbies com o cabelo arrancado ou o rosto pintado com marcadores de texto. Além disso, na escola eu estava aprendendo que a dinâmica entre crianças podia ser complicada. Por mais cenas bonitas que você possa testemunhar no pátio do recreio, ali existe uma tirania de hierarquias e alianças que vivem mudando. Havia as abelhas-rainhas, os bullies e os seguidores. Eu não era tímida, mas também não tinha certeza se precisava dessa bagunça toda na minha vida fora da escola. Por isso procurei ser a única força vital do pequeno universo que havia criado na área comum à frente dos quartos. Se Craig aparecia e tinha a audácia de mudar um bloco de lugar, eu gritava. Às vezes, quando necessário, até batia nele — em geral, um soco direto no meio das costas. O fato era que as bonecas e os blocos precisavam de mim para ganhar vida, e era o que eu fazia, impondo-lhes uma crise pessoal atrás da outra. Como qualquer boa deidade, eu estava ali para vê-los sofrer e crescer.

Enquanto isso, da janela do meu quarto, eu observava a maioria dos acontecimentos da vida real no nosso quarteirão da Euclid Avenue. Nos finais de tarde, via o sr. Thompson, o afro-americano alto que era dono do edifício de três apartamentos do outro lado da rua, enfiar o enorme baixo elétrico no porta-malas do Cadillac e partir para uma apresentação em algum clube de jazz. Via os Mendoza, a família mexicana da porta ao lado, chegarem em casa com a caminhonete cheia de escadas depois de passarem o dia pintando casas. Seus cães corriam até a cerca para saudá-los com latidos.

Morávamos em um bairro de classe média com pessoas de todas as etnias. As crianças se juntavam não baseadas na cor da pele, mas em quem estava lá fora, pronto para brincar. Entre minhas amigas estavam uma menina chamada Rachel, cuja mãe era branca e tinha sotaque britânico; Susie, uma ruiva de cabelo cacheado; e a neta dos Mendoza, sempre que ela os visitava. A vizinhança era uma mescla heterogênea de sobrenomes — Kansopant, Abuasef, Yacker, Robinson — e éramos muito novos para entender que as coisas ao nosso redor mudavam depressa. Em 1950, quinze anos antes de meus pais se mudarem para South Shore, o bairro era 96% branco. Quando saí de lá e fui para a faculdade, em 1981, era 96% negro.

Craig e eu fomos criados no meio-tempo dessa mudança. Nos quarteirões que nos cercavam moravam famílias judias, famílias imigrantes, famílias brancas e negras, pessoas que prosperavam e pessoas que não prosperavam. Em geral, as pessoas cuidavam de seus gramados e ficavam de olho nos filhos. Entregavam cheques a Robbie para que suas crianças aprendessem a tocar piano. Minha família provavelmente era do lado mais pobre na escala da vizinhança. Enfurnados no segundo andar da casa de Robbie e Terry, estávamos entre as poucas famílias que não eram donas da própria casa. O South Shore ainda não tinha mudado como outros bairros — com as pessoas em melhor situação partindo para os subúrbios, os comércios de bairro fechando um por um, a decadência começando a aparecer —, mas era nítido que a virada estava dando seus primeiros passos.

Começávamos a sentir os efeitos dessa transição, principalmente na escola. Minha turma de segundo ano se revelou um caos, com crianças rebeldes e borrachas voando para todos os lados, o que até então não tinha sido a regra, nem na minha experiência nem na de Craig. A impressão era de que a professora não sabia impor o controle — aliás, parecia nem gostar de crianças. Além disso, ninguém parecia se importar com o fato de que a professora era incompetente. Os alunos usavam isso como desculpa para extravasar, e ela parecia só pensar coisas horríveis de nós. Aos olhos dela, éramos uma turma de "crianças ruins", embora não tivéssemos nenhuma orientação e nenhuma estrutura, e tivéssemos sido sentenciados a ficar numa sala sinistra e mal iluminada no porão da escola. As horas pareciam longas e infernais. Eu ficava lá, infeliz, sentada na cadeira verde-vômito diante da minha carteira — verde-vômito foi a cor oficial dos anos 1970 —, sem aprender nada e esperando o intervalo do almoço ao meio-dia, quando podia ir para casa, comer um sanduíche e reclamar com a minha mãe.

Quando eu ficava zangada, quase sempre canalizava a raiva para a minha mãe. Eu reclamava da nova professora, e ela escutava tranquilamente e dizia coisas como "Ah, nossa" e "É mesmo?". Nunca cedia à minha indignação, mas levava minha frustração a sério. Se minha mãe fosse uma pessoa diferente, talvez tivesse a cortesia de sugerir "Vai lá e dá o melhor de si". Mas ela entendia a diferença. Entendia a diferença entre reclamar à toa e uma angústia genuína. Sem me dizer, ela foi à escola e começou a pressão nos bastidores, num processo que durou semanas. Com isso, eu e mais algumas outras crianças de alto desempenho fomos discretamente tiradas da turma, fizemos uma bateria de testes e cerca de uma semana depois fomos reinstaladas de forma permanente numa turma de terceiro ano iluminada e organizada no andar de cima, com uma professora sorridente e eficiente que sabia o que estava fazendo.

Foi uma medida trivial mas que mudou minha vida. Na época, não me perguntei o que aconteceria com todas as crianças largadas no porão com a professora que não sabia lecionar. Agora que sou adulta, porém, percebo que ainda novas as crianças sabem quando estão sendo desvalorizadas, quando os adultos não têm interesse em ajudá-las a aprender. A raiva que sentem disso pode se manifestar na forma de rebeldia. Não é culpa delas. Não são "crianças ruins". Estão apenas tentando sobreviver a circunstâncias ruins. Na época, só fiquei feliz de ter escapado. Descobriria muitos anos depois que minha mãe, por natureza uma pessoa perspicaz e reservada, mas geralmente a mais franca, fez questão de procurar a professora do segundo ano e lhe dizer, da maneira mais delicada possível, que ela não tinha que estar lecionando, e sim trabalhando como caixa de farmácia.

Com o passar do tempo, minha mãe começou a me fazer sair de casa para interagir com as outras crianças do bairro. Queria que eu aprendesse a me socializar como meu irmão. Craig, como já mencionei, conseguia fazer com que coisas difíceis parecessem fáceis. Na época já era uma sensação na quadra de basquete, um garoto animado, ágil e que ganhava estatura rapidamente. Meu pai o incentivou a procurar os adversários mais difíceis que conseguisse achar — tempos depois, faria Craig cruzar a cidade sozinho para jogar com os melhores garotos da cidade. Mas, por enquanto, deixava meu irmão jogar contra os talentos do bairro. Craig pegava sua bola e atravessava a rua até o Rosenblum Park, passando pelos trepa-trepas e balanços onde eu gostava de brincar, e depois cruzava uma linha invisível, desaparecendo em meio a um arvoredo na ponta oposta do parque, onde ficavam as quadras de basquete. Eu imaginava um abismo ali, uma mítica floresta escura repleta de bêbados, bandidos e atividades criminais, mas, depois que começou a ir jogar naquelas quadras, Craig me esclareceu que ninguém lá era tão ruim assim.

Para o meu irmão, o basquete parecia abrir todas as portas. O esporte o ensinou a abordar desconhecidos, quando queria jogar uma partida improvisada. Aprendeu uma forma amistosa de intimidar seus adversários maiores e mais rápidos em quadra. Também o ajudou a derrubar vários mitos sobre quem era quem no bairro, reforçando a ideia de que a maioria das pessoas era boa se fosse bem tratada — algo em que meu pai acreditava desde sempre. Até os caras esquisitos que ficavam na frente da loja de bebidas se alegravam ao ver Craig, chamando-o e o cumprimentando quando ele passava.

"Como é que você conhece esses caras?", perguntava eu, incrédula.

"Sei lá. Eles simplesmente sabem quem eu sou", respondia ele, dando de ombros.

Eu tinha dez anos quando finalmente amadureci o bastante para começar a me aventurar, uma decisão instigada em grande parte pelo tédio. Era verão e eu estava de férias. Todos os dias, Craig e eu pegávamos o ônibus até o lago Michigan para ir à colônia de recreação administrada pela prefeitura em um parque de frente para a praia, mas tínhamos de voltar às quatro da tarde, quando ainda restavam muitas horas de sol no dia. Minhas bonecas estavam se tornando menos interessantes, e, sem ar-condicionado, o nosso apartamento ficava insuportavelmente quente no fim da tarde. E foi assim que comecei a seguir Craig pelo bairro, conhecendo as crianças que ainda não conhecia da escola. Atravessando a viela atrás da nossa casa havia um miniconjunto habitacional chamado Euclid Parkway, com cerca de quinze casas construídas em torno de uma área verde compartilhada. Era um paraíso, livre de carros e cheio de crianças jogando softball, pulando corda ou simplesmente sentadas nos bancos, batendo papo. Mas antes de chegar ao grupo de meninas da minha idade, precisei encarar um teste. E o teste veio na forma de DeeDee, uma menina que frequentava uma escola católica ali perto. DeeDee era atlética e linda, mas vivia de cara feia e revirava os olhos por qualquer coisa. Ela costumava ficar sentada nos degraus da entrada da sua casa ao lado de outra menina, mais popular, chamada Deneen.

Deneen era sempre simpática, mas DeeDee parecia não gostar de mim. Eu não sabia o motivo. Sempre que eu ia a Euclid Parkway, ela fazia comentários sarcásticos em voz baixa, como se só de aparecer eu já tivesse estragado o dia de todo mundo. Ao longo daquele verão, DeeDee começou a fazer os comentários em voz cada vez mais alta. Comecei a desanimar. Eu sabia que tinha alternativas. Podia continuar sendo a novata perseguida, podia desistir do Parkway e voltar para os meus brinquedos em casa, ou podia tentar ganhar o respeito de DeeDee. E dentro da última opção havia outra: podia tentar argumentar com DeeDee, conquistá-la com palavras ou com algum outro tipo de diplomacia infantil, ou podia simplesmente calá-la.

Quando DeeDee voltou a fazer um de seus comentários, avancei nela, invocando tudo o que meu pai tinha me ensinado sobre como dar um soco. Caímos no chão, os punhos descontrolados e as pernas agitadas, todas as crianças do Euclid Parkway de repente formaram um círculo apertado ao nosso redor, seus gritos alimentados pela empolgação e pela sede de sangue da escola primária. Não lembro quem nos separou, se foi Deneen, meu irmão ou talvez um pai chamado a ajudar, mas, quando acabou, uma espécie de batismo silencioso havia acontecido. Fui oficialmente aceita como membro da tribo do bairro. DeeDee e eu saímos ilesas, sujas de terra, arfando e destinadas a jamais sermos amigas íntimas, mas pelo menos ganhei seu respeito.

O Buick do meu pai continuou sendo nosso abrigo, nossa janela para o mundo. Passeávamos nele aos domingos e nas noites de verão, circulando sem destino pela cidade, só porque podíamos. Às vezes íamos até um bairro ao sul, uma região conhecida como Pill Hill — a Colina dos Comprimidos —, devido ao número aparentemente grande de médicos afro-americanos que moravam lá. Era uma das partes mais bonitas e prósperas do South Side, onde as pessoas tinham dois carros na garagem e vários canteiros de flores junto às calçadas.

Meu pai via os ricos com certa desconfiança. Não gostava de gente presunçosa e tinha um pé atrás com bens imobiliários de modo geral. Por um breve período, ele e minha mãe pensaram em comprar uma casa que ficava não muito longe da de Robbie. Certo dia, foram visitar o lugar com um corretor, mas acabaram desistindo. Na época, eu era totalmente a favor. Na minha cabeça, achava que o fato de a minha família morar em um lugar com mais de um andar significaria alguma coisa. Mas meu pai era cauteloso por natureza, atento às vantagens e desvantagens de comprar um imóvel, e achava necessário ter economias para o caso de emergências. "Você não vai querer ficar sem dinheiro por ter comprado uma casa", dizia ele, explicando que certas pessoas entregavam suas economias e pegavam empréstimos muito altos. Tornavam-se donos de uma casa legal mas não tinham liberdade alguma.

Meus pais conversavam conosco como se fôssemos adultos. Não davam aulas, mas se entregavam a todas as perguntas que fazíamos, por mais boba que fosse. Nunca apressavam uma discussão só porque era conveniente. Nossas conversas podiam durar horas, em geral porque Craig e eu aproveitávamos todas as oportunidades de interrogar nossos pais sobre coisas que não entendíamos. Quando pequenos, perguntávamos: "Por que as pessoas vão ao banheiro?" ou "Por que você precisa ter emprego?", e depois os bombardeávamos com questões complementares. Uma das minhas primeiras vitórias socráticas veio de uma pergunta que fiz por interesse próprio: "Por que a gente precisa comer ovo no café da manhã?". Isso gerou uma discussão sobre a necessidade de proteína, o que me levou a perguntar por que creme de amendoim não poderia contar como proteína. Continuamos argumentando, até que, por fim, minha mãe acabou revendo sua opinião sobre ovos, que eu nunca gostei de comer. Nos nove anos seguintes, ciente de que aquilo era uma conquista minha, eu preparava um enorme sanduíche de creme de amendoim e geleia todas as manhãs e não comia um ovinho sequer.

Conforme crescemos, passamos a falar mais de drogas, sexo e escolhas de vida, de cor da pele, desigualdade e política. Meus pais não esperavam que fôssemos santos. Eu me lembro de meu pai fazendo questão de dizer que sexo era e deveria ser divertido. Também nunca douravam a pílula quanto ao que acreditavam ser as verdades mais duras da vida. Teve um verão em que Craig ganhou uma bicicleta nova e pedalou até o lago Michigan, até a trilha pavimentada à beira da Rainbow Beach, onde dava para sentir a brisa vinda da água. Foi logo parado por um policial que o acusou de roubá-la, incapaz de aceitar que um jovem negro conseguira uma bicicleta nova de um jeito honesto. (O policial, ele mesmo um homem afro-americano, tomou uma bronca homérica da minha mãe, que o obrigou a pedir desculpas a Craig.) Depois de tudo meus pais nos disseram que aquilo que tinha acontecido era injusto, mas, infelizmente, também era comum. A cor da nossa pele nos tornava vulneráveis. Era algo com que sempre precisaríamos lidar.

Acho que o costume que meu pai tinha de nos levar a Pill Hill era meio que um exercício de ambição, uma chance de nos mostrar o que a boa educação podia propiciar. Meus pais tinham morado quase a vida inteira num raio de alguns quilômetros quadrados dentro de Chicago, mas não se iludiam de pensar que Craig e eu faríamos a mesma coisa. Antes de se casarem, ambos tinham frequentado faculdades técnicas por um curto período, mas abandonaram os estudos bem antes de obterem o diploma. Minha mãe estudava para ser professora, mas se deu conta de que preferia trabalhar como secretária. Meu pai simplesmente ficou sem dinheiro para pagar a mensalidade, então se alistou no Exército. Não havia ninguém na família que o convencesse a voltar à faculdade, ele não tinha nenhum exemplo de como era essa vida. Então, por dois anos, serviu em diversas bases militares. Terminar a faculdade e virar artista pode até ter sido um sonho do meu pai, mas ele logo redirecionou suas esperanças e usava o salário para ajudar a pagar a faculdade de arquitetura de seu irmão caçula.

Então com quase quarenta anos, meu pai se concentrava em economizar para os filhos. Nossa família jamais gastaria o dinheiro todo em uma casa, pois não teríamos uma casa própria. Meu pai era uma pessoa prática, sentia que os recursos eram limitados e talvez o tempo também fosse. Quando não estava dirigindo, usava uma bengala para andar. Antes de eu terminar a escola primária, a bengala se tornaria uma muleta e, pouco depois, um par de muletas. Meu pai enxergava aquilo que o corroía por dentro — debilitando seus músculos e acabando com sua força — como um desafio pessoal, algo que devia aguentar calado.

Levávamos uma vida de pouco luxo. Quando Craig e eu recebíamos o boletim da escola, nossos pais comemoravam pedindo pizza no Italian Fiesta, nosso restaurante preferido. No calor, comprávamos sorvete — meio litro de chocolate, meio de noz-pecã e meio de cereja — e fazíamos com que durasse dias. Todo ano, quando íamos ao Air and Water Show, preparávamos um piquenique e seguíamos rumo ao norte, margeando o lago Michigan, até a península cercada onde ficava a estação de tratamento de água onde meu pai trabalhava. Era uma das poucas vezes do ano em que as famílias dos funcionários podiam atravessar os portões e ocupar o gramado com vista para o lago, de onde a visão dos aviões de caça em formação acima da água era tão bonita quanto a de qualquer cobertura no Lake Shore Drive.

Todo mês de julho, meu pai tirava uma semana de férias das caldeiras da estação de tratamento de água e nos apertávamos no Buick com uma tia e alguns primos. Eram sete pessoas naquele duas portas por horas a fio, saindo de Chicago pela ponte Skyway, margeando o sul do lago Michigan e seguindo até White Cloud, Michigan, em um lugar chamado Dukes Happy Holiday Resort. Tinha uma sala de brinquedos, uma máquina que vendia refrigerantes em garrafas de vidro e, o mais importante para nós, uma enorme piscina ao ar livre. Alugávamos uma cabana com quitinete e passávamos os dias pulando na água.

Meus pais faziam churrasco, fumavam cigarro e jogavam carta com a minha tia, mas meu pai também passava um bom tempo brincando com as crianças na piscina. Meu pai era lindo, tinha um bigode que descia pelos cantos dos lábios como uma foice. O peito e os braços eram robustos e musculosos, prova do atleta que havia sido. Durante aquelas longas tardes na piscina, ele nadava, ria e atirava nossos corpinhos no ar, suas pernas fracas de repente menos deficientes.

* * *

A decadência pode ser algo difícil de mensurar, sobretudo quando participamos dela. Todo mês de setembro, quando Craig e eu voltávamos à Bryn Mawr para o começo de mais um ano letivo, víamos menos crianças brancas no pátio. Algumas haviam sido transferidas para uma escola católica dos arredores, mas muitas tinham ido embora do bairro. No início, parecia que só as famílias brancas estavam saindo, mas isso também mudou. Em pouco tempo parecia que todos os que tinham recursos para ir embora estavam indo. Na maioria das vezes, ninguém avisava que estava partindo nem explicava a decisão. Apenas víamos uma placa de "Vende-se" na frente da casa da família Yacker ou um caminhão de mudança na frente da casa de Teddy e entendíamos o que estava acontecendo.

Para minha mãe, talvez o maior baque tenha sido quando sua amiga Velma Stewart avisou que ela e o marido tinham dado entrada numa casa em um bairro chamado Park Forest, no subúrbio. Os Stewart tinham dois filhos e moravam no nosso quarteirão, na Euclid Avenue. Moravam num apartamento, assim como nós. A sra. Stewart tinha um senso de humor ferino e uma gargalhada contagiante, que cativou minha mãe. As duas trocavam receitas e sempre se falavam, mas nunca se metiam na rede de fofocas do bairro, como as outras mães. O filho da sra. Stewart, Donny, tinha a mesma idade que Craig, e era tão atlético quanto meu irmão, e os dois criaram um vínculo imediato. A filha, Pamela, já era adolescente e não tinha muito interesse em mim, embora eu achasse todos os adolescentes fascinantes. Não me lembro direito do sr. Stewart, a não ser pelo fato de que dirigia a caminhonete de entregas de uma das maiores panificadoras da cidade e de que ele e a esposa eram os negros de pele mais clara que eu já tinha visto.

Eu não fazia ideia de como tinham conseguido bancar uma casa no subúrbio. Park Forest foi uma das primeiras comunidades totalmente planejadas dos Estados Unidos — não era apenas um loteamento habitacional, mas um povoado completo, projetado para cerca de 30 mil pessoas, com shoppings, igrejas, escolas e parques. Fundado em 1948, era para ser, sob diversos aspectos, o modelo perfeito da vida no subúrbio, com casas produzidas em massa e quintais padronizados. O lugar tinha uma cota para a quantidade máxima de famílias negras por quarteirão, mas quando os Stewart se mudaram para lá, aparentemente elas já haviam sido abolidas.

Pouco depois de se mudarem, os Stewart nos convidaram para visitá-los num dia de folga do meu pai. Ficamos animados. Para nós, seria um novo tipo de passeio, uma oportunidade de vislumbrar os lendários subúrbios. Nós quatro entramos no Buick e pegamos a via expressa para o sul, seguindo a estrada que deixa Chicago e pegando uma saída cerca de quarenta minutos mais tarde, na altura de um shopping center aparentemente sem vida. Seguindo as instruções da sra. Stewart, pouco depois já estávamos atravessando uma rede de ruas sossegadas, entrando e saindo de quarteirões quase idênticos. Park Forest era como uma cidade em miniatura com casas iguais — espaços modestos ao estilo fazenda com telhados cinza e árvores e arbustos recém--plantados na entrada.

"Mas como é que alguém tem vontade de morar aqui?", indagou meu pai, observando tudo por cima do painel. Concordei que não fazia sentido. Pelo que eu estava vendo, não havia árvores grandes como o imenso carvalho que eu via da janela do meu quarto. Tudo em Park Forest era novo, amplo e vazio. Não havia loja de bebidas na esquina com caras mal-humorados sentados na frente. Não havia buzinas de carros nem sirenes. Não havia música saindo da cozinha de ninguém. Parecia que todas as janelas estavam fechadas.

Na lembrança de Craig, a visita foi incrível, já que ele passou o dia jogando bola ao ar livre e sob o céu azul com Donny Stewart e seus novos amigos do subúrbio. Meus pais bateram um papo agradável com o sr. e a sra. Stewart, e eu seguia Pamela pela casa, boquiaberta com seu cabelo, sua pele clara e suas bijuterias de adolescente. Almoçamos lá.

Quando nos despedimos, já era fim de tarde. Caminhamos até o Buick. Craig estava suado, exausto de tanto correr. Eu também estava cansada e louca para ir para casa. Algo naquele lugar tinha me dado nos nervos. Eu não era fã do subúrbio, mas não saberia explicar exatamente por quê.

Mais tarde, minha mãe faria um comentário sobre os Stewart e sobre sua nova comunidade. Pensando no fato de que quase todos os vizinhos da rua pareciam ser brancos, ela disse:

"Será que alguém sabia que eles são uma família negra antes da nossa visita?"

Ela imaginou que talvez, sem saber, tivéssemos exposto os Stewart, chegando do South Side com um presente para a casa nova e ostentando nossa pele inegavelmente negra. Ainda que os Stewart não tentassem esconder sua cor, era provável que não tocassem no assunto com os vizinhos. Até nossa visita, eles não tinham perturbado abertamente o clima daquele quarteirão, qualquer que fosse ele.

Será que alguém estava observando pela janela quando meu pai se aproximou do nosso carro naquela noite? Será que havia alguém atrás de uma cortina, esperando para ver o que aconteceria? Jamais saberei. Só me lembro de como meu pai ficou meio tenso quando foi abrir a porta do motorista e viu o que havia acontecido. Alguém tinha feito um arranhão na lateral de seu amado Buick, um corte fino e feio que percorria a porta e ia até a parte traseira do carro. Fora feito com uma chave ou uma pedra e certamente não era acidental.

Já falei que meu pai era um homem que nunca reclamava das coisas, fossem elas pequenas ou grandes, que comia fígado com um sorriso no rosto quando era o que lhe serviam, que recebeu de um médico o equivalente a uma pena de morte e seguiu em frente. Com a história do carro não seria diferente. Mesmo que houvesse uma forma de brigar ou alguém com quem pudesse falar, meu pai não teria feito isso.

"Meu Deus do céu", disse ele antes de destrancar a porta.

Naquela noite, voltamos para a cidade sem conversar muito sobre o que havia acontecido. Talvez fosse exaustivo demais analisar aquilo. Em todo caso, o subúrbio já era passado para nós. Meu pai provavelmente foi com o carro daquele jeito para o trabalho no dia seguinte, e tenho certeza de que isso não lhe desceu bem. Mas o arranhão na pintura não durou muito. Assim que pôde, levou o carro à oficina da Sears e mandou apagarem o risco.

3

Em algum momento, meu irmão, geralmente tranquilo, começou a ficar preocupado. Não sei exatamente quando isso surgiu ou por que aconteceu, mas o fato era que Craig — o menino que cumprimentava o bairro inteiro, que cochilava despreocupado sempre que tinha dez minutos onde quer que estivesse — foi ficando mais inquieto e alerta em casa, convicto de que uma catástrofe estava prestes a acontecer. Nos fins de tarde no nosso apartamento, ele se preparava para qualquer acontecimento, mergulhando em hipóteses que o resto da família achava bizarras. Preocupado com a possibilidade de ficar cego, ele passou a usar uma venda em casa para aprender a circular pela sala de estar e pela cozinha usando o tato. Preocupado com a possibilidade de ficar surdo, começou a aprender sozinho a língua de sinais. Acho que Craig também temia uma amputação, o que o levou a fazer várias refeições e deveres de casa com o braço direito amarrado às costas. Porque nunca se sabe.

O maior medo de Craig, porém, provavelmente também era o mais realista — o de fogo. Incêndios em casas eram algo comum em Chicago, em parte porque os senhorios deixavam os imóveis caírem aos pedaços e ficavam mais do que felizes em receber o seguro quando o fogo se alastrava, e em parte porque os detectores de fumaça eram dispositivos relativamente novos e ainda caros para o bolso da classe trabalhadora. Em todo caso, na estreita malha urbana da nossa cidade, incêndios eram quase uma realidade da vida, um destruidor aleatório, mas persistente, de casas e corações. Meu avô Southside havia se mudado para o nosso bairro depois que um incêndio destruiu sua velha casa no West Side, mas por sorte ninguém se feriu. (Segundo minha mãe, Southside ficou parado no meio-fio diante da casa em chamas, berrando para que os bombeiros mirassem as mangueiras para longe de seus preciosos álbuns de jazz.) Tempos depois, aconteceu uma tragédia quase grande demais para minha cabeça ainda jovem compreender: um dos meus colegas de turma do quinto ano — um menino de rosto meigo e um longo cabelo afro chamado Lester McCullom, que morava numa casa perto de nós, na rua 74 — havia morrido em um incêndio que também matou seu irmão e sua irmã, os três encurralados pelas chamas nos quartos do segundo andar.

Foi o primeiro velório a que compareci na vida: todas as crianças do bairro chorando numa casa funerária enquanto um álbum do Jackson 5 tocava baixinho ao fundo; os adultos calados, em estado de choque. Não havia oração ou conversa fiada capaz de preencher o vazio. Havia três caixões fechados na sala, cada um com uma fotografia emoldurada de uma criança sorridente sobre a tampa. A sra. McCullom, que sobreviveu junto com o marido pulando da janela, estava sentada diante deles, tão curvada e abatida que doía só de olhar para ela.

Por dias a fio, o esqueleto da casa queimada dos McCullom continuou chiando e desmoronando, morrendo muito mais devagar do que seus jovens ocupantes. O cheiro de fumaça pairava no bairro.

Conforme o tempo foi passando, Craig foi ficando mais ansioso. Na escola, fazíamos exercícios de evacuação liderados pelos professores, suportando com obediência aulas sobre como parar, abaixar e rolar. Como resultado, Craig decidiu que precisávamos deixar a casa mais segura. Ele se elegeu o chefe da brigada de incêndio da família. Eu era sua tenente, abrindo o caminho de fuga durante os exercícios ou dando ordens aos nossos pais quando necessário. Estávamos mais obcecados em estar preparados para isso do que de fato convictos de que haveria um incêndio. A preparação era importante. Nossa família não era apenas pontual: chegávamos cedo a todos os compromissos. Isso deixava meu pai menos vulnerável, pois assim ele não demorava procurando uma vaga que não o fizesse andar muito ou uma cadeira acessível numa das partidas de basquete de Craig. A lição era que, na vida, você controla o que pode.

Pensando nisso, revisávamos nossas possíveis rotas de fuga, tentando imaginar se, em caso de incêndio, podíamos pular da janela e nos agarrar no telhado do vizinho ou no carvalho na frente da casa. Imaginávamos o que aconteceria se alguma panela pegasse fogo e causasse um incêndio na cozinha, se houvesse um incêndio elétrico no porão ou um raio caísse na casa. Craig e eu não nos preocupávamos com nossa mãe em caso de emergência. Ela era pequena e ágil, uma daquelas pessoas que, na adrenalina, seria capaz de levantar um carro para salvar um bebê. O mais difícil era falar da deficiência do papai — a verdade óbvia mas implícita de que ele não poderia saltar de uma janela como nós e de que fazia anos que não o víamos correr.

Nós percebemos que, se a situação ficasse complicada, nosso resgate não aconteceria de forma organizada, como naqueles filmes que víamos na TV depois da escola. Nosso pai não nos colocaria nos ombros como um Hércules e nos carregaria para um lugar seguro. Era mais fácil Craig fazer isso, pois uma hora ou outra ele ficaria mais alto do que meu pai — apesar de, na época, ainda ser um menino de ombros estreitos e pernas finas que parecia entender que qualquer heroísmo de sua parte exigiria prática. Por isso, durante nossas simulações de incêndio em família, ele começou a imaginar as piores situações, mandando meu pai se abaixar, instruindo-o a ficar deitado, deixando o corpo solto e pesado como uma saca, como se tivesse desmaiado ao inalar a fumaça.

"Ai, meu Deus", dizia papai, balançando a cabeça. "Você vai mesmo fazer isso?"

Meu pai não estava acostumado a ficar impotente nas situações. Passara a vida desafiando essa perspectiva, cuidando do nosso carro com assiduidade, pagando as contas em dia, jamais discutindo a esclerose múltipla que progredia ou faltando um dia sequer no trabalho. Pelo contrário: meu pai adorava ser o amparo dos outros. O que não conseguia fazer fisicamente, substituía por orientação e apoio emocional e intelectual, e era por isso que curtia tanto seu trabalho como delegado distrital do Partido Democrata. Ele ocupou o cargo por muitos anos, em certa medida porque meio que se esperava que os funcionários do município mostrassem lealdade à máquina partidária. Ainda que tenha sido quase forçado a isso, meu pai adorava a função, o que intrigava minha mãe, considerando o tempo que isso consumia. Ele visitava os bairros vizinhos no fim de semana para checar os eleitores, muitas vezes comigo, relutante, a tiracolo. Estacionávamos o carro e percorríamos as ruas de casas modestas, indo de porta em porta. Viúvas corcundas e operários barrigudos com uma lata de cerveja Michelob na mão nos espiavam pelas portas de tela.

Em geral, ficavam contentes em ver meu pai na varanda, com um sorriso largo no rosto e a bengala na mão.

"*Fraser!*", diziam. "Que surpresa. Entra."

Para mim, nunca era uma boa notícia. Significava que teríamos que entrar mesmo. Significava que eu ia passar minha tarde de domingo inteira sentada num sofá bolorento ou na mesa da cozinha tomando uma 7UP enquanto meu pai ouvia opiniões — reclamações, na verdade — que depois repassava ao conselheiro municipal eleito responsável pelo distrito. Quando alguém tinha problemas com a coleta de lixo ou a limpeza da neve ou se irritava com um buraco na pista, meu pai estava ali para escutar. Seu objetivo era ajudar as pessoas a se sentirem cuidadas pelos democratas — e votarem neles nas eleições seguintes. Para meu desespero, ele nunca apressava ninguém. Para meu pai, o tempo era um presente que se dava aos outros. Ele ria em tom de aprovação ao ver fotos de netos fofos, aguentava com paciência as fofocas e as longas ladainhas sobre problemas de saúde, e assentia, com conhecimento de causa, ao ouvir histórias de aperto financeiro. Abraçava as senhoras quando finalmente íamos embora, garantindo que faria o melhor para ser útil — para resolver o que fosse possível.

Meu pai tinha fé na própria utilidade. Se orgulhava disso. Por isso, em casa, nos treinamentos de incêndio, ele não tinha o menor interesse em ser um simples adereço passivo, mesmo numa simulação de crise. Não tinha a menor intenção de ser um peso morto — de acabar sendo o cara inconsciente no chão. Mas, em certa medida, ele parecia entender que isso tinha importância para nós — principalmente para Craig. Quando pedíamos que se deitasse, ele fazia a nossa vontade, caindo primeiro de joelhos, depois sentado, em seguida se estirando virado para cima no carpete da sala de estar. Trocava olhares com a minha mãe, que achava aquilo tudo meio engraçado, como se dissesse: *Essas crianças!*

Ele suspirava e fechava os olhos, esperando sentir as mãos de Craig agarrarem seus ombros com firmeza para dar início à operação de resgate. Minha mãe e eu assistíamos enquanto, com grande esforço e muita falta de jeito, meu irmão arrastava os oitenta quilos de peso morto através do inferno imaginário que assolava sua cabeça pré-adolescente, puxando meu pai pelo chão, contornando o sofá e por fim chegando à escada.

Craig concluiu que dali provavelmente poderia arrastar o corpo do meu pai escada abaixo e tirá-lo pela porta lateral com segurança. Meu pai nunca deixou meu irmão ensaiar essa parte, dizendo, com delicadeza, "Agora já chega", e se levantando antes que Craig tentasse puxá-lo. Mas pelo menos a ideia estava clara para os dois. Se acontecesse um incêndio, a fuga não seria nada fácil ou tranquila, e, óbvio, não havia garantia alguma de que qualquer um de nós sobreviveria. Mas, se o pior acontecesse, pelo menos teríamos um plano.

Aos poucos, eu ia me tornando uma pessoa mais extrovertida e sociável, disposta a me abrir para a desordem do mundo. Minha resistência natural ao caos e à espontaneidade acabou sendo derrotada por todas as horas que passei acompanhando meu pai nas visitas ao distrito eleitoral, além de todos os passeios de fins de semana para ver dezenas de tias, tios e primos, sentados no meio de grandes nuvens de fumaça de churrasco nos quintais ou correndo com as crianças da vizinhança em bairros que não eram o nosso.

Minha mãe tinha seis irmãos. Meu pai era o mais velho de cinco filhos. Os parentes da minha mãe costumavam se reunir ali no bairro, na casa de Southside, atraídos pelos pratos que meu avô cozinhava, pelo carteado e pela exuberante explosão do jazz. Southside era como um ímã para todos nós. Estava sempre desconfiado do mundo além de seu quintal — preocupado sobretudo com a segurança e o bem-estar de todos —, por isso se dedicava a criar um ambiente onde estivéssemos sempre bem alimentados e distraídos, provavelmente torcendo para que nunca quiséssemos nos mudar para longe. Ele chegou a me dar um cachorro, um simpático pastor vira-lata castanho que batizamos de Rex. Minha mãe o proibiu de morar na nossa casa, mas eu o visitava o tempo todo na casa de Southside, onde me deitava no chão com o rosto afundado em seus pelos macios, escutando seu rabo sacudir em sinal de felicidade sempre que Southside passava perto. Southside mimou o cachorro do mesmo jeito que me mimava, com comida, amor e tolerância — tudo isso numa súplica silenciosa e sincera de que jamais o abandonasse.

Já a família do meu pai se espalhava pelo vasto South Side de Chicago e contava com um monte de tias-avós e primos de terceiro grau, além de alguns que não se encaixavam em nenhum título e cuja ligação sanguínea era nebulosa. Orbitávamos em torno de todos eles. Em silêncio, eu calculava aonde íamos pelo número de árvores que via na rua. Em geral, os bairros mais pobres não tinham árvores. Mas, para o meu pai, todo mundo era família. Ele ficava radiante quando via seu tio Calio, um homem pequeno e magro de cabelo ondulado que parecia o Sammy Davis Jr. e estava quase sempre embriagado. Ele adorava a tia Verdelle, que vivia com seus oito filhos em um prédio em mau estado ao lado da via expressa Dan Ryan. Craig e eu entendíamos que naquela vizinhança as regras de sobrevivência eram muito diferentes.

Nas tardes de domingo, nós quatro costumávamos entrar no carro e fazer um passeio de dez minutos rumo a Parkway Gardens, ao norte, para jantar com os pais do meu pai — que chamávamos de Dandy e Vovó — e seus três irmãos mais novos, Andrew, Carleton e Francesca, que nasceram mais de uma década depois do meu pai, portanto pareciam mais nossos irmãos do que tios. Eu tinha a impressão de que meu pai parecia mais um pai do que um irmão para os três, oferecendo conselhos e dando dinheiro quando precisavam. Francesca era uma mulher inteligente e linda, que às vezes me deixava pentear seu cabelo longo. Andrew e Carleton tinham vinte e poucos anos e eram supermodernos. Usavam calça boca de sino e gola rulê. Tinham jaqueta de couro, namoradas e falavam de coisas como Malcolm X e "soul power". Craig e eu passávamos horas no quarto com eles, nos fundos do apartamento, tentando absorver o estilo deles.

Meu avô, também chamado Fraser Robinson, sem dúvida era menos divertido — um patriarca que vivia de charuto na boca e se sentava na cadeira reclinável com o jornal aberto no colo e o noticiário da noite em volume máximo na TV. Sua postura era totalmente diferente da do meu pai. Para Dandy, tudo era irritante. Ficava estressado com as manchetes do dia, com a situação do mundo exibida na TV e até com os jovens negros — que ele chamava de bestinhas —, pois achava que ficavam circulando pelo bairro como inúteis, dando a todos os negros uma má reputação. Ele gritava com a TV. Gritava com a minha avó, uma mulher doce, de voz suave e cristã devota chamada LaVaughn. (Meus pais me deram o nome de Michelle LaVaughn Robinson em homenagem a ela.) De dia, minha avó gerenciava habilmente uma próspera livraria de bíblias no Far South Side, mas nas horas de folga com Dandy era reduzida a uma pessoa submissa, o que me deixava perplexa, mesmo quando jovem. Ela preparava as refeições dele e absorvia sua enxurrada de reclamações sem dizer nada em defesa própria. Eu ainda era muito nova, mas algo no silêncio e na passividade da minha avó me deixava incomodada.

Segundo minha mãe, eu era a única pessoa da família que respondia Dandy à altura quando ele gritava. Fazia isso regularmente, desde pequena e ao longo de muitos anos, tanto porque ficava enlouquecida de ver que minha avó não se manifestava, porque todo mundo se calava perto dele e também porque eu amava Dandy na mesma medida em que ele me desconcertava. Reconhecia a teimosia dele em mim mesma — era algo que eu tinha herdado, embora torcesse para que fosse a forma menos agressiva. Ao mesmo tempo, Dandy também podia ser uma pessoa muito suave, mas esses eram momentos que eu apenas vislumbrava. Às vezes, ele massageava meu pescoço com ternura quando eu me sentava aos pés de sua poltrona reclinável. Sorria quando meu pai falava alguma coisa engraçada ou uma das crianças enfiava uma palavra sofisticada no meio da conversa. Mas aí algo o irritava e ele voltava a ser ríspido.

"Para de gritar com todo mundo, Dandy", pedia eu. Ou: "Não precisa ser grosso com a vovó". Volta e meia eu acrescentava: "Por que o senhor está tão nervoso?".

A resposta para essa pergunta era ao mesmo tempo complexa e simples. Dandy a deixava sem resposta, dando de ombros com irritação diante da minha interferência e voltando a atenção para o jornal. Já em casa, porém, meus pais tentavam me explicar.

Dandy era do Low Country, na costa da Carolina do Sul, e havia crescido no porto marítimo de Georgetown, onde milhares de escravos haviam trabalhado em vastas plantações, colhendo safras de arroz e anileira e enriquecendo seus donos. Nascido em 1912, meu avô era neto de escravos, filho de um operário e o mais velho de dez irmãos. Menino perspicaz e inteligente, ganhou o apelido de "Professor" e logo fixou como objetivo um dia fazer faculdade. Mas não era só negro e de família pobre, como também atingiu a maioridade durante a Grande Depressão. Depois de terminar o ensino médio, Dandy foi trabalhar em uma serraria, sabendo que, caso permanecesse em Georgetown, jamais ampliaria seu leque de opções. Quando a serraria fechou, ele, assim como muitos afro-americanos de sua geração, decidiu se arriscar e se mudou para Chicago, fazendo parte do movimento que se tornaria conhecido como Grande Migração para o Norte, em que 6 milhões de negros do Sul se deslocaram para grandes cidades do Norte no decorrer de cinco décadas, fugindo da opressão racial e indo atrás de empregos na indústria.

Se fosse uma história de Sonho Americano, Dandy, que chegou a Chicago no início da década de 1930, encontraria um bom emprego e um caminho para entrar na faculdade. Mas a realidade foi bem diferente. Os empregos eram escassos, limitados, em parte, pelo fato de que os gerentes de algumas das grandes fábricas de Chicago viviam contratando imigrantes europeus em vez de trabalhadores afro-americanos. Dandy aceitava todo tipo de trabalho, desde arrumar os pinos em uma pista de boliche a qualquer bico como faz-tudo. Aos poucos, foi diminuindo as expectativas, deixando de lado a ideia de fazer faculdade e pensando em estudar para ser eletricista. Mas logo essa ideia também foi frustrada. Se quisesse trabalhar como eletricista (ou como siderúrgico, carpinteiro ou encanador, aliás) em canteiros de grandes obras de Chicago, ele precisaria de uma carteira do sindicato. E, sendo negro, havia uma enorme probabilidade de que não conseguiria tirá-la.

Essa forma de discriminação mudou o destino de gerações de afro-americanos, inclusive o de muitos homens da minha família — limitando a renda, as oportunidades e, com o tempo, suas aspirações. Como carpinteiro, Southside não podia trabalhar para as grandes empreiteiras que ofereciam salários estáveis em projetos de longo prazo, já que não podia ser membro de sindicatos. Meu tio-avô Terry, marido de Robbie, abandonou a carreira de encanador pelo mesmo motivo, tornando-se assistente de vagões. Na família da minha mãe, o tio Pete não pôde ser membro do sindicato de taxistas e acabou dirigindo um táxi pirata, pegando clientes que moravam em partes menos seguras do West Side, onde táxis normais não gostavam de ir. Eram homens muito inteligentes e saudáveis que não tiveram acesso a empregos estáveis que pagassem bem, o que por sua vez os impediu de comprar casas, pagar a faculdade dos filhos ou economizar para a aposentadoria. Sei que eles sentiam uma mágoa por serem marginalizados, por ficarem presos em empregos aquém de suas qualificações, ver pessoas brancas ultrapassá-los no trabalho, às vezes treinando funcionários novos que sabiam que um dia podiam virar seus chefes. E isso gerou neles pelo menos um nível básico de ressentimento e desconfiança: nunca se sabe como os outros nos enxergam.

Quanto a Dandy, sua vida não foi de todo ruim. Ele conheceu minha avó numa igreja do South Side e acabou arranjando um emprego por meio do Works Progress Administration, programa federal de assistência que existiu na época da Depressão e que contratava trabalhadores não qualificados para projetos de construção pública. A partir daí passou trinta anos trabalhando como carteiro antes de se aposentar com uma pensão que o ajudava a ter todo o tempo do mundo para gritar com os bestinhas da TV do conforto de sua poltrona reclinável.

No fim das contas, Dandy teve cinco filhos tão inteligentes e disciplinados quanto ele. Nomenee, o segundo filho, se formaria na Havard Business School. Andrew e Carleton se tornariam condutor de trem e engenheiro, respectivamente. Francesca foi diretora de criação em publicidade por um tempo e depois virou professora de escola primária. Mas Dandy era incapaz de ver as conquistas dos filhos como uma extensão das suas. Conforme víamos todo domingo ao chegar em Parkway Gardens para jantar, meu avô convivia com o resquício amargo de seus sonhos destruídos.

Minhas perguntas para Dandy eram duras e difíceis de responder, mas logo aprendi que muitas perguntas são assim mesmo. Na minha própria vida, eu começava a me deparar com perguntas que não conseguia responder de pronto. Uma foi feita por uma menina cujo nome não me lembro — uma das primas distantes que brincavam conosco no quintal de uma das casas da minha tia-avó, a oeste da nossa. Ela fazia parte de um grupo de parentes distantes que volta e meia aparecia quando meus pais iam fazer uma visita. Enquanto os adultos tomavam café e riam na cozinha, uma cena paralela se desenrolava no quintal, quando Craig e eu nos juntávamos ao bando de crianças que tinham ido com os adultos. Às vezes era meio constrangedor, todos fingindo aquela camaradagem forçada, mas em geral dava tudo certo. Craig quase sempre saía para jogar basquete. Eu pulava corda ou tentava entrar na conversa.

Certo dia de verão, quando eu tinha dez anos, me sentei na escadinha da varanda e bati papo com um grupo de meninas da minha idade. Todas usávamos marias-chiquinhas e shorts e estávamos só matando o tempo. E sobre o que conversávamos? Podia ser sobre qualquer coisa — escola, nossos irmãos mais velhos, um formigueiro no chão ali perto.

Em certo momento, uma das meninas, uma prima de segundo, terceiro ou quarto grau, me olhou de soslaio e, um pouco veemente demais, perguntou: "Por que você fala como se fosse branca?".

A pergunta foi incisiva, com o objetivo de ofender ou pelo menos provocar, mas também era sincera. Continha a semente de algo confuso para nós duas. Parecíamos ser parentes, mas de dois mundos diferentes.

"Não falo", respondi, escandalizada por ela ter sugerido aquilo e aflita com a maneira como as outras começaram a me encarar.

Mas eu sabia aonde ela queria chegar. Não havia como negar, embora tivesse acabado de fazer isso. Eu falava, sim, diferente de alguns dos meus parentes, e Craig também. Nossos pais tinham nos ensinado a importância do uso da dicção adequada, de não comermos o final das palavras e de usarmos o tempo verbal correto. Nos ensinaram a pronunciar as palavras até o fim. Nos deram um dicionário e a *Enciclopédia britânica* completa, que moravam na prateleira da escada do nosso apartamento, os títulos em dourado. Eles nos aconselhavam a consultar esses livros sempre que tivéssemos uma dúvida sobre uma palavra, um conceito ou uma passagem da história. Dandy também nos influenciava, corrigindo meticulosamente nossa gramática ou nos obrigando a pronunciar as palavras corretamente quando jantávamos em sua casa. A ideia era de que deveríamos transcender, ir além. Eles planejaram. Incentivaram. Não esperavam apenas que fôssemos inteligentes, mas que assumíssemos nossa inteligência — que a empregássemos com orgulho —, e isso se infiltrava no nosso jeito de falar.

O problema era que essa correção toda também podia ser algo problemático. Falar de certo modo — o modo "branco", como diriam alguns — era considerado uma traição, uma arrogância, uma rejeição da nossa cultura. Anos mais tarde, depois de conhecer e me casar com meu marido — um homem de pele clara para algumas pessoas e pele escura para outras, que fala como um havaiano negro formado numa universidade da Ivy League e criado por pessoas da classe média branca do Kansas —, eu veria essa confusão se desenrolar em nível nacional tanto entre brancos como entre negros, a necessidade de situar alguém dentro de sua etnia e a frustração de não conseguir fazer isso facilmente. Os Estados Unidos fariam a Barack Obama as mesmas perguntas que minha prima me fez inconscientemente naquele dia: você é o que parece ser? Posso ou não confiar em você?

Passei o resto daquele dia tentando falar menos com a minha prima, chateada com sua hostilidade, mas também querendo que ela me visse como uma pessoa genuína — não como alguém que estava tentando ostentar uma vantagem. Era difícil saber o que fazer. Enquanto isso, eu entreouvia a conversa dos adultos na cozinha ali do lado, a gargalhada dos meus pais ressoando alta no quintal. Observei meu irmão todo suado, jogando basquete com um grupo de garotos na esquina. Todo mundo parecia se encaixar, menos eu. Hoje relembro o desconforto que senti naquele momento e reconheço o desafio universal de adequar quem você é ao lugar de onde veio e ao lugar aonde deseja chegar. Também percebo que ainda estava bem longe de encontrar minha voz.

4

Na escola, tínhamos uma hora de almoço por dia. Como minha mãe não trabalhava e morávamos perto, geralmente eu ia para casa com quatro ou cinco meninas a tiracolo, todas falando sem parar, e nos espalhávamos pelo chão da cozinha para brincar e assistir à novela *All My Children* enquanto minha mãe distribuía sanduíches. Esse foi o início de um hábito que me deu forças ao longo da vida: manter um grupo animado de amigas íntimas — um porto seguro de sabedoria feminina. No almoço, dissecávamos o que havia acontecido na escola, e falávamos das nossas picuinhas com os professores e das tarefas que nos pareciam inúteis. Em grande parte, formávamos nossas opiniões por comitê. Idolatrávamos o Jackson 5 e não sabíamos o que pensar dos Osmond. O caso Watergate já tinha acontecido, mas nenhuma de nós entendia. Parecia que um monte de velhos tinha conversado perto de microfones em Washington, DC. para nós uma cidade distante com muitos prédios brancos e homens brancos.

Minha mãe ficava muito feliz em nos servir. Isso proporcionava a ela uma janela cômoda para o nosso mundo. Enquanto minhas amigas e eu comíamos e fofocávamos, ela geralmente ficava de pé, calada, fazendo alguma tarefa doméstica, mas sem esconder o fato de que estava captando todas as palavras. A verdade é que, na minha família, com os quatro apertados em menos de oitenta metros quadrados, nunca tínhamos privacidade. Isso só tinha importância de vez em quando. Craig de repente começou a se interessar por garotas, e começou a se trancar no banheiro para falar no telefone, o fio espiralado do aparelho que ficava preso à parede da cozinha esticado pelo corredor.

A Bryn Mawr era uma escola mediana da cidade de Chicago — nem boa, nem ruim. A triagem étnica e econômica do bairro de South Shore continuou nos anos 1970, a população estudantil se tornando mais negra e mais pobre a cada ano que passava. Por um tempo, houve um movimento de integração na cidade inteira, e com isso as crianças eram levadas de ônibus a novas escolas, mas os pais de alunos da Bryn Mawr rechaçaram essa política, argumentando que seria mais proveitoso empregar o dinheiro na melhoria da escola em si. Como criança, eu não sabia se as instalações estavam degradadas ou se alguém se interessava pelo fato de quase não haver mais crianças brancas ali. A escola ia do jardim de infância ao oitavo ano, portanto, quando eu chegasse às séries mais avançadas, já teria conhecido todos os interruptores, todos os quadros-negros e rachaduras no corredor. Eu conhecia quase todos os professores e a maioria das crianças. Para mim, a Bryn Mawr era praticamente uma segunda casa.

Quando estava entrando no sétimo ano, o *Chicago Defender*, jornal semanal popular entre afro-americanos, publicou um virulento artigo de opinião alegando que a Bryn Mawr tinha passado, em poucos anos, de uma das melhores escolas públicas da cidade a um "lugar decadente", conduzido por uma "mentalidade de gueto". O diretor da escola, dr. Lavizzo, logo rebateu com uma carta ao editor, defendendo sua comunidade de pais e alunos e apontando o texto como "uma mentira ultrajante, que parece se propor a incitar apenas sentimentos de fracasso e evasão".

O dr. Lavizzo era um homem corpulento, jovial, que tinha um afro volumoso de ambos os lados da careca e que passava boa parte do tempo num escritório ao lado da entrada do prédio. Sua carta deixa claro que ele sabia muito bem contra o que estava lutando. Muito antes de se tornar um resultado verdadeiro, o fracasso começa como um sentimento. É a vulnerabilidade que gera insegurança e depois é intensificada, muitas vezes de propósito, pelo medo. Esses "sentimentos de fracasso" que ele mencionou já estavam espalhados por todos os cantos do nosso bairro, sob a forma de pais que não conseguiam melhorar de vida financeira, de crianças que começavam a desconfiar que suas vidas não seriam diferentes, de famílias que viam os vizinhos melhor de vida irem embora para o subúrbio ou transferir os filhos para escolas católicas. Enquanto isso, corretores de imóveis predatórios circulavam por South Shore, sussurrando para os proprietários que eles deveriam vender seus imóveis antes que fosse tarde demais, que os ajudaria a *sair enquanto ainda dava*. A inferência era de que o fracasso estava por vir, era inevitável, e que na verdade já tinha meio que chegado. A pessoa podia ficar presa nas ruínas ou fugir. Eles usaram a palavra que todo mundo mais temia — "gueto" —, jogando-a na conversa como se fosse um fósforo aceso.

Minha mãe não acreditava em nada disso. Já morava em South Shore havia dez anos e acabaria ficando mais quarenta. Não levou a sério esse jogo de medo e, ao mesmo tempo, parecia totalmente vacinada contra qualquer tipo de utopia. Era uma realista que só enxergava o que estava à sua frente, controlando o que podia.

Na Bryn Mawr, tornou-se uma das participantes mais ativas da Associação de Pais e Professores, ajudando a arrecadar fundos para novos equipamentos para as salas de aula, dando jantares para mostrar apreço pelos professores e fazendo campanha pela criação de uma sala de aula especial, para alunos de vários anos com alto desempenho. Esta última iniciativa era fruto da imaginação do dr. Lavizzo, que obteve o doutorado em educação na escola noturna e estudara a nova tendência de agrupar alunos por habilidade, e não idade — em suma, pôr os alunos mais inteligentes juntos para aprenderem em um ritmo mais acelerado.

A ideia era controversa, criticada por não ser democrática, como costumam ser todos os programas para os "superdotados e talentosos". Mas era um movimento que vinha ganhando força país afora, e nos meus últimos três anos de Bryn Mawr eu me beneficiei dele. Entrei no grupo de cerca de vinte alunos de séries diferentes, acomodado em uma sala autossuficiente afastada do resto da escola, com nosso próprio horário de recreio, almoço, música e educação física. Recebíamos oportunidades especiais, inclusive excursões semanais a uma faculdade comunitária, onde cursávamos uma oficina de redação avançada ou dissecávamos ratos no laboratório de biologia. Em sala de aula, fazíamos muitos trabalhos independentes, estabelecendo nós mesmos as nossas metas e avançando no ritmo que nos conviesse.

Tivemos professores dedicados — primeiro o sr. Martinez e depois o sr. Bennett, ambos afro-americanos tranquilos, bem-humorados e interessadíssimos no que os alunos tinham a dizer. Havia a nítida sensação de que a escola tinha investido em nós, com isso, nos esforçamos mais e elevamos nossa autoestima. O esquema de aprendizado independente só serviu para alimentar minha competitividade. Eu me atirava nas lições, vigiando silenciosamente onde estava em comparação com meus colegas enquanto mapeávamos nosso progresso da divisão longa à pré-álgebra, da redação de um parágrafo a artigos acadêmicos inteiros. Para mim, era um jogo. E, assim como em qualquer jogo, assim como a maioria das crianças, eu ficava mais feliz quando estava na frente.

Eu contava à minha mãe tudo o que acontecia na escola. Depois da atualização na hora do almoço, havia uma segunda, que eu fazia às pressas ao entrar pela porta de casa à tarde, largando a mochila cheia de livros no chão e procurando uma guloseima. Confesso que não sabia exatamente o que minha mãe fazia nas horas que eu passava na escola, sobretudo porque, como toda criança, eu era egocêntrica e nunca perguntei. Não sei no que ela pensava, como se sentia por ser uma dona de casa tradicional em vez de ter um trabalho diferente. Só sei que, quando eu chegava em casa, havia comida na geladeira, não só para mim como para minhas amigas. Sabia que quando minha turma fazia excursões, minha mãe quase sempre se oferecia para ser acompanhante, usando um vestido bonito e um batom escuro para ir de ônibus com a gente até a faculdade comunitária ou ao zoológico.

Na nossa casa, vivíamos com um orçamento apertado, mas dificilmente discutíamos seus limites. Minha mãe achava meios de compensar as dificuldades. Fazia as próprias unhas, pintava o próprio cabelo (uma vez, por acidente, ele ficou verde) e só tinha roupas novas quando as ganhava do meu pai de aniversário. Nunca seria rica, mas era sempre habilidosa. Quando éramos pequenos, ela fez a mágica de transformar meias velhas em fantoches iguaizinhos aos Muppets. Fazia toalhas de crochê para cobrir o tampo da mesa. Costurava muitas das minhas roupas, pelo menos até o ensino médio, quando de repente o mais importante de tudo passou a ser ter uma etiqueta de cisne da Gloria Vanderbilt no bolso da frente do jeans, então insisti que ela parasse.

De vez em quando ela mudava a organização da nossa sala de estar, colocando uma capa nova no sofá, trocando as fotos e gravuras emolduradas que ficavam nas paredes. Quando o tempo começava a esquentar, ela fazia uma faxina completa de primavera que era quase um ritual — aspirava os móveis, lavava as cortinas e tirava todas as vidraças para passar Windex no vidro e limpar os peitoris antes de substituí-las por telas, para que o ar da primavera entrasse no nosso apartamento minúsculo, abafado. Em seguida, costumava descer para limpar o apartamento de Robbie e Terry, sobretudo à medida que os dois envelheciam e ficavam cada vez menos capazes. É por causa da minha mãe que até hoje quando sinto o aroma de Pinho Sol me sinto de bem com a vida.

Na época do Natal, ela ficava especialmente criativa. Teve um ano em que aprendeu a cobrir nosso imenso aquecedor de metal com papelão corrugado com desenhos que imitavam tijolos vermelhos, grampeando tudo para termos uma falsa chaminé que ia até o teto, além de uma lareira falsa, com direito a console e piso. Em seguida, recrutou meu pai — o artista da família — para pintar umas chamas alaranjadas em pedaços de papel de arroz. Depois, colocávamos uma lâmpada por trás delas, formando uma fogueira quase convincente. No Ano-Novo, tínhamos uma tradição: ela comprava uma cesta especial de antepastos, do tipo que vinha cheia de queijo, ostras defumadas em lata e salames diversos. Convidava a irmã do meu pai, Francesca, para nos visitar e jogar jogos de tabuleiro. Pedíamos pizza para o jantar e passávamos o resto da noite beliscando com elegância, minha mãe passando bandejas de enroladinhos de linguiça, camarão frito e um queijo especial assado com biscoitos Ritz. Perto da meia-noite tomávamos uma tacinha de champanhe.

Minha mãe mantinha o tipo de mentalidade materna que hoje considero genial e quase inimitável — uma espécie de neutralidade zen imperturbável. As mães das minhas amigas lidavam com os altos e baixos dos filhos como se fossem os seus próprios, e conheci muitas crianças cujos pais estavam atarefados demais com seus próprios desafios para sequer estarem presentes na vida dos filhos. Minha mãe era simplesmente estável. Não julgava nem interferia imediatamente. Preferia monitorar nosso estado de espírito e ser uma testemunha benevolente das angústias ou dos triunfos que o dia pudesse trazer. Quando as coisas estavam ruins, ela nos concedia apenas uma leve pitada de compaixão. Quando fazíamos algo incrível, seus elogios mostravam que ela estava feliz conosco, mas não exagerava a ponto de se tornarem a razão de fazermos qualquer coisa.

Seus conselhos costumavam ser objetivos e pragmáticos. "Você não precisa *gostar* da sua professora", disse-me ela um dia, quando cheguei em casa cuspindo reclamações. "Mas o tipo de matemática que ela tem na cabeça é o que você precisa ter na sua. Concentre-se nisso e ignore todo o resto."

Ela nos amava de forma consistente, Craig e eu, mas não nos controlava de forma exagerada. Sua meta era nos empurrar para o mundo. "Não estou criando bebês", dizia. "Estou criando adultos." Ela e meu pai nos davam diretrizes, e não regras. Isso quer dizer que, quando adolescentes, não tínhamos uma hora exata para o toque de recolher. Eles preferiam perguntar "Que horas você acha razoável estar de volta em casa?" e confiavam que manteríamos a palavra.

Craig costuma contar a história de uma garota de quem gostava no oitavo ano. Um dia, ela lhe fez um convite tentador: chamou meu irmão à casa dela, deixando bem claro que os pais não estariam lá e eles ficariam a sós.

Meu irmão sofreu em segredo: não sabia o que fazer. Estava empolgado com a oportunidade, mas sabia que ir era um comportamento ardiloso e desonroso, do tipo que meus pais jamais desculpariam. Mas isso não o impediu de contar à minha mãe uma meia verdade preliminar, informando sobre a garota, mas dizendo que se encontrariam numa praça pública.

Dominado pela culpa antes mesmo de levar a história adiante — aliás, por sequer cogitar a hipótese —, Craig acabou confessando o esquema de ficarem sozinhos em casa, esperando ou talvez até torcendo que minha mãe ficasse uma fera e o proibisse de ir.

Mas não foi o que aconteceu. Ela não faria isso. Não era seu modo de agir.

Ela escutou, mas não tomou a decisão por ele. Preferiu jogá-lo de volta na agonia e deu de ombros com indiferença. "Faça como achar melhor", aconselhou, antes de voltar para a louça na pia e para a pilha de roupas lavadas que precisava dobrar.

Esse foi outro empurrãozinho para o mundo. Tenho certeza de que, no coração dela, minha mãe já sabia que ele tinha tomado a decisão certa. Hoje percebo que todas as medidas que tomava eram respaldadas pela segurança silenciosa de que estava nos criando para sermos adultos. Nossas decisões cabiam a nós. A vida era nossa, não dela, e sempre seria assim.

Quando eu tinha catorze anos, já me considerava meio adulta — talvez até dois terços adulta. Já tinha menstruado, fato que anunciei imediatamente e com grande empolgação para a casa inteira —, pois nossa família era assim mesmo. Tinha ido do sutiã de mocinha para outro que parecia um pouco mais feminino, o que também me deixou entusiasmada. Em vez de ir almoçar em casa, passei a comer com as colegas de turma na sala do sr. Bennett, na própria escola. Em vez de ir à casa de Southside no sábado para escutar jazz e brincar com Rex, eu passava lá de bicicleta a caminho da Oglesby Avenue, seis quarteirões depois, onde moravam as irmãs Gore.

As irmãs Gore eram minhas melhores amigas e também um pouco minhas ídolas. Diane estava no mesmo ano que eu e Pam, um abaixo. Ambas eram lindas — Diane tinha pele clara e Pam era mais escura — e tinham uma graciosidade serena que parecia natural. Até a irmã pequena delas, Gina, alguns anos mais nova, emanava uma feminilidade forte que passei a considerar típica das Gore. A presença masculina ali era mínima. O pai não morava com elas e raramente era um assunto. Havia um irmão bem mais velho, cuja presença era secundária. A sra. Gore era uma mulher alto-astral e atraente que trabalhava em período integral. Tinha uma penteadeira cheia de vidros de perfume, pós compactos e cremes em potinhos, que, dada a praticidade modesta da minha mãe, me pareciam exóticos como joias. Eu adorava ficar na casa delas. Pam, Diane e eu tínhamos conversas intermináveis sobre os garotos de que gostávamos. Passávamos brilho labial e provávamos as roupas umas das outras, de uma hora para outra percebendo que certas calças deixavam nossos quadris mais curvilíneos. Nessa época, eu gastava boa parte da energia absorta em meus próprios pensamentos, ouvindo música sozinha, sonhando acordada que dançava uma música lenta com um garoto bonito ou olhando pela janela, esperando um menino de quem eu gostasse passar de bicicleta. Portanto, foi uma bênção ter encontrado irmãs com quem atravessar aqueles anos.

Meninos eram proibidos de entrar na casa das Gore, mas ficavam ciscando nos arredores. Passavam de um lado para outro de bicicleta. Sentavam-se na entrada, torcendo para que Diane ou Pam saíssem para flertar. Era divertido estar perto de toda aquela expectativa, embora não soubesse muito bem o que significava. Para onde quer que eu olhasse, corpos estavam mudando. Os meninos da escola de repente estavam com corpo de homem, desajeitados, inquietos e de voz grave. Enquanto isso, algumas das minhas amigas pareciam ter dezoito anos — circulavam de shorts curtíssimos e blusinhas de alça, as expressões serenas e autoconfiantes como se soubessem de um segredo, como se agora existissem em outro plano, enquanto as outras continuavam inseguras e meio atônitas, aguardando nossa convocação para o mundo adulto, parecendo potras com nossas pernas em crescimento e uma juventude que nenhum brilho labial do mundo seria capaz de disfarçar.

Assim como muitas meninas, eu me dei conta dos riscos do meu corpo bem cedo, muito antes de sequer parecer mulher. Eu andava pelo bairro com mais independência, menos amarrada aos meus pais. No fim da tarde, pegava o ônibus para ir à Mayfair Academy, na rua 79, onde fazia aulas de jazz e acrobacia. Às vezes, fazia alguma coisa para minha mãe. Só que as novas liberdades chegaram acompanhadas de novas vulnerabilidades. Aprendi a fixar o olhar à frente sempre que passava por um grupo de homens em uma esquina, tomando o cuidado de não ver seus olhos vagando pelo meu peito e minhas pernas. Eu sabia que deveria ignorar as cantadas. Aprendi quais quarteirões do nosso bairro eram considerados mais perigosos. Sabia que não podia andar sozinha à noite.

Em casa, meus pais fizeram uma grande concessão: admitiram que eram pais de dois adolescentes em fase de desenvolvimento. Com isso, reformaram a varanda atrás da nossa cozinha, transformando-a num quarto para Craig, já então no segundo ano do ensino médio. Retiramos a divisória frágil que Southside instalara para nós anos antes. Eu me mudei para o que era o quarto dos meus pais, eles foram para o que tinha sido o quarto das crianças, e pela primeira vez meu irmão e eu tivemos um espaço próprio de verdade. Meu novo quarto era um sonho, com direito a saia de cama florida azul e branca, capa para travesseiros, um tapete azul-marinho novinho em folha e uma cama branca em estilo princesa com penteadeira e abajur combinando — uma cópia quase exata de um quarto que tomava uma página inteira no catálogo da Sears e que eu pude montar. Cada um de nós ganhou também uma extensão telefônica — meu aparelho era azul-claro para combinar com a nova decoração, o de Craig era preto, bem masculino —, o que queria dizer que poderíamos falar dos nossos assuntos pessoais com certa privacidade.

Foi pelo telefone que combinei meu primeiro beijo. Foi com um garoto chamado Ronnell. Ele não era da minha escola nem morava na vizinhança, mas cantava no Coral Infantil de Chicago com minha colega de classe Chiaka. Com ela de intermediária, de alguma forma concluímos que gostávamos um do outro. Nossos telefonemas eram meio esquisitos, mas eu não me importava. Gostava da sensação de saber que alguém gostava de mim. Sentia uma pontada de expectativa sempre que o telefone tocava. *Será que é o Ronnell?* Não me lembro quem propôs nos encontrarmos na frente da minha casa uma tarde para descobrir como era beijar, mas havia uma nuance: não eram necessários eufemismos acanhados. Não íamos "ficar" ou "dar um passeio". Íamos nos beijar. E nós dois estávamos a fim.

Foi assim que acabei no banco de pedra junto à porta lateral da minha casa, bem na frente das janelas que davam para o sul e rodeada pelos canteiros de flores da minha tia-avó, perdida em um beijo molhado e quente com Ronnell. Não foi nada de fazer a terra tremer ou muito inspirador, mas pelo menos foi divertido. Aos poucos comecei a me dar conta de que ficar perto de meninos era divertido. As horas que passava na arquibancada vendo Craig jogar já não me pareciam tanto uma obrigação fraternal, afinal, o que era um jogo de basquete senão uma vitrine de garotos? Passei a usar shorts jeans mais apertados, colocava algumas pulseiras a mais e às vezes levava uma das irmãs Gore para aumentar minha visibilidade na arquibancada. E então curtia cada minuto do espetáculo suado à minha frente — os pulos e ataques, a agitação e os gritos, a vibração da masculinidade e todos os seus mistérios em plena exibição. Certa noite, quando um garoto da equipe reserva sorriu para mim ao sair de quadra, retribuí o sorriso. Senti que meu futuro estava começando a chegar.

Aos poucos eu me afastava dos meus pais, cada vez menos propensa a expressar todos os mínimos pensamentos. Ficava calada no banco traseiro do Buick quando voltávamos desses jogos de basquete para casa, meus sentimentos intensos ou confusos demais para compartilhar. Estava muito absorta no encanto solitário de ser adolescente, convicta de que os adultos ao meu redor não tinham vivido aquilo.

De vez em quando, à noite, eu saía do banheiro depois de escovar os dentes e via o apartamento no escuro, as luzes da sala de estar e da cozinha apagadas, todo mundo acomodado na própria esfera. Via um brilho sob a porta de Craig e sabia que ele estava fazendo o dever de casa. Via a luz da TV saindo do quarto dos meus pais e ouvia os murmúrios baixinhos, suas risadas. Assim como nunca tinha parado para refletir sobre o que minha mãe achava de ser mãe em tempo integral, uma dona de casa, eu também nunca tinha pensado no que era ser casado. Para mim, a união dos meus pais era algo natural. Era o fato simples e concreto sobre o qual a vida de nós quatro era construída.

Muito tempo depois, minha mãe me contaria que todo ano, quando chegava a primavera e Chicago esquentava, ela cogitava largar meu pai. Não sei se os pensamentos eram sérios ou não. Não sei se ela cogitava por uma hora, um dia ou boa parte da estação, mas para ela tratava-se de uma fantasia ativa, algo que lhe parecia saudável e talvez até revigorante — quase um ritual.

Hoje entendo que até um casamento feliz pode ser um aborrecimento, que se trata de um contrato que é melhor renovar seguidamente, mesmo que em silêncio e em segredo — mesmo que sozinho. Acho que minha mãe nunca revelou suas dúvidas e descontentamentos ao meu pai diretamente, como também acho que não o deixou saber da vida alternativa com que talvez sonhasse na época. Será que se imaginava em uma ilha tropical? Com outro tipo de homem, ou em outro tipo de casa, ou com um escritório em vez de filhos? Não sei, e penso que poderia perguntar, agora que ela está na casa dos oitenta anos, mas acho que não importa.

Se você nunca passou um inverno em Chicago, vou descrever como é: você pode viver cem dias ininterruptos sob um céu cor de chumbo, que se aloja como uma tampa sobre a cidade. Ventos gelados e cortantes sopram do lago. A neve cai de todas as formas: como grandes descargas à noite, como rajadas de dia, como pedras de granizo escorregadias e desmoralizantes e em redemoinhos de flocos dignos de contos de fadas. Em geral, tem um monte de gelo, que enverniza a calçada e os para-brisas, que precisam ser raspados. Ouve-se o som dessa raspagem de manhã bem cedo — o *rac-rac-rac* —, quando as pessoas limpam o carro para ir trabalhar. Os vizinhos abaixam o rosto para evitar o vento, irreconhecíveis sob as camadas grossas de roupa que usam para se proteger do frio. As máquinas de limpeza de neve municipais ressoam pelas ruas enquanto a neve branca fica empilhada e fuliginosa, até nada mais estar impecável.

No entanto, uma hora algo acontece. Inicia-se uma lenta reversão. Pode ser sutil, um sinal de umidade no ar, um leve clarear do céu. Você sente a possibilidade de que o inverno passou primeiro no coração. Talvez não tenha certeza no começo, mas depois sim. Pois agora o sol apareceu, há pequenos botões de flores nas árvores e seus vizinhos tiraram os casacos pesados. E talvez haja uma nova vivacidade em seus pensamentos na manhã em que você decide tirar os vidros das janelas para limpar e dar uma geral nos peitoris. Isso lhe permite pensar, questionar se desperdiçou possibilidades ao se tornar esposa deste homem nesta casa com estas crianças.

Talvez você passe o dia inteiro cogitando novas formas de viver até finalmente recolocar todos os vidros de volta e esvaziar o balde de Pinho Sol na pia. E talvez agora todas as suas certezas retornem, porque, sim, é primavera e você tomou novamente a decisão de ficar.

5

Minha mãe acabou voltando a trabalhar, justamente na época em que comecei o ensino médio, se catapultando para fora de casa e do bairro rumo ao coração denso e cheio de arranha-céus de Chicago, onde achou emprego como assistente executiva em um banco. Comprou um guarda-roupa de trabalho e começou a usar o transporte público de manhã, pegando o ônibus no Jeffery Boulevard ou indo de carona com meu pai no Buick, quando os horários se alinhavam. O emprego, para ela, foi uma agradável mudança de rotina, e para a família também foi meio que uma necessidade financeira. Meus pais pagavam a mensalidade de Craig na escola católica. Ele começava a pensar na faculdade, e logo depois seria minha vez.

A essa altura meu irmão era um gigante gracioso totalmente crescido, capaz de saltar muito alto e considerado um dos melhores jogadores de basquete da cidade. Em casa, comia muito. Tomava litros de leite, devorava pizzas grandes inteiras de uma só vez e geralmente beliscava entre o jantar e a hora de dormir. Conseguia, como sempre, ser ao mesmo tempo descontraído e muito focado, mantendo muitas amizades e notas boas enquanto chamava a atenção como atleta. Viajara pelo Meio-Oeste jogando num time da liga recreativa de verão que contava com um futuro astro chamado Isiah Thomas, que décadas depois entraria para o Hall da Fama da NBA. Conforme se aproximava do ensino médio, Craig passou a ser procurado por alguns dos treinadores das melhores escolas públicas de Chicago, que queriam preencher as lacunas de seus plantéis. Esses times atraíam torcidas grandes e arruaceiras e ao mesmo tempo olheiros das faculdades, mas meus pais tinham convicção de que Craig não deveria sacrificar seu desenvolvimento intelectual em troca da glória efêmera de ser um fenômeno do basquete no ensino médio.

No fim, o colégio Mount Carmel, com seu time forte na liga das escolas católicas e um currículo rigoroso, parecia a melhor solução — digna dos milhares de dólares que custava aos meus pais. Os professores de Craig eram clérigos de hábito marrom a quem os alunos se dirigiam como "Padre". Oitenta por cento de seus colegas eram brancos, muitos deles meninos católicos irlandeses que vinham dos bairros brancos de classe trabalhadora mais afastados. Ao fim do penúltimo ano, já era cortejado por times de faculdades da Divisão I, alguns provavelmente prontos para lhe oferecer uma bolsa integral. Ainda assim, meus pais se agarravam à ideia de que ele tinha de deixar todas as opções em aberto, visando entrar na melhor faculdade possível. Eles se preocupariam com os custos sozinhos.

Felizmente, minha experiência no ensino médio não nos custava nada além da passagem de ônibus. Tive a sorte de passar na prova da primeira escola-ímã de Chicago, Whitney M. Young High School (ímã porque atraía alunos com seus cursos especializados). Ficava em uma área decadente a oeste do Loop, o centro financeiro da cidade, e, em poucos anos de existência, estava em vias de se tornar a melhor escola pública da cidade. O nome da escola era uma homenagem a um ativista pelos direitos civis e foi aberta em 1975 como alternativa positiva à dessegregação compulsória via transporte escolar. Situada bem na divisa entre os lados norte e sul da cidade, e com professores inovadores e instalações novinhas, a escola foi criada como uma espécie de nirvana da igualdade de oportunidades, feita para atrair estudantes de alto desempenho de todas as cores. As cotas de matrícula estabelecidas pelo conselho escolar de Chicago preconizavam 40% de negros, 40% de brancos e 20% de hispânicos ou outras etnias. Mas a realidade de quem se matriculava era um pouco diferente. Quando eu a frequentei, cerca de 80% dos alunos não eram brancos.

Só a ida para a escola no primeiro dia da nona série foi uma odisseia, com noventa minutos de uma viagem de enlouquecer em duas linhas de ônibus, além de uma baldeação no centro da cidade. Levantei da cama me arrastando às cinco da manhã, vesti roupas novas e um belo par de brincos sem saber como todas essas coisas seriam recebidas na outra ponta da minha jornada de ônibus. Tomei o café da manhã sem ter ideia de onde seria o almoço. Disse tchau para os meus pais sem saber se ainda seria eu mesma no fim do dia. A escola deveria ser transformadora. E a Whitney Young, para mim, era uma região inexplorada.

A escola em si era incrível e moderna, diferente de qualquer outra que já tinha visto — feita de três edifícios grandes em forma de cubo, dois deles interligados por uma passarela sofisticada de vidro que cruzava o Jackson Boulevard. As salas de aula eram um conceito aberto e projetadas de forma cuidadosa. Um prédio inteiro era dedicado às artes, com salas especiais para o coral e as bandas, outras equipadas para fotografia e cerâmica. O espaço todo foi construído como um templo ao aprendizado. Um mar de alunos passou pela entrada, determinados já no primeiro dia.

Havia cerca de 1900 alunos na Whitney Young, e todos pareciam mais velhos e mais seguros do que eu jamais seria, com pleno domínio de todas as células cerebrais, movidas por todas as questões de múltipla escolha que tinham acertado na prova padronizada realizada na cidade toda. Olhei em volta e me senti pequena. Era uma das alunas mais velhas na Bryn Mawr e agora estava entre os mais novos do ensino médio. Ao descer do ônibus, notei que, além da mochila com os livros, muitas meninas também carregavam bolsas.

Se eu tivesse que listar minhas preocupações com relação à escola, provavelmente poderia colocá-las sob um único tópico geral: *Eu sou boa o suficiente?* Essa questão que me assolou ao longo do primeiro mês, mesmo quando comecei a me acostumar, mesmo me habituando a acordar antes do amanhecer e a circular entre os edifícios para as aulas. A Whitney Young era subdividida em cinco "casas", cada uma delas servindo de base para seus membros, feitas para proporcionar intimidade com a experiência em uma escola grande. Eu ficava na Casa Dourada, chefiada por um diretor assistente chamado sr. Smith, que morava a algumas casas da minha família na Euclid Avenue. Eu fazia bicos para o sr. Smith e sua família havia anos, tendo sido contratada para fazer de tudo: ser baby-sitter das crianças e ensiná-las aulas de piano a tentar adestrar seu cachorrinho impossível de adestrar. Ver o sr. Smith na escola me dava certo conforto, pois ele era uma ponte entre Whitney Young e meu bairro, mas, no fim das contas, não aplacava minha ansiedade.

Poucas crianças da minha vizinhança estavam na Whitney Young. Meu vizinho e amigo Terri Johnson havia sido aceito, assim como minha colega de classe Chiaka, que eu conhecia desde o jardim de infância e com quem travava uma competição amistosa desde então, além de um ou dois meninos. Alguns de nós pegávamos o ônibus juntos de manhã e na volta, no fim do dia, mas na escola ficávamos espalhados pelas casas, basicamente cada um por conta própria. Pela primeira vez eu também estava vivendo sem a proteção tácita do meu irmão mais velho. Com seu jeito tranquilo e sorridente, até ali Craig tinha aberto todos os caminhos para mim, o que havia sido conveniente. Na Bryn Mawr, ele havia amaciado os professores com sua doçura e conquistado respeito como boa-praça no pátio. Ele iluminava tudo a seu redor, e bastava eu entrar nessa luz. Praticamente aonde quer que fosse, eu era conhecida como a irmãzinha de Craig Robinson.

Na Whitney Young, porém, eu era apenas Michelle Robinson. Tive de me esforçar para me firmar. Minha estratégia inicial era ficar calada e tentar observar meus novos colegas de classe. Quem eram eles? Só sabia que eram inteligentes. E faziam questão de demonstrar. Ao que constava, eram os mais inteligentes da cidade. Mas eu não era também? Não tínhamos eu, Terri e Chiaka chegado ali porque éramos inteligentes como eles?

A verdade é que eu não sabia. Não fazia ideia se éramos inteligentes como eles.

Sabia apenas que éramos os melhores alunos saídos do que era considerada uma escola mediana de maioria negra em uma vizinhança mediana de maioria negra. Mas e se isso não bastasse? E se, depois de todo aquele auê, fôssemos apenas os melhores entre os piores?

Era essa a dúvida que me assolava durante a orientação estudantil, as primeiras aulas de biologia e inglês, as primeiras conversas, meio hesitantes, no refeitório com novos amigos. *Não basta. Não basta.* Era uma dúvida sobre o lugar de onde eu vinha e sobre o que achava de mim mesma até ali. Era como uma célula maligna que ameaçava se dividir inúmeras vezes, a não ser que eu achasse um jeito de pará-la.

Eu estava descobrindo que Chicago era uma cidade muito maior do que havia imaginado. Essa revelação se deu, em parte, durante as três horas que comecei a passar diariamente no ônibus, embarcando na rua 75 e percorrendo um labirinto de pontos, muitas vezes obrigada a ficar de pé porque o ônibus estava cheio.

Pela janela, eu tinha uma visão longa e vagarosa do South Side. A sensação era de que estava vendo todo ele, as lojas de conveniência e churrascarias ainda fechadas à luz cinzenta da manhã, as quadras de basquete e pátios cimentados vazios. Pegando o Jeffery Boulevard, seguíamos para o norte, depois para oeste, pela rua 67, em seguida norte outra vez, ziguezagueando e parando a cada dois quarteirões para pegar mais gente. Cruzávamos o bairro de Jackson Park Highlands e o Hyde Park, onde ficava o campus da Universidade de Chicago, escondido atrás de um enorme portão de ferro forjado. Depois do que parecia uma eternidade, enfim acelerávamos até pegar a Lake Shore Drive, seguindo a curva do lago Michigan rumo ao centro da cidade.

Não há como apressar um trajeto de ônibus. Você tem que embarcar e aturar. Todas as manhãs eu fazia baldeação na Michigan Avenue, bem na hora do rush, percorrendo a Van Buren Street, onde a vista pelo menos ficava mais interessante quando passávamos por bancos com portas douradas e mensageiros parados à frente de hotéis sofisticados. Pela janela, eu via homens e mulheres usando roupas elegantes — ternos, saias e saltos barulhentos —, levando o café para o trabalho com um alvoroço presunçoso. Ainda não sabia que pessoas assim eram chamadas de profissionais. Ainda não fazia ideia dos diplomas que elas provavelmente haviam obtido para ganhar acesso aos castelos corporativos que se alinhavam na Van Buren. Mas eu gostava do jeito determinado daquela gente.

Enquanto isso, na escola, eu coletava informações discretamente, tentando entender meu lugar dentro da intelligentsia adolescente. Até então, minhas experiências com crianças de outros bairros tinham se limitado a visitas a primos e a verões na colônia de férias municipal em Rainbow Beach, onde todos vinham de algum canto do South Side e ninguém era bem de vida. Na Whitney Young, conheci brancos que moravam no North Side — área da cidade que me parecia o lado escuro da lua, um lugar em que nunca pensei nem tive motivo para ir. O mais intrigante foi minha descoberta, logo cedo, de que existia uma elite afro-americana. A maioria dos meus novos amigos de escola eram negros, mas isso não necessariamente significava que havíamos tido as mesmas experiências de vida. Vários tinham pais advogados ou médicos e pareciam se conhecer de um clube social afro-americano chamado Jack and Jill. Passavam as férias em estações de esqui e faziam viagens que exigiam passaporte. Falavam de coisas que eu desconhecia, como trabalhos temporários e faculdades historicamente negras. Um dos meus colegas negros, um menino nerd e sempre simpático com todo mundo, era filho dos fundadores de uma grande empresa de cosméticos e morava em um dos endereços mais grã-finos do centro.

Esse era meu novo mundo. Não quero dizer que todos os alunos da escola eram ricos ou muito sofisticados, pois não era o caso. Havia um monte de garotos que vinha de bairros como o meu, que tinha enfrentado muito mais adversidades do que eu jamais enfrentaria. Mas meus primeiros meses na Whitney Young me proporcionaram um vislumbre de algo antes invisível — todo o aparato que formava os privilégios e as conexões, o que parecia ser uma rede meio oculta de escadas e cordas guias suspensas sobre nossas cabeças, preparado para levar alguns — mas não todos — ao céu.

Minha primeira rodada de notas foi muito boa, e a segunda também. Ao longo do primeiro e do segundo anos, desenvolvi o mesmo tipo de autoconfiança que tinha na Bryn Mawr. A cada pequena conquista, a cada erro que evitava, minhas dúvidas iam se dissipando. Eu gostava da maioria dos professores. Não tinha medo de levantar a mão em aula. Na Whitney Young, era seguro ser inteligente. O pressuposto era de que todos ali se empenhavam para chegar à faculdade, por isso ninguém escondia a inteligência com medo de dizerem que você falava como um branco.

Eu adorava qualquer matéria que envolvesse redação e sofria com matérias que demandassem pré-cálculo. Até que não me saía mal em francês. Alguns colegas estavam sempre um ou dois passos à minha frente. Eles pareciam conquistar tudo sem fazer o menor esforço, mas eu tentava não me incomodar. Começava a entender que, se dedicasse algumas horas extras aos estudos, muitas vezes conseguia tirar a diferença. Não era uma aluna que só tirava dez, mas sempre tentava, e em certos semestres cheguei perto disso.

Enquanto isso, Craig havia se matriculado na Universidade Princeton, desocupando o quarto nos fundos na Euclid Avenue e deixando um buraco de quase dois metros e noventa quilos no nosso dia a dia. De repente nossa geladeira passou a ficar bem menos lotada de leite e carne; a linha telefônica não era mais entupida de meninas ligando para flertar com ele. Craig tinha sido sondado por grandes universidades que lhe ofereciam bolsa e o equivalente a uma vida de celebridade jogando basquete, mas, com o incentivo dos meus pais, escolheu Princeton, que custava mais, porém, aos olhos deles, também prometia mais. Meu pai mal se conteve de orgulho quando Craig virou titular do time de basquete de Princeton no segundo ano de faculdade. Cambaleando e usando duas bengalas para andar, ele ainda adorava uma longa viagem de carro. Tinha trocado o velho Buick por um novo Buick, outro 225, esse marrom-escuro. Quando conseguia tirar uma folga na estação de filtragem, passava doze horas dirigindo para assistir a uma das partidas de Craig, atravessando Indiana, Ohio, Pensilvânia e Nova Jersey.

Por causa da minha longa viagem diária até a Whitney Young, passei a ver menos os meus pais. Hoje olho para trás e imagino que tenha sido uma época solitária para eles, ou que pelo menos exigiu certos ajustes. Passei a ficar mais tempo fora do que dentro de casa. Cansados de ficar em pé durante os noventa minutos de ida até a escola, Terri Johnson e eu descobrimos um truque: saíamos de casa quinze minutos mais cedo que o normal e pegávamos um ônibus que ia na direção contrária à da escola, até uma vizinhança menos movimentada, onde saltávamos, atravessávamos a rua e pegávamos nosso ônibus normal, sempre mais vazio do que estaria ao passar na rua 75, onde costumávamos embarcar. Contentes com a nossa engenhosidade, nos sentávamos, todo orgulhosos, em nossos bancos e passávamos o trajeto até a escola batendo papo ou estudando.

Por volta das seis ou sete horas da noite, eu chegava em casa a tempo de um jantar rápido e uma conversa sobre o dia com meus pais. Mas depois que a louça estava lavada, eu desaparecia para fazer o dever de casa, volta e meia carregando os livros para o andar de baixo, onde ficava no cantinho da enciclopédia, ao lado da escada junto ao apartamento de Robbie e Terry. Assim, tinha um pouco de privacidade.

Meus pais nunca falaram do estresse que era ter que pagar a faculdade, mas tinha consciência suficiente para saber que ele existia. Quando minha professora de francês anunciou que organizaria uma viagem opcional a Paris numa de nossas férias, para quem tivesse dinheiro para ir, nem me dei ao trabalho de falar sobre o assunto em casa. Essa era a diferença entre mim e o pessoal do Jack and Jill, muitos dos quais, àquela altura, já eram amigos íntimos. Eu tinha um lar amoroso e organizado, a passagem de ônibus para cruzar a cidade até a escola e um prato quente me esperando em casa. Não iria pedir mais nada aos meus pais.

Certa noite, porém, meus pais pediram que eu me sentasse. Os dois pareciam confusos. Minha mãe soubera da viagem à França pela mãe de Terri Johnson.

"Por que não falou com a gente?", indagou ela.

"Porque é muito dinheiro."

"Não é você quem decide isso, Miche", disse meu pai sutilmente, quase ofendido. "E como é que a gente vai decidir se nem fica sabendo?"

Olhei para os dois sem saber o que dizer. Minha mãe me fitou de relance, o olhar carinhoso. Meu pai tinha tirado o uniforme do trabalho e vestido uma camisa branca limpa. Tinham uns quarenta e poucos anos na época e estavam casados fazia quase vinte anos. Nunca tinham passado férias na Europa. Nunca viajavam para o litoral do país nem saíam para jantar. Não tinham casa própria. Eu e Craig éramos o investimento deles. Tudo ia para nós.

Seja como for, poucos meses depois embarquei num voo para Paris com minha professora e mais de dez colegas de turma da Whitney Young. Ficaríamos em um albergue, passearíamos pelo Louvre e pela Torre Eiffel. Compraríamos *crêpes au fromage* nas barraquinhas de rua e andaríamos à margem do rio Sena. Falaríamos francês como um bando de estudantes de Chicago, mas pelo menos falaríamos francês. Naquele dia, quando o avião se afastou do portão, olhei o aeroporto pela janela, ciente de que minha mãe estava em algum lugar atrás das vidraças foscas, vestida com seu casaco de inverno, acenando para mim. Eu me lembro dos motores a jato sendo ativados, extremamente altos. Em seguida estávamos sacudindo pela pista, e o avião começou a apontar para cima, prestes a levantar voo. A aceleração tomou conta do meu peito e me pressionou contra o assento durante esse momento esquisito, intermediário, que vem antes de você finalmente se sentir suspenso.

Assim como qualquer estudante do ensino médio, meus amigos e eu gostávamos de matar o tempo. Matávamos tempo fazendo o maior estardalhaço e em público. Nos dias em que as aulas terminavam cedo ou havia pouco dever de casa, íamos em bando da Whitney Young para o centro de Chicago e acabávamos no shopping de oito andares no Water Tower Place. Subíamos e descíamos pelas escadas rolantes, gastávamos dinheiro na pipoca gourmet do Garrett's e ocupávamos mesas no McDonald's por mais tempo do que seria razoável, dada a pouca comida que pedíamos. Olhávamos jeans de estilistas e bolsas na Marshall Field's, às vezes sendo discretamente seguidos pelos seguranças que não gostavam da nossa aparência. Às vezes íamos ao cinema.

Éramos felizes — felizes com a nossa liberdade, felizes uns com os outros, felizes com a maneira como a cidade parecia estar mais cintilante nos dias em que não pensávamos na escola. Éramos garotos urbanos aprendendo a explorar.

Eu passava bastante tempo com uma colega de turma chamada Santita Jackson, que de manhã pegava o ônibus no Jeffery Boulevard alguns pontos depois de mim. Ela se tornou uma das minhas melhores amigas na escola. Santita tinha lindos olhos escuros, bochechas arredondadas e uma postura de mulher sábia, mesmo com apenas dezesseis anos. Na escola, era uma daquelas alunas que se inscreviam em todas as disciplinas avançadas disponíveis e parecia tirar nota máxima sempre. Usava saia quando todo mundo usava jeans, e cantava com uma voz tão cristalina e potente que anos depois acabaria fazendo turnê como vocal de apoio da Roberta Flack. Também era uma pessoa profunda. E isso era o que eu mais amava em Santita. Assim como eu, às vezes ela era fútil e boba quando estávamos no meio de um grupo maior, mas quando estávamos sozinhas éramos ponderadas e densas, duas filósofas tentando resolver as questões da vida, grandes ou pequenas. Passávamos horas deitadas no chão do quarto de Santita, no segundo andar da casa branca estilo Tudor de sua família, em Jackson Park Highlands, área mais próspera de South Shore, conversando sobre o que nos irritava, como seria nosso futuro e o que entendíamos ou não no mundo. Como amiga, ela era uma boa ouvinte e uma pessoa perspicaz, e eu tentava ser assim também.

O pai de Santita era famoso. Esse era um fato básico e incontornável da vida dela. Ela era a filha mais velha do reverendo Jesse Jackson, o incendiário pastor batista e líder político cada vez mais poderoso. Jackson tinha trabalhado com Martin Luther King Jr. e se tornado famoso no país inteiro no começo dos anos 1970 como fundador de uma organização política chamada Operação PUSH, que defendia os direitos dos afro-americanos carentes. Quando eu e Santita estávamos no ensino médio, ele já era uma celebridade — um homem carismático, bem relacionado e sempre atarefado. Percorria o país hipnotizando plateias com convocações estrondosas para que os negros se desvencilhassem dos debilitantes estereótipos do gueto e reivindicassem o poder político que lhes era negado havia tanto tempo. Pregava uma mensagem de autoempoderamento implacável, no estilo mãos à obra. "Chega de drogas! Vamos de esperança!", bradava ele para o público. Fazia crianças assinarem promessas de que desligariam a TV e dedicariam duas horas da noite ao dever de casa. Fazia os pais jurarem que seriam participativos. Rechaçava a sensação de fracasso que permeava tantas comunidades afro-americanas, instando as pessoas a deixar de lado a autopiedade e assumir o controle do próprio destino. "Ninguém, mas ninguém mesmo, é pobre demais para desligar a TV durante duas horas por dia!", berrava ele.

Ficar na casa de Santita era estimulante. Era um lugar aconchegante e meio caótico, lar dos cinco filhos da família, cheio de móveis vitorianos e antigos objetos de vidro que a mãe de Santita, Jacqueline, gostava de colecionar. A sra. Jackson, como eu a chamava, tinha uma energia expansiva e uma risada formidável. Usava roupas coloridas e esvoaçantes e servia refeições na mesa imensa da sala de jantar, acolhendo quem chegasse, em geral pessoas que faziam parte do que ela chamava de "o movimento". Eram magnatas, políticos e poetas, além de um círculo de famosos, de cantores a atletas.

Quando o reverendo Jackson estava em casa, uma energia diferente pulsava ali. A rotina era deixada de lado; as conversas à mesa de jantar seguiam noite adentro. Conselheiros entravam e saíam. Sempre havia planos em plena elaboração. Ao contrário do meu apartamento na Euclid Avenue — onde a vida corria em um ritmo sistemático e previsível e onde as preocupações dos meus pais raramente iam além de manter a família feliz e a caminho do sucesso —, os Jackson pareciam estar no meio de algo maior, mais confuso e aparentemente mais impactante. O compromisso deles era externo: a comunidade deles era ampla, a missão era importante. Santita e os irmãos eram criados para serem politicamente ativos. Sabiam como e o que boicotar. Marchavam pelas causas do pai. Acompanhavam o reverendo Jackson em viagens a trabalho, visitando lugares como Israel e Cuba, Nova York e Atlanta. Subiam em palcos diante de plateias enormes e aprendiam a engolir a ansiedade e a controvérsia que surgiam de ter um pai, talvez sobretudo um pai negro, na vida pública. O reverendo Jackson tinha guarda-costas — homens grandes e silenciosos que viajavam com ele. Na época, eu não tinha entendido muito bem que havia sofrido ameaças de morte.

Santita adorava o pai e tinha orgulho do trabalho dele, mas ao mesmo tempo tentava viver a própria vida. Ela e eu éramos totalmente a favor de reforçar o caráter da juventude negra nos Estados Unidos, mas também ficávamos loucas para ir ao Water Tower Place antes que a liquidação do tênis K-Swiss acabasse. Não raro procurávamos carona ou tentávamos pegar um carro emprestado. Como a minha família só tinha um carro e meus pais trabalhavam, a chance era maior na casa dos Jackson, onde a sra. Jackson tinha uma perua com painéis de madeira e um esportivo compacto. Às vezes conseguíamos carona com membros da equipe ou com as visitas que estavam sempre chegando ou saindo da casa deles. Com isso, porém, sacrificávamos o controle sobre o passeio. Involuntariamente, esta se tornaria uma das minhas primeiras lições sobre a vida na política: agendas e planos nunca pareciam ser seguidos. Mesmo estando bem distante do vórtice, era possível sentir sua rotação. Muitas vezes Santita e eu ficávamos empacadas, esperando por causa de algum atraso relacionado ao pai dela — uma reunião que se estendia ou um avião que ainda sobrevoava o aeroporto — ou fazendo desvios em razão de uma série de empecilhos de última hora. Achávamos que íamos de carona da escola para casa ou para o shopping, mas acabávamos num comício político no West Side ou presas por horas a fio na sede da Operação PUSH, em Hyde Park.

Certo dia acabamos marchando com uma multidão de apoiadores de Jesse Jackson no Bud Billiken Day Parade. O desfile, batizado em homenagem a um personagem fictício de uma coluna de jornal de muito tempo atrás, é uma das maiores tradições do South Side, e acontece todo agosto. É um espetáculo de bandas marciais e carros alegóricos que percorrem cerca de três quilômetros ao longo da Martin Luther King Jr. Drive, bem no coração do bairro afro-americano outrora conhecido como Black Belt, Cinturão Negro, mas depois rebatizado de Bronzeville. O Bud Billiken Day Parade acontece desde 1929 e diz respeito puramente ao orgulho afro-americano. Quem era um líder comunitário ou político, tinha — e ainda tem — certa obrigação de dar as caras e percorrer o trajeto.

Eu não sabia na época, mas o vórtice em torno do pai de Santita girava cada vez mais rápido. Jesse Jackson estava a alguns anos de lançar oficialmente uma candidatura à presidência dos Estados Unidos — ou seja, provavelmente estava começando a cogitar a ideia na época em que eu e Santita estávamos no ensino médio. Precisaria arrecadar dinheiro. Seria necessário fazer conexões. Hoje sei que a candidatura à presidência é uma operação exaustiva para todos os envolvidos, e boas campanhas tendem a abarcar um preâmbulo para preparar o terreno e criar as bases, o que pode acrescentar anos à iniciativa. De olho nas eleições de 1984, Jesse Jackson se tornaria o segundo afro-americano a fazer uma campanha nacional séria à presidência, depois da candidatura malsucedida da congressista Shirley Chisholm, em 1972. Suponho que, naquela época, pelo menos parte da ideia estava em sua mente no dia do desfile.

O que eu sabia era que não gostava da sensação de estar ali, enfiada debaixo de um sol escaldante em meio a balões e megafones, trombones e uma multidão animada. A fanfarra era divertida e até contagiante, mas havia algo ali, e na política de forma geral, que me deixava desconfortável. Para começo de conversa, eu gostava das coisas ordenadas e planejadas com antecedência, e, pelo que percebia, não havia nada de ordeiro em uma vida política. O desfile não estava nos meus planos. Segundo me lembro, Santita e eu nem cogitávamos participar. Fomos recrutadas no último segundo, talvez por um dos pais dela ou por outra pessoa do movimento que nos pegou antes de levarmos a cabo os planos que tínhamos para o dia. Mas eu tinha um carinho enorme por Santita, e além disso eu era uma menina educada que em geral fazia o que os adultos me mandavam fazer, então fui. Mergulhei fundo na barulheira escaldante e enérgica do Bud Billiken Day Parade.

Naquela noite cheguei em casa e deparei com a minha mãe aos risos.

"Acabei de te ver na TV", anunciou ela.

Ela estava assistindo ao noticiário e me viu marchando ao lado de Santita, acenando, sorrindo e indo na onda. O que a fez rir, imagino, foi ter notado também o meu desconforto — o fato de que talvez tivesse me visto no meio de algo onde preferiria não estar.

Quando chegou a hora de pensar nas faculdades, tanto Santita quanto eu tínhamos interesse em universidades da Costa Leste. Ela chegou a ir a Harvard visitar a faculdade, mas ficou decepcionada quando um oficial de admissões a atormentou por causa da visão política de seu pai, e tudo o que ela queria era ser vista por si mesma. Passei um fim de semana com Craig, em Princeton, onde ele parecia ter entrado em um ritmo produtivo de jogar basquete, assistir às aulas e passar o tempo no centro do campus projetado para estudantes de minorias. O campus era amplo e lindo — o edifício era coberto de hera — e os amigos de Craig pareciam legais. Ninguém da minha família mais próxima tinha muita experiência direta com faculdades, portanto havia pouco o que debater ou examinar. Então achei que, se Craig gostava de lá, eu também gostaria, e o que ele conquistasse eu também seria capaz de conquistar. E assim Princeton se tornou minha primeira opção.

No começo do meu último ano na Whitney Young, fui à primeira entrevista obrigatória com a orientadora a quem fui atribuída.

Não sei muito o que dizer sobre a orientadora porque quase instantaneamente escolhi apagar essa experiência da minha cabeça. Não me lembro de sua idade, cor ou como ela me olhou no dia em que apareci na porta de seu escritório, orgulhosa de me formar entre os 10% dos melhores alunos da turma, de que tinha sido eleita a tesoureira da classe, entrado para a organização National Honor Society (que dá reconhecimento aos melhores estudantes do ensino médio nos Estados Unidos) e conseguido superar praticamente todas as inseguranças que tinha ao chegar lá, tensa, no nono ano. Não sei se ela conferiu meu boletim antes ou depois que anunciei o interesse em ir para Princeton no outono seguinte, onde meu irmão já estudava.

Na verdade, é possível que na breve reunião a orientadora tenha me dito coisas positivas e úteis, mas não me recordo de nada. Porque, estando ela certa ou errada, eu me concentrei em apenas uma frase que ouvi.

"Não sei bem se você é do tipo de Princeton", disse ela, me lançando um sorriso superficial e paternalista.

Seu julgamento foi tão ligeiro quanto desdenhoso, provavelmente baseado em um cálculo rápido que abarcava minhas notas na escola e minhas pontuações nos exames para a faculdade. Era uma versão, imagino, do que aquela mulher fazia o dia inteiro e com uma eficiência vinda da experiência, dizendo a alunos do último ano onde se encaixavam ou não. Tenho certeza de que ela imaginava que era meramente realista. Duvido que tenha repensado nossa conversa.

Mas, como eu já disse, o fracasso começa como um sentimento bem antes de se tornar um resultado verdadeiro. E, para mim, parecia ser exatamente o que ela estava plantando — uma sugestão de fracasso bem antes de eu tentar o sucesso. Ela estava sugerindo que eu baixasse as expectativas, o inverso de tudo o que meus pais já tinham me falado na vida.

Caso eu acreditasse nela, sua afirmação teria derrubado minha autoconfiança de novo, ressuscitando o velho bordão *Não basta, não basta.*

Mas três anos ao lado dos ambiciosos estudantes da Whitney Young me ensinaram que eu era mais. Não deixaria a opinião de uma pessoa desfazer tudo o que eu achava de mim mesma. Preferi mudar o método sem mudar a meta. Eu me candidataria a Princeton e a outras faculdades de minha escolha, mas sem levar em conta as opiniões da orientadora. Procurei a ajuda de quem realmente me conhecia. O sr. Smith, diretor assistente e meu vizinho, conhecia meus pontos fortes como estudante e, além disso, confiava os próprios filhos a mim. Concordou em me dar uma carta de recomendação.

Ao longo da vida tive a sorte de conhecer vários tipos de pessoas extraordinárias e talentosas — líderes mundiais, inventores, músicos, astronautas, atletas, professores, empreendedores, artistas e escritores, médicos e pesquisadores pioneiros. Alguns (mas não o suficiente) são mulheres. Alguns (mas não o suficiente) são negros. Alguns nasceram pobres ou tiveram histórias de vida que, para muitos de nós, pareceriam injustamente repletas de adversidades, e ainda assim essas pessoas agem como se tivessem todas as vantagens do mundo. Aprendi o seguinte: todos tiveram quem duvidasse deles. Alguns continuam com uma coleção estrondosa e gigantesca de críticos e céticos que dizem *Eu bem que avisei* a cada erro ou passo em falso. O barulho não some, porém os mais bem-sucedidos que conheço descobriram uma forma de conviver com ele, de se apoiar nas pessoas que acreditam nelas e de seguir em frente com seus objetivos.

Naquele dia, ao sair da sala da orientadora, eu estava furiosa, o ego ferido mais do que tudo. Naquele momento, meu único pensamento era: *Vou mostrar a você*.

Então me acalmei e voltei ao trabalho. Nunca achei que entrar na faculdade seria fácil, mas estava aprendendo a me concentrar e a ter fé na minha própria história. Tentei contá-la inteira na redação de admissão. Em vez de fingir que era muito intelectual e que achava que me daria muito bem dentro das paredes cobertas de hera de Princeton, escrevi sobre a esclerose múltipla do meu pai e a falta de experiência da minha família com a educação superior. Assumi o fato de que estava tentando algo difícil. Dada a minha história, tudo o que me restava fazer era tentar.

E, no fundo, imagino que tenha mostrado àquela orientadora, pois seis ou sete meses depois, uma carta chegou à nossa caixa de correio na Euclid Avenue, me oferecendo uma vaga em Princeton. Naquela noite meus pais e eu comemoramos pedindo uma pizza na Italian Fiesta. Liguei para Craig e contei a novidade aos berros. No dia seguinte bati à porta do sr. Smith para contar que tinha sido aceita e agradecer por sua ajuda. Nunca fui à orientadora para contar que ela estava errada — que eu fazia o tipo de Princeton, sim. Não teria mudado nada para nenhuma de nós. E, no fim, eu não precisava lhe mostrar nada. Estava apenas mostrando a mim mesma.

6

Meu pai me levou de carro a Princeton no verão de 1981, percorrendo as estradas planas que ligavam Illinois a Nova Jersey. Mas aquela foi mais que uma simples viagem de pai e filha. Meu namorado, David, participou da jornada. Eu tinha sido convidada a frequentar um programa especial de orientação de três semanas durante o verão, que tinha o objetivo de reduzir a "defasagem de preparação" e dar a certos calouros tempo e auxílio extra para se adaptarem à faculdade. Não estava claro como tínhamos sido identificados — que partes das nossas candidaturas fizeram a universidade pensar que talvez nos beneficiássemos de aulas sobre como ler uma ementa ou de como usar os caminhos entre edifícios do campus — mas Craig havia cumprido o programa dois anos antes, e além de tudo me pareceu uma oportunidade. Portanto, arrumei minhas coisas, me despedi da minha mãe — nenhuma das duas chorosa ou sentimental — e entrei no carro.

Até certo ponto, meu entusiasmo para ir embora era tão grande por eu ter passado os últimos meses trabalhando em uma linha de montagem, operando o que era basicamente uma pistola de cola de tamanho industrial em uma pequena fábrica de encadernação no centro de Chicago — uma rotina fatigante, que se estendia ao longo de oito horas por dia, cinco dias por semana, e talvez tenha servido como o melhor lembrete de que ir para a faculdade era uma boa ideia. A mãe de David trabalhava na encadernadora de livros e arrumou o emprego para nós dois. Trabalharíamos lado a lado o verão inteiro, o que tornava a atividade mais palatável. Dois anos mais velho que eu, David era um rapaz alto e bonito, inteligente e carinhoso. Tinha feito amizade com Craig na quadra de basquete da vizinhança, em Rosenblum Park, anos antes, jogando quando ia visitar parentes que moravam no Euclid Parkway. Depois, começou a passar mais tempo comigo. Durante o ano letivo, David frequentava uma faculdade fora do estado, o que, para minha comodidade, o impedia de ser uma distração dos meus estudos. Nos feriados e nas férias, porém, ele voltava para casa e ficava com a mãe no sudoeste da cidade, e quase todo dia me buscava de carro em casa.

David era tranquilo e também mais adulto do que qualquer outro namorado que eu já havia tido. Sentava-se no sofá e assistia a jogos com meu pai. Jogava papo fora com Craig e entabulava conversas educadas com minha mãe. Tínhamos encontros de verdade, jantávamos em lugares que considerávamos sofisticados, como o Red Lobster, e íamos ao cinema. Dávamos amassos e fumávamos maconha no carro dele. De dia, na encadernadora, usávamos a pistola para atirar cola um no outro, nos distraindo e esquecendo do mundo, fazendo piadas até não termos mais nada a dizer. Nosso único interesse no trabalho era guardar dinheiro para a faculdade. Afinal, eu logo iria embora e não tinha a menor intenção de um dia voltar a uma fábrica de encadernação. De certa forma, um pedaço de mim já havia ido embora — minha mente já estava vagando para os lados de Princeton.

Isso significa que na noite do início de agosto em que o trio pai-filha--namorado finalmente saiu da estrada e entrou na avenida ampla e frondosa que levava ao campus, eu já estava mais que pronta para dar o pontapé inicial. Estava pronta para levar minhas duas malas ao dormitório do programa de verão, pronta para apertar a mão dos outros alunos que chegariam (basicamente estudantes de minorias e de baixa renda, com alguns atletas no meio). Estava pronta para provar a comida do refeitório, decorar o mapa do campus e dominar qualquer ementa que atirassem na minha frente. Eu estava lá. Tinha conseguido. Tinha dezessete anos e minha vida estava prestes a começar.

Só havia um problema: David. Assim que cruzamos a fronteira da Pensilvânia ele começou a ficar com uma cara tristonha. Enquanto lutávamos para tirar a bagagem do porta-malas do meu pai, percebi que ele já estava se sentindo solitário. Já namorávamos fazia mais de um ano. Havíamos declarado amor um para o outro, mas era um amor no contexto da Euclid Avenue, do Red Lobster, das quadras de basquete de Rosenblum Park. Era amor no contexto do lugar de onde eu acabara de partir. Enquanto meu pai levava seu tempo habitual para descer do banco do motorista e se equilibrar nas muletas, David e eu ficamos parados, mudos, no lusco-fusco, observando o imaculado gramado verde diante da fortaleza de pedras que era meu dormitório. Naquele momento supus que estávamos nos dando conta de que talvez não tivéssemos discutido coisas importantes, que talvez tivéssemos ideias diferentes quanto ao que seria aquilo: uma despedida temporária ou um rompimento imediato, provocado pela geografia. Visitaríamos um ao outro? Escreveríamos cartas de amor? Quanto esforço dedicaríamos ao relacionamento?

David segurou minha mão com seriedade. Foi confuso. Eu sabia o que queria mas não conseguia me expressar. Esperava que um dia meus sentimentos por um homem me deixassem desnorteada, arrebatada pelo tsunami que move todas as grandes histórias de amor. Meus pais tinham se apaixonado quando adolescentes. Meu pai acompanhou minha mãe no baile de formatura dela. Eu sabia que namoros de adolescência às vezes eram genuínos e duradouros. Queria acreditar que um homem iria se materializar e se tornar tudo para mim, que seria um homem sexy e confiável, e que seu efeito seria tão imediato e profundo que eu estaria disposta a reorganizar minhas prioridades.

Simplesmente não era o homem parado na minha frente naquele instante.

Meu pai enfim rompeu o silêncio entre mim e David, dizendo que estava na hora de levarmos minhas coisas para o quarto. Ele tinha reservado um quarto em um hotelzinho na cidade para eles dois. Planejavam voltar para Chicago no dia seguinte.

No estacionamento, dei um abraço apertado no meu pai. Seus braços sempre foram fortes: primeiro pela dedicação ao boxe e à natação quando jovem, e agora continuavam assim pelo esforço necessário para andar de bengala.

"Juízo, Miche", pediu ele, me soltando, seu rosto puro orgulho.

Entrou no carro, fazendo a gentileza de dar a mim e David um pouco de privacidade.

Ficamos na calçada, ambos encabulados e paralisados. Meu coração batia forte quando ele se inclinou para me beijar. Essa parte sempre foi boa.

E no entanto eu sabia. Sabia que, apesar de estar abraçando um homem generoso da minha cidade natal, uma pessoa que gostava de verdade de mim, havia, logo além de nós, uma trilha iluminada que saía do estacionamento e subia uma leve ladeira em direção ao edifício, e em questão de minutos aquilo viraria meu novo contexto, meu novo mundo. Eu estava nervosa por morar longe de casa pela primeira vez, por deixar a única vida que eu conhecia. Mas parte de mim entendeu que era melhor um rompimento claro e rápido, em vez de me apegar a alguma coisa. No dia seguinte David ligou para o meu dormitório e perguntou se podíamos nos encontrar para comer alguma coisa rápida e dar uma última volta na cidade antes de ele ir embora, e eu murmurei que já estava muito ocupada com os estudos, que achava que não ia poder. Naquela noite, nossa despedida foi de verdade e para sempre. Provavelmente eu devia ter sido direta naquele momento, mas me acovardei, sabendo que doeria tanto dizer quanto ouvir. Preferi deixar que ele apenas fosse embora.

Descobri que eu ainda tinha muita coisa a aprender sobre a vida, ou pelo menos sobre a vida no campus de Princeton no início da década de 1980. Depois de passar algumas semanas revigorantes como aluna de verão, cercada por dezenas de estudantes que me pareciam acessíveis e familiares, o semestre começou oficialmente. Estavam abertas as comportas para os universitários em geral. Levei minhas coisas para um novo quarto, um dormitório para três pessoas em Pyne Hall, e, da janela do terceiro andar, fiquei observando milhares de estudantes, a maioria branca, brotarem no campus, carregando aparelhos de som, edredons e cabides de roupas. Alguns chegavam em limusines. Uma garota levou duas limusines — daquelas compridas — para transportar todas as suas coisas.

Princeton era extremamente branca e muito masculina. Não havia como evitar os fatos. Havia quase o dobro de homens em relação às mulheres. Alunos negros eram menos de 9% da minha turma de calouros. Se durante o programa de orientação começamos a nos sentir os donos do lugar, agora éramos uma anomalia gritante — sementes de papoula numa tigela de arroz. Embora a Whitney Young fosse uma escola com certa diversidade, eu nunca tinha feito parte de uma comunidade predominantemente branca. Nunca tinha me destacado em uma multidão ou em uma sala de aula devido à cor da minha pele. Pelo menos no começo foi desagradável e incômodo, como ser lançada em um viveiro estranho, um habitat que não era feito para mim.

Assim como tudo na vida, você aprende a se adaptar. Parte da adequação foi fácil — na verdade, quase um alívio. Para começar, ninguém parecia se preocupar muito com possíveis crimes. Os alunos deixavam as portas do quarto destrancadas, as bicicletas presas de qualquer jeito diante dos prédios, os brincos de ouro largados na pia do banheiro do dormitório. Pareciam ter uma fé infinita no mundo e a certeza de que seriam bem-sucedidos. Já eu precisaria me acostumar. Tinha passado anos defendendo meus pertences durante o trajeto de ida e volta da Whitney Young. À noite, ao voltar para a casa da Euclid Avenue, segurava a chave da porta entre os dedos, com a ponta para fora, para o caso de ter que me defender.

Em Princeton, eu tinha a impressão de que só precisava me preocupar com os estudos. Todo o resto era projetado para servir ao nosso bem-estar como alunos. Os refeitórios serviam cinco tipos de café da manhã. Ao longo do campus havia enormes carvalhos sob os quais nos sentávamos e gramados onde podíamos jogar frisbee para aliviar o estresse. A biblioteca principal era como uma catedral do Velho Mundo, com pé-direito alto e mesas de madeira lustrosa onde podíamos espalhar os livros e estudar em silêncio. Éramos protegidos, isolados, servidos. Ali percebi que muitos alunos nunca tinham vivido de outra forma.

Vinculado a tudo isso havia um novo vocabulário que eu precisaria dominar. O que era preceito? O que era o período de leitura? Ninguém tinha me explicado o que eram os lençóis "extralongos" na lista dos artigos que eu devia levar para a faculdade, por isso acabei comprando lençóis curtíssimos e dormindo o primeiro ano inteiro de faculdade com os pés no plástico do colchão do dormitório. Havia uma curva de aprendizado quanto ao entendimento de esportes. Fui criada no seio do futebol americano, do basquete e do beisebol, mas descobri que os alunos de escolas particulares da Costa Leste iam além. O lacrosse era uma sensação. O hóquei era uma sensação. Até o squash era uma sensação. Para uma menina do South Side, era meio atordoante. "Você rema?" O que as pessoas queriam dizer com isso?

Eu só tinha uma vantagem, a mesma de quando entrei no jardim de infância: ainda era a irmãzinha de Craig Robinson — agora no terceiro ano e um grande jogador do time de basquete universitário. Como sempre, ali Craig também tinha fãs. Até mesmo os seguranças do campus o cumprimentavam pelo nome. Craig tinha vida própria, e consegui entrar nela, pelo menos em parte. Conheci seus colegas de equipe e seus amigos. Certa noite, fui jantar com ele fora do campus, na casa refinada de um dos apoiadores do time. Quando me sentei à mesa de jantar, me deparei com uma imagem confusa, um alimento que, assim como muitas coisas em Princeton, exigia antes de tudo uma lição de etiqueta — uma alcachofra verde e espinhosa num prato branco.

Craig tinha arrumado um ótimo acordo de moradia naquele ano: trabalhava como zelador e em troca não pagava aluguel num quarto no Third World Center, uma ramificação da universidade de nome péssimo mas bem-intencionado, com a missão de apoiar alunos negros. (O Third World Center levaria mais vinte anos para ser rebatizado de Carl A. Fields Center for Equality and Cultural Understanding, em homenagem ao primeiro reitor afro-americano de Princeton.) O centro ficava em um prédio de tijolos vermelhos na esquina da Prospect Avenue, e seus edifícios principais eram uma casa imponente, feita de pedra, e os clubes sociais estilo Tudor que haviam substituído as fraternidades.

O Third World Center — ou TWC, como a maioria o chamava — logo se tornou uma espécie de base para mim. Havia festas e refeições comunitárias. Monitores voluntários nos ajudavam a fazer os trabalhos e a achar espaços para relaxar. Fiz um bocado de amigos instantâneos durante o programa de verão, e muitos de nós íamos para o centro nas horas vagas. Entre eles estava Suzanne Alele. Suzanne era alta e magra, de sobrancelhas grossas e cabelo preto volumoso que caía como uma cascata reluzente nas costas. Tinha nascido na Nigéria e crescido em Kingston, na Jamaica, mas a família tinha se mudado para Maryland quando ela era adolescente. Talvez por isso parecesse não ter apenas uma identidade cultural. As pessoas se encantavam com Suzanne. Era difícil não se encantar. Ela tinha um sorriso largo e um leve sotaque caribenho que se acentuava quando estava cansada ou bebia um pouco. Suzanne se portava com o que considero uma serenidade caribenha, uma leveza de espírito que a fazia se destacar entre a massa de estudantes de Princeton. Ela não tinha medo de se esbaldar nas festas em que não conhecia ninguém. Embora cursasse pré-medicina, fazia questão de assistir às aulas de cerâmica e dança pelo simples fato de que a alegravam.

Durante o nosso segundo ano de faculdade, Suzanne se meteria em uma encrenca: resolveu brigar em um clube da universidade chamado Cap and Gown. Com isso, foi vetada durante a escolha de novos membros. Eu adorava as histórias que Suzanne trazia dos banquetes e festas que frequentava nos clubes, mas não tinha interesse algum em brigar. Estava contente com a comunidade de estudantes negros e latinos que conheci por meio do TWC, satisfeita em me manter à margem do ambiente social geral de Princeton. Nosso grupo era pequeno, porém unido. Dávamos festas e passávamos metade da noite dançando. Na hora das refeições, costumávamos reunir mais de dez pessoas em torno da mesa, todos relaxados, aos risos. Assim como as longas refeições que minha família fazia à mesa da casa de Southside, nossos jantares em Princeton duravam horas.

Imagino que os diretores de Princeton não gostavam muito de ver que grande parte dos estudantes negros andava junta. Eles esperavam que os alunos se entrosassem, que formassem um grupo diverso e harmônico, e que isso aumentasse o bem-estar de todos. É um objetivo respeitável. Compreendo que, quando o mote é diversidade, o ideal seria ter algo similar aos panfletos das universidades — alunos sorridentes trabalhando e socializando em grupos heterogêneos, com gente de todas as etnias. Mas ainda hoje, com o número de alunos brancos superando o de alunos negros nas universidades, o fardo da assimilação ainda recai muito nos ombros das minorias. Para mim, é pedir demais.

Em Princeton, eu precisava dos meus amigos negros. Ajudávamos e apoiávamos uns aos outros. Muitos tinham chegado à faculdade sem sequer ter a noção de nossas desvantagens. Aos poucos você vai descobrindo que seus novos colegas estudaram com professores particulares antes do SAT, tiveram aulas de nível universitário na escola ou estudaram em colégios internos, portanto não tiveram que lidar com as dificuldades de estar longe de casa pela primeira vez. Era como pisar no palco para seu primeiro recital de piano e se dar conta de que você nunca tocou nada além de um instrumento com teclas quebradas. Seu mundo muda, mas exigem que você se adapte e supere as adversidades, que toque sua música assim como todo mundo.

Claro que isso é possível — a todo momento estudantes desfavorecidos e que fazem parte das minorias mostram que são capazes de superar desafios —, mas consome energia. Consome energia ser a única pessoa negra em uma sala de aula ou uma das poucas não brancas fazendo teste para uma peça ou para entrar em uma equipe da faculdade. É necessário se empenhar, reunir uma dose extra de autoconfiança — para se pronunciar nesses ambientes — e assumir a própria presença na sala. Por isso, quando meus amigos e eu nos encontrávamos para jantar à noite, era sempre um alívio. É por isso que ficávamos muito tempo juntos e ríamos o máximo possível.

Minhas companheiras de quarto em Pyne Hall eram duas garotas brancas. Eram ótimas pessoas, mas eu não ficava tempo suficiente no dormitório para estabelecermos uma amizade profunda. Na verdade, eu não tinha muitos amigos brancos. Em retrospecto, percebo que a culpa foi tanto minha quanto de todos. Eu era cautelosa. Me apegava ao que já conhecia. É complicado pôr em palavras o que às vezes captamos no ar, as nuances silenciosas e cruéis que fazem você sentir que não pertence a algo — as pistas sutis que lhe dizem para não se arriscar, para achar sua gente e ficar quieta.

Muitos anos depois, Cathy, uma das minhas colegas de quarto, apareceria no noticiário descrevendo constrangida algo que eu não sabia quando moramos juntas: a mãe dela, uma professora de escola de New Orleans, ficara tão estarrecida com o fato de a filha morar com uma mulher negra que atormentara a universidade exigindo que nos separasse. A mãe também concedeu entrevista confirmando a história e dando mais detalhes. Criada em um lar onde era normal ofender negros e neta de delegado que se gabava de expulsá-los da cidade, a mãe de Cathy ficou, conforme ela mesma disse, "horrorizada" pela minha proximidade com sua filha.

Na época, eu só soube que, no meio do primeiro ano, Cathy se mudou do nosso apartamento e foi para um conjugado. Fico feliz em dizer que não fazia ideia do motivo.

Para receber o financiamento em Princeton eu precisava arrumar um emprego de meio expediente, e acabei conseguindo um ótimo — assistente do diretor do TWC. Eu trabalhava umas dez horas por semana, quando não estava em aula, sentada à mesa ao lado de Loretta, a secretária em tempo integral. Datilografava memorandos, atendia ao telefone e orientava estudantes que chegavam com perguntas sobre abandono de matérias ou sobre como se inscrever para as refeições comunitárias, organizadas por alunos da universidade. O escritório ficava na parte frontal do edifício, com janelas ensolaradas e mobília descombinada que lhe davam um ar mais caseiro do que institucional. Adorava a sensação de estar ali, de ter trabalho de escritório a fazer. Adorava o sentimento de satisfação que me dava sempre que terminava de organizar alguma coisinha. Mas, acima de tudo, adorava minha chefe, Czerny Brasuell.

Czerny era uma mulher negra inteligente e linda. Uma nova-iorquina cheia de vida que mal tinha trinta anos, andava rápido, usava jeans com barras largas e sandálias plataforma, e parecia estar sempre tendo quatro ou cinco ideias ao mesmo tempo. Para os estudantes negros de Princeton, era uma supermentora, nossa defensora-mor, uma pessoa moderna e sempre franca, e, por isso mesmo, adorada por todos. No escritório, lidava com diversos projetos ao mesmo tempo — tentava aprovar com a administração da universidade mais políticas inclusivas para minorias, defendia alunos e suas necessidades individuais e bolava ideias de como podíamos fazer melhorias no nosso edifício. Vivia atrasada, irrompia pela porta da frente a toda, segurando um maço de folhas soltas com um cigarro aceso na boca e a bolsa pendurada no ombro, passando por nós e olhando para trás para dar ordens a mim e a Loretta. Estar perto dela foi uma experiência inebriante — o mais próximo que já havia chegado de uma mulher independente com um emprego que adorava. Não por acaso, ela também era uma mãe solteira que criava um menino adorável e precoce chamado Jonathan, de quem às vezes eu cuidava como baby-sitter.

Czerny viu potencial em mim, embora nitidamente me faltasse experiência de vida. Ela me tratava como adulta, pedia minhas opiniões, escutava com atenção quando eu descrevia as diversas preocupações e confusões administrativas relatadas pelos estudantes. Parecia decidida a despertar mais audácia em mim. Suas perguntas sempre começavam com "Você alguma vez na vida...?" Alguma vez na vida eu tinha, por exemplo, lido a obra de James Cone? Alguma vez na vida havia questionado os investimentos de Princeton na África do Sul ou se a universidade poderia fazer mais para recrutar estudantes de minorias? Em geral, a resposta era não, mas bastava ela mencionar algo que eu ficava imediatamente interessada.

"Você alguma vez na vida já foi a Nova York?", indagou ela certa vez.

A resposta de novo foi não, mas Czerny logo corrigiu o problema. Numa manhã de sábado, nos espremementos no carro dela — eu, o pequeno Jonathan e outra amiga que também trabalhava no TWC — e viajamos, Czerny pisando fundo no acelerador rumo a Manhattan, falando e fumando no caminho inteiro. Dava quase para sentir algo se dissipando dela enquanto dirigia, ela relaxando e se livrando da tensão conforme as fazendas de cavalos com cercas brancas, dos arredores de Princeton, davam lugar às estradas movimentadas e, por fim, aos pináculos da cidade que surgiam à nossa frente. Nova York era a terra de Czerny, assim como Chicago era minha terra. Você só sabe o quanto é apegado quando se muda, quando experimenta a sensação de estar deslocada, um pedaço de madeira boiando aleatoriamente em outros mares.

Quando me dei conta, estávamos no coração fervilhante de Nova York, presas numa correnteza de táxis amarelos e buzinas ruidosas enquanto Czerny acelerava entre um sinal e outro, sempre pisando no freio no último segundo antes que um sinal vermelho a pegasse desprevenida. Não lembro exatamente o que fizemos naquele dia: sei que comemos pizza. Vimos o Rockefeller Center, passamos de carro perto do Central Park e vislumbramos a Estátua da Liberdade, com sua tocha erguida num gesto esperançoso. Mas estávamos lá sobretudo por questões práticas. Conforme cumpria uma lista de tarefas do dia a dia, Czerny parecia recarregar sua alma. Tinha coisas para buscar, coisas para entregar. Parava em fila dupla em ruas movimentadas, entrava e saía correndo de prédios, provocando a avalanche de ira barulhenta dos outros motoristas enquanto ficávamos no carro sem poder fazer nada. Nova York me deixou aturdida. Era um lugar movimentado e barulhento, menos paciente do que Chicago. Mas ali Czerny ficava cheia de vida, incomodada com pedestres distraídos e com o cheiro de urina e das montanhas de lixo que vinha do meio-fio.

Em certo momento, ela estava prestes a parar em fila dupla novamente quando observou o tráfego pelo retrovisor e de repente pensou melhor. Gesticulou para mim no banco de passageiro, indicando que eu deveria ir para o banco de motorista e tomar o lugar dela.

"Você tem carteira, não tem?", perguntou ela. Fiz que sim, e ela disse: "Ótimo. Assume o volante. É só dar uma volta devagar no quarteirão. Talvez duas. Depois retorna para cá. Não vou demorar nem cinco minutos, prometo".

Olhei para Czerny como se ela fosse louca. E para mim *era* mesmo, por achar que eu poderia dirigir em Manhattan — eu, apenas uma adolescente, uma estrangeira naquela cidade turbulenta. Eu me sentia inexperiente e totalmente incapaz de levar não só o carro como o filho pequeno de Czerny para dar uma volta incerta no quarteirão, para matar o tempo no trânsito do fim de tarde. Mas minha hesitação serviu apenas para desencadear em Czerny algo que sempre associarei aos nova-iorquinos — uma resistência instintiva e imediata contra o pensamento pequeno. Ela saiu do carro e não me deu alternativa, a não ser dirigir. *Deixa disso e trata de viver um pouco* foi seu recado.

Eu estava aprendendo a cada instante. Aprendia do jeito óbvio, acadêmico, conquistando meu espaço em sala de aula, em geral estudando numa sala silenciosa do Third World Center ou num cubículo da biblioteca. Aprendia a escrever com eficiência, a ter pensamento crítico. No primeiro ano, sem querer me matriculei numa matéria de teologia do terceiro ano, e aos trancos e barrancos sobrevivi, dando tudo de mim para salvar minha nota com um trabalho final de última hora. Não foi bonito, mas achei animador, uma prova de que, com esforço, poderia sair de qualquer buraco. Os déficits com os quais eu havia chegado — proveniente de uma escola de área pobre —, conseguia compensar dedicando tempo a mais, pedindo ajuda quando necessário e aprendendo a me organizar e não procrastinar.

No entanto, era impossível ser uma estudante negra de uma faculdade de maioria branca e não sentir a sombra da ação afirmativa. Eu quase conseguia ver o escrutínio no olhar de certos estudantes e até de certos professores, como se quisessem dizer: "Eu sei por que *você* está aqui". Esses momentos eram desanimadores, embora eu tenha certeza de que parte deles era apenas fruto da minha imaginação. Eles plantavam em mim uma semente de insegurança. Será que eu estava ali apenas como parte de um experimento social?

Aos poucos, no entanto, comecei a entender que havia diversos tipos de cotas sendo preenchidas na faculdade. Como minorias, éramos os mais visíveis, mas ficou claro que exceções especiais eram feitas para aceitar todo tipo de aluno cujas notas e conquistas talvez não fizessem jus ao padrão reconhecido. Princeton não era nem de longe uma meritocracia pura. Havia os atletas, por exemplo. Havia os filhos cujos pais e avós tinham feito parte de equipes esportivas ou cujas famílias tinham financiado o prédio de um dormitório ou uma biblioteca. Lá também aprendi que ser rico não protegia ninguém do fracasso. Ao meu redor, vi estudantes frustrados — brancos ou negros, privilegiados ou não. Alguns eram seduzidos pelas chopadas nas noites de semana, outros eram oprimidos pelo estresse de tentar corresponder a um ideal acadêmico, e outros tantos eram só preguiçosos ou se sentiam tão deslocados que precisaram fugir. A meu ver, meu trabalho era segurar firme, tirar as melhores notas possíveis e sobreviver.

No segundo ano, quando passei a dividir um apartamento com Suzanne, eu já sabia me virar. Estava mais acostumada a ser uma das poucas estudantes negras em uma sala de aula cheia. Tentava não me intimidar quando a conversa em sala era dominada pelos alunos homens, o que era bastante comum. Ao escutá-los, me dei conta de que não eram mais inteligentes do que nós. Eram apenas mais incentivados a falar, navegando na maré ancestral da superioridade e estimulados pelo fato de que a história nunca lhes dissera o contrário.

Alguns dos meus colegas sentiam sua alteridade de modo mais agudo que eu. Meu amigo Derrick se lembra de vezes em que estudantes brancos se recusavam a abrir espaço na calçada quando ele passava. Outra garota que conhecíamos chamou seis amigos ao seu quarto no dormitório para comemorar seu aniversário e foi arrastada para o gabinete do reitor, informada de que sua companheira de apartamento branca evidentemente se sentira desconfortável com a presença de "caras negros enormes" no quarto. Acho que nós, minorias, éramos tão poucos em Princeton que nossa presença era sempre evidente. Eu encarava isso como uma ordem para ter um desempenho altíssimo, fazer o possível para acompanhar ou até superar os mais privilegiados ao meu redor. Assim como tinha sido na Whitney Young, minha intensidade era pelo menos em parte estimulada por um sentimento de *Vou mostrar a você*. Se no ensino médio eu tinha a impressão de estar representando meu bairro, em Princeton estava representando minha cor. Sempre que encontrava minha voz em aula ou gabaritava uma prova, esperava secretamente ter ajudado a defender uma ideia maior.

Com o tempo eu descobriria que Suzanne não era de pensar muito nas coisas. Eu a apelidei de Screwzy [Destrambelhada] devido à forma nada prática de levar a vida. Ela tomava a maioria das decisões — com quem namoraria, quais matérias cursaria — com base acima de tudo na diversão que provavelmente lhe proporcionaria. E quando as coisas não estavam divertidas, ela mudava logo de rumo. Enquanto eu participava da Organization for Black Unity e geralmente ficava perto do Third World Center, Suzanne treinava atletismo na pista de corrida e administrava o time de futebol americano da modalidade Sprint, curtindo a proximidade com homens bonitos e atléticos. No clube da universidade tinha amigos brancos e ricos, inclusive um legítimo astro de cinema adolescente e uma aluna europeia que, segundo boatos, era uma princesa de fato. Os pais de Suzanne a pressionavam a fazer medicina, mas ela acabou desistindo da ideia porque isso tirava sua alegria. A certa altura, a universidade determinou que ela deveria melhorar as notas, mas nem isso pareceu incomodá-la muito. Ela era a Laverne da minha Shirley, o Ernie do meu Bert. Nosso quarto parecia um campo de batalha ideológico, com o lado de Suzanne parecendo uma terra arrasada, cheia de roupas largadas e papéis espalhados, enquanto eu estava empertigada na minha cama, rodeada pela meticulosidade.

"Você precisa mesmo fazer isso?", perguntava eu, vendo Suzanne voltar do treino de corrida e ir para o chuveiro, atirando as roupas suadas no chão, onde ficariam, misturadas às roupas limpas e às tarefas por terminar, durante uma semana.

"Isso o quê?", retrucava ela com seu sorriso salutar.

Às vezes eu precisava bloquear o caos de Suzanne para conseguir pensar direito. Outras vezes tinha vontade de gritar com ela, mas nunca o fiz. Suzanne era quem era, não iria mudar. Quando ela ultrapassava meus limites, eu catava suas porcarias e as jogava na cama dela sem fazer comentários.

Hoje vejo que ela me provocava no bom sentido, me mostrava que nem todo mundo precisa ter suas pastas etiquetadas e organizadas em ordem alfabética — aliás, ninguém precisa sequer ter pastas. Anos depois, eu me apaixonaria por um homem que, assim como Suzanne, guarda suas coisas de qualquer jeito e não sente a menor necessidade, nunca mesmo, de dobrar as roupas. Graças a Suzanne consegui conviver com isso. Convivo com esse homem até hoje. Acho que, acima de tudo, é isto que uma pessoa controladora aprende no mundo paralelo da universidade: existem outras formas de ser.

"Você alguma vez na vida já pensou em criar um programa de atividades extraescolares para crianças?", perguntou-me Czerny certo dia.

Na hora imaginei que ela estivesse perguntando por compaixão. Com o tempo, passei a me dedicar tanto a Jonathan, então no ensino fundamental, que eu passava boa parte das tardes perambulando por Princeton com ele, ou no Third World Center, nós dois fazendo duetos no piano desafinado ou lendo no sofá molenga. Czerny pagava pelo tempo que eu passava com ele, mas parecia achar que não era o bastante.

"É sério", declarou ela. "Conheço um monte de docentes que vivem procurando um programa extraescolar que cuide dos filhos. Você poderia fazer isso aqui no centro. Tenta, só para ver no que dá."

Com o boca a boca promovido por Czerny, em pouco tempo eu já tinha um grupo barulhento de três ou quatro crianças para cuidar. Eram filhos de funcionários e professores negros de Princeton, uma minoria absoluta que, assim como nós, tendia a orbitar em torno do TWC. Algumas tardes por semana, depois que a escola de ensino fundamental pública terminava, eu oferecia às crianças lanches saudáveis e corria com eles pelo gramado. Se tinham dever de casa, eu os ajudava a fazer.

Para mim, as horas voavam. Estar com crianças me fazia esquecer de tudo, e era maravilhoso. Eu eliminava o estresse da faculdade, me forçava a parar de pensar e vivia o momento. Quando criança, eu passava dias inteiros brincando de "mamãe" das minhas bonecas, fingindo que sabia vesti-las e alimentá-las, penteava seus cabelos e botava band-aids delicadamente em seus joelhos de plástico. Agora era para valer, e achei a tarefa bem mais complicada do que imaginava, mas não menos gratificante. Depois de passar algumas horas com as crianças, eu voltava para o dormitório exausta, mas feliz.

Mais ou menos uma vez por semana, quando tinha um momento de paz, eu pegava o telefone e ligava para nosso apartamento na Euclid Avenue. Se meu pai estivesse trabalhando no turno da manhã, eu o encontrava no fim da tarde, sentado — imaginava eu —, de pernas para cima na cadeira reclinável da nossa sala, vendo TV, esperando minha mãe chegar do trabalho. De noite, geralmente era minha mãe quem atendia. Quem quer que atendesse, porém, ouvia em detalhes minhas histórias da faculdade, minha descrição zelosa, como se fosse uma colona despachando notícias de uma região inexplorada. Eu falava sobre tudo o que passava pela minha cabeça — da minha antipatia pelo professor de francês às estripulias das crianças no programa extraescolar, passando pelo fato de que Suzanne e eu tínhamos uma queda pelo mesmo cara, um estudante de engenharia afro-americano de olhos verdes hipnotizantes que, apesar de seguirmos seus passos obstinadamente, parecia mal saber que existíamos.

Meu pai ria das minhas histórias. "É mesmo?", dizia. "Como é que foi?" "Vai ver o tal do engenheiro não merece nenhuma das duas."

Quando eu acabava de falar, ele resumia as notícias de casa. Dandy e Vovó tinham voltado para a terra de Dandy, Georgetown, na Carolina do Sul, e segundo ele relatava, a Vovó estava se sentindo meio só. Ele contava como minha mãe se desdobrava para tentar cuidar de Robbie, que na época tinha uns setenta e poucos anos, era viúva e enfrentava um monte de problemas de saúde. Meu pai nunca mencionava as próprias lutas, mas eu sabia que elas existiam. Certa vez, quando Craig teve uma partida de basquete no sábado, meus pais foram de carro até Princeton para assistir, e foi a primeira vez que vi a mudança na realidade dos dois — do que nunca era dito ao telefone. Depois de parar o carro no imenso estacionamento do Jadwin Gym, meu pai deslizou relutantemente para uma cadeira de rodas e deixou minha mãe empurrá-lo ginásio adentro.

Eu tinha muita dificuldade em ver o que estava acontecendo com o meu pai. Não aguentava. Tinha pesquisado um pouco sobre esclerose múltipla na biblioteca de Princeton, tirando cópias de artigos de periódicos de medicina para enviar aos meus pais. Insisti que procurassem um especialista ou matriculassem meu pai na fisioterapia, mas eles — meu pai, sobretudo — não queriam nem saber. Ao longo de todas as horas que passamos conversando ao telefone enquanto eu fazia faculdade, ele nunca falou da própria saúde.

Se eu perguntava como ele estava se sentindo, a resposta era sempre: "Estou bem." E parávamos aí.

Eu deixava sua voz me confortar. Ela não transmitia nenhum sinal de dor ou autopiedade, apenas bom humor, leveza e um toquezinho de jazz. Eu vivia dela como se fosse oxigênio. Ela me dava sustentação e sempre me bastava. Antes de desligar, ele sempre perguntava se eu precisava de alguma coisa — dinheiro, por exemplo —, mas nunca respondi que sim.

7

Aos poucos minha casa começou a parecer um lugar mais distante, quase imaginário. No período em que estive na faculdade, mantive contato com alguns poucos amigos do ensino médio, especialmente Santita, que tinha conseguido uma vaga na Universidade Howard, em Washington, DC. Eu a visitei durante um feriado prolongado. Demos gargalhadas e tivemos conversas profundas, as mesmas que sempre costumávamos ter. O campus da Howard era urbano — "Garota, você ainda está na *perifa*!", provoquei, depois de ver uma ratazana gigantesca passar por nós na porta do dormitório dela e de saber que a população estudantil, duas vezes a de Princeton, era quase toda negra. Invejei Santita pelo fato de ela não estar isolada por sua etnia — ela não precisava sentir aquela exaustão diária de fazer parte de uma pequena minoria —, mas ainda assim fiquei contente em voltar para os gramados verde-esmeralda e as abóbadas arcadas de pedra de Princeton, mesmo que poucas pessoas lá compreendessem meu passado e minha história.

Eu estava tirando boas notas e me graduando em sociologia. Comecei a namorar um jogador de futebol americano inteligente, espontâneo e que gostava de se divertir. Suzanne e eu agora passamos a dividir um quarto com outra amiga, Angela Kennedy, uma metralhadora verbal de Washington, DC. A esguia Angela era dona de uma inteligência veloz e de um humor meio louco, e se divertia fazendo a gente morrer de rir. Apesar de ser uma garota negra urbana, ela se vestia como o perfeito estereótipo da patricinha, usando sapatos Oxford e suéteres cor-de-rosa, e, apesar dos pesares, de alguma forma arrasava no visual sem parecer ridícula.

Eu era de um mundo, mas agora vivia em outro completamente diferente, em que as pessoas se preocupavam com as notas no LSAT (Law School Admission Test, o exame de admissão para faculdades de direito) e suas partidas de squash. Era uma tensão que nunca desaparecia. Na faculdade, quando alguém perguntava de onde eu era, eu respondia: "Chicago". E, para deixar claro que não era uma das crianças riquinhas que vinham das regiões prósperas do norte, como Evanston ou Winnetka, e mentiam reivindicando o falso direito de serem de Chicago, eu acrescentava, com um toque de orgulho ou talvez de insolência, "do South Side". Eu sabia que, se essas palavras invocavam alguma coisa, provavelmente eram imagens estereotipadas de um gueto negro, tendo em vista que o que mais rendia manchetes nos noticiários eram os conflitos entre gangues e a violência nos conjuntos habitacionais. Uma vez mais, porém, eu estava tentando, ainda que de modo inconsciente, representar a alternativa. Pertencia a Princeton, tanto quanto qualquer um. E vinha do South Side. Parecia importante dizer isso em voz alta.

Para mim, o South Side era completamente diferente do que aparecia na TV. Era meu lar. E meu lar era o apartamento na Euclid Avenue, com seu carpete desbotado e teto baixo, meu pai refestelado em sua poltrona. Era nosso quintal minúsculo com as flores da Robbie desabrochando e o banco de pedra onde, no que parecia ter sido uma eternidade atrás, eu tinha beijado aquele garoto, Ronnell. Meu lar era meu passado, ligado por fios de teia de aranha ao lugar onde eu estava agora.

Tínhamos um parente de sangue em Princeton, a irmã mais nova do Dandy, que conhecíamos como Tia Sis, uma mulher simples e animada que vivia numa casa simples e animada na periferia da cidade. Não sei o que havia levado a Tia Sis a Princeton, mas ela morava lá fazia um bom tempo, trabalhando como doméstica para famílias locais sem jamais perder seu sotaque de Georgetown, algo entre uma fala arrastada da Low Country, na costa da Carolina do Sul, e a cadência ritmada do idioma gullah. Assim como o Dandy, Tia Sis tinha sido criada em Georgetown, e eu me lembrava disso porque, quando eu era criança, nós a visitamos algumas vezes durante o verão. Lembrava-me do calor denso do lugar e da pesada cortina verde de barba-de-velho sobre os carvalhos, os ciprestes se erguendo dos pântanos e velhos pescando nos riachos lamacentos.

Em Georgetown havia insetos em número alarmante, zumbindo e zunindo no ar noturno feito pequenos helicópteros.

Durante nossas visitas ficávamos com meu tio-avô Thomas, outro irmão do Dandy. Ele era um amável diretor de escola de ensino médio que me levava para o trabalho e me deixava sentar à sua mesa. Generoso, comprava para mim um pote de manteiga de amendoim quando eu torcia o nariz para o café da manhã colossal que tia Dot servia todas as manhãs, com direito a bacon, biscoitos e canjica. Eu amava e odiava estar no Sul do país pela simples razão de ser um lugar muito diferente do que eu conhecia. Nas estradas dos arredores da cidade, passávamos de carro diante de portões do que outrora haviam sido fazendas de escravos, embora a presença delas ali fosse algo tão natural que ninguém se dava ao trabalho de fazer um comentário sobre elas. Descendo uma solitária estradinha de terra nas profundezas da floresta, comíamos carne de veado em uma choupana caindo aos pedaços de alguns primos mais distantes. Um deles levou Craig para trás da choça e o ensinou a atirar. Tarde da noite, já de volta à casa do tio Thomas, nós dois tínhamos dificuldade para dormir por causa do silêncio profundo, interrompido apenas pelo canto das cigarras nas árvores.

O zumbido dos insetos e os galhos retorcidos dos carvalhos permaneciam conosco por muito tempo depois que voltávamos para o Norte, pulsando em nós quase como um segundo coração. Mesmo quando criança, eu entendia de forma inata que o Sul estava dentro de mim, era parte de minha herança, algo importante o suficiente para fazer meu pai retornar lá e visitar seu povo. Era poderoso o bastante para Dandy querer mudar-se de volta para Georgetown, embora tivesse precisado escapar de lá durante a juventude. Quando ele voltou, não foi morar em um pequeno e idílico chalé à beira do rio, com uma cerca branca e um quintal arrumado, mas sim (conforme vi quando Craig e eu fomos visitá-lo) numa casa padronizada e sem graça perto de um shopping apinhado de gente.

O Sul não era o paraíso, mas significava algo para nós. Na nossa história, provocava ao mesmo tempo atração e repulsa, havia uma profunda familiaridade sobre um legado mais profundo e feio. Muitas das pessoas que eu conhecia em Chicago — as crianças com quem tinha estudado na Bryn Mawr e muitas das minhas amigas na Whitney Young — sabiam de algo semelhante, mas isso não era discutido explicitamente. As crianças simplesmente "desciam para o Sul" todo verão — às vezes, despachadas para passar a temporada inteira, correndo com seus primos de segundo grau na Geórgia, na Louisiana ou no Mississippi. Provavelmente seus avós ou outros parentes haviam tomado parte da Grande Migração para o Norte, assim como Dandy tinha vindo da Carolina do Sul, e a mãe de Southside, do Alabama. Em algum lugar no pano de fundo havia outra grande probabilidade — a de que, assim como eu, elas eram descendentes de escravos.

O mesmo valia para muitos dos meus amigos em Princeton, mas eu também estava começando a entender que havia outras formas de ser negro nos Estados Unidos. Estava conhecendo jovens de cidades da Costa Leste de raízes porto-riquenhas, cubanas e dominicanas. Os parentes da Czerny vieram do Haiti. Um dos meus bons amigos, David Maynard, nascera em uma abastada família das Bahamas. E havia Suzanne, com sua certidão de nascimento nigeriana e sua coleção de tias queridas na Jamaica. Éramos todos diferentes, nossas linhagens meio enterradas ou talvez simplesmente meio esquecidas. Não falávamos sobre nossos ancestrais. E por que faríamos isso? Éramos jovens, concentrados apenas no futuro — embora, claro, não soubéssemos nada do que estava por vir.

Uma ou duas vezes por ano, a Tia Sis convidava a mim e a Craig para jantar em sua casa, do outro lado de Princeton. Empilhava suculentas costelas gordurosas e uma fumegante couve refogada nos nossos pratos e fazia circular na mesa uma cesta com pão de milho perfeitamente cortado em quadrados, nos quais espalhávamos generosas porções de manteiga. Ela reabastecia nossos copos com um chá incrivelmente doce e insistia que repetíssemos o prato uma ou até duas vezes. Pelo que me lembro, nunca discutimos nada de significativo com a Tia Sis. Batíamos papo por cerca de uma hora, uma conversa fiada agradável acompanhada de uma apimentada e substanciosa refeição da Carolina do Sul. Cansados da comida do refeitório, nós nos empanturrávamos, agradecidos. Eu enxergava a Tia Sis simplesmente como uma senhora mais velha, gentil e afável, mas ela estava nos dando um presente que ainda éramos jovens demais para reconhecer, nos enchendo de passado — nosso, dela, do nosso pai e do nosso avô — sem precisar fazer um comentário a respeito dele. Nós simplesmente comíamos, ajudávamos a lavar a louça e, em seguida, de barriga cheia, caminhávamos de volta para o campus, gratos pelo exercício.

* * *

    Tenho uma lembrança — que, como a maioria das lembranças, é imperfeita e subjetiva — que foi recolhida há muito tempo, como uma conchinha catada na areia da praia e guardada no bolso da minha mente. É do segundo ano da faculdade e envolve Kevin, na época meu namorado e jogador de futebol americano.
    Kevin é de Ohio e tem uma combinação quase impossível de altura, doçura e robustez. Joga na defesa do Princeton Tigers, e é rápido e destemido na hora de derrubar os adversários, mas ao mesmo tempo se empenha nos estudos no curso introdutório à área da medicina. Está dois anos à minha frente na faculdade — entrou no mesmo ano que meu irmão — e em breve vai se formar. Tem uma pequena e fofa lacuna em seu sorriso e me faz sentir especial. Somos atarefados e temos diferentes grupos de amigos, mas gostamos de estar juntos. Comemos pizza e saímos para comer um brunch juntos nos fins de semana. Kevin aprecia cada refeição, em parte precisa manter o peso para jogar futebol americano, e em parte porque tem dificuldade de ficar parado. Ele é irrequieto e impulsivo de maneiras que acho encantadoras.
    "Vamos passear de carro", diz Kevin certo dia, talvez ao telefone, ou é possível que já estivéssemos juntos quando ele teve a ideia. Em todo caso, logo depois estamos em seu carro — um compacto vermelho — atravessando o campus em direção a um canto remoto e pouco desenvolvido da área de Princeton, descendo uma estrada de terra quase escondida. É primavera em Nova Jersey, um dia quente e claro de céu aberto.
    Estamos conversando? De mãos dadas? Não lembro, mas a sensação é leve e agradável. Em dado momento, Kevin freia. Paramos ao lado de um campo amplo, com a grama alta esmirrada e parecida com palha depois do inverno, mas salpicada por pequeninas flores silvestres que desabrocharam cedo. Ele está saindo do carro.
    "Vamos lá", chama, pedindo que eu o siga.
    "O que vamos fazer?"
    Ele olha para mim como se fosse óbvio. "Vamos atravessar este campo."
    E é o que fazemos. Atravessamos o campo. Disparamos de uma ponta a outra, agitando os braços como criancinhas, perfurando o profundo silêncio com gritos de alegria. Abrimos caminho pela grama seca saltitando sobre as

flores. Talvez no início não tenha ficado óbvio para mim, mas agora é: *Nós devemos atravessar este campo! Claro que devemos!*

Voltamos ao carro e nos esparramamos no banco, ofegantes e tontos, inebriados pela tolice do que acabamos de fazer.

E é isso. É um momento pequeno, no fim das contas insignificante. Ainda o guardo comigo pela tolice, pela forma como me desprendeu por um instante da pauta séria que norteava todos os meus dias. Porque, embora fosse uma estudante sociável que relaxava, matava o tempo durante as refeições comunitárias e arrasava na pista de dança nas festas do Third World Center, eu estava sempre concentrada na minha pauta. Por trás do meu sossegado e descontraído estilo de universitária, eu vivia como um executivo-chefe meio enrustido, discreta mas inabalavelmente focando nas conquistas, determinada a preencher todos os requisitos e expectativas. Minha lista de tarefas vivia na minha cabeça e me acompanhava por toda parte. Eu avaliava objetivos, analisava resultados, computava vitórias. Se houvesse um obstáculo a superar, eu o superava. Um campo de provas abria-se para o seguinte. Assim é a vida de uma garota que não consegue parar de se perguntar *Eu sou boa o suficiente?* e continua tentando mostrar a resposta a si mesma.

Kevin, por sua vez, era uma pessoa que dava guinadas na vida — e gostava disso. Ele e Craig formaram-se em Princeton no fim do meu segundo ano. Craig acabaria se mudando para Manchester, na Inglaterra, para jogar basquete profissionalmente. Kevin, pensei, estava fadado a se especializar em um curso de medicina, mas resolveu tomar outro rumo: deixou os estudos de lado e resolveu seguir um interesse secundário: tornar-se mascote esportivo.

Sim, é isso mesmo. Seu objetivo era concorrer a uma vaga nos Cleveland Browns não como um jogador do time de futebol americano, mas como o cachorro de mentira de boca escancarada chamado Chomps, mascote da equipe. Era o que ele queria. Era um sonho — mais um campo para ele atravessar —, então, por que não? Naquele verão, Kevin chegou a sair da casa da família nos arredores de Cleveland e ir até Chicago, supostamente para me visitar, mas também, anunciou pouco depois de chegar, porque Chicago era o tipo de cidade onde um aspirante a mascote poderia encontrar o tipo certo de traje de animal peludo para o teste. Passamos uma tarde inteira juntos de carro, indo de loja em loja, olhando fantasias, avaliando se eram espaçosas o suficiente para ele dar saltos-mortais. Não lembro se Kevin encontrou a roupa perfeita nesse dia. Aliás, não tenho certeza se ele conseguiu o emprego de mascote no fim das contas, embora tempos depois tenha se formado em medicina, se tornado um médico — evidentemente dos bons —, e por fim se casado com uma colega nossa de Princeton.

Na época — e hoje penso que injustamente —, eu o julguei por essa mudança brusca. Não era capaz de entender por que alguém tinha nas mãos uma faculdade cara como Princeton e não a transformava imediatamente no tipo de estímulo que um diploma de um lugar prestigiado assim deveria propiciar. Por que um estudante de medicina preferia ser um cachorro gigante que dava saltos-mortais?

Mas esse era o meu ponto de vista. E, como eu disse, eu era uma pessoa sistemática, que gostava de cumprir requisitos e atender expectativas — marchando ao ritmo da batida esforço/resultado, esforço/resultado —, uma dedicada seguidora do caminho estabelecido, até porque ninguém na minha família (além de Craig) jamais tinha colocado os pés no caminho. Eu não era exatamente aquela pessoa de imaginação fértil ao pensar sobre o futuro, o que é outra maneira de dizer que já estava pensando na faculdade de direito.

A vida na Euclid Avenue tinha me ensinado — talvez me obrigado — a ser realista, severa e prática com relação a tempo e a dinheiro. A maior guinada que eu já dera foi tomar a decisão de passar a primeira parte das férias de verão depois do segundo ano de faculdade trabalhando praticamente de graça como supervisora de acampamento no vale do Hudson, em Nova York, cuidando de crianças da cidade que estavam tendo a primeira experiência na mata. Adorei o trabalho, mas saí dele no vermelho, mais dependente financeiramente dos meus pais do que eu gostaria. Embora eles nunca tenham reclamado, durante muitos anos vivi com essa sensação de culpa.

Foi nesse verão que as pessoas que eu amava começaram a morrer. Robbie, minha tia-avó, minha rígida capataz de professora de piano, faleceu em junho, deixando de herança sua casa na Euclid Avenue para os meus pais. Com isso, pela primeira vez na vida eles se tornaram proprietários de um imóvel. Southside morreu um mês depois, tendo sofrido por um tempo com um câncer de pulmão em estágio avançado. Sua antiga teoria de que os médicos não são confiáveis o impediu de se submeter a qualquer tipo de intervenção a tempo. Depois do funeral de Southside, a enorme família da minha mãe se amontoou em sua aconchegante casinha junto com um punhado de amigos e vizinhos. Senti a cálida e afetuosa nostalgia pelo passado e a melancolia da ausência, sensações atordoantes, pois a essa altura eu já estava acostumada ao mundo hermético e cheio de vida da faculdade. Aquilo era algo mais profundo do que eu sentia na universidade, o lento ajuste de cada roda dentada das engrenagens das gerações em marcha. Meus primos estavam crescidos; minhas tias envelheceram. Havia novos bebês, novos maridos e esposas. Um álbum de jazz tocava alto no estéreo sobre o aparador de madeira na sala de jantar, e jantamos os pratos simples levados por entes queridos — presunto assado, gelatina e guisados. Mas Southside se fora. Era doloroso, mas o tempo impelia todos para a frente.

Toda primavera, recrutadores de empresas desembarcavam no campus de Princeton, mirando os alunos que estavam se formando. O colega de classe que normalmente vestia um jeans surrado e a camisa para fora da calça passava a cruzar o campus num terno risca de giz, indício claro de que estava destinado a um arranha-céu de Manhattan. Essa seleção acontecia rapidamente — os banqueiros, advogados, médicos e executivos de amanhã corriam em direção à próxima plataforma de lançamento, fosse ela a pós-graduação ou um tranquilo programa de treinamento de alguma empresa na lista das quinhentas maiores da revista *Fortune*. Tenho certeza de que outros seguiram seu coração e ingressaram em carreiras na educação, nas artes e no trabalho sem fins lucrativos, ou partiram em missões do Corpo de Paz serviram nas Forças Armadas, mas eu conhecia muito poucos deles. Estava ocupada subindo minha escada, que era firme e prática e apontava direto para cima.

Se eu parasse para pensar, talvez tivesse percebido que a faculdade tinha me exaurido — com sua massacrante rotina de aulas, trabalhos e provas — e provavelmente teria sido bom fazer algo diferente. Em vez disso, prestei o LSAT, escrevi minha monografia e, aplicada, busquei o degrau seguinte, inscrevendo-me como candidata às melhores faculdades de direito do país. Eu me via como uma pessoa inteligente, analítica e ambiciosa. Tinha sido criada em meio aos acalorados debates à mesa de jantar com meus pais. Era capaz de destrinchar um argumento até reduzi-lo à sua essência teórica e me orgulhava de nunca me dar por vencida num conflito. Não era esse o estofo de que eram feitos os advogados? Eu achava que sim.

Hoje posso admitir que o que me impulsionava não era apenas a lógica, mas também um desejo reflexivo de obter a aprovação alheia. No fundo, quando criança eu me deliciava com o afeto caloroso que flutuava na minha direção toda vez que anunciava que queria ser pediatra para um professor, um vizinho ou um amigo do coro da igreja de Robbie. *Minha nossa, mas não é impressionante?*, dizia a expressão no rosto das pessoas, e isso me deleitava. Anos depois, a verdade é que nada havia mudado. Quando professores, parentes e conhecidos me perguntavam o que eu faria em seguida e eu respondia que estava determinada a fazer direito — a Escola de Direito de Harvard, no fim das contas —, a aprovação era esmagadora. Por fim, fui aplaudida apenas por ser aceita em Harvard, mesmo que, verdade seja dita, tenha entrado por um triz, depois de ter ficado na lista de espera. Mas entrei. As pessoas olhavam para mim como se eu já tivesse deixado minha marca no mundo.

Talvez este seja o problema principal de se importar demais com o que os outros pensam: essa preocupação pode colocar você no caminho estabelecido — o caminho *Minha nossa, mas não é impressionante?* — e mantê-lo lá por muito tempo. Talvez isso o impeça de dar — e até de cogitar — uma guinada, porque você se arrisca a perder a alta estima das pessoas, e isso pode parecer um preço alto demais. Talvez você passe três anos em Massachusetts, estudando direito constitucional e discutindo os méritos de acordos verticais excludentes em casos antitruste. Para alguns isso pode ser realmente interessante, mas para você não é. Talvez durante esses três anos você faça amigos que vai amar e respeitar para sempre, pessoas que parecem genuinamente inclinadas para as complexidades insípidas dos meandros da lei, mas você mesma não tem essa vocação. Você não tem paixão por aquilo, mas sob nenhuma circunstância você quer ter um desempenho ruim ou mesmo aquém da expectativa. Você vive, como sempre fez, de acordo com código de esforço/resultado, e com isso continua atingindo metas até achar que sabe as respostas para todas as perguntas — incluindo a mais importante. *Eu sou boa o suficiente? Sim, na verdade eu sou.*

O que acontece depois é que as recompensas se tornam reais. Você alcança o degrau seguinte da escada e, dessa vez, é um emprego remunerado no sofisticado escritório em Chicago de uma renomada firma de advocacia chamada Sidley & Austin. Está de volta ao lugar onde começou, na cidade em que nasceu, mas agora vai trabalhar no 47º andar de um prédio no centro financeiro e comercial de Chicago, com uma ampla praça e uma escultura na frente. Você costumava passar por ele quando era uma criança do South Side indo de ônibus para a escola, espiando em silêncio pela janela as pessoas que caminhavam a passos largos e rumavam feito gigantes para o trabalho. Agora você é uma delas. Você deu duro para sair daquele ônibus, atravessar a praça e entrar em um elevador cujo movimento é tão silencioso que parece deslizar. Você se juntou à tribo. Aos 25 anos, você tem uma assistente. Ganha mais do que seus pais. Seus colegas de trabalho são educados e quase todos brancos. Você usa um terninho Armani e passa a fazer parte de um clube de assinatura de vinhos. Faz pagamentos mensais do financiamento estudantil que custeou sua faculdade de direito e vai para a aula de aeróbica depois do trabalho. Você compra uma Saab, porque pode.

Há algo a questionar? Parece que não. Agora você é uma advogada. Pegou tudo o que já lhe foi dado — o amor de seus pais, a fé de seus professores, a música de Southside e Robbie, as refeições da Tia Sis, as palavras do vocabulário que Dandy incutiu em você — e converteu nisso. Você subiu a montanha. E parte do seu trabalho, além de analisar questões abstratas de propriedade intelectual para grandes corporações, é ajudar a atrair o próximo grupo de jovens advogados que estão sendo cortejados pela empresa. Um dos sócios majoritários da firma pergunta se você pode orientar um dos colegas do programa de estagiários de verão, e a resposta é fácil: claro que pode. Você ainda precisa entender a força modificadora de um simples "sim". Você não sabe que, quando um memorando chega para confirmar a tarefa, uma profunda e invisível linha de falha tectônica em sua vida começa a tremer, parte de sua solidez começa a desmoronar. Ao lado do seu nome há outro, o de um incensado e genial estudante de direito que está ocupado subindo a própria escada. Como você, ele é negro e de Harvard. Fora isso, você não sabe nada — apenas o nome, que é bem esquisito.

8

Barack Obama chegou atrasado no primeiro dia. Sentei-me na minha sala no 47º andar, esperando e não esperando que ele chegasse. Como a maioria dos advogados de primeiro ano, eu era ocupadíssima. Cumpria um expediente de muitas e longas horas na Sidley & Austin, muitas vezes almoçava e jantava à mesa de trabalho enquanto lutava com um fluxo contínuo de documentos, todos escritos em meticuloso e decoroso jargão jurídico. Eu lia memorandos, redigia memorandos, editava memorandos alheios. A essa altura, eu me considerava basicamente trilíngue. Dominava o dialeto relaxado e espontâneo do South Side de Chicago, o discurso empolado das universidades de ponta da Ivy League e agora falava juridiquês também. Fora contratada para atuar no grupo de práticas de marketing e propriedade intelectual do escritório, que era considerado mais descontraído e criativo que outros grupos, suponho porque lidávamos boa parte do tempo com publicidade. Parte do meu trabalho envolvia debruçar-me sobre os roteiros dos anúncios de TV e rádio de nossos clientes para garantir que não violassem os padrões da Comissão Federal de Comunicações. Tempos depois eu seria agraciada com a honraria de cuidar das questões legais relativas a Barney, o Dinossauro (sim, em um escritório de advocacia isso é o que chamamos de descontraído).

O problema era que, como associada júnior, meu trabalho não envolvia muita interação real com os clientes, e além de tudo eu era uma Robinson, criada na tumultuosa barafunda da minha numerosa família, moldada pelo amor instintivo que meu pai sentia por uma multidão. Eu ansiava por interações de qualquer tipo. Para compensar a solidão, fazia graça com Lorraine, minha assistente, uma afro-americana hiperorganizada e bem-humorada, muitos anos mais velha do que eu, que ficava sentada junto à minha sala e atendia ao meu telefone. Eu tinha relações profissionais amigáveis com alguns dos sócios majoritários e ficava animada com qualquer oportunidade de bater papo com os meus colegas, mas, em geral, todos estavam sobrecarregados de trabalho e tinham o cuidado de não desperdiçar um único minuto faturável do dia. O que me devolvia à minha mesa, sozinha com meus documentos.

Se eu tinha que passar setenta horas por semana em algum lugar, a minha sala no escritório era um local bastante agradável. Eu dispunha de uma poltrona de couro, uma escrivaninha de nogueira polida e janelas amplas com vista para o sudeste. Podia avistar a bagunça do centro financeiro e comercial da cidade e ver as ondas de crista branca do lago Michigan, que no verão ficava salpicado de veleiros cintilantes. De certo ângulo, poderia traçar o contorno da costa e vislumbrar uma área estreita da orla do South Side, com seus telhados baixos e arvoredos intermitentes. De onde eu me sentava, os bairros pareciam lugares plácidos, quase de brinquedo, mas em muitos casos a realidade era bem diferente. Áreas do South Side haviam se tornado desoladas à medida que lojas e indústrias fechavam e famílias continuavam se mudando de lá. As usinas siderúrgicas que antes forneciam estabilidade estavam cortando milhares de empregos. A epidemia de crack, que devastara comunidades afro-americanas em lugares como Detroit e Nova York, estava apenas começando a chegar a Chicago, mas seu avanço não era menos destrutivo. As gangues guerreavam para dominar o mercado, recrutando meninos para gerenciar suas operações nas esquinas, que, embora perigosas, eram muito mais lucrativas do que ir à escola. A taxa de homicídios da cidade começava a subir — sinal de que mais problemas estavam por vir.

Eu ganhava bem na Sidley, mas era pragmática o suficiente para adotar o lema "mais vale um pássaro na mão do que dois voando" quando se tratava de moradia. Desde que terminei a faculdade de direito, estava morando no meu antigo bairro de South Shore, na época ainda relativamente intocado por gangues e drogas. Meus pais tinham descido as escadas para ocupar o antigo espaço de Robbie e Terry, e a convite deles assumi o apartamento no andar de cima, onde tínhamos morado quando eu era criança. Decorei o lugar com um sofá branco novinho e gravuras em batique emolduradas nas paredes. Vez ou outra entregava a meus pais um cheque cujo valor cobria mais ou menos a minha parte da água, do gás e da eletricidade. Estava longe de contar como aluguel, mas eles insistiam em dizer que era suficiente. Embora meu apartamento tivesse uma entrada particular, quando saía e voltava do trabalho eu costumava irromper a passos pesados pela cozinha do andar de baixo — em parte porque a porta dos meus pais dava direto para a garagem e em parte porque ainda era e sempre seria uma Robinson. Mesmo que agora eu me visse como uma profissional jovem e independente que vestia terninhos e dirigia uma Saab — o tipo de profissional que sempre sonhara ser —, não gostava muito de ficar sozinha. Esses breves encontros diários com minha mãe e meu pai me davam força. Na verdade, na mesma manhã em que seria o primeiro dia do novo associado, eu os abracei antes de correr porta afora e enfrentar uma tempestade pesada para chegar ao trabalho. Chegar *na hora*, devo acrescentar.

Olhei para o meu relógio.

"Algum sinal do cara?", perguntei em voz alta para Lorraine.

O suspiro dela foi audível. "Não, garota", berrou ela de volta. Dava para perceber que Lorraine estava se divertindo. Ela sabia como atrasos me deixavam louca — como eu os considerava sinal de pura arrogância.

Barack Obama já havia criado um rebuliço na empresa. Em primeiro lugar, acabara de terminar o primeiro ano da faculdade de direito, e normalmente eram contratados apenas alunos segundanistas como associados temporários. Mas havia rumores de que Barack era excepcional. Corria a notícia de que um de seus professores em Harvard — a filha de um dos sócios-gerentes do escritório — afirmou que ele era o mais talentoso estudante de direito que ela já havia conhecido. Algumas das secretárias que o viram no dia da entrevista disseram que, além do suposto brilhantismo, Barack era uma gracinha.

Eu estava cética em relação a tudo isso. Na minha experiência, você coloca um terno em qualquer homem negro mais ou menos inteligente e as pessoas brancas ficam doidas. Eu duvidava que ele merecesse tamanho alvoroço. Tinha conferido a fotografia de Barack na edição de verão do nosso diretório de funcionários — uma foto pouco lisonjeira e mal-iluminada de um cara com sorriso largo e um ar meio nerd — e permaneci impassível. A biografia informava que ele havia nascido no Havaí, o que, por comparação, pelo menos o tornava um nerd exótico. De resto, nada mais chamava atenção. A única surpresa tinha ocorrido semanas antes, quando dei um telefonema rápido e obrigatório para me apresentar a ele. Fiquei agradavelmente espantada com a voz do outro lado da linha — um barítono encorpado, até sexy, que não parecia combinar nem um pouco com o cara da foto.

Somente depois de mais de dez minutos que ele chegou à recepção do nosso andar saí para encontrá-lo sentado em um sofá — o tal Barack Obama, vestindo um terno escuro ainda um pouco úmido pela chuva. Ele sorriu timidamente e pediu desculpas pelo atraso quando apertou minha mão. Tinha um sorriso largo e era mais alto e magro do que eu imaginava — um homem que claramente não era de comer muito e também parecia não ter o costume de usar roupas formais. Se ele sabia que estava chegando com uma reputação de menino-prodígio genial, não demonstrou. Enquanto eu o conduzia pelos corredores até minha sala, apresentando-o às facilidades do direito corporativo — mostrando-lhe o centro de processamento de texto e a máquina de café, explicando nosso sistema para contabilizar horas faturáveis —, ele se manteve em silêncio respeitoso, ouvindo atentamente. Cerca de vinte minutos depois, deixei-o com o sócio majoritário que seria seu supervisor efetivo durante o verão e voltei para a minha mesa.

Mais tarde, naquele mesmo dia, levei Barack para almoçar no refinado restaurante do primeiro andar de nosso prédio de escritórios, um lugar repleto de elegantíssimos banqueiros e advogados em almoços-reuniões de negócios, comendo refeições que custavam o preço de banquetes. Essa era a vantagem de ser a mentora de um associado temporário: era um pretexto para comer fora e comer bem, com todas as despesas pagas pelo escritório. Como mentora de Barack, minha função deveria ser a de um canal social, mais do que qualquer outra coisa. Minha tarefa era assegurar que se sentisse feliz no trabalho, mostrar que ele podia me procurar caso precisasse de orientação e fazê-lo se sentir integrado à equipe. Era o começo de um processo de cortejo mais amplo — a ideia era que, assim como ocorria com todos os associados temporários, o escritório talvez quisesse recrutá-lo para um emprego em tempo integral tão logo ele se formasse em direito.

Rapidamente percebi que Barack precisaria de muito pouco em matéria de orientação e conselhos. Ele era três anos mais velho do que eu — estava prestes a completar 28. Ao contrário de mim, havia trabalhado por vários anos depois de terminar sua graduação na Columbia e antes de iniciar a faculdade de direito. O que me impressionou foi o quanto ele parecia seguro em relação ao caminho que sua vida estava seguindo. Estranhamente, ele não tinha dúvidas, embora à primeira vista fosse difícil entender por quê. Comparado com minha própria marcha firme e inflexível rumo ao sucesso, o disparo de flecha da minha trajetória de Princeton direto para Harvard e para minha mesa no 47º andar daquele edifício, o caminho de Barack era um zigue-zague improvisado através de mundos díspares. Durante o almoço descobri que ele era, em todos os sentidos, um híbrido — filho de um pai queniano negro e uma mãe branca do Kansas cujo casamento fora ao mesmo tempo juvenil e efêmero. Ele nasceu e cresceu em Honolulu, mas viveu quatro anos da infância empinando pipas e pegando grilos na Indonésia. Depois do ensino médio, passou dois anos relativamente sossegados como aluno da Occidental College, em Los Angeles, antes de se transferir para Columbia, onde, por livre e espontânea vontade, não se comportou como um típico universitário à solta na Manhattan dos anos 1980, e sim como um eremita montanhês do século XVI, lendo portentosas obras de literatura e filosofia num apartamento sujo na rua 109, escrevendo poemas ruins e jejuando aos domingos.

 Demos risadas de tudo isso, trocamos histórias sobre nossas origens familiares e o que nos levou ao direito. Barack era sério sem se levar muito a sério. Tinha um jeito animado e jovial, mas sua mente era poderosa. Uma combinação estranha e instigante. Também fiquei surpresa com seu grande conhecimento de Chicago.

 Barack foi a primeira pessoa que conheci na Sidley que passara algum tempo nas barbearias, churrascarias e nas ruidosas paróquias negras do Far South Side. Antes de ingressar na faculdade de direito, trabalhou em Chicago por três anos como organizador comunitário, ganhando 12 mil dólares por ano de uma ONG que unia uma coalizão de igrejas. Seu trabalho era ajudar a reconstruir bairros e trazer empregos de volta. Segundo ele mesmo descrevera, a experiência tinha sido dois terços de frustração e um terço de recompensa: ele passava semanas planejando uma reunião da comunidade, mas na hora só dez pessoas apareciam. Seus esforços eram ridicularizados por líderes sindicais e criticados por negros e brancos em igual medida. Com o tempo, porém, Barack foi alcançando algumas vitórias, e isso pareceu encorajá-lo. Ele me explicou que estava numa faculdade de direito porque a organização de base lhe mostrara que mudanças sociais significativas exigiam não apenas o trabalho das pessoas no local, mas também políticas e ações governamentais mais sólidas.

Apesar da minha resistência à badalação que o precedia, me vi admirando Barack por sua autoconfiança e seu comportamento sério. Ele era revigorante, nada convencional e estranhamente elegante. Nem por um momento, contudo, pensei nele como alguém que gostaria de namorar. Por um lado, eu era sua mentora no escritório. Além disso, recentemente havia prometido a mim mesma que desistiria de namorar, consumida demais pelo trabalho para me esforçar. E, para terminar, no fim do almoço Barack acendeu um cigarro, o que teria sido suficiente para acabar com qualquer interesse — isso se eu tivesse algum, para começo de conversa.

Ele seria, pensei comigo, um bom associado temporário.

No decorrer das duas semanas seguintes, entramos numa espécie de rotina. No finzinho da tarde, Barack serpenteava pelo corredor e desabava em uma das cadeiras da minha sala como se me conhecesse havia anos. E às vezes a sensação era de que conhecia mesmo. Nossa conversa era fácil e bem-humorada, nossa mentalidade era parecida. Nós nos entreolhávamos de soslaio toda vez que pessoas ao nosso redor ficavam tão estressadas que beiravam a loucura, quando colegas faziam comentários que pareciam desdenhosos, arrogantes ou fora da realidade. O que não se dizia com todas as letras mas era óbvio: Barack era negro, e, em nosso escritório, que empregava mais de quatrocentos advogados, apenas uns profissionais de tempo integral eram afro-americanos. Nosso interesse mútuo era evidente e fácil de entender.

Barack em nada parecia com um típico associado — perfeccionista e zeloso ao extremo (como eu mesma havia sido dois anos antes), ele estabelecia sua rede de contatos furiosamente. Sempre se perguntava, ansioso, se um dia ganharia o bilhete premiado — uma oferta de emprego. Barack saracoteava pelos corredores com um distanciamento tranquilo, o que apenas aumentava o encanto que ele exercia. Dentro da firma, sua reputação continuava a crescer. Ele já estava sendo convidado a participar de reuniões dos sócios de alta cúpula. Já vinha sendo pressionado a dar opiniões e pareceres sobre quaisquer questões que estivessem na pauta de discussão. Em algum momento no início do verão, Barack redigiu um memorando de trinta páginas sobre governança corporativa que era evidentemente tão completo, profundo e convincente que se tornou imediatamente lendário. Quem era esse cara? Todos pareciam intrigados.

"Trouxe uma cópia para você", disse Barack certo dia, com um sorriso, deslizando o memorando pela minha mesa.

"Obrigada", respondi, pegando o maço de folhas. "Estou ansiosa para ler."

Assim que ele saiu, enfiei o memorando numa gaveta.

Ele sabia que eu nunca leria? Provavelmente sim. Tinha me dado o material como uma brincadeira. Nossas especialidades eram diferentes, portanto nossos trabalhos não coincidiam. Eu tinha uma batelada dos meus próprios documentos para enfrentar. E não precisava ficar impressionada. Éramos amigos agora, Barack e eu, soldados da mesma corporação. Almoçávamos juntos pelo menos uma vez por semana e às vezes mais que isso, um prazer que sempre entrava na conta de despesas da Sidley & Austin, está claro. Aos poucos, descobrimos mais um sobre o outro. Ele sabia que eu morava na mesma casa que meus pais, que minhas lembranças mais felizes da Escola de Direito de Harvard eram do trabalho que fiz no Departamento de Assistência Jurídica. Eu sabia que ele devorava calhamaços de filosofia política como se fossem leitura de praia, que gastava todos os seus trocados em livros. Sabia que o pai de Barack havia morrido num acidente de carro no Quênia e que ele viajou até lá para tentar entender mais sobre aquele homem. Sabia que ele amava basquete, fazia longas corridas nos fins de semana e falava com saudade dos amigos e familiares em Oahu. Sabia que ele tivera uma porção de namoradas no passado, mas que não tinha nenhuma agora.

Esta última parte foi algo que achei ser capaz de corrigir. Minha vida em Chicago era povoada por mulheres negras talentosas, todas elas bons partidos. Apesar da minha maratona de trabalho, eu gostava de sair e socializar. Tinha amigos da Sidley, amigos do ensino médio, amigos que fiz por meio de contatos profissionais e amigos que conheci por intermédio de Craig, que havia acabado de se casar e estava ganhando a vida como banqueiro de investimentos na cidade. Éramos uma turma divertida de homens e mulheres, nos reuníamos quando podíamos em algum bar do centro para colocar o papo em dia durante longas e fartas refeições nos fins de semana. Eu tinha saído com uns caras na faculdade de direito, mas não conheci ninguém especial quando retornei a Chicago, e também tinha pouco interesse. Anunciara a todos, incluindo potenciais pretendentes, que a carreira era minha prioridade. Apesar disso, tinha uma porção de amigas que estavam à procura de namorado.

Certa noite, no início do verão, levei Barack comigo para um happy hour em um bar no centro da cidade que servia como ponto não oficial de confraternização mensal entre profissionais negros e onde eu costumava me encontrar com amigos. Ele tinha trocado de roupa, e em vez de terno e gravata estava vestindo um blazer de linho branco que parecia saído direto do guarda-roupa do figurino da série *Miami Vice*. Ai, ai.

Não havia como negar que, apesar de sua deficiente noção de estilo, Barack era um partidão. Era bonito, equilibrado, seguro de si e bem-sucedido. Era atlético, interessante e gentil. O que mais alguém poderia querer? Entrei no bar, certa de que estaria fazendo um favor a ele e a todas as mulheres. Quase imediatamente Barack foi encurralado por uma conhecida minha, uma mulher bonita, talentosa e poderosa que trabalhava com finanças. Percebi que ela estava toda animada conversando com Barack. Satisfeita, peguei uma bebida e segui em direção a outros conhecidos no meio da multidão.

Vinte minutos depois, avistei Barack do outro lado do salão, subjugado pelas garras do que parecia ser uma conversa interminável com a mesma conhecida, ela própria a responsável pela maior parte da conversa. Ele me lançou um olhar sugerindo que gostaria de ser resgatado. Mas Barack era um homem-feito. Deixei que ele se virasse.

"Sabe o que ela me perguntou?", disse-me ele no dia seguinte, quando apareceu na minha sala, ainda um pouco incrédulo. "Ela perguntou se eu gostava de *cavalgar*. Estava falando de *montar a cavalo*." Barack disse que os dois haviam debatido sobre seus filmes favoritos, o que também não tinha dado muito certo.

Barack era cerebral, provavelmente cerebral demais para a maioria das pessoas (essa, a bem da verdade, seria a avaliação que minha colega faria sobre ele quando conversamos depois). Não era uma pessoa de frequentar happy hours, e talvez eu devesse ter percebido isso antes. Estava rodeada de pessoas esperançosas e trabalhadoras obcecadas pela própria ascensão. Elas tinham carros novos, estavam comprando o primeiro apartamento e gostavam de falar sobre isso enquanto tomavam martínis depois do expediente. Barack preferia passar a noite sozinho, lendo sobre políticas de habitação urbana. Como organizador, passava semanas e meses ouvindo pessoas pobres descreverem suas atribulações. Eu estava começando a ver que sua insistência na esperança e no poder da mudança vinha de um lugar inteiramente diferente e de difícil acesso.

Barack me disse que houve um tempo em que ele fora mais relaxado, mais impulsivo. Até os vinte anos seu apelido era Barry. Na adolescência, fumava maconha nos exuberantes sopés vulcânicos de Oahu. Na Occidental, surfou na onda da minguante energia dos anos 1970, abraçando Hendrix e os Stones. Em algum lugar ao longo do caminho, no entanto, Barack encampou a plenitude de seu nome de batismo — Barack Hussein Obama — e assumiu a complicada rubrica de sua identidade. Ele era branco e negro, africano e americano. Era modesto e vivia modestamente, mas conhecia a riqueza de sua própria mente e o mundo de privilégios que se abriria para ele como resultado. Ele levava tudo a sério, e isso era perceptível. Podia ser despreocupado e brincalhão, mas nunca se afastava de um senso maior de obrigação. Estava numa espécie de missão, embora ainda não soubesse aonde isso o levaria. Tudo o que eu sabia era que não se tratava de algo que se poderia explicar numa mesa de bar. Quando chegou outro dia de happy hour, deixei Barack no escritório.

Quando eu era criança, meus pais fumavam. Sentavam-se na cozinha, acendiam cigarros e conversavam em detalhes sobre o dia de trabalho. Mais tarde, fumavam enquanto lavavam a louça do jantar, às vezes abrindo a janela para deixar entrar um pouco do ar fresco da noite. Não eram inveterados, mas fumavam de vez em quando e não tinham intenção de parar. Fumaram muito depois que as pesquisas deixaram claro que fazia mal.

Aquilo me levava à loucura e deixava Craig irritado também. Tão logo eles acendiam o cigarro, encenávamos uma elaborada crise de tosse. Sabotávamos seus estoques. Quando Craig e eu éramos muito pequenos, surrupiamos de uma prateleira um maço novinho de cigarros Newport e começamos a destruí--los, quebrando-os como lápis dentro da pia da cozinha. Em outra ocasião, mergulhamos as pontas dos cigarros em molho picante e os devolvemos ao maço. Instruíamos nossos pais sobre o câncer de pulmão, explicando os horrores que víamos nos slides da aula de saúde na escola — imagens de pulmões de fumantes, desidratados e pretos feito carvão, a morte evoluindo, a morte bem dentro do peito. Para contrastar, mostrávamos fotos de pulmões rosados saudáveis, não contaminados pela fumaça. O paradigma era simples o suficiente para deixar qualquer um perplexo a respeito desse hábito: bom/ruim, saudável/doente. Você escolhe seu próprio futuro. Era tudo o que nossos pais nos ensinavam. Ainda assim, levaria anos até eles finalmente largarem o cigarro.

Barack fumava como meus pais — depois das refeições, andando pelo quarteirão, ou quando estava ansioso e precisava ocupar as mãos. Em 1989, fumar era um hábito mais comum do que é agora, mais incorporado à vida cotidiana. Pesquisas sobre os efeitos do fumo passivo eram relativamente recentes. As pessoas fumavam em restaurantes, escritórios e aeroportos. Mas, ainda assim, eu tinha visto os slides. Para mim e para todas as pessoas sensatas que eu conhecia, fumar era uma autodestruição.

Barack sabia exatamente como eu me sentia. Nossa amizade foi construída com base em uma franqueza sem rodeios da qual, acho eu, nós dois gostávamos.

"Por que alguém tão inteligente como você faz algo tão idiota?", deixei escapar no dia em que nos conhecemos, vendo-o encerrar o almoço com um cigarro.

Foi uma pergunta sincera. Pelo que me lembro, ele deu de ombros, reconhecendo que eu tinha razão. Não houve reação nem discussão, nenhum argumento mais elaborado a ser debatido. O tabagismo era o único tópico em que a lógica de Barack parecia abandoná-lo por completo.

Quer eu estivesse disposta a admitir ou não, porém, alguma coisa entre nós começou a mudar. Nos dias em que estávamos ocupados demais para nossas reuniões cara a cara, eu me pegava imaginando o que ele estaria fazendo. Tentava não ficar desapontada quando ele não entrava pela minha porta. E me policiava para não ficar empolgada demais quando ele aparecia. Eu tinha sentimentos por ele, mas eram latentes, enterrados bem fundo sob minha resolução de manter minha vida e minha carreira organizadas e focadas no futuro — livres de qualquer drama. As revisões anuais que eu recebia no trabalho eram sólidas. Eu estava no caminho certo para me tornar sócia de capital na Sidley & Austin, provavelmente antes de chegar aos 32 anos. Era tudo o que eu queria — ou pelo menos estava tentando me convencer disso.

Eu até podia estar ignorando o que vinha crescendo entre nós, fosse lá o que fosse, mas Barack não estava.

"Acho que a gente devia sair", anunciou Barack certa tarde, no fim de um almoço.

"O quê? Você e eu?" Fingi estar chocada com o fato de ele ter cogitado a possibilidade. "Eu já disse que não namoro. Além do mais, sou sua mentora."

Ele deu uma risada irônica. "Como se isso fizesse diferença. Você não é minha chefe", disse ele. "E você é bem bonita."

Barack tinha um sorriso que parecia se esticar por toda a extensão do rosto. Ele era uma combinação letal de suavidade e sensatez. Por mais de uma vez, nos dias seguintes, Barack expôs os motivos por que deveríamos sair. Nós éramos compatíveis. Ríamos juntos. Estávamos solteiros e, além disso, confessávamos quase imediatamente nosso desinteresse por qualquer outra pessoa que conhecíamos. Ninguém no escritório se importaria se namorássemos, argumentou ele. Na verdade, talvez isso fosse visto como algo positivo. Barack presumiu que os sócios queriam que um dia ele fosse trabalhar para a firma. Se formássemos um casal, isso aumentaria as chances de Barack se comprometer com o emprego no escritório.

"Quer dizer que eu sou uma espécie de isca?", perguntei, rindo. "Você se acha, hein?"

No decorrer do verão, o escritório organizou uma série de eventos e passeios para seus associados, enviando formulários de adesão para quem quisesse participar. Um dos programas era uma performance, em noite de semana, do musical *Os miseráveis*, em um teatro não muito longe do escritório. Inseri meu nome e o de Barack na lista solicitando dois ingressos, um comportamento comum para uma associada júnior e seu associado temporário. Esperava-se que eu e ele comparecêssemos juntos a esses eventos. Cabia a mim, como tutora, garantir que a experiência de Barack na Sidley & Austin fosse promissora e positiva. Esse era o ponto principal.

Nós nos sentamos lado a lado, ambos exaustos depois de um longo dia de trabalho. A cortina subiu e a cantoria começou, dando-nos uma versão cinzenta e sombria de Paris. Não sei se foi o meu estado de ânimo ou se era *Os miseráveis* em si, mas passei a hora seguinte sentindo-me massacrada pelo sofrimento francês. Grunhidos e correntes. Pobreza e estupro. Injustiça e opressão. Milhões de pessoas em todo o mundo se apaixonaram por esse musical, mas eu me contorcia na cadeira, tentando superar o inexplicável tormento que sentia toda vez que a melodia se repetia.

Quando as luzes se acenderam para o intervalo, dei uma olhada furtiva em Barack. Ele estava encurvado, o cotovelo direito pousado sobre o braço da cadeira e o indicador na testa, com uma expressão indecifrável.

"O que você achou?", perguntei.

"Horrível, né?", respondeu ele, me olhando de soslaio.

Eu ri, aliviada por ele se sentir como eu.

Barack se endireitou na cadeira.

"E se a gente der o fora daqui?", propôs ele. "A gente pode simplesmente sair."

Em circunstâncias normais, eu não iria embora. Não era esse tipo de pessoa. Eu me importava muito com o que os outros advogados pensavam de mim — o que pensariam se vissem nossos assentos vazios. Em geral, fazia questão de terminar o que tinha começado, de cuidar de cada detalhe até o derradeiro e comovente fim, mesmo que fosse um exagerado musical da Broadway numa linda noite de quarta-feira. Essa, infelizmente, era a pessoa certinha, aplicada e centrada que existia em mim. Eu suportava o sofrimento em prol de manter as aparências. Mas, pelo jeito, parecia ter me aproximado de alguém que não fazia isso.

Evitando todas as pessoas que conhecíamos do trabalho — os outros mentores e seus associados conversavam efusivamente no saguão —, saímos de fininho do teatro e ganhamos aquela noite agradável. A última luz do dia escoava de um céu violeta. Exalei o ar, meu alívio era tão palpável que Barack riu.

"Aonde vamos agora?", eu quis saber.

"Que tal beber alguma coisa?"

Fomos a pé até um bar próximo, caminhando do mesmo jeito de sempre: eu um passo adiante e ele um pouco atrás. Barack andava devagar, se movia com uma informalidade havaiana solta e descontraída, nunca apressado, mesmo — e especialmente — quando instruído a se apressar. Eu, por outro lado, caminhava com energia, a todo vapor, mesmo nas horas de lazer, e tinha dificuldade em desacelerar. Mas eu me lembro de como naquela noite me aconselhei a ir mais devagar, só um pouquinho — só o suficiente para ouvir o que ele estava dizendo, porque começava a ficar claro para mim que eu me importava em ouvir tudo o que ele dizia.

Até então, eu tinha construído minha existência com todo cuidado, dobrando e vincando cada pontinha solta e desordenada, como se estivesse fazendo um origami bem firme. Tinha trabalhado com afinco nisso. Eu me orgulhava do resultado até então. Mas esse era um trabalho delicado. Se um cantinho sequer afrouxasse, eu poderia descobrir que me sentia inquieta. Se outro se soltasse, talvez revelasse minha incerteza sobre o caminho profissional que eu fizera questão de seguir, sobre todas as coisas que dizia a mim mesma que queria. Hoje em dia acho que é por isso que me resguardei com tanta cautela, por isso ainda não estava pronta para deixar Barack entrar. Ele era como um vento que ameaçava fazer tudo balançar.

Um ou dois dias depois, Barack me pediu carona para um churrasco que seria oferecido aos associados temporários, evento marcado para aquele fim de semana na casa de um dos sócios majoritários em uma região rica à beira do lago ao norte da cidade. Pelo que me lembro, o tempo estava límpido naquele dia, o lago cintilando na borda de um gramado bem cuidado. Uma empresa de catering servia comida enquanto uma música alta berrava de alto-falantes e as pessoas comentavam sobre o esplendor de bom gosto da casa. Todo o ambiente era um retrato de prosperidade e facilidade, um lembrete nada sutil da recompensa que aguardava aqueles que se empenhavam de coração à rotina do trabalho. Eu sabia que Barack vivia às voltas pensando sobre o que queria fazer da vida, que direção sua carreira tomaria. Ele mantinha um relacionamento incômodo com a riqueza. Assim como eu, nunca tinha sido rico e tampouco aspirava a essa condição. Barack queria muito mais ser competente e atuante do que rico, mas ainda estava tentando descobrir como fazer isso.

Zanzamos pela festa não como um casal, mas ainda assim juntos na maior parte do tempo, passeando entre grupos de colegas, bebendo cerveja e limonada, comendo hambúrgueres e salada de batata em pratos de plástico. Nós nos separávamos e nos reencontrávamos. Tudo parecia natural. Ele estava flertando discretamente comigo e eu retribuía o flerte. Alguns homens começaram a jogar basquete, e vi quando Barack, de sandálias, caminhou gingando até a quadra para se juntar ao grupo. Ele tinha um bom relacionamento com todos no escritório. Dirigia-se a todas as secretárias pelo nome e se dava bem com todo mundo — dos advogados mais velhos, pomposos e arrogantes, aos jovens ambiciosos que estavam na quadra. *Ele é uma boa pessoa*, pensei, vendo-o passar a bola para outro advogado.

Como tinha assistido a dezenas e dezenas de jogos no ensino médio e na faculdade, eu reconhecia um bom jogador quando via um, e Barack passou rapidamente no teste. Jogava basquete de forma atlética e artística, seu corpo esguio movendo-se com rapidez, mostrando uma força que eu não tinha notado antes. Ele era veloz e gracioso, mesmo de sandálias. Fiquei lá, fingindo ouvir o que a esposa de alguém me dizia, mas meus olhos estavam cravados em Barack. Pela primeira vez me impressionei com o espetáculo que ele era — aquele estranho homem que era uma mistura de tudo.

Voltando de carro para a cidade no comecinho da noite, senti um novo anseio, uma semente recém-plantada de desejo. Era julho. Em algum momento de agosto Barack partiria, desaparecendo na faculdade de direito e em qualquer outra coisa que a vida lhe reservasse. Por fora, nada havia mudado — estávamos brincando um com o outro, como sempre fazíamos, fofocando sobre quem tinha dito o que no churrasco —, mas um calor estava subindo pela minha espinha. Eu tinha plena consciência do corpo dele no pequeno espaço do meu carro — seu cotovelo descansando sobre o console, o joelho ao alcance da minha mão. Enquanto contornávamos a curva para o sul da Lake Shore Drive, passando por ciclistas e corredores nas pistas reservadas, em silêncio eu discutia comigo mesma. *Dá para fazer isso sem que seja sério? Até que ponto isso pode prejudicar meu trabalho?* Nada estava claro para mim — se isso era apropriado, se alguém descobriria e se isso importava —, mas de repente me ocorreu que eu estava cansada de esperar que as coisas fossem claras.

Ele morava em Hyde Park, num apartamento sublocado de um amigo. No momento em que chegamos ao bairro, pairava no ar uma tensão entre nós, como se algo inevitável ou predestinado estivesse finalmente prestes a acontecer. Ou era a minha imaginação? Talvez eu já tivesse rejeitado Barack muitas vezes. Talvez ele já tivesse desistido e agora só me visse como uma boa e leal amiga — uma garota que dirigia uma Saab com ar-condicionado e que lhe daria carona quando ele precisasse.

Parei o carro na frente do prédio dele, minha mente ainda sobrecarregada e turva. Houve um momento constrangedor, cada um esperando que o outro iniciasse a despedida. Barack inclinou a cabeça para mim.

"Vamos tomar um sorvete?", perguntou ele.

Foi quando eu soube que o jogo era pra valer, uma das poucas vezes em que decidi parar de pensar e apenas viver. Era uma noite quente de verão na cidade que eu amava. O ar parecia suave sobre a minha pele. Havia uma Baskin-Robbins no quarteirão perto do apartamento de Barack. Pegamos duas casquinhas, saímos e nos sentamos no meio-fio. E ali ficamos, juntos, com os joelhos para cima, cansados mas felizes depois de passar um dia ao ar livre, tomando sorvete depressa e em silêncio, tentando ser mais rápidos que o derretimento. Talvez Barack tenha lido no meu rosto ou percebido na minha postura — o fato de que tudo para mim tinha começado a se afrouxar e a se desdobrar.

Ele estava olhando para mim de um jeito curioso, com um leve sorriso.

"Posso te beijar?", perguntou.

E, com isso, eu me inclinei e tudo se tornou claro.

A NOSSA HISTÓRIA

9

Assim que me permiti sentir alguma coisa por Barack, os sentimentos vieram em uma torrente — uma impetuosa e esmagadora explosão de desejo, gratidão, satisfação, admiração. Todas as preocupações que eu vinha alimentando sobre a vida, a carreira e até sobre o próprio Barack pareceram se dissipar com o primeiro beijo e foram substituídas por uma forte necessidade de conhecê-lo melhor, explorar e vivenciar tudo o mais rápido possível.

Talvez porque ele tivesse que voltar para Harvard dali a um mês, não perdemos tempo saindo só de vez em quando. Como não estava exatamente pronta para levar um namorado para dormir sob o mesmo teto que os meus pais, comecei a passar as noites no acanhado apartamento de Barack, no segundo andar de um prédio sem elevador, em cima de uma loja, num trecho barulhento da rua 53. O cara que costumava morar lá era aluno de direito da Universidade de Chicago e tinha mobiliado o apertado espaço como qualquer bom estudante teria feito — com vários itens de segunda mão garimpados em vendas de garagem e descombinados. Havia uma mesinha, um par de cadeiras bambas e um colchão queen size no chão. Pilhas dos livros e jornais de Barack cobriam as superfícies livres e boa parte do chão. Ele pendurava os paletós no espaldar das cadeiras da cozinha e mantinha pouca coisa na geladeira. Não era um lugar aconchegante, mas vendo tudo pelas lentes do romance que avançava de vento em popa, me senti em casa.

Barack me intrigava. Ele não era nada parecido com ninguém que eu tinha namorado, principalmente porque parecia muito seguro de si. Demonstrava carinho em público. Me dizia que eu era linda. Me fazia sentir bem. Barack era meio como um unicórnio — tão extraordinário a ponto de parecer irreal. Ele nunca falava sobre coisas materiais, como comprar uma casa, um carro, nem mesmo sobre comprar sapatos novos. Grande parte de seu dinheiro era gasto em livros, que, para ele, eram como objetos sagrados, fornecendo lastro para sua mente. Ele lia noite adentro, muitas vezes até bem depois de eu pegar no sono, esmiuçando obras de história, biografias e Toni Morrison também. Ele lia vários jornais todos os dias, de ponta a ponta. Ficava de olho nas mais recentes resenhas de livros, acompanhava a tabela de classificação da Liga Americana de Beisebol e se informava sobre o que os conselheiros municipais do South Side estavam fazendo. Era capaz de discorrer com a mesma paixão sobre as eleições da Polônia e sobre quais filmes Roger Ebert havia massacrado e por quê.

Sem ar-condicionado, não tínhamos opção, a não ser dormir com as janelas abertas à noite, tentando refrescar o apartamento abafado e sufocante. O que ganhávamos em conforto sacrificávamos em silêncio. Na época, a rua 53 era um ponto movimentado até o fim da noite, uma via de passagem para carros rebaixados com escapamentos sem abafador. A impressão era de que quase de hora em hora uma sirene da polícia passava fazendo um estrondo ou alguém começava a berrar, descarregando um indignado jorro de insultos e palavrões que me faziam acordar sobressaltada no colchão. Eu achava perturbador, mas Barack não se abalava. Percebi que ele estava mais à vontade com a turbulência do mundo do que eu, mais disposto a absorver tudo sem se angustiar. Certa noite, despertei e topei com ele fitando o teto, seu perfil iluminado pelo clarão da luz que vinha de fora. Parecia um pouco incomodado, como se estivesse refletindo sobre algo profundamente pessoal. Era o nosso relacionamento? A perda do pai dele?

"Ei, no que você está pensando aí?", sussurrei.

Ele se virou para olhar para mim, seu sorriso um pouco encabulado. "Ah", disse ele. "Só estava pensando na desigualdade de renda."

Aos poucos eu descobria que era assim que a mente de Barack funcionava. Ele ficava obcecado pelas questões grandiosas e abstratas, impulsionado por alguma noção maluca de que poderia fazer alguma coisa a respeito delas. Devo dizer que isso era uma novidade para mim. Até então eu tinha convivido com pessoas boas que se preocupavam com coisas bastante importantes, mas cujo foco era, acima de tudo, construir a própria carreira e sustentar a família. Barack era diferente. Estava em sintonia com as exigências do dia a dia de sua vida, mas, ao mesmo tempo, especialmente à noite, seus pensamentos pareciam vagar em um plano muito mais amplo.

Claro que ainda dedicávamos a maior parte do nosso tempo ao trabalho, na luxuosa quietude dos escritórios da Sidley & Austin, onde todas as manhãs eu me desvencilhava de qualquer devaneio e retomava com energia minha existência de associada júnior, voltando, obediente, à minha pilha de documentos e às demandas de clientes corporativos que nunca conheci pessoalmente. Enquanto isso, Barack trabalhava em seus próprios documentos numa sala compartilhada no fim do corredor, cada vez mais bajulado por colegas que o consideravam impressionante.

Ainda preocupada com o decoro, insisti em manter nosso relacionamento recente e promissor longe dos olhos dos nossos colegas, mas isso não deu nada certo. Toda vez que Barack aparecia na minha sala, Lorraine, minha assistente, sorria para ele com uma cara de quem sabia o que estava acontecendo. Tínhamos sido inclusive pegos em flagrante na primeira noite em que saímos em público como casal, pouco depois do nosso primeiro beijo, quando fomos ao Instituto de Arte e depois ao Water Tower Place para ver o filme *Faça a coisa certa*, de Spike Lee; na fila da pipoca nos deparamos com um dos sócios mais importantes do escritório, Newt Minow, e sua esposa, Josephine. Eles nos cumprimentaram com o maior entusiasmo, até aprovação, e não fizeram comentário algum sobre o fato de estarmos juntos, mas, ainda assim, lá estávamos nós.

Nessa época, o trabalho parecia uma distração — a coisa que tínhamos que fazer antes de sermos autorizados a voltar correndo um para o outro. Fora do escritório, conversávamos sem parar, fosse vestindo shorts e camiseta em tranquilas caminhadas pelo Hyde Park ou durante refeições que nos pareciam curtas mas na realidade duravam horas. Debatíamos os méritos de cada disco de Stevie Wonder antes de fazermos o mesmo com a obra de Marvin Gaye. Eu estava apaixonada. Adorava a cadência lenta da voz de Barack e a maneira como seus olhos se suavizavam quando eu contava uma história engraçada. Passei a apreciar o modo como ele andava sem pressa, sem nunca se preocupar com o tempo.

Cada dia trazia pequenas descobertas: no beisebol, eu torcia para os Cubs, ao passo que ele gostava do White Sox. Eu amava macarrão com queijo gratinado, prato que ele não suportava. Ele gostava de filmes sombrios e dramáticos, enquanto eu era fã de carteirinha de comédias românticas. Ele era canhoto e sua caligrafia era perfeita; já eu era destra e tinha um garrancho. No mês que antecedeu o retorno de Barack a Cambridge, a sensação foi de que compartilhamos cada lembrança e divagação, percorrendo as loucuras de infância, as asneiras da adolescência e os romances frustrados que nos levaram um ao outro. Barack mostrou-se especialmente intrigado com a minha criação — a mesmice da vida ano após ano e década após década na Euclid Avenue, eu, Craig, meu pai e minha mãe formando os quatro cantos de um robusto quadrado. Durante o período em que trabalhou como organizador comunitário, Barack passou um bom tempo em igrejas, o que o fizera ter um apreço pela religião organizada. Ainda assim, permaneceu menos tradicional. O casamento, disse-me ele desde o início, lhe parecia uma convenção desnecessária e superestimada.

Não me lembro de ter apresentado Barack à minha família no meio daquele ano, embora Craig me diga que isso aconteceu, sim. Segundo meu irmão, nós dois fomos à casa na Euclid Avenue certa noite. Craig tinha ido fazer uma visita e estava sentado na varanda da frente com meus pais. Barack, ele se lembra, foi simpático e seguro de si, e passou alguns minutos batendo papo antes de corrermos escada acima para pegar alguma coisa no meu apartamento.

Meu pai gostou de Barack de cara, mas não apostou as fichas nele. Afinal, tinha me visto terminar com meu namorado do ensino médio, David, nos portões de Princeton, e me viu dispensar Kevin, o jogador de futebol da faculdade, assim que topei com ele metido numa fantasia de mascote peludo. Meus pais tinham em mente que não deviam se apegar demais. Eles me criaram para eu ter minha própria vida, e basicamente era isso que eu fazia. Eu era muito centrada e ocupada para abrir espaço a qualquer homem, e vivia repetindo isso aos meus pais.

A julgar pelo relato de Craig, naquele dia meu pai balançou a cabeça e riu enquanto nos via sair a pé.

"Cara legal", disse. "Pena que não vai durar."

Se a minha família era um quadrado, a de Barack era uma figura geométrica mais elaborada, que se estendia oceanos afora. Havia passado anos a fio tentando entender a própria linhagem. Em 1960, sua mãe, Ann Dunham, era uma universitária de dezessete anos no Havaí quando se apaixonou por um estudante queniano chamado Barack Obama. O casamento deles foi breve e confuso — especialmente levando-se em conta que o marido, descobriu-se, já tinha uma esposa em Nairóbi. Depois do divórcio, Ann se casou com um geólogo javanês chamado Lolo Soetoro e se mudou para Jacarta, Indonésia, levando o jovem Barack Obama — *meu* Barack Obama —, que a essa altura estava com seis anos de idade.

Segundo Barack me descreveu, ele tinha sido feliz na Indonésia e se dava bem com seu novo padrasto, mas sua mãe se preocupava com a qualidade de sua educação escolar. Em 1971, Ann Dunham enviou o filho de volta a Oahu para frequentar uma escola particular e morar com os pais dela. Ann era um espírito livre que passaria anos revezando entre o Havaí e a Indonésia. Exceto por uma longa viagem de volta ao Havaí quando Barack tinha dez anos, seu pai — um homem que, segundo todos os relatos, tinha uma mente poderosa e um problema poderoso com bebida — permaneceu ausente e distante.

Ainda assim, Barack foi profundamente amado. Tanto ele quanto sua meia-irmã mais nova Maya, eram mimados e adulados pelos avós em Oahu. Mesmo morando em Jacarta, a mãe de Barack era carinhosa e o apoiava à distância. Barack também falava com afeto de uma outra meia-irmã em Nairóbi chamada Auma. Ele cresceu com muito menos estabilidade do que eu, mas não se lamentava. Sua história era sua história. Sua vida familiar o deixara autoconfiante e curiosamente programado para o otimismo. O fato de ter contornado com tanto êxito sua criação incomum parecia apenas reforçar a ideia de que ele estava pronto para enfrentar mais desafios.

Numa noite chuvosa, acompanhei Barack quando ele foi fazer um favor a um velho amigo. Um de seus ex-colegas organizadores comunitários havia lhe pedido que coordenasse um treinamento numa paróquia negra em Roseland, no Far South Side, área que em meados da década de 1980 havia sido prejudicada pelo fechamento das siderúrgicas. Para Barack, era um bem-vindo retorno de uma única noite ao seu antigo emprego e à região de Chicago onde ele havia trabalhado. Assim que entramos na igreja, me dei conta de que ainda estávamos vestidos com a roupa do escritório e que eu nunca havia refletido sobre o real trabalho de um organizador comunitário. Descemos uma escada até um porão de teto baixo com lâmpadas fluorescentes, onde quinze paroquianos — em sua maioria mulheres, pelo que me lembro — estavam sentados em cadeiras dobráveis no que parecia ser uma sala que também funcionava como creche, abanando-se no calor. Sentei-me numa cadeira no fundo enquanto Barack andou até a frente da sala e cumprimentou os presentes.

A plateia deve ter enxergado Barack como um jovem com cara de advogado. Vi que todos o olhavam de cima a baixo, tentando descobrir se ele era alguma espécie de forasteiro cheio de opiniões ou se de fato tinha algo de valor a oferecer. Era uma atmosfera bastante familiar para mim. Cresci frequentando a Oficina de Opereta semanal da minha tia-avó Robbie numa igreja episcopal metodista africana não muito diferente daquela. As mulheres ali reunidas não eram diferentes das senhoras que cantavam no coro de Robbie ou que apareceram com caçarolas de comida depois do enterro de Southside. Eram mulheres bem-intencionadas, com pensamento coletivo, em geral mães ou avós solteiras, o tipo de pessoa que inevitavelmente se voluntariava para ajudar quando ninguém mais se oferecia.

Barack pendurou o paletó no espaldar da cadeira e tirou o relógio do pulso, colocando-o sobre a mesa à sua frente, atento à hora. Depois de se apresentar, entabulou uma conversa que durou cerca de uma hora, pedindo às pessoas que compartilhassem suas histórias e descrevessem suas preocupações sobre a vida na vizinhança. Barack, por sua vez, contou sua própria história, ligando-a aos princípios da organização comunitária. Ele estava lá para convencê-los de que nossas histórias nos conectavam uns aos outros e que, por meio dessas conexões, era possível transformar o descontentamento em algo útil. Mesmo eles, disse Barack — um pequeno grupo dentro de uma pequena igreja, no que parecia ser um bairro esquecido —, eram capazes de construir um verdadeiro poder político. Isso exigia esforço, advertiu ele. Era preciso criar uma estratégia de mapeamento, ouvir com atenção os vizinhos e construir uma relação de confiança em comunidades onde a confiança era muitas vezes inexistente. Significava pedir a pessoas que você não conhecia que lhe dessem um pouco do tempo delas ou uma pequena fração do salário que recebiam. Envolvia ouvir "não" de dez ou cem maneiras diferentes antes de ouvir o "sim" que faria toda a diferença. (Aparentemente, isso era em grande parte o que um organizador fazia.) Mas Barack assegurou que eles poderiam ter influência. Eles poderiam fazer as mudanças. Ele tinha visto o processo funcionar, ainda que nem sempre de forma fluida, no projeto de moradias públicas Altgeld Gardens, em que um grupo exatamente como aquele reunido ali na igreja conseguiu registrar novos eleitores, arregimentar moradores para se reunir com autoridades municipais, falar sobre a contaminação do amianto e persuadir o prefeito a financiar um centro de treinamento e qualificação profissional no bairro.

A mulher corpulenta sentada ao meu lado colocou no joelho a criança que estava segurando no colo e não escondeu o ceticismo. Com o queixo erguido e fazendo beiço, ela inspecionou Barack como se dissesse: *Quem é você para nos dizer o que fazer?*

Mas o ceticismo não incomodava Barack, da mesma forma que ele parecia não se abalar com adversidades e dificuldades. Afinal, Barack era um unicórnio — moldado por seu nome incomum, sua estranha ascendência, sua etnia difícil de entender, seu pai ausente, sua mente singular. Estava acostumado a se afirmar em praticamente todos os lugares aonde ia.

A ideia que ele estava apresentando não era fácil de aceitar, nem poderia ser. Roseland havia recebido uma pancada atrás da outra, do êxodo de famílias brancas e o colapso da indústria siderúrgica à deterioração das escolas e o crescimento do tráfico de drogas. Barack me dissera que, atuando como organizador junto a comunidades urbanas, na maioria das vezes ele tinha de lutar contra o profundo cansaço das pessoas — especialmente os negros —, um ceticismo gerado por mil pequenas decepções ao longo do tempo. Eu compreendia essa exaustão. Tinha visto aquilo no meu próprio bairro, na minha própria família. Uma amargura, um lapso na fé. Esse sentimento vivia nos meus avós, fruto de todas as metas que eles abandonaram e concessões que tiveram que fazer. Estava entranhado na professora de segunda série que desistiu de tentar nos ensinar na Bryn Mawr. Estava no vizinho que parou de cortar a grama ou de querer saber para onde seus filhos iam depois da aula. Vivia em cada lixo que os descuidados jogavam na grama do nosso parque local e em cada copo de cerveja que se bebia antes do anoitecer. Vivia em tudo que considerávamos impossível de consertar, incluindo nós mesmos.

Barack não foi complacente com as pessoas de Roseland, tampouco tentou conquistá-las escondendo seu próprio privilégio e agindo de forma mais "negra". Em meio aos medos, às frustrações dos paroquianos, à privação de direitos e à sensação de desamparo, Barack estava, de forma um tanto impetuosa, apontando uma flecha na direção oposta.

Nunca fui de ficar presa aos aspectos mais desmoralizantes de ser afro-americano. Fui criada para pensar positivo. Absorvi o amor da minha família e o empenho dos meus pais em nos ver bem-sucedidos. Estava com Santita Jackson nos comícios da Operação PUSH, ouvindo o pai dela pedir aos negros que se lembrassem do orgulho deles. Meu objetivo sempre foi ver além do meu bairro — olhar para a frente e superar. E eu tinha vencido. Amealhei dois diplomas de universidades de elite da Ivy League. Tinha um lugar à mesa na Sidley & Austin. Enchi meus pais e avós de orgulho. Mas, ouvindo Barack, comecei a entender que sua versão de esperança era bem mais ampla: eu me dei conta de que uma coisa era sair de um lugar empacado; outra, totalmente diferente, era tentar desempacar o lugar.

Mais uma vez me vi fascinada, dominada pela sensação de ver como Barack era especial. Aos poucos, todos ao meu redor também; as senhoras da igreja começaram a menear a cabeça em sinal de aprovação, pontuando as frases dele com "Mmmm-hmm" e gritos de "É isso aí!".

Ao fim da fala, a voz de Barack subiu em intensidade. Ele não era um pregador, mas sem dúvida estava pregando algo — um ideal. Estava fazendo uma oferta pelo nosso investimento. As opções, a seu ver, eram estas: ou você desiste ou trabalha em prol da mudança. "O que é melhor para nós?", perguntou Barack. "Nós nos contentamos com o mundo do jeito que ele é ou trabalhamos por um mundo como deveria ser?"

Essa era uma frase emprestada de um livro que ele tinha lido quando começou a trabalhar como organizador e que ficaria comigo durante anos. Foi o mais perto que cheguei de entender o que o motivava. *O mundo como deveria ser.*

Ao meu lado, a mulher com o bebê no colo quase explodiu. "É isso aí!", urrou, finalmente convencida. "Amém!"

Amém, pensei comigo mesma. Porque eu também estava convencida.

Antes de voltar para a faculdade de direito, em meados de agosto, Barack disse que me amava. Esse sentimento floresceu entre nós de um jeito tão rápido e natural que o momento em si nada teve de especialmente memorável. Não me lembro quando ou como exatamente aconteceu. Foi apenas uma articulação, terna e significativa, da coisa que nos pegara de surpresa. Mesmo nos conhecendo havia alguns meses, mesmo sendo meio que impraticável, estávamos apaixonados.

Mas agora teríamos que driblar os mais de 1400 quilômetros que nos separariam. Ainda faltavam dois anos para Barack em Harvard, e ele disse que esperava fixar residência em Chicago quando terminasse. Não havia expectativa de eu deixar minha vida na cidade nesse meio-tempo. Como associada júnior relativamente nova na Sidley, eu entendia que a fase seguinte da minha carreira era decisiva — que minhas realizações determinariam se eu seria promovida a sócia ou não. Como tinha passado pela faculdade de direito, eu sabia o quanto Barack estaria ocupado. Ele foi escolhido como editor da *Harvard Law Review*, periódico mensal dirigido por estudantes e considerado uma das principais publicações jurídicas do país. Era uma honra ser designado para a equipe editorial, mas também era como encarar um emprego de tempo integral concomitante à já pesada carga de um aluno de direito.

Em que pé isso nos deixava? Só nos restava o telefone. E isso foi em 1989, quando os telefones não estavam no nosso bolso. Mensagens de texto não eram possíveis; nenhum emoji poderia substituir um beijo. O telefone exigia tempo e disponibilidade mútua. Os telefonemas aconteciam em geral em casa, à noite, quando as pessoas já estavam absolutamente cansadas e precisando dormir.

Antes de partir, Barack me disse que preferia escrever cartas.

"Não sou um cara muito chegado a telefone", foi a definição dele. Como se isso resolvesse a questão.

Mas isso não resolvia coisa alguma. Tínhamos acabado de passar o meio do ano inteiro conversando. Eu não relegaria o nosso amor ao ritmo rastejante do serviço postal. Essa era outra pequena diferença entre nós: Barack era capaz de derramar seu coração na ponta de uma caneta. Tinha sido criado à base de cartas, seu sustento chegava na forma de envelopes finos que sua mãe mandava via correio aéreo da Indonésia. Já eu era uma pessoa do tipo cara a cara — criada nos jantares de domingo na casa de Southside, onde às vezes era preciso gritar para ser ouvido.

Minha família era tagarela. Meu pai, que recentemente havia trocado o carro por uma perua adaptada para acomodar sua deficiência, ainda fazia questão de aparecer na casa dos primos sempre que possível para visitá-los.

Amigos, vizinhos e primos de primos também apareciam com frequência na Euclid Avenue e ficavam plantados na sala de estar ao lado do meu pai, sentado em sua poltrona, para contar histórias e pedir conselhos. Até David, meu antigo namorado do ensino médio, vez ou outra passava por lá para buscar o aconselhamento dele. Meu pai também não tinha problema algum com o telefone. Durante anos eu o vi ligar para minha avó na Carolina do Sul, quase diariamente, pedindo notícias dela.

Informei a Barack que, para que nosso relacionamento desse certo, seria melhor ele se sentir à vontade falando ao telefone. "Se eu não puder falar com você", anunciei, "talvez tenha que encontrar outro cara que me dê ouvidos." Eu estava brincando, mas só um pouco.

E foi assim que Barack passou a ser chegado a falar no telefone. Ao longo daquele outono, nós nos falamos sempre que possível, ambos trancados em nossos respectivos mundos e cronogramas, mas ainda compartilhando os detalhes de nossos dias, nos doendo com a pilha de casos de impostos corporativos que ele tinha que ler ou rindo sobre como eu me acostumara a curar as frustrações do trabalho suando a camisa nas aulas de aeróbica depois do expediente. Com o passar dos meses, nossos sentimentos permaneceram estáveis e confiáveis. Tornou-se uma coisa a menos para eu questionar na vida.

Na Sidley & Austin, eu fazia parte da equipe de recrutamento do escritório de Chicago, encarregada de entrevistar alunos da faculdade de direito de Harvard para as vagas de associado temporário. Era essencialmente um processo de sedução. Como estudante, eu mesma tinha sentido na pele o poder e a tentação do complexo industrial do direito corporativo, tendo recebido um fichário grosso como um dicionário que listava escritórios de advocacia de todo o país e sendo informada que todos estavam interessados em contratar advogados formados em Harvard. Ao que parecia, com um diploma de Harvard a pessoa tinha chance de trabalhar em qualquer cidade, em qualquer área do direito, fosse um gigantesco escritório de litígios em Dallas ou uma exclusiva imobiliária-boutique em Nova York. O aluno que estivesse curioso sobre algum deles solicitava uma entrevista no próprio campus. Se tudo corresse bem, recebia como mimo uma "viagem de avião", que equivalia a uma passagem aérea, hospedagem em hotel cinco estrelas e outra rodada de entrevistas no escritório da empresa, seguidas de uma extravagante experiência regada a jantar e vinho com recrutadores como eu. No meu tempo de aluna de Harvard, eu mesma aproveitei "viagens de avião" para San Francisco e Los Angeles, em parte para conferir práticas de direito do entretenimento, mas, para ser honesta, também porque nunca tinha ido à Califórnia.

Agora que eu estava na Sidley e do outro lado da experiência de recrutamento, meu objetivo era atrair estudantes de direito que não fossem apenas inteligentes, determinados e ambiciosos, mas também com um perfil diferente de homem e branco. Havia outra mulher afro-americana na equipe de recrutamento, uma associada sênior chamada Mercedes Laing. Mercedes era mais ou menos dez anos mais velha do que eu e se tornou uma querida amiga e mentora. Assim como eu, tinha dois diplomas de prestigiadas universidades da Ivy League e costumava se sentar a mesas onde ninguém se parecia com ela. A luta, concordávamos, não era se acostumar com isso ou aceitar essa situação. Em reuniões sobre recrutamento, eu argumentava insistentemente — e tenho certeza de que, na opinião de algumas pessoas, descaradamente — para que o escritório lançasse uma rede mais ampla na hora de encontrar jovens talentos. A prática de longa data era contratar os alunos egressos de um seleto grupo de faculdades de direito — Harvard, Stanford, Yale, Northwestern, a Universidade de Chicago e a Universidade de Illinois, acima de tudo —, lugares onde a maioria dos advogados da firma havia obtido seus diplomas. Era um círculo vicioso: uma geração de advogados que contratava novos advogados com experiência de vida semelhante à deles, deixando pouco espaço para qualquer tipo de diversidade. Justiça seja feita com a Sidley, esse era um problema (reconhecido ou não) em praticamente todos os grandes escritórios de advocacia do país. Uma pesquisa realizada à época pelo *National Law Journal* constatou que, nas grandes empresas jurídicas do país, os afro-americanos não chegavam a representar 3% dos associados e 1% dos sócios.

Tentando atenuar o desequilíbrio, fiz pressão para considerarmos a possibilidade de prestar atenção em estudantes de direito vindos de outras faculdades estaduais e de instituições de ensino superior historicamente negras, a exemplo da Universidade Howard. Quando a equipe de recrutamento se reunia numa sala de conferência em Chicago para analisar uma pilha de currículos de universitários, eu me opunha toda vez que um estudante era automaticamente desclassificado por ter uma nota B no histórico ou por ter cursado um programa de graduação menos prestigioso. Eu reiterava que, se estávamos considerando trazer advogados de minorias, teríamos que olhar de forma mais holística para os candidatos. Precisávamos analisar como tinham usado as oportunidades proporcionadas pela vida, em vez de medi-los simplesmente pelo ponto que conseguiram alcançar numa elitista escada acadêmica. A questão não era rebaixar os altos padrões do escritório: era perceber que, se nos aferrássemos à maneira mais rígida e antiquada de avaliar o potencial de um novo advogado, ignoraríamos pessoas de todos os tipos, gente que seria capaz de contribuir para o sucesso da firma. Em outras palavras, precisávamos entrevistar mais alunos antes de descartá-los.

Eu adorava fazer viagens de recrutamento a Cambridge, exatamente porque isso me dava certa influência com relação a quais alunos de Harvard eram escolhidos para entrevista. Também, claro, me propiciava uma desculpa para ver Barack. Na primeira vez em que o visitei, ele me pegou no carro usado que havia comprado com seu escasso orçamento de financiamento estudantil, uma Datsun amarelo-banana. Quando girou a chave, o motor acelerou e o carro deu um solavanco violento antes de se assentar em uma vibração barulhenta e constante que nos sacudiu em nossos assentos. Olhei para Barack, incrédula.

"Você dirige esta coisa?", perguntei, erguendo a voz para me fazer ouvir em meio à barulheira.

Ele me exibiu aquele sorriso travesso do tipo *tenho tudo sob controle* que sempre me derretia. "É só esperar um ou dois minutos", disse, engatando a marcha. "Já, já passa." Depois de mais alguns minutos, ao entrar numa rua movimentada, ele acrescentou: "Além disso, talvez seja melhor não olhar pra baixo".

Eu já tinha visto o que ele queria evitar que eu visse — um rombo enferrujado de dez centímetros no assoalho, através do qual eu via o asfalto correndo.

A vida com Barack nunca seria maçante. Eu já sabia disso na época. Seria como o carro: colorida e de me deixar de cabelo em pé. Também me ocorreu que muito possivelmente ele jamais ganharia dinheiro.

Na época Barack morava em um espartano apartamento de um quarto em Somerville, mas durante minhas viagens de recrutamento a Sidley me colocava no luxuoso Hotel Charles adjacente ao campus, onde dormíamos em lençóis macios de alta qualidade, e Barack, que raramente cozinhava para si mesmo, podia se abastecer com um café da manhã quente antes de ir para a aula. À noite, ele se instalava feliz da vida no meu quarto para estudar e fazia as tarefas da faculdade, vestindo tranquilamente um roupão felpudo do hotel.

Perto do Natal daquele ano, embarcamos para Honolulu. Eu nunca tinha ido ao Havaí, mas estava certa de que gostaria de lá. Afinal, eu era de Chicago, onde o inverno se estendia até meados de abril e onde era normal manter uma pá de neve no porta-malas do carro. Eu era dona de uma desconcertante quantidade de roupas de lã. Para mim, ficar longe do inverno sempre era um prazeroso passeio. Durante a faculdade, fiz uma viagem para as Bahamas com meu colega de classe baamês, David, e outra para a Jamaica com Suzanne. Em ambas as ocasiões, me deliciei com a brisa suave roçando minha pele e a alegria simples que sentia toda vez que me aproximava do oceano. Talvez não por acaso eu me atraísse por pessoas criadas em ilhas.

Em Kingston, Suzanne me levou a praias de areia branca e fina como pó, onde pulávamos as ondas de uma água que parecia cor de jade. Ela me conduziu habilmente por um caótico mercado ao ar livre, tagarelando com vendedores ambulantes.

"Experimenta isto!", berrava ela, caprichando no sotaque enquanto me entregava, daquele seu jeito exuberante, postas de peixe grelhado para saborear, inhame frito, talos de cana-de-açúcar e pedaços cortados de manga. Ela exigia que eu provasse de tudo, determinada a me fazer ver quanta coisa havia para amar.

Com Barack não era diferente. A essa altura ele já havia passado mais de uma década no continente, mas o Havaí ainda era profundamente importante para ele. Barack queria que eu absorvesse tudo, das palmeiras largas que margeavam as ruas de Honolulu e a faixa de areia em forma de meia-lua na praia de Waikiki até a cortina verde das colinas ao redor da cidade. Passamos uma semana no apartamento emprestado por amigos da família dele, e todo dia íamos à praia nadar e ficar à toa ao sol. Conheci a meia-irmã de Barack, Maya, uma garota de dezenove anos gentil e inteligente que estava estudando na Barnard College. Ela tinha bochechas redondas, grandes olhos castanhos e cabelos pretos que se enrolavam em um volumoso emaranhado ao redor dos ombros. Conheci os avós de Barack, Madelyn e Stanley Dunham, ou "Toot e Gramps", como ele os chamava. Viviam no mesmo prédio alto onde tinham criado Barack, num pequeno apartamento decorado com tecidos indonésios que Ann lhes enviara ao longo dos anos.

E conheci a própria Ann, uma mulher gorducha e animada, de cabelos escuros e cacheados e o mesmo queixo anguloso de Barack. Usava espalhafatosas joias de prata, um vestido de batique cintilante e o tipo de sandália robusta que, na minha imaginação, um antropólogo usaria. Foi simpática comigo e se mostrou curiosa sobre a minha família e a minha carreira. Era evidente que adorava o filho — quase o reverenciava — e parecia ansiosa para se sentar e conversar com ele, descrever o trabalho de pesquisa e a dissertação que vinha escrevendo e trocar recomendações de livros como se estivesse colocando a prosa em dia com um velho amigo.

Todos na família de Barack ainda o chamavam de Barry, o que achei muito carinhoso. Embora tivessem deixado o Kansas, seu estado natal, nos anos 1940, seus avós me pareceram os deslocados nativos do Meio-Oeste que Barack sempre descrevera. Gramps era grandalhão — parecia um urso — e contava piadas bobas. Toot, uma mulher parruda e grisalha que trabalhara duro até ascender a vice-presidente de um banco local, preparava sanduíches de salada de atum para o nosso almoço. À noite, servia biscoitos Ritz com sardinhas como aperitivo e colocava o jantar em bandejas dobráveis para todos poderem assistir ao noticiário ou jogar uma acirrada partida de palavras cruzadas. Era uma família modesta de classe média, em muitos aspectos não tão diferente da minha.

Havia algo reconfortante nisso, tanto para mim quanto para Barack. Por mais diferentes que fôssemos, combinávamos de uma maneira interessante. Era como se a razão para a facilidade do nosso encaixe e a atração mútua entre nós estivessem sendo explicadas agora.

No Havaí, o lado intenso e cerebral de Barack recuou um pouco, ao passo que seu lado descontraído floresceu. Ele estava em casa. E, para ele, casa era onde não sentia a necessidade de provar nada a ninguém. Chegávamos atrasados para tudo, mas isso não importava — nem para mim. Bobby, companheiro de Barack dos tempos do ensino médio, era pescador comercial e um dia nos levou em seu barco para mergulhar de snorkel e fazer um cruzeiro sem rumo. Foi então que conheci um Barack que jamais havia visto, relaxado, descansando sob um céu azul com uma cerveja gelada e um velho amigo, não mais o homem preocupado com o noticiário, com as leituras da faculdade de direito ou com o que fazer para resolver a desigualdade de renda. O sossego desbotado pelo sol da ilha abriu espaço para nós dois, em parte porque nos deu o tempo que nunca havíamos tido.

Muitos dos meus amigos julgavam os parceiros em potencial avaliando-os de fora para dentro, primeiro se concentrando na aparência e na perspectiva financeira. Se ficasse evidente que a pessoa não se comunicava bem ou não se sentia à vontade em mostrar as próprias vulnerabilidades, pareciam pensar que o tempo ou os votos de casamento resolveriam o problema. Mas Barack havia chegado à minha vida como uma pessoa totalmente formada. Desde a nossa primeira conversa, ele me mostrou que não sentia vergonha ou constrangimento de expressar medo ou fraqueza e que valorizava a sinceridade. No trabalho, eu havia testemunhado sua humildade e sua disposição para sacrificar de bom grado seus desejos e necessidades em nome do propósito maior.

E ali no Havaí pude ver a personalidade de Barack refletida de outras pequenas maneiras. Suas longevas amizades com colegas do ensino médio mostraram sua consistência nos relacionamentos duradouros. Na devoção pela sua resoluta mãe, vi um profundo respeito pelas mulheres e pela independência delas. Sem precisar discutir isso diretamente, eu sabia que ele seria capaz de lidar com uma parceira que tinha suas próprias paixões e voz. Esse tipo de coisa ninguém consegue ensinar em um relacionamento, são coisas que nem o amor pode realmente construir ou mudar. Ao abrir seu mundo para mim, Barack estava me mostrando tudo o que eu precisava saber sobre o tipo de parceiro que ele seria para a vida inteira.

Certa tarde, pegamos um carro emprestado e dirigimos até a região norte da ilha de Oahu, a North Shore, onde nos sentamos em uma faixa de areia macia e observamos os surfistas rasgarem ondas enormes. Permanecemos lá por horas a fio, apenas conversando, enquanto as ondas quebravam umas sobre as outras em sequência, o sol caía em direção ao horizonte e os banhistas se preparavam para ir embora. Continuamos conversando conforme o céu ficou rosado, depois violeta e por fim escureceu, até quando os insetos começaram a picar e começamos a ficar com fome. Se eu tinha ido ao Havaí para conhecer algo do passado de Barack, agora estávamos sentados à beira de um gigantesco oceano, experimentando uma versão do futuro, discutindo em que tipo de casa gostaríamos de viver um dia, que tipo de pais queríamos ser. Parecia especulação e ousadia demais falar assim, mas também foi reconfortante, porque a sensação era a de que talvez nós nunca parássemos, de que talvez aquela conversa poderia continuar por toda a vida.

Em Chicago, longe de Barack, de vez em quando eu ainda ia a um happy hour com amigos, mas raramente ficava até tarde. A dedicação de Barack à leitura havia despertado em mim um novo vício em livros. Comecei a ficar contente em passar o sábado à noite lendo um bom romance no sofá.

Quando eu me entediava, ligava para velhos amigos. Mesmo namorando sério, eram minhas amigas que me mantinham firme e estável. Santita Jackson estava viajando pelo país como vocal de apoio de Roberta Flack, mas conversávamos sempre que podíamos. Cerca de um ano antes eu estava sentada com meus pais na sala da casa deles, explodindo de orgulho enquanto assistíamos a Santita e seus irmãos apresentarem o pai na Convenção Nacional do Partido Democrata de 1988. O reverendo Jackson tivera um desempenho respeitável na disputa pela presidência, vencendo mais de dez primárias antes de ceder à indicação a Michael Dukakis. Ao longo do caminho, encheu lares como o nosso com uma nova e profunda dose de esperança e entusiasmo, mesmo que, no fundo do coração, entendêssemos que a vitória dele era bastante improvável.

Eu falava com frequência com Verna Williams, uma amiga íntima da faculdade de direito que até recentemente morava em Cambridge. Ela estivera com Barack algumas vezes e gostava muito dele, mas me provocava dizendo que eu tinha rebaixado meus padrões insanamente altos, para permitir um fumante na minha vida. Angela Kennedy e eu ainda dávamos muitas risadas juntas, apesar de ela estar trabalhando como professora em Nova Jersey ao mesmo tempo que cuidava de um filho pequeno e tentava segurar as pontas enquanto seu casamento implodia lentamente. Nos conhecemos quando éramos universitárias bobas e meio imaturas, e agora éramos adultas, com vidas adultas e preocupações adultas. Essa ideia por si só às vezes nos parecia hilária.

Suzanne, por sua vez, era o mesmo espírito livre dos tempos em que fomos colegas de quarto em Princeton — entrando e saindo da minha vida de forma meio imprevisível e medindo o valor de seus dias apenas pelo prazer que sentia. Passávamos longos períodos sem trocar uma palavra, mas retomávamos a amizade sem dificuldade alguma. Como sempre, eu a chamava de Screwzy e ela me chamava de Miche. Nossos mundos continuavam tão diferentes quanto na faculdade, quando ela frequentava as festas dos clubes de Princeton e chutava a roupa suja para debaixo da cama enquanto eu organizava minhas anotações da aula de sociologia por códigos de cor. Mesmo assim, Suzanne era como uma irmã cuja vida eu só podia acompanhar de longe, do outro lado do abismo de nossas óbvias diferenças. Ela era enlouquecedora, encantadora e sempre importante para mim. Pedia meus conselhos e depois fazia questão de ignorá-los. Seria ruim namorar um popstar quase famoso e mulherengo? Ora, sim, seria, mas ela faria isso de qualquer maneira, afinal, *por que não*? O mais irritante foi quando, depois de formada, ela recusou a oportunidade de ir para uma faculdade de administração de elite da Ivy League por concluir que seria muito trabalhoso, portanto, pouco divertido. Em vez disso, obteve um MBA em um programa de pós-graduação não tão estressante numa faculdade estadual, o que, para mim, era uma atitude preguiçosa.

As escolhas de Suzanne às vezes pareciam uma afronta ao meu jeito de fazer as coisas, um voto a favor da facilidade e da lei do menor esforço. Hoje posso dizer que a julguei de forma injusta por suas decisões, mas na época simplesmente achei que tinha razão.

Pouco depois de começar a namorar Barack, liguei para Suzanne e jorrei meus sentimentos por ele. Ela ficou muito empolgada ao me ouvir falar tão esfuziante e feliz — a felicidade sendo sua moeda. Ela também tinha novidades: estava abandonando o emprego como especialista em computação no Federal Reserve [Sistema de Reserva Federal] para sair em viagem — não por semanas, mas por meses. Suzanne e a mãe estavam prestes a embarcar numa aventura estilo volta ao mundo. Afinal, *por que não*?

Eu não seria capaz de imaginar se Suzanne sabia inconscientemente que algo estranho estava acontecendo nas células de seu corpo, que um sequestro silencioso estava em andamento. O que eu sabia era que, durante o outono de 1989, enquanto eu passava o dia sentada usando sapatos de salto plataforma de couro e participava de longas e enfadonhas reuniões na Sidley, Suzanne e sua mãe estavam tentando não respingar curry em seus vestidos de alcinha no Camboja e dançavam madrugada adentro nas majestosas passarelas do Taj Mahal. Enquanto eu fazia as contas do talão de cheques, pegava a roupa na lavanderia e observava as folhas murcharem e caírem das árvores ao longo da Euclid Avenue, Suzanne sacolejava dentro de um *tuk-tuk*, passeando pelas ruas quentes e úmidas de Bangcoc, berrando de alegria — pelo menos era o que eu imaginava. Na verdade, porém, não fazia ideia de como estava sua viagem ou que lugares ela realmente visitou, porque Suzanne não era de enviar cartões-postais ou manter contato. Estava ocupada demais vivendo, empanturrando-se do que o mundo tinha a lhe oferecer.

Quando voltou para casa, em Maryland, e encontrou um momento para entrar em contato comigo, as notícias eram diferentes — tão destoantes da imagem que eu fazia dela que mal consegui entender.

"Estou com câncer", disse-me Suzanne, a voz rouca de emoção. "Um dos grandes."

Os médicos haviam acabado de diagnosticar um linfoma agressivo, que a essa altura já estava devastando seus órgãos. Ela descreveu um plano de tratamento, aferrando-se a alguma esperança com os possíveis resultados, mas eu estava tão sobrecarregada que não prestei atenção nos detalhes. Antes de desligar, ela me contou que, numa cruel ironia do destino, sua mãe também adoecera gravemente.

Não sei se um dia já acreditei que a vida era justa, mas sempre achei que, com esforço, seria possível escapar de praticamente qualquer problema. O câncer de Suzanne foi a primeira vez que essa noção foi posta em xeque, em que vi meus ideais serem sabotados. Porque, mesmo que ainda não soubesse de todos os detalhes, eu tinha ideias sobre o futuro. Desde o primeiro ano de faculdade eu mantinha assiduamente um plano de objetivos, uma agenda que era o resultado de todos os itens da lista de metas que estava fadada a cumprir.

Para mim e para Suzanne, deveria ser assim: seríamos madrinhas de casamento uma da outra. Nossos maridos seriam totalmente diferentes entre si, é claro, mas mesmo assim gostariam muito um do outro. Teríamos filhos ao mesmo tempo, viajaríamos em família para as praias da Jamaica, uma seria sempre um pouco crítica em relação ao jeito da outra de criar os filhos, e ambas seríamos as tias divertidas e favoritas das crianças. Eu daria livros infantis de presente de aniversário para os filhos dela; ela presentearia os meus com pula--pulas. Daríamos risadas, compartilharíamos segredos e reviraríamos os olhos para as idiossincrasias ridículas uma da outra, até que um dia perceberíamos que éramos duas idosas que tinham sido eternas melhores amigas, de repente aturdidas ao perceber como o tempo tinha voado.

Isso, para mim, era o mundo como deveria ser.

Em retrospecto, acho extraordinário como, durante a primeira metade daquele ano, eu simplesmente fiz meu trabalho. Eu era advogada, e advogados trabalhavam. Trabalhávamos o tempo todo. Nosso valor e competência estavam nas horas que faturávamos. Não há escolha, dizia a mim mesma. O trabalho é importante, dizia a mim mesma. E assim continuei, chegando na hora todas as manhãs ao formigueiro corporativo conhecido como One First National Plaza, no centro de Chicago. Eu abaixava a cabeça e faturava as minhas horas.

Em Maryland, Suzanne estava vivendo com sua doença. Lidava com consultas médicas e cirurgias e, ao mesmo tempo, tentava cuidar da mãe, que também lutava contra um câncer agressivo que, segundo insistiam os médicos, não tinha relação alguma com o de Suzanne. Era azar, infortúnio, bizarro a ponto de ser assustador demais para imaginar. O restante da família de Suzanne não era particularmente unido, exceto por duas de suas primas favoritas que a ajudavam tanto quanto podiam. Às vezes Angela ia de carro de Nova Jersey para visitá-la, mas fazia malabarismos para dar conta do emprego e de uma criança pequena. Recrutei Verna, minha amiga da faculdade de direito, para passar por lá quando pudesse, como uma espécie de procuradora minha. Verna conhecia Suzanne de Harvard e, por coincidência, morava em Silver Spring, num prédio exatamente de frente para o estacionamento do edifício de Suzanne.

Era pedir demais a Verna. Ela tinha perdido o pai recentemente e estava às voltas com seu próprio luto. Mas ela era uma amiga verdadeira, uma pessoa compassiva. Certo dia, no mês de maio, ela telefonou para meu escritório e me informou os detalhes de uma visita.

"Eu penteei o cabelo dela", contou Verna. O fato de Suzanne precisar que alguém a penteasse era suficiente para eu entender tudo, mas eu havia erguido um muro para me distanciar da verdade. Parte de mim insistia em achar que aquilo não estava acontecendo. Agarrava-me à ideia de que a situação de Suzanne mudaria completamente, mesmo com tantas evidências contrárias.

Por fim, foi Angela quem me ligou em junho. Foi direto ao ponto. "Se você vai vir, Miche, é melhor vir logo."

A essa altura, Suzanne havia sido transferida para um hospital. Estava fraca demais para falar, perdendo e recobrando a consciência a todo momento. Não havia mais nada para alimentar minha negação. Desliguei o telefone e comprei uma passagem de avião. Desembarquei na Costa Leste, peguei um táxi até o hospital, entrei no elevador, percorri o corredor até o quarto dela e a encontrei lá, deitada na cama, Angela e a prima de vigília a seu lado, todas em silêncio. A mãe de Suzanne morrera poucos dias antes, e Suzanne estava em coma. Angela abriu espaço para eu me sentar junto à cama.

Olhei fixo para Suzanne, para seu rosto perfeito em formato de coração e sua pele morena-avermelhada, de alguma forma me sentindo reconfortada pela suavidade juvenil de suas bochechas e pela curva delicada de seus lábios. Ela parecia estranhamente intocada pela doença. Seu cabelo escuro ainda era lustroso e comprido; alguém havia feito duas tranças que chegavam quase até a cintura. Suas pernas de corredora estavam escondidas sob os cobertores. Seu semblante era jovem, ela parecia uma doce e bela mulher de 26 anos que talvez estivesse no meio de um cochilo.

Eu me arrependi de não ter ido antes. Lamentei as muitas vezes, ao longo dos anos de nossa amizade, em que tinha insistido em pensar que ela estava tomando a decisão errada, quando possivelmente estava fazendo a coisa certa. De repente, fiquei feliz por todas as vezes que ela ignorou meus conselhos. Fiquei contente por ela não ter se sobrecarregado para obter um diploma de administração numa faculdade prestigiada. Por ter resolvido perder um fim de semana com um popstar quase famoso, só por diversão. Fiquei feliz por ela ter ido ao Taj Mahal com a mãe para ver o nascer do sol. Suzanne havia vivido de maneiras que eu não tinha vivido.

Naquele dia, segurei sua mão flácida e observei sua respiração ficando entrecortada e intermitente, até que por fim houve longas pausas cada vez que ela inalava o ar. Com um meneio, a enfermeira nos deu a entender que sabia o que estava acontecendo. Suzanne estava indo embora. Minha mente obscureceu. Não tive nenhum pensamento profundo. Não tive revelações sobre a vida ou a perda. Se havia algo dentro de mim, era raiva.

Dizer que era injusto Suzanne adoecer e morrer aos 26 anos parece muito simplista. Mas era um fato, mais frio e feio impossível. O que eu pensei quando por fim deixei seu corpo naquele quarto de hospital foi: *Ela se foi e eu ainda estou aqui.* Lá fora, pessoas zanzavam pelo corredor usando camisolas hospitalares, muito mais velhas e mais doentes do que Suzanne, porém ainda estavam aqui. Eu embarcaria em um avião lotado de volta a Chicago, dirigiria por uma estrada movimentada, entraria em um elevador até meu escritório. Veria todas aquelas pessoas aparentemente felizes em seus carros, andando pela calçada com suas roupas leves de verão, relaxando nas cafeterias e trabalhando em suas mesas, todas alheias ao que aconteceu com Suzanne — provavelmente sem saber que elas também poderiam morrer a qualquer momento. Parecia perverso como o mundo simplesmente seguia em frente. Como todos ainda estavam aqui, exceto minha Suzanne.

10

No meio daquele ano, comecei a escrever um diário. Comprei um caderno preto encapado por um tecido estampado de flores e o mantinha ao lado da cama. Eu o carregava nas viagens a negócios pela Sidley & Austin. Não escrevia todos os dias, nem mesmo toda semana: só pegava na caneta quando tinha tempo e energia para revirar meus sentimentos confusos. Preenchia algumas páginas numa única semana e depois deixava o diário de lado por um mês, às vezes mais. Eu não era introspectiva por natureza. O exercício de registrar os pensamentos era novo para mim — um hábito que eu tinha aprendido, em parte, com Barack, que via na escrita uma prática terapêutica e esclarecedora e que ao longo dos anos manteve diários de forma intermitente.

    Ele voltaria para Chicago durante as férias de meio de ano em Harvard, e dessa vez abriria mão do apartamento sublocado e se instalaria no meu apartamento na Euclid Avenue. Isso significava não apenas que estávamos aprendendo, de maneira real, a coabitar o mesmo espaço como casal, mas também que Barack agora conhecia minha família de maneira mais íntima. Enquanto meu pai se aprontava para mais um turno na estação de tratamento de água, eles conversavam sobre esportes. Às vezes, Barack ajudava minha mãe a carregar as compras da garagem para dentro de casa. Era uma sensação boa. Craig já havia avaliado a personalidade de Barack da forma mais completa e reveladora de que era capaz — colocando-o para jogar uma partida de basquete à vera no fim de semana com uma turma de amigos, a maioria ex-jogadores universitários. Na verdade, ele fez isso a meu pedido. A opinião de Craig sobre Barack era importante para mim, e meu irmão sabia ler as pessoas, especialmente no contexto de um jogo. Barack havia passado no teste. Era tranquilo em quadra, disse meu irmão, e sabia a hora de fazer os passes certos, mas também não tinha medo de arremessar quando livre. "Ele não é um fominha exibido", sentenciou Craig. "Mas tem coragem."

Barack tinha aceitado um emprego de associado temporário numa firma de advocacia no centro de Chicago. O escritório ficava perto da Sidley, mas sua temporada na cidade foi curta. Ele fora eleito presidente da *Harvard Law Review* para o ano acadêmico seguinte, o que significava que seria responsável por produzir oito edições de cerca de trezentas páginas cada e precisaria voltar a Cambridge mais cedo para começar os trabalhos. Todo ano a competição para comandar o periódico era feroz, envolvendo uma rigorosa avaliação e uma eleição dos oitenta estudantes editores. Ser escolhido para a posição era uma conquista enorme para qualquer um. Acontece que Barack também foi o primeiro afro-americano a ser selecionado nos 103 anos de história da publicação — um marco tão significativo que foi noticiado no *New York Times*, acompanhado pela foto de um sorridente Barack usando um casaco de inverno e cachecol enrolado no pescoço.

Em outras palavras, meu namorado era realmente incrível. Àquela altura poderia ter escolhido qualquer emprego com salário alto em várias firmas de advocacia, mas em vez disso estava pensando em atuar na área de direitos civis assim que conseguisse o diploma, ainda que isso demandasse o dobro do tempo para pagar seus empréstimos estudantis. Praticamente todas as pessoas que ele conhecia o instigavam a seguir o exemplo de muitos editores anteriores da *Harvard Law Review* e se candidatar a um estágio na Suprema Corte, o que para ele seria moleza. Mas Barack não estava interessado. Ele queria morar em Chicago. Tinha ideias para escrever um livro sobre a questão racial nos Estados Unidos e, segundo ele, planejava encontrar um emprego alinhado com seus valores, o que significava que muito provavelmente não terminaria no direito corporativo. Ele se norteava por uma convicção que eu achava surpreendente.

Claro que toda essa confiança inata era admirável, mas, honestamente, tente viver com ela. Coexistir com o forte senso de propósito de Barack — dormir na cama com ele, sentar à mesa do café da manhã com ele — era algo a que eu tinha que me ajustar, não porque ele fizesse alarde, mas porque seu senso era algo realmente vivo. Diante de sua certeza, sua noção de que seria capaz de fazer a diferença no mundo, eu não podia deixar de me sentir um pouco perdida em comparação. O senso de propósito de Barack parecia um desafio involuntário a mim.

Por isso o diário. Já na primeira página, com uma caligrafia meticulosa, expliquei minhas razões para iniciá-lo:

Um, eu me sinto muito confusa sobre o destino que eu quero para a minha vida. Que tipo de pessoa eu quero ser? Como quero contribuir para o mundo?

Dois, meu relacionamento com Barack está ficando sério e sinto que preciso me controlar melhor.

Esse caderninho de capa florida sobreviveu a algumas décadas e a várias mudanças de endereço. Durante oito anos ficou numa prateleira no meu quarto de vestir na Casa Branca, até que bem recentemente eu o tirei de uma caixa na minha nova casa para tentar me refamiliarizar com quem eu tinha sido quando era uma jovem advogada. Hoje leio essas linhas e sei exatamente o que estava tentando dizer a mim mesma — o que poderia ter ouvido de uma mentora firme, direta e sem papas na língua. Para falar a verdade, era simples: a primeira coisa era que eu odiava ser advogada. Eu não condizia com o trabalho. Sentia-me vazia fazendo aquilo, mesmo que fosse muito boa. Isso era angustiante de admitir, dado o afinco com que eu havia trabalhado e o quanto estava endividada. Em minha cega corrida para me destacar e alcançar a excelência, em minha necessidade de fazer as coisas com perfeição, não prestei atenção nas placas de sinalização e segui pelo caminho errado.

A segunda era que eu estava profundamente, deliciosamente apaixonada por um homem dono de uma inteligência e de uma ambição tão poderosas que podiam acabar engolindo as minhas. Eu já podia antever, como se fosse uma onda enorme se formando sobre uma forte contracorrente. Eu não ia sair do caminho — estava muito envolvida com Barack, apaixonada demais —, mas precisava rapidamente me ancorar com firmeza, fincar os pés no chão.

Isso significava encontrar uma nova profissão, e o que mais me abalava era não ter ideias concretas sobre o que queria fazer. De alguma forma, durante todos os meus anos de estudo eu não havia conseguido refletir mais a fundo sobre minhas próprias paixões e como elas poderiam ser compatíveis com um trabalho que eu considerasse significativo. Na juventude, eu não tinha experimentado absolutamente nada. Compreendi que parte da maturidade de Barack vinha dos anos em que ele atuara como organizador comunitário e também, antes disso, de um ano sem dúvida insatisfatório que havia passado como pesquisador numa empresa de consultoria de negócios em Manhattan logo depois de se formar. Ele havia experimentado algumas coisas, conheceu todo tipo de gente e foi descobrindo suas prioridades ao longo do caminho. Eu, por outro lado, tinha tanto medo de tropeçar, buscava com tanta avidez ser respeitada e conseguir uma maneira de pagar as contas que marchei irrefletidamente para a carreira do direito.

No intervalo de um ano ganhei Barack e perdi Suzanne, e o poder dessas duas mudanças juntas me deixou desnorteada. A morte repentina de Suzanne me fez acordar para a ideia de que eu queria mais alegria e sentido na minha vida. Não poderia continuar vivendo com minha própria complacência. Ao mesmo tempo, dava crédito e atribuía culpa a Obama pela minha confusão. "Será que se não houvesse um homem na minha vida constantemente me questionando sobre o que me impulsiona e o que me aflige, eu estaria fazendo isso por conta própria?", escrevi em meu diário.

Ponderei sobre o que poderia fazer, sobre quais habilidades e talentos eu talvez possuísse. Eu tinha condições de ser professora? Uma administradora da faculdade? Quem sabe coordenar um programa de reforço escolar e atividades extracurriculares para crianças, uma versão profissionalizada do que tinha feito para Czerny em Princeton? Eu estava interessada em trabalhar para uma fundação ou uma organização sem fins lucrativos. Meu interesse era ajudar crianças desfavorecidas. Eu me perguntei se poderia encontrar um emprego que cativasse a minha mente e me proporcionasse tempo suficiente para fazer trabalho voluntário, apreciar obras de arte ou ter filhos. Eu queria uma vida, basicamente. Queria me sentir inteira. Fiz uma lista de temas que me interessavam: educação, gravidez na adolescência, autoestima negra. Eu sabia que um trabalho mais virtuoso inevitavelmente envolveria uma redução salarial. A lista que fiz em seguida foi mais séria: a das despesas essenciais — o que restava depois de eu abrir mão dos luxos a que me permitia com o salário da Sidley, como ser membro de um clube de assinatura de vinhos e frequentar uma academia de ginástica. Todo mês eu pagava uma parcela de seiscentos dólares do financiamento estudantil e de 407 dólares de prestação do carro e ainda gastava dinheiro em comida, gasolina e seguro, além dos cerca de quinhentos dólares mensais de que eu precisaria para alugar um apartamento se saísse da casa dos meus pais.

Nada era impossível, mas ao mesmo tempo nada parecia simples. Comecei a perguntar a todo mundo sobre oportunidades no ramo do direito do entretenimento, pensando, talvez, que isso pudesse ser interessante e que também me pouparia da dor de um salário menor. Mas, no meu coração, sentia uma certeza cada vez maior: eu não era talhada para a prática do direito. Certo dia, tomei nota de um artigo que tinha lido no *New York Times* relatando a fadiga, o estresse e a infelicidade generalizados entre os advogados norte-americanos — principalmente as mulheres. "Que deprimente", escrevi em meu diário.

Passei boa parte daquele mês de agosto labutando em uma sala de conferências alugada em um hotel em Washington, DC, despachada para a capital americana a fim de ajudar na preparação de um caso. A Sidley & Austin estava representando o conglomerado químico Union Carbide em um julgamento antitruste envolvendo a venda de uma de suas holdings. Fiquei em Washington por cerca de três semanas, mas consegui ver muito pouco da cidade, porque passei o tempo todo inteiramente dedicada a me sentar naquela sala com vários colegas da Sidley, abrir caixas de arquivo que haviam sido enviadas da sede da empresa e analisar os milhares de páginas de documentos dentro delas.

Ninguém diria que eu era o tipo de pessoa que encontrava alívio psíquico nas complexidades do comércio de polióis poliéteres e poliuretanos, mas eu encontrava. Ainda exercia a profissão de advogada, mas a especificidade do trabalho e a mudança de cenário me distraíam das questões maiores que começavam a efervescer na minha mente.

Ao fim e ao cabo, o caso químico foi resolvido fora do tribunal, o que significava que grande parte da minha revisão de documentos do processo tinha sido em vão. Esse era um irritante, ainda que esperado, elemento de perde e ganha no campo legal, em que não era incomum se preparar para um julgamento que nunca chegava a acontecer. Sabendo que estava prestes a retornar para a minha rotina e para a névoa da minha confusão, na noite em que peguei o voo de volta para Chicago senti um pesado pavor se assentar sobre mim.

Minha mãe fez a gentileza de me esperar no aeroporto O'Hare. Só de vê-la me senti reconfortada. Ela estava com cinquenta e poucos anos, trabalhava em tempo integral como assistente executiva em um banco do centro da cidade, que ela descrevia como basicamente um punhado de homens que passavam o dia sentados a suas mesas e haviam entrado no ramo porque seus pais tinham sido banqueiros antes deles. Minha mãe era uma força da natureza. Tinha pouca tolerância para os tolos. Mantinha o cabelo curto e usava roupas práticas e sem frescura. Tudo nela irradiava competência e calma. Assim como tinha feito com Craig e comigo quando éramos crianças, ela não se envolvia em nossa vida particular de adultos. Seu amor vinha na forma de confiabilidade. Ela era de buscar a gente no aeroporto. De levar a gente para casa e oferecer comida se a gente estivesse com fome. Seu temperamento sereno era como um abrigo para mim, um lugar de refúgio.

No carro, dirigindo rumo ao sul em direção à cidade, deixei escapar um longo suspiro.

"Você está bem?", perguntou.

Olhei para ela na meia-luz da estrada. "Não sei", comecei. "É que..."

Desabafei. Contei que não estava feliz com meu trabalho nem com a profissão que tinha escolhido – que estava extremamente *infeliz*, na verdade. Contei sobre o meu desassossego, como estava desesperada para fazer uma grande mudança, mas com medo de não ganhar dinheiro suficiente se a levasse adiante. Minhas emoções estavam à flor da pele. Soltei outro suspiro. "Eu simplesmente não estou satisfeita", concluí.

Agora compreendo como isso deve ter soado aos ouvidos da minha mãe, que estava no nono ano de um emprego que tinha assumido fundamentalmente para poder ajudar a financiar minha educação universitária, depois de anos *sem ter* um emprego para dispor de ter tempo livre para costurar minhas roupas de escola, cozinhar minhas refeições e lavar as roupas do meu pai. Meu pai, aliás, que por causa da nossa família passava oito horas por dia inspecionando medidores em uma caldeira na estação de tratamento de água. Nem de longe a minha mãe – que tinha acabado de dirigir por uma hora para me buscar no aeroporto, me deixava morar de graça no andar de cima de sua casa e no dia seguinte teria que se levantar de madrugada para ajudar meu pai deficiente a se preparar para o trabalho — estava pronta para tolerar minha angustiada arenga sobre satisfação.

Tenho certeza de que, para ela, satisfação era um conceito de gente rica. Duvido que meus pais, em seus trinta anos juntos, tenham discutido isso uma única vez.

Minha mãe não me julgou por ser enfadonha. Não era de dar sermão ou chamar a atenção para seus próprios sacrifícios. Sem fazer alarde, ela havia apoiado todas as minhas escolhas e decisões. Dessa vez, porém, me lançou um olhar torto, de esguelha, ligou a seta para sair da rodovia e entrar no nosso bairro e deu uma risadinha. "Se quer saber minha opinião, primeiro ganhe dinheiro e depois se preocupe com a sua felicidade", disse ela.

Existem verdades que enfrentamos e verdades que ignoramos. Passei os seis meses seguintes tentando me fortalecer sem fazer qualquer tipo de mudança abrupta, com comedimento. No trabalho, eu me reuni com o sócio do escritório encarregado do meu setor e pedi tarefas mais desafiadoras. Tentei me concentrar nos projetos que considerava mais importantes, incluindo meus esforços para recrutar uma nova e mais diversificada safra de estagiários temporários. Fiquei o tempo todo de olho nos anúncios de emprego dos classificados e fazia o melhor possível para estabelecer uma rede de contatos com mais pessoas que não fossem advogadas. De um jeito ou de outro, imaginei que com meu empenho eu conseguiria, de alguma forma, me sentir inteira.

Em casa, na Euclid Avenue, me senti impotente diante de uma nova realidade. Os pés do meu pai começaram a inchar sem motivo aparente. Sua pele parecia estranhamente sarapintada e escura, mas sempre que eu perguntava como estava se sentindo, meu pai me dava a mesma resposta, com o mesmo grau de insistência que vinha me dando havia anos.

"Estou bem", respondia, como se eu sempre perguntasse à toa. E depois mudava de assunto.

Era inverno novamente em Chicago. Eu acordava todas as manhãs ao som dos vizinhos tirando gelo dos para-brisas dos carros na rua. O vento soprava e a neve se amontoava. O sol permanecia pálido e fraco. Pela janela do meu escritório, no 47º andar da Sidley, avistava uma tundra de gelo cinzento no lago Michigan sob um céu cinza-chumbo. Usava roupas de lã e ficava à espera do degelo. No Meio-Oeste, como já mencionei, o inverno é um exercício de espera — por alívio, pelo canto de um pássaro, pelo primeiro croco roxo rompendo a neve. Nesse meio-tempo ninguém tem outra escolha a não ser se animar para enfrentar o frio.

Meu pai não perdia o bom humor jovial. Vez ou outra Craig aparecia para jantares em família, e nos sentávamos ao redor da mesa e ríamos como sempre, mas agora tínhamos a companhia de Janis, esposa de Craig. Janis era uma mulher feliz e muito trabalhadora, uma esforçada analista de telecomunicações numa empresa no centro da cidade que, como todo mundo, era completamente apaixonada por meu pai. Craig, por sua vez, era o garoto-propaganda do sonho urbano-profissional pós-Princeton. Estava fazendo MBA e ocupava o cargo de vice-presidente no Continental Bank; ele e Janis haviam comprado um belo apartamento em um condomínio no Hyde Park. Ele usava ternos sob medida e chegara para o jantar dirigindo seu Porsche 944 Turbo vermelho. À época eu não sabia, mas nada disso o fazia feliz. Assim como eu, ele vinha passando por seu próprio início de crise, e ao longo dos anos seguintes, lutaria contra dúvidas sobre se seu trabalho era significativo, se as recompensas que se sentia obrigado a buscar eram as que realmente desejava. Mas sabendo o quanto nosso pai se empolgava com o que os filhos tinham conseguido conquistar, nenhum de nós mencionou o descontentamento durante o jantar.

Na hora de se despedir, Craig sempre dava a meu pai um último olhar preocupado e fazia a habitual pergunta sobre sua saúde, mas sempre recebia a alegre e evasiva resposta de sempre: "Estou bem".

Acho que aceitávamos isso porque era estabilizante, e gostávamos de estabilidade. Meu pai convivia com a esclerose múltipla havia anos e sempre ficou bem. Ficávamos felizes em ir levando essa ideia, muito embora meu pai esmorecesse a olhos vistos. Ele estava bem, dizíamos um para o outro, porque ainda se levantava e ia trabalhar todos os dias. Estava bem porque nós o vimos comer uma segunda fatia de bolo de carne naquela noite. Estava bem, especialmente se você não prestasse muita atenção nos pés dele.

Tive várias conversas tensas com minha mãe, querendo saber por que meu pai não procurava um médico. Mas, assim como eu, ela havia praticamente desistido depois de cutucá-lo tantas vezes e ter sido rechaçada. Para meu pai, médicos nunca traziam boas notícias, portanto deviam ser evitados. Por mais que adorasse falar, ele não queria falar sobre seus problemas. Via isso como comodismo autopiedoso. Ele queria sobreviver à sua própria maneira. Para deixar os pés inchados mais confortáveis, simplesmente pediu à minha mãe que comprasse um par de botas de trabalho maiores.

O impasse sobre a visita a um médico atravessou janeiro e entrou em fevereiro daquele ano. Meu pai caminhava com uma lentidão dolorosa, usando um andador de alumínio para se locomover pela casa, fazendo inúmeras pausas para recobrar o fôlego. De manhã, levava mais tempo para manobrar da cama até o banheiro, do banheiro para a cozinha e, finalmente, sair pela porta dos fundos e descer os três lances de escada da garagem para entrar no carro e dirigir para o trabalho. Apesar do que vinha acontecendo em casa, ele insistia em dizer que tudo estava bem na usina de filtragem. Meu pai pilotava uma scooter motorizada para ir de caldeira em caldeira e se orgulhava de ser indispensável. Em 26 anos, jamais perdera um único turno de trabalho. Dizia que, se uma das caldeiras superaquecesse, ele seria um dos poucos funcionários com experiência suficiente para evitar um desastre de forma rápida e eficiente. Num verdadeiro reflexo de seu otimismo, pouco tempo antes ele propusera o próprio nome para uma promoção.

Minha mãe e eu tentávamos conciliar o que ele nos contava com o que víamos com nossos próprios olhos. Estava cada vez mais difícil fazer isso. Em casa à noite, meu pai passava a maior parte do tempo sentado na poltrona assistindo a jogos de basquete e hóquei na TV. Parecia fraco e exausto. Além dos pés, notamos que agora um inchaço parecia se formar em seu pescoço, o que deu à sua voz um tom estranhamente metálico.

Por fim, certa noite encenamos uma espécie de intervenção. Craig nunca foi de bancar o durão, e minha mãe mantinha o tom conciliador no que dizia respeito à saúde do meu pai. Nesse tipo de conversa, o papel de falar as coisas duras e difíceis quase sempre cabia a mim. Eu disse ao meu pai que ele devia a nós procurar ajuda e que eu iria ligar para o médico dele na manhã seguinte. De má vontade, meu pai concordou, prometendo que, se eu marcasse a consulta, ele iria. Pedi que dormisse até mais tarde na manhã seguinte, para dar um descanso ao corpo.

Naquela noite, minha mãe e eu fomos dormir com uma sensação de alívio, por finalmente termos ganhado algum controle.

* * *

Meu pai, no entanto, estava dividido. Para ele, descansar era uma forma de entregar os pontos. De manhã, quando desci, minha mãe já tinha ido para o trabalho e meu pai estava sentado à mesa da cozinha com seu andador estacionado ao lado. Estava vestido com seu uniforme azul-marinho da prefeitura e pelejando para calçar os sapatos. Quase saindo para o trabalho.

"Pai, achei que o senhor fosse descansar. Vamos marcar aquela consulta com o médico..."

Ele encolheu os ombros.

"Eu sei, querida", disse, a voz rouca e grave por causa daquela coisa nova e estranha no pescoço. "Mas agora, estou bem."

Sua teimosia estava soterrada sob tantas camadas de orgulho que eu não conseguia ficar com raiva. Era impossível dissuadi-lo. Meus pais haviam nos criado para cuidarmos da própria vida, o que significava que eu tinha que confiar que meu pai cuidaria da dele, mesmo que naquele momento ele mal conseguisse calçar os sapatos. Então o deixei lidar com a situação. Engoli minhas preocupações, dei um beijo no meu pai e subi de volta para me preparar para o meu dia de trabalho. Pensei em ligar para minha mãe mais tarde, no escritório dela, e avisar que precisaríamos criar estratégias para forçar o homem a tirar uma folga.

Ouvi a porta dos fundos se fechar. Minutos depois, voltei para a cozinha e a encontrei vazia. O andador do meu pai estava encostado junto à porta dos fundos. De um impulso, fui até lá e espiei pelo pequeno olho mágico da porta, com uma visão panorâmica do alpendre e da passagem até a garagem, só para confirmar que a perua já não estava mais lá.

Mas estava, e meu pai também. De boné e casaco de inverno, ele estava de costas para mim. Tinha conseguido descer apenas metade dos degraus antes de precisar se sentar. Pude ver a exaustão no ângulo de seu corpo, o abatimento na cabeça caída de lado e no peso que fazia, quase desmoronando, para descansar encostado no corrimão de madeira. Ele não estava tendo uma crise, apenas parecia cansado demais para continuar. Ficou claro que estava tentando reunir forças para voltar para casa.

Percebi que estava vendo meu pai em um momento de pura derrota.

Como deve ter sido solitário viver vinte e poucos anos com uma doença como aquela, seguir em frente sem se queixar enquanto seu corpo é consumido em ritmo lento e inexorável. Penalizada vendo meu pai curvado na varanda, sofri com uma compaixão dolorosa que nunca havia sentido. Meu instinto era correr lá fora e ajudá-lo a voltar para a casa quente, mas resisti, sabendo que seria apenas mais um golpe em sua dignidade. Respirei e me afastei da porta.

Eu o veria quando ele voltasse para dentro, pensei. Eu o ajudaria a tirar as botas de trabalho, pegaria um pouco de água para ele e o levaria até sua poltrona, com o silencioso reconhecimento entre nós de que agora, sem dúvida, ele precisaria aceitar ajuda.

Subi de volta para meu apartamento e me sentei com ouvidos atentos ao som da porta dos fundos. Esperei por cinco minutos, depois mais cinco minutos, até que finalmente desci e voltei ao olho mágico para ter certeza de que ele tinha conseguido ficar de pé. Mas a varanda estava vazia. De alguma forma, meu pai, desafiando todos os inchaços e fora dos eixos em seu corpo, tinha usado sua força de vontade e dado um jeito de descer as escadas e atravessar a gelada passagem até a perua, que a essa altura já devia estar a meio caminho da usina de filtragem. Ele não iria entregar os pontos.

Nesse meio-tempo, já fazia meses que Barack e eu vínhamos rodeando a ideia de casamento. Estávamos juntos havia um ano e meio e, ao que tudo indicava, permanecíamos inabalavelmente apaixonados. Ele estava no último semestre em Harvard e às voltas com seu trabalho na *Harvard Law Review*, mas logo voltaria a Chicago para prestar o exame da Ordem dos Advogados em Illinois e procurar emprego. O plano era que ele se instalaria de novo na Euclid Avenue, dessa vez de maneira que parecesse mais permanente. Para mim, era outra razão para desejar o fim do inverno o quanto antes.

Conversávamos de forma abstrata sobre como enxergávamos o casamento, e às vezes me preocupava o quanto esses pontos de vista pareciam divergir. Para mim, casar era um fato consolidado, algo que cresci esperando fazer um dia — da mesma forma que ter filhos sempre foi um fato consolidado para mim, remontando à atenção desmedida que dava às minhas bonecas quando menina. Barack não se opunha a se casar, mas não tinha pressa alguma. Para ele, nosso amor já significava tudo. Era um alicerce forte o suficiente para uma vida plena e feliz juntos — com ou sem alianças.

Ambos éramos, é claro, produtos da nossa criação. A experiência de Barack com o casamento era de algo efêmero: sua mãe se casara duas vezes, divorciara-se duas vezes e, em ambas as ocasiões, conseguiu seguir em frente com a vida, mantendo carreira e filhos pequenos intactos. Meus pais, por sua vez, haviam se comprometido cedo e por toda a vida. Para eles, toda decisão era uma decisão conjunta, todo esforço era um esforço conjunto. Em trinta anos, raramente tinham passado uma noite separados.

O que Barack e eu queríamos? Queríamos uma parceria moderna e adequada para ambos. Ele via o casamento como o alinhamento amoroso de duas pessoas que poderiam levar vidas paralelas, mas sem renunciar a quaisquer sonhos ou ambições independentes. Para mim, o casamento tinha mais a ver com uma fusão completa, uma reconfiguração de duas vidas em uma, com o bem-estar de uma família acima de qualquer outra prioridade ou meta. Eu não queria exatamente uma vida como a dos meus pais. Não queria morar na mesma casa para sempre, trabalhar no mesmo emprego sem nunca reivindicar qualquer espaço para mim mesma, mas de fato queria a estabilidade ano a ano, década a década, que eles tinham. "Eu reconheço o valor dos indivíduos que têm seus próprios interesses, ambições e sonhos", escrevi em meu diário. "Mas não acredito que a busca dos sonhos de uma pessoa deva ocorrer às custas do casal."

Pensei que chegaríamos a um consenso sobre nossos sentimentos quando Barack voltasse para Chicago, quando o tempo esquentasse, quando tivéssemos o luxo de passar os fins de semana juntos novamente. Eu precisaria apenas esperar, embora a espera fosse difícil. Eu ansiava por permanência. Da sala do meu apartamento, às vezes ouvia o murmúrio dos meus pais conversando no andar de baixo. Ouvia minha mãe rindo enquanto meu pai contava uma história. Eu os ouvia desligar a TV e se preparar para dormir. Eu tinha 27 anos, e havia dias em que tudo o que eu queria era me sentir completa. Queria agarrar todas as coisas que amava e, impiedosamente, fincá-las com estacas no chão. Àquela altura, eu já sabia o suficiente sobre perda para perceber que havia mais por vir.

Eu mesma marquei a consulta para o meu pai, mas foi minha mãe quem o levou ao médico — de ambulância, no fim das contas. Os pés dele tinham inchado tanto e estavam tão sensíveis que ele finalmente admitiu que andar era como pisar em agulhas. Quando chegou a hora de ir, meu pai mal conseguia parar de pé. Eu estava no trabalho naquele dia, mas minha mãe me descreveu depois — meu pai sendo carregado para fora de casa por paramédicos corpulentos, tentando fazer piada com eles no caminho.

Meu pai foi levado para o hospital da Universidade de Chicago. O que se seguiu foi uma fieira de dias perdidos num purgatório de coleta de sangue, verificações de pulso, bandejas de refeições intocadas e grupos de médicos fazendo rondas. Durante todo o tempo, meu pai continuou a inchar. O rosto dele inchou, o pescoço ficou mais grosso, a voz enfraqueceu. O diagnóstico oficial foi síndrome de Cushing, talvez relacionada à sua esclerose múltipla. De qualquer forma, já tínhamos passado muito do ponto de tratamentos paliativos. O sistema endócrino do meu pai estava totalmente descontrolado. Um exame detalhado mostrou que o inchaço na garganta era de um tumor que havia crescido tanto que praticamente o sufocava.

"Não sei como não percebi", disse meu pai ao médico, e parecia genuinamente perplexo, como se não tivesse sentido um único sintoma que pudesse descambar àquele ponto, como se não tivesse passado semanas, meses ou até anos, ignorando a dor.

Nós nos revezávamos no hospital para ficar com meu pai — minha mãe, Craig, Janis e eu. Entrávamos e saíamos do quarto à medida que os médicos o fustigavam com remédios, enquanto tubos eram conectados e máquinas eram ligadas. Tentávamos entender o que os especialistas nos diziam, mas nada fazia muito sentido. Rearrumávamos os travesseiros do meu pai e conversávamos à toa sobre basquete universitário e sobre o tempo lá fora, sabendo que ele estava ouvindo, embora falar o deixasse exausto. Éramos uma família de planejadores, mas agora tudo parecia imprevisto. Lentamente, meu pai estava afundando para longe de nós, envolto por um mar invisível. Nós o chamávamos de volta com antigas lembranças e víamos como elas colocavam um pouco de brilho em seus olhos. Lembra do "Dois e Vinte e Cinco" e de como a gente se sentava naquele banco traseiro gigantesco no verão e ia até o cinema drive-in? Lembra das luvas de boxe que o senhor deu para a gente e da piscina do Dukes Happy Holiday Resort? E de como o senhor costumava construir os adereços para a Oficina de Opereta da Robbie? E dos jantares na casa do Dandy? Lembra de quando a mamãe fez camarão frito na véspera de Ano-Novo?

Certa noite, passei pelo hospital e encontrei meu pai sozinho. Minha mãe tinha ido dormir em casa e as enfermeiras estavam reunidas na sala delas, no corredor. O quarto estava em silêncio. O andar inteiro do hospital estava em silêncio. Era a primeira semana de março, a neve do inverno acabara de derreter, deixando a cidade no que parecia ser um estado de perpétua umidade. Meu pai já estava no hospital havia cerca de dez dias. Tinha 55 anos, mas parecia um velho, com olhos amarelados e braços pesados demais para se mexer. Estava acordado, mas não conseguia falar — nunca vou saber se devido ao inchaço ou à emoção.

Sentei-me em uma cadeira ao lado de sua cama e o observei pelejando para respirar. Quando segurei sua mão, ele deu um aperto reconfortante. Nós nos entreolhamos silenciosamente. Havia muito a dizer e, ao mesmo tempo, parecia que tínhamos dito tudo. Restava apenas uma verdade. Estávamos chegando ao fim. Ele não se recuperaria. Deixaria de estar presente por todo o resto da minha vida. Eu estava perdendo sua firmeza, seu conforto, sua alegria cotidiana. Senti as lágrimas escorrendo pelas bochechas.

Mantendo o olhar fixo em mim, meu pai levou aos lábios as costas da minha mão e a beijou várias vezes. Era sua maneira de dizer: *Fique tranquila, não chore.* Ele estava expressando tristeza e urgência, mas também algo mais calmo e profundo, uma mensagem que ele queria deixar clara. Com aqueles beijos, estava dizendo que me amava de todo o coração, que estava orgulhoso da mulher que eu havia me tornado. Estava dizendo que sabia que deveria ter ido ao médico muito mais cedo. Estava pedindo perdão. Estava dizendo adeus.

Naquela noite fiquei com meu pai até ele adormecer, deixei o hospital na escuridão gelada e dirigi de volta para a Euclid Avenue, onde minha mãe já havia apagado as luzes. Estávamos sozinhas na casa agora, só eu, minha mãe e qualquer futuro que estivéssemos destinadas a ter. Porque quando o sol nascesse, ele teria ido embora. Meu pai — Fraser Robinson III — teve um ataque cardíaco e faleceu naquela noite, tendo nos dado absolutamente tudo.

11

É doloroso viver depois da morte de alguém. Às vezes, você sofre só de percorrer um corredor ou abrir a geladeira, calçar um par de meias ou escovar os dentes. A comida não tem gosto. As cores ficam sem graça. A música machuca e as lembranças também. Você olha para algo que, em outra situação, acharia bonito — um céu púrpura ao pôr do sol ou um parquinho cheio de crianças —, e isso de alguma forma só aprofunda a perda. O luto é solitário a esse ponto.

No dia seguinte à morte do meu pai, fomos a uma funerária do South Side — eu, minha mãe e Craig — para escolher um caixão e planejar a cerimônia fúnebre. *Fazer os arranjos*, como dizem nas funerárias. Não me lembro de muita coisa da nossa visita, exceto do quanto estávamos atordoados, cada um de nós preso dentro do nosso luto individual. Ainda assim, enquanto passávamos pelo obsceno ritual de comprar a caixa certa para enterrar nosso pai, Craig e eu conseguimos ter nossa primeira e única briga como irmãos adultos.

Eu queria comprar o caixão mais caro e mais luxuoso, completo com cada alça extra e almofada que um caixão pudesse ter. Não tinha nenhuma razão particular para querer isso. Era apenas algo a se fazer quando não havia mais nada a se fazer. A parte prática e pragmática de nossa criação não me permitiria dar crédito aos bem-intencionados lugares-comuns que as pessoas amontoariam em cima de nós dias depois no funeral. Não seria fácil me consolar sugerindo que meu pai tinha ido para um lugar melhor ou estava na companhia dos anjos. A meu ver, ele simplesmente merecia um belo caixão.

Craig, por sua vez, insistiu que meu pai iria querer algo básico — modesto, prático e nada mais. Isso combinava com a personalidade do nosso pai, disse ele. Qualquer outra coisa seria vistosa e chamativa demais.

Começamos a discutir sem alarde, mas logo explodimos, enquanto o gentil diretor da funerária fingia não escutar e nossa mãe apenas nos fuzilou com um olhar implacável através da névoa de sua própria dor.

Estávamos berrando por motivos que não tinham nada a ver com o debate verdadeiro. Nenhum de nós estava interessado no resultado. No fim, chegamos a um meio-termo sobre o caixão — nada muito chique, nada muito banal — e nunca mais voltamos a falar no assunto. Estávamos tendo uma discussão absurda e inapropriada porque, em consequência da morte, tudo na Terra parece absurdo e inadequado.

Mais tarde, levamos nossa mãe de carro para casa. Nós três nos sentamos à mesa da cozinha, exaustos e taciturnos, nosso desalento novamente suscitado pela visão da quarta cadeira vazia. Pouco depois, estávamos chorando. Permanecemos sentados pelo que pareceu um longo tempo, soluçando até estarmos esgotados e sem lágrimas. Minha mãe, que pouco havia falado durante todo o dia, por fim fez um comentário.

"Olha só para nós", disse ela, pesarosa.

E, no entanto, havia um toque de leveza em seu jeito de falar. Ela estava chamando a atenção para o fato de que nós, os Robinson, havíamos sido reduzidos a uma verdadeira e ridícula bagunça — irreconhecíveis com nossas pálpebras inchadas e narizes escorrendo, a dor e o estranho sentimento de desamparo ali em nossa própria cozinha. Quem éramos nós? Será que não sabíamos? Ele não nos tinha mostrado? Nossa mãe estava nos chamando de volta de nossa solidão com quatro palavras contundentes, como só ela era capaz de fazer.

Mamãe olhou para mim e eu olhei para Craig, e de repente o momento pareceu um pouco engraçado. Sabíamos que a primeira risadinha normalmente teria vindo daquela cadeira vazia. Aos poucos, começamos a esboçar um risinho tenso e sufocado que evoluiu para o riso solto, até finalmente descambar em um desenfreado ataque de gargalhadas. Sei que parece estranho, mas éramos muito melhores em rir do que em chorar. A questão era que meu pai teria gostado que fosse desse jeito, por isso nos entregamos às risadas.

Perder meu pai exacerbou minha sensação de que não havia tempo para ficar sentada à toa, sem fazer outra coisa a não ser ruminar sobre que rumo a minha vida deveria tomar. Meu pai tinha apenas 55 anos quando morreu. Suzanne tinha 26. A lição era simples: a vida é curta e não deve ser desperdiçada. Se eu morresse, não queria que as pessoas se lembrassem de mim pelas pilhas de pareceres jurídicos e petições que escrevi ou as marcas registradas e propriedades corporativas que ajudei a defender. Eu estava convicta de que tinha algo mais para oferecer ao mundo. Era hora de tomar uma decisão e agir.

Ainda sem saber direito para onde esperava ir, digitei cartas de apresentação e as enviei para pessoas de toda a cidade de Chicago. Escrevi para diretores de fundações, organizações sem fins lucrativos voltadas para a comunidade e grandes universidades, dirigindo-me especificamente a seus departamentos jurídicos — não porque quisesse trabalhar na área legal, mas porque achava que eles eram os mais propensos a responder ao meu currículo. Felizmente, várias pessoas responderam, convidando-me para almoçar ou para uma reunião, mesmo não tendo trabalho a oferecer. Ao longo da primavera e do verão de 1991, fiquei frente a frente com qualquer pessoa que julgasse capaz de me aconselhar. A questão era menos encontrar um novo emprego e mais ampliar minha compreensão do que era possível fazer e de como outros haviam feito. Eu estava percebendo que a fase seguinte da minha jornada não despontaria magicamente por si só, que meus sofisticados diplomas acadêmicos não me levariam automaticamente a um trabalho gratificante e recompensador. Encontrar uma carreira, em oposição a um emprego, não decorre apenas da leitura minuciosa das páginas de contato de um diretório de ex-alunos, exige reflexão e esforço mais profundos. Eu precisaria me mexer, dar o máximo e aprender. E assim, um sem-número de vezes, expus meu dilema profissional para as pessoas que conheci, interrogando-as sobre o que faziam e quem conheciam. Fiz perguntas sinceras sobre que tipo de trabalho poderia estar disponível para um advogado que, na verdade, não queria exercer a advocacia.

Certa tarde, visitei o escritório de um homem simpático e atencioso chamado Art Sussman, consultor jurídico interno da Universidade de Chicago.

Descobri que minha mãe havia passado um ano trabalhando como secretária dele, ditando e cuidando dos arquivos do departamento jurídico. Foi quando eu estava no segundo ano do ensino médio, antes de ela ter aceitado o emprego no banco. Art ficou surpreso ao saber que eu nunca tinha visitado a minha mãe no trabalho — que até então eu jamais havia colocado os pés no imaculado campus gótico da universidade, apesar de ter passado a infância e a adolescência a poucos quilômetros dali.

Para ser sincera, não havia razão para eu visitar o campus. A escola do meu bairro não organizava excursões para lá. Se havia eventos culturais abertos para a comunidade quando eu era criança, minha família não sabia. Não tínhamos amigos — nem mesmo conhecidos — que fossem estudantes ou ex-alunos. A Universidade de Chicago era uma instituição de elite, e para a maioria das pessoas que eu conhecia quando criança, elite significava *não é para nós*. Seus edifícios de pedra cinza quase literalmente tinham as costas voltadas para as ruas ao redor do campus. Passando de carro, meu pai costumava revirar os olhos para os rebanhos de estudantes que infelizmente atravessavam a Ellis Avenue fora da faixa de pedestres, perguntando-se como pessoas tão inteligentes nunca tinham aprendido a respeitar os sinais de trânsito ao cruzar uma rua.

Como muitos moradores do South Side, minha família fazia uma ideia reconhecidamente obscura e limitada da universidade, embora minha mãe tivesse passado um ano feliz da vida trabalhando lá. Quando chegou a hora de eu e Craig corrermos atrás de faculdade, nem sequer pensamos em nos inscrever na Universidade de Chicago. Princeton, por alguma estranha razão, nos pareceu mais acessível.

Ouvindo tudo isso, Art ficou incrédulo. "Você realmente nunca esteve aqui?", perguntou-me ele. "Nunca?"

"Não, nem uma única vez."

Era estranhamente poderoso dizer isso em voz alta. Nunca tinha pensado muito nessa ideia antes, mas me ocorreu que eu teria sido uma ótima aluna da Universidade de Chicago, se não tivesse sido tão profunda a divisão entre, de um lado, os residentes da cidade e, de outro, o corpo discente e docente da comunidade universitária — se eu tivesse sabido da universidade e se a universidade soubesse de mim. Pensando nisso, senti uma pontada interna e subterrânea de meta e propósito. A combinação entre o lugar de onde eu vinha e o que eu tinha feito de mim me dava uma perspectiva possivelmente significativa. De repente me dei conta de que ser negra e do South Side me ajudava a reconhecer problemas que um homem como Art Sussman nem sequer sabia que existiam.

Muitos anos depois, eu teria a minha chance de trabalhar para a universidade e lidar diretamente com alguns desses problemas de relações com a comunidade, mas naquele momento Art estava gentilmente se oferecendo para espalhar meu currículo.

"Acho que você deveria falar com Susan Sher", disse ele na ocasião, inconscientemente desencadeando o que até hoje parece ter sido uma inspirada reação em cadeia. Susan era cerca de quinze anos mais velha do que eu. Tinha sido sócia de um grande escritório de advocacia, mas deixara o mundo corporativo, exatamente como eu esperava fazer, embora ainda atuasse como advogada da prefeitura de Chicago. Susan tinha olhos acinzentados, o tipo de pele clara de uma rainha vitoriana e uma risada que em geral terminava com um suspiro irônico. Ela era levemente confiante e talentosíssima, e se tornaria uma amiga para a vida toda. "Eu contrataria você agora", disse ela quando por fim nos conhecemos. "Mas você acabou de me contar que *não* quer ser advogada."

Em vez disso, Susan propôs me apresentar a outra pessoa que hoje parece ter sido enviada pelo destino, direcionando meu currículo para uma nova colega dela na prefeitura — outra advogada que havia abandonado o barco do mundo corporativo e que tinha um intenso desejo de atuar no serviço público, esta uma conterrânea minha, também filha do South Side, e alguém que acabaria mudando o rumo da minha vida, não uma vez, mas várias. "A pessoa que você realmente precisa conhecer é Valerie Jarrett", disse Susan.

Valerie Jarrett era a recém-nomeada chefe adjunta do gabinete do prefeito de Chicago e tinha relações profundas em toda a comunidade afro-americana da cidade. Assim como Susan, fora inteligente o bastante para conseguir um emprego numa empresa sólida depois de terminar a faculdade de direito e, em seguida, teve autoconsciência suficiente para perceber que queria sair. Foi para a prefeitura em grande parte porque se inspirou em Harold Washington, que havia sido eleito prefeito em 1983, quando eu me mudei para cursar a faculdade, o primeiro afro-americano a ocupar o cargo. Washington era um político eloquente com um espírito exuberante. Meus pais o amavam pela maneira como conseguia apimentar com citações de Shakespeare um discurso que seria simples e popularesco, e pelo famoso vigor com que se empanzinava de frango frito em eventos comunitários no South Side. O mais importante, porém, era que ele tinha aversão ao arraigado maquinário do Partido Democrata que havia muito governava Chicago, que concedia contratos urbanos lucrativos a doadores de campanha e, via de regra, mantinha negros a serviço do partido, mas raramente permitia que eles avançassem a ponto de assumir cargos oficiais eletivos.

Organizando sua campanha em torno da reforma do sistema político da cidade e de um melhor atendimento aos bairros negligenciados, Washington ganhou a eleição por um triz. Seu estilo era atrevido e seu temperamento, ousado. Com sua eloquência e intelecto, ele era capaz de eviscerar os adversários. Washington era um super-herói negro e inteligente. Frequentemente entrava de peito aberto em embates com os membros da velha guarda da prefeitura, em sua maioria brancos, e era visto como uma espécie de lenda ambulante, especialmente entre os negros da cidade, para quem sua liderança nutria um espírito mais amplo de progressismo. Seus visionários ideais haviam sido uma inspiração inicial para Barack, que em 1985 chegou a Chicago para trabalhar como organizador comunitário.

Valerie também foi atraída por Washington. Tinha trinta anos quando se juntou à equipe dele em 1987, então no início do segundo mandato. Mãe de uma filha pequena, logo depois ela se divorciaria, tornando bem inconveniente o momento para aceitar o tipo de redução salarial que ocorre quando alguém deixa o emprego em um estiloso escritório de advocacia para desembarcar em um cargo na prefeitura. E meses depois de ela começar em sua nova função, aconteceu uma tragédia: Harold Washington teve um abrupto ataque cardíaco e morreu em sua mesa de trabalho, trinta minutos após realizar uma coletiva de imprensa sobre moradia para famílias de baixa renda. O conselho municipal nomeou um conselheiro negro para o lugar de Washington, mas seu mandato foi relativamente curto. Numa manobra que muitos afro-americanos viram como um rápido e desmoralizante retorno aos velhos modos brancos da política de Chicago, os eleitores elegeram Richard M. Daley, filho de um prefeito anterior, Richard J. Daley, tido por muitos como padrinho dos famosos conchavos e compadrios do nepotismo de Chicago.

Embora tivesse reservas sobre o novo governo, Valerie decidira permanecer na prefeitura, transferindo-se do departamento jurídico diretamente para o gabinete do prefeito Daley. Sentia-se feliz por estar lá, mais pelo contraste do que por qualquer outra coisa. Ela descreveu para mim como sua transição do direito corporativo para o governo pareceu um alívio, um salto revigorante, para fora da irrealidade superenfeitada do direito de alto nível praticado nos escalões superiores dos arranha-céus e para dentro do mundo real — o mundo muito real.

O prédio da prefeitura de Chicago e da sede do condado é um monólito de granito cinza com teto plano e onze andares que ocupa um quarteirão inteiro entre a Clark Street e a LaSalle, no lado norte do Loop. Em comparação com as imensas e arrojadas torres de escritórios que o cercam, é um prédio atarracado, mas tem seu esplendor, com altas colunas coríntias na frente e gigantescos e ecoantes saguões feitos principalmente de mármore. O condado administra seus negócios na metade leste do prédio; a cidade usa a metade oeste, que abriga o prefeito, os membros do conselho municipal e o funcionalismo público municipal. Conforme descobri no escaldante dia de verão em que fui até lá conhecer Valerie para fazer uma entrevista de emprego, a prefeitura era a um só tempo assustadora e animadoramente lotada de gente.

Havia casais formalizando o casamento civil e gente tirando licença para carros. Havia pessoas apresentando reclamações sobre buracos, registrando queixas sobre seus senhorios, as redes de esgoto e tudo o mais que, para elas, a cidade poderia melhorar. Havia bebês em carrinhos e velhinhas em cadeiras de rodas. Havia jornalistas e lobistas, e também sem-teto que queriam apenas escapar do calor. Na calçada em frente ao prédio, um punhado de ativistas empunhava cartazes e bradava bordões, embora eu não consiga lembrar qual era o motivo da zanga. O que sei é que me senti simultaneamente surpreendida e fascinada pelo caos desajeitado e controlado. A prefeitura pertencia ao povo. Tinha um imediatismo barulhento e corajoso que nunca senti na Sidley.

Naquele dia Valerie havia reservado vinte minutos para conversar comigo, mas o papo acabou se estendendo por uma hora e meia. Uma afro-americana magra de pele clara, vestida em um terninho muito bem cortado, ela tinha uma voz suave e surpreendentemente serena, com olhos castanhos de olhar firme e uma impressionante compreensão dos mecanismos de funcionamento da cidade. Ela gostava do trabalho, mas não tentava colocar panos quentes sobre as dores de cabeça burocráticas da governança. Algo nela causou em mim uma instantânea sensação de relaxamento. Anos mais tarde, Valerie me disse que, para sua surpresa, naquele dia eu tinha conseguido reverter o processo padrão de entrevistas — fornecera a ela algumas informações básicas e úteis a meu respeito, mas, de resto, eu é que a interrogara, ávida por compreender absolutamente tudo o que ela sentia com relação ao trabalho que fazia e até que ponto o prefeito era receptivo às ideias de seus funcionários. Eu queria descobrir se aquele trabalho era adequado para mim, da mesma forma como ela estava testando se eu era adequada para o trabalho.

Olhando para trás, tenho certeza de que eu estava apenas tirando proveito do que parecia ser uma rara oportunidade de falar com uma mulher cuja história espelhava a minha, mas estava alguns anos à minha frente em termos de trajetória profissional. Valerie era calma, ousada e sábia de formas que poucas pessoas que eu conhecia eram. Era alguém com quem você aprende, alguém de quem é bom ficar perto. Notei isso imediatamente.

Antes de eu ir embora, Valerie me ofereceu um emprego: me convidou para integrar seu estafe como assistente do prefeito Daley, a começar assim que eu estivesse pronta. Eu deixaria de exercer a advocacia. Meu salário seria de 60 mil dólares anuais, cerca de metade do que eu ganhava na Sidley & Austin. Ela me instruiu a tirar um tempo e pensar se eu realmente estava preparada para esse tipo de mudança. Eu precisava refletir e decidir se queria dar esse salto.

Nunca fui de ter a prefeitura na mais alta estima. Sendo negra e tendo crescido no South Side, não botava muita fé na política. Tradicionalmente a política havia sido usada contra os negros, como meio de nos manter isolados e excluídos, subalimentados, desempregados e mal remunerados. Meus avós tinham vivido em meio ao horror das leis segregacionistas e à humilhação da discriminação habitacional, por isso desconfiavam basicamente de qualquer tipo de autoridade (Southside, como você deve lembrar, achava que até o dentista tinha alguma coisa contra ele e estava a fim de pegá-lo). Meu pai, que durante a maior parte da vida foi funcionário público municipal, tinha sido recrutado sobretudo para servir como delegado distrital do Partido Democrata, de modo a pelo menos ser cogitado para promoções em seu trabalho. Ele apreciava o aspecto social de suas funções como delegado distrital, mas sempre havia sido jogado para escanteio pela política do compadrio executada pela prefeitura.

E, no entanto, ali estava eu, pensando na possibilidade de assumir um cargo na prefeitura. Tremia de medo só de pensar na redução salarial, mas em algum nível visceral eu estava apenas intrigada. Estava sentindo outra pontada, um discreto e silencioso empurrãozinho em direção ao que talvez fosse um futuro totalmente diferente do que tinha planejado. Eu estava quase pronta para dar o salto, mas faltava uma coisa. Já não se tratava mais de mim. Quando Valerie me ligou dias depois para reiterar a oferta, eu lhe disse que ainda estava pensando na proposta. Então fiz uma última pergunta, que provavelmente soou estranha na hora. "Eu poderia também, por favor, apresentar você ao meu noivo?"

Acho que aqui devo rebobinar a história em meio ao pesado calor daquele verão, através da névoa desorientadora daqueles longos meses depois da morte do meu pai, e explicar que Barack embarcou para Chicago para ficar comigo o máximo que podia por ocasião do enterro do meu pai e antes de retornar a Harvard e terminar a faculdade. Depois da formatura no fim de maio, ele encaixotou suas coisas, vendeu sua Datsun amarelo-banana e voou de volta para Chicago, instalando-se na Euclid Avenue, 7436 Sul e se entregando em meus braços. Eu o amava. Eu me sentia amada por ele. Passamos quase dois anos como um casal de longa distância, e agora, finalmente, poderíamos ser um casal de curta distância. Isso significava que mais uma vez teríamos o fim de semana para ficar na cama, ler o jornal, sair para um brunch e compartilhar todos os pensamentos que tivéssemos. Poderíamos jantar nas noites de segunda e terça, e nas noites de quarta e quinta também. Poderíamos comprar mantimentos e dobrar a roupa lavada vendo TV. Nas muitas noites em que eu ainda ficasse chorosa pela perda do meu pai, agora Barack estava lá para se encolher junto de mim e beijar o topo da minha cabeça.

Barack estava aliviado por ter terminado a faculdade de direito, ansioso para sair da abstração do mundo acadêmico e se dedicar a um trabalho mais instigante e real. Também tinha vendido sua ideia de um livro de não ficção sobre etnia e identidade para uma editora nova-iorquina, o que, para alguém que adorava livros como ele, parecia uma enorme e humilde bênção. Ele recebeu um adiantamento e tinha cerca de um ano para entregar o manuscrito.

Como sempre parecia acontecer, Barack tinha muitas opções. Sua reputação — os efusivos relatos de seus professores de Harvard, a matéria do *New York Times* sobre sua escolha como presidente da *Harvard Law Review* — parecia abrir uma profusão de portas e oportunidades. A Universidade de Chicago ofereceu-lhe uma filiação não remunerada que incluía um pequeno escritório por um ano. A ideia era que ele escrevesse seu livro lá e talvez eventualmente assinasse um contrato para lecionar como professor adjunto na faculdade de direito. Ainda na esperança de que Barack fosse trabalhar em tempo integral no escritório, meus colegas da Sidley & Austin cederam a ele uma mesa para usar durante as cerca de oito semanas que antecederam o exame da Ordem do Advogados em julho. Ele também estava pensando na possibilidade de aceitar um emprego na Davis, Miner, Barnhill & Galland, escritório de advocacia de interesse público que atuava em defesa dos direitos civis e de moradia justa e cujos advogados tinham estreito alinhamento com Harold Washington, o que era um grande atrativo para Barack.

Há algo de estimulante numa pessoa que vê suas oportunidades como intermináveis, que não perde tempo ou energia questionando se um dia a fonte vai secar. Barack tinha trabalhado duro e com zelo por tudo o que estava recebendo agora, mas não enumerava suas conquistas ou media seu progresso se comparando com os outros, como faziam muitas pessoas que eu conhecia — como eu mesma fazia em certos momentos. Às vezes, Barack parecia maravilhosamente alheio ao gigantesco corre-corre da vida e a todas as coisas materiais que um advogado de trinta e poucos anos supostamente deveria perseguir, de um carro que não fosse vergonhoso a uma casa com quintal nos arredores da cidade ou um apartamento num condomínio de luxo no centro. Eu já havia notado essa qualidade nele, mas agora que estávamos morando juntos e pensei em dar a primeira guinada da minha vida, passei a valorizá-la ainda mais.

Em suma, Barack acreditava e confiava quando outros não faziam isso. Tinha a fé simples e estimulante de que, se você se mantivesse irredutivelmente fiel a seus princípios, tudo daria certo. Àquela altura eu já havia tido várias conversas cautelosas e sensatas com muitas pessoas sobre como sair de uma carreira na qual, a julgar por todos os padrões externos, eu estava prosperando. Sempre via a expressão de alerta e preocupação das pessoas quando falava que ainda tinha empréstimos a pagar, que ainda não havia conseguido comprar uma casa. Era inevitável pensar em como meu pai mantivera objetivos deliberadamente modestos, evitando todos os riscos para nos dar estabilidade em casa. O conselho da minha mãe ainda reverberava no meu ouvido: *Primeiro ganhe dinheiro e depois se preocupe com a sua felicidade*. Para aguardar minha ansiedade, havia a profunda aspiração que superava de longe qualquer desejo material: eu sabia que queria ter filhos, mais cedo ou mais tarde. E como isso funcionaria se de repente eu recomeçasse em uma nova área de trabalho?

Tão logo desembarcou em Chicago, Barack se tornou uma espécie de antídoto acalentador. Absorvia minhas preocupações, escutava toda a minha lenga-lenga sobre minhas obrigações financeiras e também se dizia empolgado com a ideia de ter filhos. Barack reconhecia que não havia como prever exatamente como administraríamos as coisas, já que nenhum de nós queria ficar preso à confortável previsibilidade da vida de um advogado, porém o ponto mais importante era que estávamos longe de ser pobres e nosso futuro era promissor, talvez até mais promissor pelo fato de que não poderia ser facilmente planejado.

Barack era a voz solitária me dizendo para ir em frente, deixar de lado as preocupações e rumar em direção ao que eu pensava que me faria feliz. Não havia problema em dar meu salto para o desconhecido, porque o desconhecido não iria me matar. Seria uma notícia surpreendente para a maioria dos membros da família Shields/Robinson, remontando até Dandy e Southside.

Não se preocupe, Barack estava dizendo. *Você consegue. Nós vamos dar um jeito.*

Uma palavrinha sobre o exame da Ordem dos Advogados: é uma tarefa que precisava ser cumprida, um rito de passagem para qualquer advogado recém-saído da faculdade que pretenda exercer a advocacia, e embora o conteúdo e a estrutura do teste variem um pouco de um estado para outro, a experiência de prestar o exame — uma avaliação de dois dias, com duração de doze horas, que coloca à prova seu conhecimento acerca de tudo, desde o direito contratual até as regras arcanas sobre transações de crédito seguras — é reconhecida por praticamente todos como um inferno. Barack pretendia fazer, e eu tinha prestado o exame em Illinois três anos antes, no verão depois de terminar meu curso em Harvard, submetendo-me a um período de dois meses de autodisciplina em que labutei como associada júnior no primeiro ano na Sidley enquanto fazia um cursinho para o exame e avançava a duras penas em um livro assustadoramente volumoso de testes práticos.

Foi a mesma época em que Craig se casou com Janis na cidade natal dela, Denver. Janis me pedira para ser uma das madrinhas, e por uma série de razões — a principal delas o fato de que eu tinha passado sete anos queimando a mufa sem parar em Princeton e Harvard —, me lancei ao papel o quanto antes e com toda avidez. Dei opinião sobre os vestidos da noiva e ajudei a planejar a despedida de solteira. Não havia nada que eu não fizesse para ajudar a tornar o dia ungido mais alegre. Em outras palavras, para mim era muito mais empolgante acompanhar a possibilidade de ver meu irmão fazer seus votos de casamento do que revisar o que constituía um ato ilícito.

Isso foi nos velhos tempos, quando os resultados do exame da Ordem chegavam pelo correio. Naquele outono, já depois da prova e do casamento, certo dia liguei para meu pai do trabalho e pedi que ele verificasse se a correspondência havia chegado. Perguntei se havia um envelope lá para mim. Havia. Era uma carta da Ordem dos Advogados do Estado de Illinois? Ora, sim, era o que se lia no envelope. Em seguida, pedi que abrisse para mim, e foi quando ouvi um farfalhar e depois uma pausa longa e condenatória no outro lado da linha.

Eu tinha sido reprovada.

Nunca, em toda a minha vida, eu havia fracassado em uma prova, a menos que eu conte a vez que, no jardim de infância, me levantei na sala de aula e não consegui ler a palavra "branco" no cartão que a professora segurava. Mas estraguei tudo no exame da Ordem. Fiquei envergonhada, com a certeza de que tinha decepcionado todas as pessoas que já me haviam ensinado, incentivado ou me empregado. Eu não estava acostumada a cometer erros. Na verdade, em geral exagerava as coisas, sobretudo na preparação para um grande momento ou um teste, mas nesse caso eu tinha vacilado e fracassei. Hoje acho que isso foi um subproduto do meu desinteresse durante toda a faculdade de direito. Eu era uma estudante sobrecarregada, esgotada e entediada com temas que me pareciam pouco compreensíveis e distantes da vida real. Queria estar perto de pessoas, não de livros, e é por isso que a melhor parte da faculdade de direito para mim foi prestar trabalho voluntário no Departamento de Assistência Jurídica da universidade, onde eu podia ajudar alguém a obter um cheque do Seguro Social ou a resistir a uma ação de despejo descabida.

Mas, ainda assim, não gostei de fracassar. O desconforto permaneceria comigo durante meses, mesmo quando muitos colegas da Sidley me confessaram que também não haviam passado no exame da Ordem de primeira. Mais tarde naquele outono, me empenhei e estudei para refazer a prova, e dessa vez passei com facilidade. No fim das contas, além do orgulho ferido, meu fiasco não faria diferença alguma.

Anos depois, porém, a lembrança me levou a encarar Barack com curiosidade extra. Ele estava fazendo um cursinho preparatório para o exame e carregava seus livros de revisão de um lado para outro, mas parecia não abri-los com a frequência que achava necessária — a frequência com que eu estudaria, sabendo da dificuldade. Mas eu não faria o papel de importuná-lo nem de me oferecer como exemplo do que poderia dar errado. Éramos muito diferentes. Em primeiro lugar, a cabeça de Barack era uma mala abarrotada de informações, um computador de grande porte do qual ele aparentemente conseguia extrair diferentes tipos de dados à vontade. Eu o chamava de "o cara dos fatos", por causa de sua capacidade de apresentar uma estatística para cada tópico de uma conversa. Sua memória parecia quase fotográfica. A verdade é que eu não estava preocupada se ele passaria no exame da Ordem e, de modo um tanto irritante, ele também não.

Assim, comemoramos a conquista com antecedência, no mesmo dia em que ele terminou o exame — 31 de julho de 1991 —, reservando uma mesa num restaurante do centro chamado Gordon. Era um dos nossos lugares favoritos, um tipo de estabelecimento para ocasiões especiais, com uma iluminação suave no estilo art déco, toalhas de mesa imaculadamente brancas e coisas como caviar e alcachofra frita no cardápio. Era o auge do verão e estávamos felizes.

No Gordon, Barack e eu sempre pedíamos todos os pratos, da entrada à sobremesa. Começamos com martínis e aperitivos. Escolhemos um bom vinho para acompanhar as entradas. Conversamos despreocupados, alegres, talvez um pouco sentimentais demais. Quando o jantar estava chegando ao fim, Barack sorriu para mim e trouxe à tona o assunto do casamento. Pegou minha mão e disse que, por mais que me amasse de todo o coração, ainda não entendia realmente qual era o sentido de se casar. Na mesma hora senti o sangue subir nas maçãs do rosto. Foi como se ele tivesse apertado um botão em mim — um botão vermelho grande e iluminado que você encontra numa instalação nuclear, rodeado de sinais de alerta e mapas de evacuação. Sério? Nós íamos fazer isso agora?

Íamos, sim. Já tínhamos conversado sobre o casamento inúmeras vezes, e nada havia mudado. Eu era tradicional e Barack não era. Parecia claro que nenhum de nós seria influenciado ou mudaria de opinião. Ainda assim, isso não nos impediu — dois advogados, afinal de contas — de discutir a questão com prazer. Cercados de homens em paletós esporte fino e mulheres em belos vestidos, todos desfrutando suas requintadas refeições, fiz o que pude para manter a voz calma.

"Se estamos comprometidos, por que não formalizamos esse compromisso?", perguntei, da maneira mais equilibrada que pude. "Que parte da sua dignidade seria sacrificada por isso?"

A partir daí, giramos em círculos, percorrendo em zigue-zague todos os conhecidos becos sem saída do antigo debate. O casamento era importante? Por que era importante? O que havia de errado com Barack? O que havia de errado comigo? Que tipo de futuro teríamos se não conseguíssemos resolver a questão? Nós não estávamos brigando, apenas discutindo, e fazendo isso como advogados. Desferimos golpes e contragolpes, dissecamos, interrogamos, examinamos tudo minuciosamente, embora estivesse claro que a mais exaltada era eu. Eu era quem mais falava.

Por fim, nosso garçom apareceu com um prato de sobremesa coberto com uma tampa de prata. Ele colocou o prato na minha frente e levantou a tampa. Eu estava irritada demais para sequer olhar para baixo, mas, quando o fiz, vi uma caixa de veludo preto onde deveria haver um bolo de chocolate. Dentro, havia um anel de diamante.

Barack olhou para mim com um sorriso brincalhão. Ele havia me enganado. Tudo tinha sido uma armação. Levei um segundo para desmantelar a raiva e me entregar a uma alegre perplexidade. Barack tinha me provocado e irritado porque era a última vez que ele invocaria seus argumentos vazios contra o casamento — nunca mais faria isso, pelo resto da nossa vida. O caso estava encerrado. Ele se ajoelhou e então, com a voz embargada de emoção, perguntou sinceramente se eu lhe daria a honra de me casar com ele. Mais tarde, descobri que ele já havia falado com minha mãe e meu irmão, pedindo a aprovação deles. Quando eu disse "sim", parecia que todas as pessoas no restaurante começaram a bater palmas.

Por um ou dois minutos fitei, embasbacada, o anel no meu dedo. Olhei para Barack querendo confirmar que tudo aquilo era real. Ele estava sorrindo.

Havia me surpreendido completamente. De certa forma, nós dois tínhamos ganhado. "Bem", disse ele, alegre, "isso deve calar sua boca."

Eu disse "sim" para Barack, e logo depois eu disse "sim" para Valerie Jarrett, aceitando a oferta para trabalhar na prefeitura. Antes de assumir, fiz questão de levar adiante meu pedido de apresentar Barack e Valerie, marcando um jantar para os três podermos conversar.

Fiz isso por duas razões. Em primeiro lugar, eu gostava de Valerie. Fiquei impressionada com ela, e, aceitando ou não o emprego, a ideia de conhecê-la melhor me empolgava. Sabia que Barack também ficaria impressionado. Em segundo lugar, e mais importante, porém, eu queria que ele ouvisse a história de Valerie. Assim como Barack, ela havia passado parte da infância num país diferente — no caso dela, o Irã, onde seu pai trabalhava como médico em um hospital — e retornou aos Estados Unidos para estudar, o que lhe deu o mesmo tipo de visão de mundo perspicaz que eu via em Barack. Ele tinha certas preocupações com relação ao meu trabalho na prefeitura. Tal como Valerie, tinha sido inspirado pela liderança de Harold Washington quando este era o prefeito, mas sem sombra de dúvida sentia menos afinidade com o antiquado establishment representado por Richard M. Daley. Este era o organizador comunitário dentro de Barack: mesmo quando Washington estava no cargo, Barack teve que travar batalhas incansáveis e às vezes infrutíferas contra a prefeitura a fim de obter o mínimo de apoio para projetos de base. Embora tenha manifestado apoio irrestrito sobre minhas perspectivas de emprego, acho que no fundo ele estava apreensivo com a possibilidade de eu acabar desiludida ou desempoderada, de mãos atadas sob o comando de Daley.

Valerie era a pessoa certa com quem expressar quaisquer preocupações. Ela havia reorganizado toda a sua vida a fim de trabalhar para Washington e depois o perdeu quase imediatamente. O vazio que se seguiu à morte de Washington propiciou uma espécie de clara advertência para o futuro, que mais tarde eu me veria tentando explicar para as pessoas de uma ponta a outra dos Estados Unidos: em Chicago, tínhamos cometido o erro de colocar todas as nossas esperanças de reforma nos ombros de uma pessoa, mas não havíamos construído o aparato político para dar respaldo a seus ideais. Os eleitores, especialmente os liberais e negros, viam Washington como uma espécie de salvador, um símbolo, o homem que seria capaz de mudar tudo. Ele carregou o fardo de forma admirável, inspirando pessoas como Barack e Valerie a saírem do setor privado para atuar no trabalho comunitário e no serviço público. Mas quando Harold Washington morreu, a maior parte da energia que ele havia gerado também se extinguiu.

A decisão de Valerie de permanecer no gabinete do prefeito exigiu alguma reflexão, mas ela nos explicou por que julgava ser a escolha certa. Ela nos descreveu a sensação de que era apoiada por Daley e de saber que estava sendo útil para a cidade. Sua lealdade, disse Valerie, era mais aos princípios de Harold Washington do que ao homem propriamente dito. A inspiração por si só era superficial; era necessário corroborá-la com muito trabalho duro. Essa ideia reverberou tanto em mim quanto em Barack, e nesse jantar eu senti que alguma coisa havia sido consolidada: Valerie Jarrett agora fazia parte da nossa vida. De forma tácita, parecia quase como se nós três tivéssemos concordado em levarmos um ao outro através do bom e longo caminho.

Havia uma última coisa a fazer, agora que estávamos noivos, que eu assumira um novo emprego e que Barack havia firmado um compromisso com Davis, Miner, Barnhill & Galland, escritório de advocacia de interesse público que o cortejava na época: tiramos férias, ou, mais precisamente, fizemos uma espécie de peregrinação. Saímos de Chicago numa quarta-feira no fim de agosto, encaramos uma longa espera no aeroporto de Frankfurt, na Alemanha, e depois voamos mais oito horas para chegar a Nairóbi pouco antes do amanhecer, sob o luar queniano, e adentramos o que parecia ser um mundo completamente diferente.

Eu conhecia a Jamaica e as Bahamas, e já havia ido à Europa algumas vezes, mas nunca tinha estado tão longe de casa. Senti a estranheza de Nairóbi — ou melhor, minha própria condição de estrangeira em relação à cidade — de imediato, já mesmo nas primeiras luzes da manhã. Foi uma sensação que passei a amar à medida que viajei com mais frequência, essa maneira como um novo lugar se revela instantaneamente e sem fingimento. O ar tem um peso diferente do que de costume; carrega odores que não conseguimos identificar, um leve aroma de fumaça de lenha ou diesel talvez, ou a doçura de algo que floresce nas árvores. O mesmo sol nasce, mas parece um pouco diferente do que conhecemos.

A meia-irmã de Barack, Auma, nos buscou no aeroporto e nos recebeu calorosamente. Os dois haviam se encontrado poucas vezes ao longo da vida — a primeira vez tinha sido seis anos antes, quando Auma visitou Chicago —, mas tinham um vínculo estreito. Auma é um ano mais velha que Barack. A mãe dela, Grace Kezia, estava grávida de Auma quando Barack Obama pai deixou Nairóbi para estudar no Havaí em 1959 (eles já tinham um filho, Abongo, que na época era bem pequeno). Depois que Barack pai voltou para o Quênia em meados dos anos 1960, ele e Kezia tiveram mais dois filhos juntos.

Auma tinha pele de ébano e dentes brancos e cintilantes, e falava com um forte sotaque britânico. Seu sorriso era enorme e reconfortante. Cheguei ao Quênia tão cansada que mal conseguia conversar, mas, percorrendo a cidade no banco de trás do Fusca de Auma, uma lata-velha, notei como a rapidez do sorriso dela era igual à de Barack, como a curva da cabeça dela também parecia com a dele. Auma também claramente herdara a inteligência da família: fora criada no Quênia e voltava para lá com frequência, mas cursara uma faculdade na Alemanha e ainda morava lá, estudando para um ph.D. Era fluente em inglês, alemão, suaíli e luo, a língua local de sua família. Assim como nós, ela estava apenas de visita.

Auma tomou providências para que eu e Barack ficássemos no apartamento vazio de um amigo, um espaço espartano de quarto único em um indistinguível prédio de blocos de concreto que fora pintado de rosa vivo. Nos primeiros dois dias, estávamos tão grogues devido ao jet lag que a sensação era a de que nos movíamos na metade da velocidade normal. Ou talvez fosse apenas o ritmo de Nairóbi, que seguia uma lógica inteiramente diferente da de Chicago, suas ruas e rotatórias de mão inglesa entupidas de uma mistura de pedestres, ciclistas, carros e *matatus* — os informais e cambaleantes micro-ônibus que podiam ser vistos por toda parte, pintados de cores vivas com murais e homenagens a Deus, os tetos repletos de bagagens amarradas, tão superlotados que os passageiros às vezes eram arrastados, agarrando-se precariamente do lado de fora.

Eu estava na África. Era inebriante, extenuante e totalmente novo para mim. O Fusca azul-celeste de Auma era tão velho que muitas vezes precisava ser empurrado para o motor pegar. Sem pensar muito, eu tinha comprado um par de tênis brancos para usar na viagem, e, em menos de um dia, depois de tanto empurrar o calhambeque, eles ficaram marrom-avermelhados, manchados com a poeira de Nairóbi.

Como já havia estado em Nairóbi uma vez antes, Barack sentia-se mais em casa do que eu. Eu me movia sem jeito como um turista, ciente de que não pertencíamos àquele lugar mesmo tendo a pele negra. Às vezes as pessoas nos encaravam na rua. Claro que eu não esperava me adequar completamente, mas acho que cheguei lá ingenuamente acreditando que sentiria uma conexão visceral com o continente que cresci imaginando ser uma espécie de pátria mítica, como se ir até lá me outorgasse alguma sensação de completude. Mas a África, claro está, não nos devia nada. É curioso constatar a indecisa sensação de estar entre dois extremos, sendo um afro-americano na África. Isso gerou em mim uma tristeza difícil de explicar, uma sensação de ser desenraizada em ambas as terras.

Dias depois, eu ainda estava me sentindo deslocada, e ambos sofríamos com dor de garganta. Barack e eu brigamos — não lembro exatamente a razão. A despeito de cada pequeno deslumbramento que sentíamos no Quênia, também estávamos cansados, o que nos levava a criar caso sobre coisinhas insignificantes, discussões que, por um motivo qualquer, resultavam em um ataque de fúria. "Estou tão irritada com Barack", escrevi no meu diário. "Acho que não temos nada em comum." Meus pensamentos pararam por aí. Para dar ideia do tamanho da minha frustração, fiz um longo e enfático rasgo no resto da página.

Como qualquer casal mais ou menos recente, estávamos aprendendo a brigar. Não brigávamos com frequência, e quando acontecia, normalmente era por besteira, uma série de irritações e aborrecimentos reprimidos que vinham à tona em geral quando um de nós — ou ambos — estava muito cansado ou estressado. Mas brigávamos. E, para o bem ou para o mal, costumo gritar quando estou com raiva. Quando algo me deixa nervosa, a sensação pode ser intensamente física, uma espécie de bola de fogo subindo pela minha espinha e explodindo com tanta força que às vezes, mais tarde, não me lembro do que disse no momento. Barack, por sua vez, tende a permanecer calmo e racional, e suas palavras vêm em uma cascata eloquente (e, portanto, irritante). Levamos tempo — anos — para entender que é assim que cada um de nós é construído, que somos, individualmente, a soma total de nossos respectivos códigos genéticos e também de tudo o que foi incutido em nós por nossos pais e os seus pais antes deles. Com o tempo, descobrimos como expressar e superar nossas irritações e ocasionais manifestações de raiva. Hoje em dia, quando brigamos, é muito menos dramático, muitas vezes mais eficiente e sempre tendo em vista o nosso amor um pelo outro, não importa o quanto ainda estejamos tensos.

Acordamos na manhã seguinte em Nairóbi com o céu azul e a energia renovada, menos atordoados pelo jet lag e com a sensação de que tínhamos voltado a ser as versões felizes e habituais de nós mesmos. Encontramos Auma numa estação ferroviária no centro da cidade e embarcamos em um trem de passageiros com janelas de ripa rumo ao oeste, saindo da cidade em direção ao lar ancestral da família Obama. Sentada junto a uma janela numa cabine lotada de quenianos (alguns dos quais viajando com galinhas vivas dentro de cestos, outros com móveis pesados que haviam comprado na cidade), fiquei novamente perplexa ao perceber o quanto a minha vida de "garota de Chicago" e "advogada com mesa própria na firma chique" de repente se transformara — como aquele homem sentado ao meu lado aparecera em meu escritório um dia com seu nome esquisito e seu sorriso quixotesco e brilhantemente virou tudo de cabeça para baixo. Sentei-me colada à janela enquanto a extensa comunidade de Kibera, a maior favela urbana da África, passava zunindo, mostrando seus barracos baixos com telhados de zinco corrugado, suas ruas lamacentas e esgotos a céu aberto, e uma espécie de pobreza que eu nunca tinha visto nem seria capaz de imaginar.

A viagem de trem durou várias horas. Barack por fim abriu um livro, mas eu continuei olhando fixo pela janela enquanto as favelas de Nairóbi davam lugar a campos verdejantes feito joias e o trem tremulava para o norte até a cidade de Kisumu, onde Auma, Barack e eu desembarcamos no exorbitante calor equatorial e entramos em um *matatu* para uma última e sacolejante jornada em meio aos milharais até a aldeia da avó deles, Kogelo.

Nunca vou me esquecer do barro vermelho vivo naquela parte do Quênia, a terra tão intensa que parecia quase primordial, a forma como a poeira cobria a pele e o cabelo escuros das crianças que nos saudavam aos gritos da margem da estrada. Eu me lembro de estar suada e com sede enquanto percorríamos a pé o último trecho até o povoado da avó de Barack, até a casa de concreto bem conservada onde ela morava fazia anos, cultivando uma horta adjacente e cuidando de várias vacas. Vovó Sarah, eles a chamavam. Era uma senhora baixinha e de corpo largo com olhos sábios e um sorriso encarquilhado. Não falava inglês, apenas luo, e expressou sua alegria por termos viajado de tão longe para vê-la. A seu lado, me senti muito alta. Ela me escrutinou com uma curiosidade inusitada e confusa, como se estivesse tentando identificar de onde eu vinha e como exatamente tinha ido parar diante de sua porta. Uma de suas primeiras perguntas para mim foi: "Qual dos dois era branco, seu pai ou sua mãe?".

Eu ri e expliquei, com a ajuda de Auma, que era completamente negra, basicamente o mais negra possível nos Estados Unidos.

A vovó Sarah achou engraçado. Parecia achar tudo engraçado, provocando Barack por não ser capaz de falar sua língua. Fiquei espantada com seu sorriso fácil. Quando a noite caiu, ela matou uma galinha e preparou um ensopado, que serviu com um mingau de fubá chamado *ugali*. O tempo todo, vizinhos e parentes apareciam para cumprimentar os Obama mais jovens e nos parabenizar pelo noivado. Devorei com gratidão a comida enquanto o sol baixava e a noite caía sobre a aldeia, que não tinha eletricidade, deixando um borrifo brilhante de estrelas no céu. Estar naquele lugar parecia um pequeno milagre. Dividi um quarto rudimentar com Barack, ouvindo o som estéreo do cricrilar dos grilos nos milharais ao nosso redor, o farfalhar de animais que não conseguíamos ver. Lembro-me de me sentir deslumbrada com a amplidão da terra e do céu ao meu redor e, ao mesmo tempo, aconchegada e protegida dentro daquele minúsculo lar. Eu tinha um novo emprego e um noivo, minha família havia sido ampliada — agora contava até com uma avó queniana que me aprovava. Era verdade: eu tinha escapado do meu mundo e, por enquanto, tudo estava bem.

12

Barack e eu nos casamos num sábado de sol em outubro de 1992 diante de mais de trezentos parentes e amigos, na Igreja da Trindade Unida em Cristo no South Side. Foi um casamento grande, e tinha de ser grande mesmo. Se íamos nos casar em Chicago, não havia como diminuir a lista de convidados. Minhas raízes eram muito longas. Além dos primos, havia os primos dos primos, e esses primos dos primos também tinham filhos; eu nunca deixaria nenhum deles de fora, e todos tornaram o dia mais alegre e significativo.

Os irmãos mais novos do meu pai estavam presentes. A família da minha mãe foi em peso. Compareceram antigos vizinhos e amigos da escola, gente de Princeton, gente da Whitney Young. A sra. Smith, esposa do vice-diretor da escola onde fiz o ensino médio, que ainda morava perto da nossa casa na Euclid Avenue, ajudou a organizar o casamento, enquanto os nossos vizinhos de frente, o sr. e a sra. Thompson, tocaram com sua banda de jazz na recepção, depois da cerimônia. Arrasando com um vestido preto decotado, Santita Jackson foi minha dama de honra. Eu tinha convidado antigos colegas da Sidley e novos colegas da prefeitura. Os sócios do escritório de advocacia de Barack foram, e seus velhos amigos da época de organizador comunitário também. A rapaziada bagunceira da turma de Barack no ensino médio havaiano logo se juntou a alguns parentes quenianos dele, usando os barretes de cores vivas típicos da África Oriental. Infelizmente, Gramps — avô de Barack — sucumbira ao câncer no inverno anterior, mas a mãe e a avó tinham vindo a Chicago, bem como Auma e Maya, suas meias-irmãs de continentes diferentes, unidas no afeto que dedicavam a Barack. Era a primeira vez que nossas famílias se encontravam, e foi uma alegria enorme.

Estávamos cercados de amor — o amor eclético e multicultural dos Obama e o amor apoiador dos "Robinson do South Side" —, tudo visivelmente entrelaçado nos bancos da igreja. Segurei o cotovelo de Craig com força enquanto ele me conduzia pela nave. Quando chegamos à frente do altar, vi o olhar da minha mãe. Ela estava sentada na primeira fila, majestosa com um longo preto e branco enfeitado de lantejoulas que tínhamos escolhido juntas; estava de cabeça erguida e os olhos brilhando de orgulho. A morte do meu pai ainda doía muito, mas estávamos seguindo em frente, como ele próprio gostaria.

Naquele dia Barack tinha acordado com um resfriado forte, que sumiu como um milagre na hora em que chegou à igreja. Ali no altar, ele sorria para mim, os olhos brilhando, com um fraque alugado e um par de sapatos novos reluzentes. Para ele, o casamento era um mistério ainda maior do que para mim, mas, durante nossos catorze meses de noivado, ele se manteve totalmente envolvido. Tínhamos escolhido tudo, cuidadosamente, para este dia. De início, Barack declarou que não estava interessado nos detalhes do casamento, mas, de maneira carinhosa, categórica — e previsível —, acabou opinando em tudo, desde os arranjos de flores aos canapés que seriam servidos cerca de uma hora depois, no South Shore Cultural Center. Escolhemos a música do casamento, que Santita cantaria com a sua voz maravilhosa ao som do piano.

Era uma música de Stevie Wonder chamada "You and I (We Can Conquer the World)". Eu a conhecera quando menina, no terceiro ou quarto ano do ensino fundamental, quando Southside me deu de presente *Talking Book* — meu primeiro disco, uma preciosidade para mim. Eu o deixava guardado na casa dele e podia pôr para tocar a hora que quisesse quando ia visitá-lo. Ele tinha me ensinado a cuidar do disco, a tirar o pó das ranhuras, a erguer o braço da vitrola e a colocar delicadamente a agulha no lugar certo. Em geral me deixava sozinha ouvindo o disco, sem ficar muito por perto, para que eu absorvesse à vontade tudo o que o disco tinha a ensinar, o que consistia basicamente em repetir várias vezes a letra, cantando a plenos pulmões com a minha vozinha de menina: *Well, in my mind, we can conquer the world/ In love you and I, you and I, you and I...*

Eu tinha nove anos na época. Não sabia nada sobre amor e compromisso, nem sobre conquistar o mundo. O máximo que conseguia era juntar algumas vagas noções sobre o que seria o amor e sobre quem um dia apareceria para me fazer sentir aquela força. Seria Michael Jackson? José Cardenal, dos The Cubs? Alguém como o meu pai? A verdade é que na época eu não conseguia sequer fazer ideia de quem seria o "você" para o meu "eu".

Mas ali estávamos nós.

A Igreja da Trindade era famosa por ser dinâmica e emotiva. Barack começara a frequentá-la na época em que era organizador comunitário e, mais recentemente, nós dois havíamos ingressado formalmente na congregação, seguindo o exemplo de muitos amigos nossos, jovens profissionais liberais afro-americanos da cidade. O pastor, reverendo Jeremiah Wright, era conhecido como um pregador fantástico, ardoroso defensor da justiça social, e foi ele quem oficiou o casamento. Saudou nossos amigos e parentes e depois ergueu nossas alianças para todos verem. Falou com eloquência sobre o significado da união e a importância de ser presenciada por uma comunidade afetuosa, com pessoas que conheciam todas as dimensões de Barack e todas as minhas dimensões.

Foi então que senti o poder do que estávamos fazendo, o significado do ritual, enquanto estávamos ali com nosso futuro ainda em aberto, com todo o desconhecido ainda totalmente desconhecido, apenas segurando a mão um do outro enquanto fazíamos nossos votos.

O que quer que o mundo nos reservasse, ingressaríamos juntos nele. Eu tinha dado tudo de mim planejando esse dia, e de certa forma a elegância da coisa toda era importante para mim, mas ali, no altar, entendi que o que realmente importava, o que eu lembraria para sempre, era o aperto das nossas mãos. Aquilo me apaziguou como nada me apaziguara antes. Eu tinha fé na união, fé no homem. Declarar isso em voz alta foi a coisa mais fácil do mundo. Encarando Barack, tive certeza de que ele sentia a mesma coisa. Não derramamos nenhuma lágrima naquele dia. Nossa voz não ficou embargada. No máximo, nos sentimos um pouco zonzos. Dali reunimos as centenas de testemunhas e fomos para a recepção. Comemos, bebemos e dançamos até nos esgotarmos de tanta alegria.

Programamos uma lua de mel sossegada, uma viagem tranquila de carro pelo norte da Califórnia, com vinho, boa comida, banhos de lama e muito sono. No dia seguinte ao casamento, pegamos um voo até San Francisco, passamos vários dias em Napa e depois fomos pela Highway 1 até Big Sur, onde ficamos lendo livros, admirando a extensão azul do oceano e esvaziando a mente. Foi maravilhoso, apesar do resfriado de Barack, que voltou com força total, e também apesar dos banhos de lama, que não achamos nada relaxantes e meio nojentos.

Depois de um ano agitado, estávamos loucos para dar uma espairecida. Originalmente, Barack tinha planejado passar os meses antes do casamento terminando o livro e trabalhando no seu novo escritório de advocacia, mas acabou interrompendo bruscamente grande parte da programação. Em algum momento no começo de 1992, fora consultado pelos dirigentes de uma organização nacional apartidária, chamada Projeto VOTE!, que registrava novos eleitores em estados onde o comparecimento das minorias às urnas era tradicionalmente baixo. Perguntaram se Barack aceitaria comandar o processo em Illinois, abrindo um escritório em Chicago para registrar eleitores negros antes das eleições de novembro. Calculava-se que havia no estado cerca de 400 mil afro-americanos aptos a votar, mas ainda não tinham registro, a maioria deles de Chicago e arredores.

A remuneração era ínfima, mas a tarefa encontrou ressonância nas convicções centrais de Barack. Em 1983, uma campanha semelhante de registro de eleitores em Chicago ajudara a levar Harold Washington à prefeitura. Em 1992, o que estava em jogo também parecia muito importante: outra candidata afro-americana, Carol Moseley Braun, causara surpresa geral ao vencer por margem estreita a disputa pela indicação dos democratas para as eleições do Senado federal e estava na disputa de uma eleição que ficaria muito apertada. Enquanto isso, Bill Clinton disputaria a presidência contra George H. W. Bush. Não era hora para os eleitores das minorias ficarem de fora.

Dizer que Barack se jogou de cabeça na tarefa é pouco. A meta do Projeto VOTE! era registrar novos eleitores de Illinois a um ritmo alucinante de 10 mil por semana. O trabalho era parecido com o que ele fazia como organizador das comunidades de base: de março a setembro, ele percorrera com sua equipe uma infinidade de salões paroquiais e tinha ido de casa em casa conversar com os eleitores sem registro. De tempos em tempos tinha reuniões de trabalho com os líderes comunitários e repetia incansavelmente o discurso para doadores abastados, que ajudavam a financiar a produção de anúncios na rádio e folhetos informativos que podiam ser distribuídos nos bairros e em conjuntos residenciais de negros. A mensagem da entidade era clara e inabalável, e um reflexo perfeito do que eu sabia ser uma convicção pessoal de Barack: o voto tinha poder. Se você quisesse ver mudanças, não podia ficar em casa no dia das eleições.

À noite, Barack voltava para casa na Euclid Avenue e muitas vezes se afundava no sofá, cheirando aos cigarros que ainda fumava longe da minha vista. Tinha ar de cansado, mas nunca de esgotado. Mantinha um controle cuidadoso da contagem de registros: estavam numa média impressionante de 7 mil por semana, em pleno verão, mas ainda aquém da meta. Bolava estratégias para difundir a mensagem de forma mais eficiente, conseguir mais voluntários e alcançar bolsos que ainda não alcançara. Era como se os problemas fossem uma espécie de cubo mágico, que só seriam resolvidos se ele girasse os blocos certos na ordem certa. Ele me dizia que os mais difíceis de convencer eram os mais jovens, o pessoal entre dezoito e trinta anos, que pareciam totalmente descrentes do governo.

Enquanto isso, eu estava mergulhada no governo. Fazia um ano que trabalhava com Valerie no gabinete do prefeito, na função de contato para várias secretarias da prefeitura, inclusive a de Saúde e Serviços Humanos. Era um trabalho abrangente, e as pessoas, bastante focadas, estimulantes e quase sempre interessantes. Se antes eu passava os dias redigindo sumários de processos num escritório silencioso com tapete de veludo e vista para o lago, agora trabalhava numa sala sem janela num dos últimos andares do prédio da prefeitura, com o fluxo barulhento de cidadãos percorrendo o prédio o dia inteiro.

Eu estava descobrindo que as questões governamentais eram complicadas e intermináveis. Vivia em reuniões com vários chefes de secretaria, trabalhava com as equipes de comissários municipais, às vezes era enviada a vários bairros para ver de perto as reclamações recebidas pelo prefeito. Ia inspecionar árvores caídas que precisavam ser removidas, conversava com pastores de bairro que estavam irritados com o trânsito ou a coleta de lixo, muitas vezes representava a prefeitura nas cerimônias comunitárias. Certa vez tive de apartar uma briga entre dois idosos que se empurravam num piquenique no North Side. Não eram coisas que um advogado empresarial fazia, e até por isso me pareciam atraentes. Eu estava conhecendo Chicago de uma forma que nunca conhecera antes.

Também estava aprendendo outra coisa valiosa ao passar boa parte do tempo com Susan Sher e Valerie Jarrett, duas mulheres que — eu estava vendo — tinham ao mesmo tempo uma enorme segurança e um enorme senso humanitário. Susan conduzia as reuniões com uma dignidade firme e imperturbável. Valerie não hesitava em expor suas ideias numa sala repleta de homens cheios de opiniões, muitas vezes conseguindo habilmente o apoio dos presentes. Ela parecia um cometa veloz, alguém que estava claramente subindo na carreira. Pouco antes do meu casamento, Valerie fora promovida, se tornando a encarregada do planejamento e desenvolvimento econômico do município. Com isso, me ofereceu o cargo de assistente dela. Eu começaria a trabalhar na nova função assim que voltasse da lua de mel.

Eu tinha mais contato com Valerie do que com Susan, mas observava atentamente tudo o que faziam, tal como havia observado Czerny, minha mentora na faculdade. Eram mulheres com consciência da própria voz e não tinham medo de usá-la. Sabiam ter humor e humildade na hora certa, mas não se abalavam com as pancadas que recebiam e não duvidavam da força dos seus pontos de vista. Outra coisa importante: eram mães que trabalhavam. Eu as observava sob esse aspecto também, sabendo que um dia ia querer ter filhos e continuar trabalhando. Valerie nunca hesitava em sair de uma reunião importante se recebesse um telefonema da escola da filha. Susan também saía em disparada no meio do expediente se um filho ficasse com febre ou fosse participar de uma apresentação musical na pré-escola. Não sentiam obrigação alguma de se justificarem pela prioridade que davam às necessidades das crianças, mesmo que isso às vezes significasse interromper o andamento do trabalho, e não tentavam compartimentar trabalho e casa, como os sócios do sexo masculino na Sidley pareciam fazer. Acho que para Valerie e Susan nem havia a possibilidade de compartimentar, pois faziam malabarismos para cumprir o que se esperava de uma mãe e eram divorciadas, condição que trazia seus próprios problemas emocionais e financeiros. Não tentavam ser perfeitas, mas de certa forma sempre conseguiam ser excelentes, as duas unidas numa profunda amizade mutuamente proveitosa, o que também me causava uma ótima impressão. Tinham abandonado qualquer disfarce e eram simplesmente elas mesmas, de uma maneira maravilhosa, poderosa e muito instrutiva.

Quando voltamos da lua de mel, duas notícias nos aguardavam, uma boa e uma ruim. A boa notícia veio sob a forma da eleição de novembro, trazendo o que parecia ser uma maré de mudanças promissoras. Bill Clinton obteve uma vitória esmagadora em Illinois e por todo o país, removendo o presidente Bush do cargo depois de apenas um mandato. Carol Moseley Braun também teve uma vitória decisiva, tornando-se a primeira afro-americana a ocupar um assento no Senado. Ainda mais empolgante para Barack foi saber que o comparecimento no dia da eleição fora simplesmente épico: o Projeto VOTE! havia registrado diretamente 110 mil novos eleitores, e a campanha mais ampla provavelmente também alavancou muito o comparecimento geral às urnas.

Pela primeira vez em dez anos, mais de meio milhão de eleitores negros em Chicago compareceram às urnas, provando que eles tinham o poder coletivo de determinar os resultados políticos. Isso foi uma mensagem clara para os congressistas e futuros políticos e restaurou um sentimento que parecera se perder quando Harold Washington morreu: o voto afro-americano era importante. Seria politicamente prejudicial se alguém ignorasse ou descartasse as necessidades e os interesses dos negros. Dentro dessa mensagem, havia outra, dirigida à própria comunidade negra: o lembrete de que era possível progredir e de que nosso valor era mensurável. Tudo isso era muito alentador para Barack. Por mais cansativo que fosse, ele adorava o trabalho, pelo que lhe ensinava sobre o complexo sistema político de Chicago e por provar que seus instintos de organizador comunitário eram suficientes para operar em escala maior. Ele havia trabalhado com líderes comunitários, cidadãos comuns e representantes eleitos, e quase por milagre essa colaboração rendera resultados. Vários veículos da mídia comentaram o impacto marcante do Projeto VOTE!. Um articulista da revista *Chicago* se referiu a Barack como "um workaholic alto e afável", sugerindo que um dia deveria disputar um cargo, ideia à qual ele simplesmente deu de ombros.

Já a notícia ruim foi a seguinte: aquele workaholic alto e afável com quem eu acabava de me casar andava tão ocupado em registrar eleitores que só conseguira entregar uma parte do manuscrito, estourando o prazo para entregar o livro. Chegamos da Califórnia e soubemos que o editor cancelara o contrato e mandara pela agente literária o recado de que Barack deveria devolver o adiantamento de 40 mil dólares.

Se ele entrou em pânico, não foi na minha frente. Eu já andava bastante atarefada assumindo a nova função na prefeitura, que, comparada ao serviço anterior, consistia em mais reuniões de diretoria sobre zoneamento municipal e menos piqueniques de idosos do que no meu trabalho anterior. Embora não tivesse mais a jornada de uma advogada corporativa, a balbúrdia diária da prefeitura me deixava esgotada ao final do expediente, menos empenhada em lidar com os problemas da casa e mais disposta a tomar uma taça de vinho, desligar a cabeça e ver TV no sofá. De mais a mais, se eu tinha aprendido alguma coisa com o envolvimento obsessivo de Barack com o Projeto VOTE!, era que não adiantava nada me preocupar com as preocupações dele — em parte porque me pareciam mais assoberbantes do que ele próprio achava. O caos me deixava aflita, mas parecia revigorar Barack. Era como um artista de circo que gostava de girar pratos: se a situação ficava calma demais, ele entendia como sinal de que havia mais coisas a fazer. Eu começava a entender que ele tinha um gosto irrefreável pelo excesso de compromissos, assumindo novos projetos sem pensar muito em limites de tempo e de energia. Ele aceitava, por exemplo, integrar o conselho de direção de duas ou três organizações sem fins lucrativos e ao mesmo tempo dar aulas em meio período na Universidade de Chicago no semestre seguinte — tudo isso enquanto se programava para trabalhar em tempo integral no escritório de advocacia.

E além de tudo havia o livro. A agente tinha certeza de que conseguiria revender a ideia a outra editora, mas ele teria de terminar logo um rascunho inicial. Como as aulas na faculdade ainda não tinham começado — e contando com as bênçãos do escritório de advocacia, que esperava Barack começar em tempo integral já fazia um ano —, ele se saiu com uma solução que lhe pareceu perfeita: escreveria o livro no isolamento, alugaria uma cabana num lugar qualquer, afastando as distrações do cotidiano, e poria mãos à obra. Era como obrigar um notívago frenético a escrever um trabalho da faculdade, só que Barack calculava uns dois ou três meses para terminar o livro. Ele me expôs tudo isso numa noite em casa, cerca de um mês e meio depois de nos casarmos, e por fim mencionou delicadamente um último detalhe: a mãe dele já encontrara o lugar ideal. Na verdade, já tinha até alugado a cabana. Era barata, silenciosa e ficava na praia. Em Sanur. Que ficava na ilha indonésia de Bali, a uns 15 mil quilômetros de Chicago.

Parece um pouco uma piada de mau gosto, não? O que acontece quando um individualista que gosta de solidão se casa com uma mulher sociável e extrovertida que detesta solidão?

A resposta, imagino eu, é provavelmente a melhor e mais sólida de todas para qualquer pergunta que surge num casamento, para qualquer pessoa e qualquer questão: você dá um jeito de se adaptar. Se o casamento é para sempre, não tem escolha.

Assim, no começo de 1993, Barack pegou um avião para Bali e passou cerca de cinco semanas vivendo só com os seus pensamentos e trabalhando numa versão inicial do seu livro *A origem dos meus sonhos*, enchendo blocos de papel pautado amarelo com sua caligrafia meticulosa, destilando ideias em lânguidas caminhadas diárias entre ondas e coqueiros. Já eu fiquei na casa da minha mãe na Euclid Avenue, no andar de cima, enquanto outro inverno cinzento tomava conta de Chicago, cobrindo de gelo as árvores e as calçadas. Eu me mantinha ocupada, à noite ia para a academia e encontrava os amigos. Nos contatos regulares que tinha no trabalho ou na cidade, volta e meia eu me pegava soltando esta expressão nova e estranha: "o meu marido". *O meu marido e eu queremos comprar uma casa. O meu marido é escritor e está terminando um livro.* Era esquisito e agradável, e me trazia as lembranças de um homem que simplesmente não estava ali. Eu morria de saudade dele, mas procurava racionalizar ao máximo nossa situação, entendendo que, mesmo sendo recém--casados, esse interlúdio provavelmente seria muito positivo.

Barack havia enfrentado o caos do livro inacabado e se lançara à luta para terminá-lo. Talvez fosse um gesto de consideração por mim, uma forma de manter o caos fora da minha vista. Eu devia lembrar a mim mesma que estava casada com um homem de pensamento independente. Ele estava lidando com o assunto da maneira que lhe pareceu a mais sensata e eficiente, mesmo que, de fora, parecesse uma temporada de férias na praia — uma lua de mel consigo mesmo (era o que me passava pela cabeça nos momentos mais solitários) depois da lua de mel comigo.

Você e eu, você e eu, você e eu. Estávamos aprendendo a nos adaptar, a nos unir numa forma sólida e permanente de *nós*. Mesmo sendo as mesmas pessoas que sempre tínhamos sido, o mesmo casal que éramos fazia anos, agora tínhamos novos rótulos, um segundo jogo de identidades para tornar tudo mais complexo. Ele era o meu marido. Eu era a esposa dele. Tínhamos comparecido a uma igreja e deixado isso claro em voz alta, para nós e para o mundo. Era realmente como se devêssemos coisas novas um ao outro.

Para muitas mulheres, inclusive eu mesma, a palavra "esposa" pode soar um tanto pesada. O termo vem carregado de história. Para quem cresceu nos anos 1960 e 1970, as esposas pareciam constituir um gênero formado por mulheres brancas que viviam num seriado de TV — sempre joviais, bem penteadas e de silhueta fina. Ficavam em casa, cuidavam das crianças e mantinham o jantar pronto no forno. Às vezes tomavam uma dose de xerez ou flertavam com o vendedor de aspirador de pó, mas os momentos excitantes pareciam parar por aí. A ironia, claro, era que eu assistia a esses programas na sala de estar na Euclid Avenue, enquanto minha própria mãe dona de casa preparava o jantar sem reclamar e meu pai, com seu ar muito respeitável, descansava do dia de trabalho. O sistema dos meus pais era tão tradicional quanto tudo o que víamos na TV. Às vezes, Barack brinca comigo dizendo que minha criação parecia uma versão negra de *Leave It to Beaver*, com os Robinson de South Shore tão serenos e de ar saudável quanto a família Cleaver de Mayfield, embora, claro, fôssemos uma versão mais pobre dos Cleaver, com o uniforme azul de funcionário municipal do meu pai no lugar do terno e gravata do sr. Cleaver. Barack faz essa comparação com uma ponta de inveja, não só porque teve uma infância muito diferente, mas também como forma de refutar o entranhado estereótipo de que os afro-americanos vivem basicamente em lares desestruturados e que nossas famílias são, de certa maneira, incapazes de concretizar o mesmo sonho da vida estável de classe média alimentado pelos nossos vizinhos brancos.

Pessoalmente, quando criança, eu preferia *The Mary Tyler Moore Show*. Era fascinada pela série. Mary tinha emprego, roupas da moda e um cabelo realmente lindo. Era independente e engraçada e, ao contrário das outras mulheres na TV, seus problemas eram interessantes. Suas conversas não giravam em torno dos filhos nem das atividades domésticas. Não deixava Lou Grant mandar nela e não era obcecada em encontrar um marido. Era jovem e, ao mesmo tempo, madura. Naquela paisagem pré-pré-pré-internet, quando o mundo chegava a nós quase exclusivamente por três canais de TV, isso era importante. Se você era uma menina com algum miolo na cabeça e começava a sentir que, quando crescesse, queria ser mais do que uma esposa, Mary Tyler Moore era sua ídola.

E ali estava eu, com 29 anos, sentada no mesmíssimo apartamento onde assistira a todos aqueles programas de TV e comera todas aquelas refeições preparadas pela paciente e abnegada Marian Robinson. Eu tinha inúmeras coisas — instrução, um saudável senso de identidade, um grande arsenal de ambições — e sensatez suficiente para reconhecer que foi principalmente a minha mãe quem me incutiu tudo isso. Ela me ensinou a ler antes de eu ir para o jardim de infância, ajudando-me a pronunciar as palavras, enquanto eu me encolhia como uma gatinha em seu colo, estudando um exemplar de Dick and Jane da biblioteca. Cozinhava para nós com carinho e atenção, pondo brócolis e couve-de-bruxelas nos pratos e mandando comermos. Ela costurou a mão meu vestido de formatura, meu Deus do céu! Ou seja, ela nos deu tudo, e com dedicação. Deixou nossa família definir quem ela era. Agora eu tinha idade suficiente para entender que todas as horas que ela dedicou a mim e a Craig foram horas que tirou de si mesma.

A essa altura as consideráveis dádivas que recebi na vida agora me faziam sentir uma espécie de chicotada psíquica. Eu fora criada para ser confiante, desimpedida, acreditando poder buscar e conseguir tudo o que quisesse. E eu queria tudo. Afinal, como dizia Suzanne, *por que não?* Queria viver com aquele gosto pela vida de Mary Tyler Moore, a mulher formada de carreira independente, e ao mesmo tempo era atraída pela normalidade estabilizante, abnegada e aparentemente insípida de ser esposa e mãe. Queria ter uma vida profissional e uma vida doméstica, mas com garantia de que uma nunca prejudicasse a outra. Esperava ser exatamente como a minha mãe e, ao mesmo tempo, o inverso dela. Era uma coisa estranha, confusa, a se pensar. Eu podia ter tudo? Queria ter tudo? Não fazia ideia.

Nesse meio-tempo, Barack voltou de Bali bronzeado e com uma mochila cheia de blocos amarelos, tendo convertido o isolamento numa vitória literária. O livro estava praticamente pronto. Em questão de poucos meses, a agente revendera os direitos a uma nova editora, saldando sua dívida e apresentando um plano de publicação. Para mim, o mais importante era que, em questão de horas, tínhamos retomado o ritmo gostoso da nossa vida de recém-casados. Barack havia encerrado o período de solidão e estava comigo, de volta ao meu mundo. *O meu marido.* Ele sorria com as minhas brincadeiras, queria saber como tinha sido o meu dia, me dava um beijo de boa-noite.

Conforme os meses se passavam, cozinhávamos, trabalhávamos, ríamos e fazíamos planos. Ainda naquela primavera, nossas finanças estavam em ordem outra vez, suficientes para comprar um imóvel. Foi quando nos mudamos

Minha família, em algum momento de 1965, todos vestidos para uma festa. Notem-se a expressão protetora de meu irmão Craig e o cuidado com que segura meu pulso.

Crescemos no andar de cima da casa da minha tia-avó Robbie Shields, aqui me segurando no colo. Tivemos vários atritos ao longo dos anos em que ela me ensinou a tocar piano, mas ela sempre fez aflorar o que havia de melhor em mim.

Meu pai, Fraser Robinson, trabalhou por mais de vinte anos na prefeitura de Chicago, cuidando das caldeiras numa estação de tratamento de água na margem do lago. Mesmo depois que a esclerose múltipla passou a aumentar cada vez mais suas dificuldades para andar, ele nunca faltou um dia sequer ao trabalho.

O Buick Electra 225 do meu pai — o "Dois e Vinte e Cinco", como chamávamos — era seu orgulho e alegria, e fonte de muitas lembranças felizes. Todos os verões, íamos passar férias no Dukes Happy Holiday Resort, em Michigan, onde foi tirada essa foto.

Quando entrei no jardim de infância em 1969, meu bairro no South Side de Chicago era formado por famílias de classe média com ampla diversidade racial. Mas, quando muitas famílias mais abastadas se mudaram para os subúrbios — fenômeno conhecido como "fuga dos brancos" —, a demografia logo mudou. Na quinta série, a diversidade sumira. *Acima:* Minha turma no jardim de infância; estou na terceira fila, a segunda da esq. para a dir. *Abaixo:* Minha turma no quinto ano; estou na terceira fila, no centro.

Aqui estou em Princeton (*à esq.*). Estava nervosa em ir para a faculdade, mas fiz muitos amigos, incluindo Suzanne Alele (*acima*), que me ensinou muito sobre a alegria de viver.

Barack e eu moramos por algum tempo no segundo andar da casa da Euclid Avenue, onde fui criada. Éramos então dois jovens advogados. Eu estava começando a questionar meu caminho profissional, me perguntando como poderia fazer um trabalho significativo e me manter fiel aos meus valores.

Nosso casamento, em 3 de outubro de 1992, foi um dos dias mais felizes da minha vida. No lugar do meu pai, que morrera um ano e meio antes, Craig me conduziu ao altar.

Desde o começo eu sabia que Barack seria um excelente pai. Ele sempre amou e se dedicou às crianças. Quando Malia nasceu, em 1998, nós dois ficamos encantados. Nossa vida mudou para sempre.

Sasha nasceu três anos depois de Malia, completando nossa família com suas bochechinhas gorduchas e um espírito indomável. Nossos Natais no Havaí, onde Barack nasceu, tornaram-se uma tradição importante, quando ficávamos com a família dele e aproveitávamos o tempo bom.

Malia e Sasha sempre foram muito unidas. E ainda hoje me derreto ao ver a fofura delas.

Trabalhei três anos como diretora executiva do escritório de Chicago da Public Allies, organização que ajudava os jovens a desenvolver uma carreira no serviço público. Aqui apareço (*à dir.*) com um grupo de jovens líderes comunitários em um evento com o então prefeito de Chicago, Richard M. Daley.

Depois passei a trabalhar no Centro Médico da Universidade de Chicago, onde me empenhei em melhorar as relações com a comunidade e criei um programa que ajudou milhares de moradores do South Side a terem acesso a atendimento médico.

Como mãe trabalhando fora em tempo integral, com um marido que se ausentava de casa com bastante frequência, conheci bem o malabarismo feito por muitas mulheres — tentando encontrar o equilíbrio entre as necessidades da família e as exigências do trabalho.

Conheci Valerie Jarrett (*à esq.*) em 1991, quando ela era vice-chefe de gabinete do prefeito de Chicago. Logo tornou-se conselheira e amiga de confiança minha e de Barack. Nesta foto estamos em um comício de campanha para o Senado, em 2004.

De tempos em tempos, nossas meninas vinham visitar Barack nas viagens de campanha. Aqui está Malia, assistindo a um discurso do pai através da janela do ônibus de campanha, em 2004.

Barack anunciou sua candidatura à presidência em Springfield, Illinois, em um dia gelado de fevereiro de 2007. Eu tinha comprado para que Sasha usasse na ocasião um gorro cor-de-rosa grande demais, e fiquei preocupada que ele caísse; por milagre, ela conseguiu que o gorro ficasse no lugar.

Aqui estamos em viagem de campanha, rodeados, como sempre, por uma dúzia ou mais de repórteres e jornalistas.

Eu gostava de fazer campanha, estimulada pelo contato com eleitores de todo o país. Mas o ritmo podia ser exaustivo. Sempre que dava, eu tirava uns minutinhos de descanso.

Nos meses imediatamente anteriores à eleição de 2008, tive acesso a um avião de campanha, o que aumentou bastante minha eficiência e tornou as viagens muito mais divertidas. Aqui, comigo, está minha equipe muito unida (*a partir da esq.*): Kristen Jarvis, Katie McCormick Lelyveld, Chawn Ritz (nossa comissária de bordo daquele dia) e Melissa Winter.

Joe Biden foi um grande companheiro de chapa para Barack por vários motivos, entre eles o fato de que nossas famílias se deram muito bem desde o início. Jill e eu começamos desde logo a ver como poderíamos ajudar as famílias de militares. Aqui estamos em 2008 na Pensilvânia, durante um intervalo da campanha.

Depois de uma primavera e um verão difíceis nas viagens de campanha, falei na Convenção Democrata Nacional em Denver, o que me permitiu expor pela primeira vez minha história a um grande público no horário nobre. Em seguida, Sasha e Malia se juntaram a mim no palco para mandar um alô a Barack via vídeo.

Em 4 de novembro de 2008 — a noite da eleição — minha mãe, Marian, ficou sentada ao lado de Barack, os dois assistindo em silêncio ao anúncio dos resultados.

Em janeiro de 2009, Malia estava com dez anos e Sasha com apenas sete quando o pai delas tomou posse como presidente. Sasha era tão pequena que teve de subir em um estrado especial para ficar visível durante a cerimônia.

Oficialmente presidente e primeira-dama, Barack e eu comparecemos a dez bailes de posse naquela noite, dançando no palco em todos eles. Eu estava exausta depois das comemorações do dia, mas esse lindo vestido feito por Jason Wu renovou as minhas energias e meu marido — meu melhor amigo, meu companheiro em tudo — faz com que todos os momentos que passamos juntos pareçam íntimos.

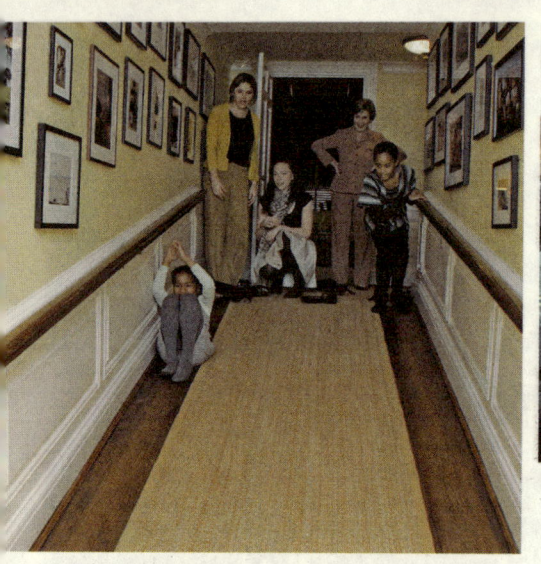

Laura Bush gentilmente recebeu a mim e às meninas em uma visita inicial à Casa Branca. As filhas dela, Jenna e Barbara, estavam lá para mostrar a Sasha e Malia as partes mais divertidas do lugar, inclusive como usar esse corredor inclinado como um escorregador.

Essa imagem do rostinho de Sasha espiando pela janela de vidro à prova de bala, quando ia para seu primeiro dia de escola, não sai da minha cabeça até hoje. Na época, era impossível não me preocupar sobre como essa experiência afetaria as meninas.

Tivemos de nos adaptar à presença constante de agentes do Serviço Secreto em nossa vida, mas, com o tempo, muitos deles se tornaram queridos amigos.

Wilson Jerman (que aparece aqui) começou a trabalhar na Casa Branca em 1957. Como muitos mordomos e criados da equipe doméstica, ele serviu com dignidade sob vários presidentes diferentes.

A horta da Casa Branca foi concebida como símbolo de uma vida saudável e de uma alimentação nutritiva, e foi a plataforma de onde pude lançar uma iniciativa maior como o Let's Move!. Mas eu também adorava a horta porque era onde podia mexer na terra com as crianças, enquanto escavávamos o solo.

Eu queria que a Casa Branca fosse um lugar onde todos pudessem se sentir em casa e que as crianças ficassem à vontade. Esperava que elas vissem suas histórias refletidas nas nossas, e talvez tivessem chance de pular corda com a primeira-dama.

Barack e eu desenvolvemos um carinho especial pela rainha Elizabeth, que lembrava a Barack sua avó franca e direta. Durante nossas visitas, ela me mostrou que a humanidade é mais importante do que o protocolo ou a formalidade.

Conhecer Nelson Mandela me deu a perspectiva de que eu precisava, depois de alguns anos em nossa jornada na Casa Branca — a verdadeira mudança se dá lentamente, não em alguns meses e anos, mas ao longo de décadas e de uma vida inteira.

Um abraço, para mim, é uma maneira de ir além do superficial e criar uma ligação verdadeira. Aqui estou na Universidade de Oxford com as meninas da Escola Elizabeth Garrett Anderson, de Londres.

Nunca esquecerei o espírito otimista e a capacidade de superação que vi nos soldados e nas famílias de militares que conheci durante minhas visitas ao Centro Médico Militar Nacional Walter Reed.

Cleopatra Cowley-Pendleton, mãe de Hadiya Pendleton, fez tudo certo, mas mesmo assim não pôde proteger a filha da terrível casualidade da violência armada. Ao encontrá-la antes do funeral de Hadiya em Chicago, fiquei arrasada com a injustiça.

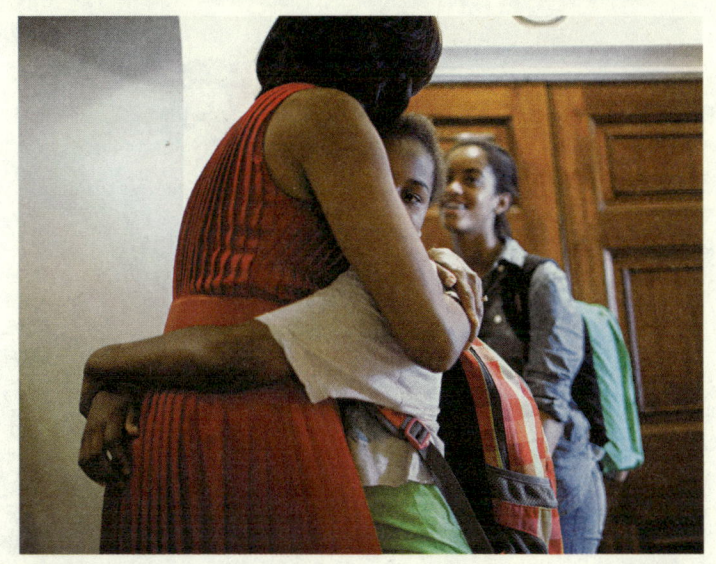

Sempre procurei estar em casa para receber as meninas quando voltavam da escola. Era uma das vantagens de morar no andar de cima do escritório.

Barack sempre manteve uma separação saudável entre o trabalho e o tempo com a família, subindo para jantar quase todas as noites e estando totalmente presente conosco em casa. Em 2009, as meninas e eu rompemos a barreira e o surpreendemos no Salão Oval no dia de seu aniversário.

Cumprimos nossa promessa para Malia e Sasha de que teríamos um cachorro se Barack fosse presidente. Na verdade, terminamos com dois. Bo (que aparece aqui na foto) e Sunny trouxeram uma sensação de leveza a tudo.

A cada primavera, eu torcia para que meus discursos de formatura inspirassem os formandos e os ajudassem a ver o poder de suas histórias pessoais. Aqui estou me preparando para falar no Virginia Tech em 2012. Ao fundo, Tina Tchen, minha incansável chefe de equipe durante cinco anos, aparece fazendo o que frequentemente fazia: várias tarefas ao mesmo tempo no celular.

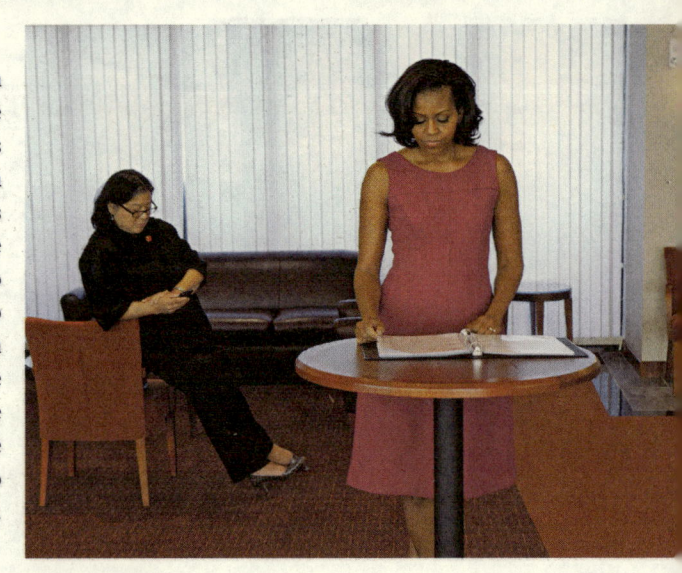

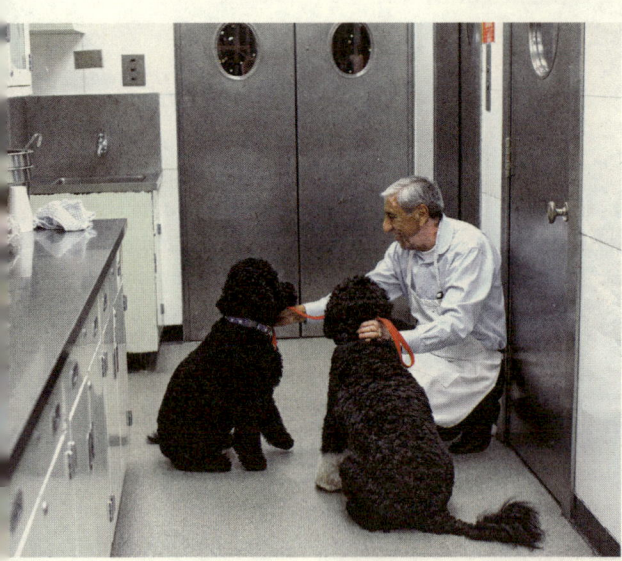

Os cachorros tinham liberdade de passear por grande parte da Casa Branca. Gostavam especialmente de ficar pelo jardim e também na cozinha. Aqui estão na despensa com o mordomo Jorge Davila, provavelmente na esperança de ganharem algum petisco.

Somos profundamente gratos a todos os membros da equipe que asseguraram que tudo corresse sem percalços em nossa vida durante oito anos. Conhecemos seus filhos e netos e também comemoramos datas importantes com eles, como nesta foto com o assistente de portaria Reggie Dixon, em seu aniversário em 2012.

Ser a primeira-família trazia privilégios incomuns e algumas dificuldades também incomuns. Barack e eu procuramos manter uma sensação de normalidade para nossas meninas. *Acima à esq.*: Barack, Malia e eu torcendo pelo time de basquete de Sasha, o Vipers. *Acima à dir.*: As meninas relaxam no *Bright Star*, nome dado ao avião da primeira-dama.

Garantimos que as meninas tivessem oportunidade de fazer coisas normais de adolescentes, como aprender a dirigir, mesmo que isso significasse ter aulas de direção com o Serviço Secreto.

O Quatro de Julho sempre nos dá grandes motivos de comemoração, já que é também o aniversário de Malia.

Se há uma coisa que aprendi na vida é o poder de usar a própria voz. Sempre tentei dizer a verdade e trazer à luz as histórias de pessoas que são muitas vezes postas de lado.

Em 2015, minha família se juntou ao congressista John Lewis e outros ícones do movimento pelos direitos civis para comemorar o 50º aniversário da passeata pela Ponte Edmund Pettus em Selma, no Alabama. Esse dia me relembrou o quanto nosso país progrediu — e quanto ainda precisamos avançar.

da 7436 South Euclid Avenue para um apartamento bonito com um grande corredor central em Hyde Park. O assoalho era de madeira maciça e havia uma lareira revestida de azulejos. O lugar era uma nova base de lançamento para a nossa vida. Incentivada por Barack, resolvi me arriscar e troquei outra vez de emprego, me despedindo de Valerie e Susan na prefeitura para conhecer, depois de tanto tempo, o tipo de trabalho em empresas sem fins lucrativos que sempre me despertara a curiosidade, encontrando uma função de chefia que me daria oportunidade de crescer. Eu ainda não havia resolvido muitas coisas na minha vida — ainda não sabia como ser Mary e Marian ao mesmo tempo —, mas, por ora, todas essas questões mais profundas foram parar no fundo da minha mente, onde ficariam latentes e dormentes por um tempo. Qualquer preocupação podia esperar, pensei, pois agora éramos um *nós*, e éramos felizes. E sermos felizes parecia um bom ponto de partida para tudo.

13

Meu novo emprego me deixou nervosa. Eu tinha sido contratada como diretora executiva da nova divisão de Chicago de uma recém-criada organização chamada Public Allies. Era uma espécie de start-up dentro de uma start-up, e numa área em que eu não tinha nenhuma experiência profissional. A Public Allies fora fundada apenas um ano antes, em Washington, DC, por Vanessa Kirsch e Katrina Browne, que tinham acabado de sair da faculdade e queriam ajudar outras pessoas a encontrarem o próprio caminho em carreiras no serviço público e em trabalhos sem fins lucrativos. Barack conhecera as duas numa conferência e passara a fazer parte do conselho administrativo, sugerindo, depois de um tempo, que elas entrassem em contato comigo para preencher a vaga.

O modelo era parecido com o da Teach for America, que, por sua vez, era relativamente novo na época: a Public Allies recrutava jovens talentosos, fornecia-lhes treinamento intensivo e mentoria comprometida e por fim os encaminhava para estágios remunerados de dez meses em organizações comunitárias e agências públicas, na esperança de que se saíssem bem e oferecessem uma contribuição significativa. O objetivo geral era que essas oportunidades dessem aos recrutados experiência e motivação para continuarem trabalhando em entidades sem fins lucrativos ou no setor público nos anos seguintes, ajudando a formar uma nova geração de líderes comunitários.

Para mim, a ideia parecia ótima. Eu ainda me lembrava de que, no último ano em Princeton, muitos de nós nos inscrevemos para os testes de admissão na faculdade de direito ou de medicina ou marcamos entrevistas para programas de treinamento em empresas sem sequer pensar (pelo menos no meu caso) — ou talvez nem sequer perceber — que havia uma infinidade de opções profissionais com espírito mais cívico. A Public Allies pretendia corrigir essa situação, ampliando o horizonte dos jovens que estavam pensando na carreira. O que mais me agradou no projeto, porém, foi que as fundadoras estavam menos interessadas em jogar estudantes da Ivy League em comunidades urbanas e mais em encontrar e cultivar talentos que já estivessem ali. Não era necessário ter diploma universitário para ser um membro. Bastava um diploma de ensino médio ou equivalente, ter de dezessete a trinta anos e mostrar certa capacidade de liderança, mesmo que, a essa altura da vida, ela ainda não tivesse se revelado.

A Public Allies se dedicava ao que era promissor — encontrar, estimular e utilizar talentos promissores. O imperativo era procurar jovens cujas melhores qualidades poderiam passar despercebidas e lhes dar uma chance de fazerem algo significativo. Para mim, esse trabalho parecia quase uma obra do destino. Depois de todos os momentos que passei na minha sala da Sidley, à janela do 47º andar, olhando pensativa para o South Side, finalmente tinha recebido a chance de fazer o que sabia. Eu percebia quantas promessas jaziam ocultas, jamais descobertas, em bairros como o meu, e tinha certeza de que saberia encontrá-las.

Enquanto refletia sobre o novo emprego, muitas vezes eu pensava na minha infância, em especial no mês — ou pouco mais de um mês — que passei naquele pandemônio da turma do segundo ano na Escola Primária Bryn Mawr, com lápis voando de um lado para outro, até que minha mãe me tirou de lá. Na hora, a única coisa que senti foi alívio pela sorte que tive. Mas, desde então, à medida que minha sorte parecia virar uma bola de neve, passei a pensar mais e mais nas vinte e poucas crianças que tinham ido parar naquela sala de aula, presas com uma professora displicente e desmotivada. Eu sabia que não era mais inteligente do que ninguém da turma. Tinha apenas a vantagem de contar com uma protetora. Já adulta, eu pensava nisso com mais frequência, sobretudo quando as pessoas me cumprimentavam pelas minhas realizações, como se não houvesse nisso tudo uma estranha e cruel aleatoriedade. Aquelas crianças do segundo ano tinham perdido um ano inteiro de aprendizado, e não por culpa delas. A essa altura, eu já tinha visto o suficiente para entender a rapidez com que pequenos déficits também podem virar uma bola de neve.

Em Washington, DC, as fundadoras da Public Allies haviam montado uma turma de novatos, com quinze membros trabalhando em várias entidades da cidade. Também haviam arrecadado fundos para criar uma divisão em Chicago, vindo a ser uma das primeiras organizações a receber subsídios federais por meio do programa de serviços AmeriCorps, criado durante o governo Clinton. Foi nesse contexto que comecei, entusiasmada e igualmente nervosa. Ao negociar o contrato de trabalho, porém, tive uma revelação que deveria ser óbvia quanto ao serviço sem fins lucrativos: não é pago. De início me ofereceram um salário tão pequeno, tão abaixo do que eu recebia na prefeitura de Chicago — que já era metade do que ganhava como advogada —, que literalmente não pude me dar ao luxo de aceitar. Isso levou a uma segunda revelação sobre certas organizações sem fins lucrativos, sobretudo start-ups dirigidas por jovens como os da Public Allies, e sobre muitas pessoas generosas e incansavelmente combativas que trabalham nelas: ao contrário de mim, parecia que elas realmente podiam se dar ao luxo de estar ali, com sua virtude discretamente alicerçada no privilégio, quer esse privilégio consistisse em não terem empréstimos estudantis a quitar ou talvez em uma herança que um dia receberiam, por isso não precisavam se preocupar em poupar para o futuro.

Ficou claro que, se eu quisesse participar do grupo, teria de negociar a minha entrada, pedindo exatamente o salário de que precisava para sobreviver, um valor bem maior do que a Public Allies pensava em pagar. A minha realidade era essa, só isso. Não podia me sentir envergonhada ou constrangida por causa das necessidades que tinha. Além dos meus gastos fixos, eu precisava pagar cerca de seiscentos dólares por mês de dívida estudantil e era casada com um homem que tinha seu próprio empréstimo estudantil a quitar. As lideranças da organização quase não acreditaram quando contei o valor que tive de pegar emprestado para fazer a faculdade e o quanto isso resultava em termos de gasto mensal, mas foram bravamente à luta e obtiveram um novo subsídio que me permitiu ingressar na entidade.

E, com isso, eu me pus à toda, ansiosa para aproveitar a oportunidade recebida. Era minha primeira chance real de construir algo basicamente do zero: o sucesso ou o fracasso dependia quase exclusivamente dos meus esforços, não dos do meu chefe ou de outra pessoa. Passei a primavera de 1993 trabalhando feito louca para montar um escritório e contratar uma pequena equipe para que tudo estivesse pronto quando chegasse o outono. Encontramos um escritório em conta num prédio da Michigan Avenue e conseguimos a doação de um lote de mesas e cadeiras usadas, oferecido por uma firma de consultoria empresarial que estava redecorando os escritórios.

Enquanto isso, recorri a praticamente todas as conexões que Barack e eu tínhamos em Chicago atrás de doadores e pessoas capazes de nos assegurar verbas de mais longo prazo, isso sem falar em todos os que eram do serviço público dispostos a receber no ano seguinte um membro da Public Allies nos seus setores. Valerie Jarrett me ajudou a encontrar colocações no gabinete do prefeito e na Secretaria Municipal de Saúde, onde os membros trabalhariam num projeto de vacinação infantil nos bairros. Barack acionou sua rede de organizadores comunitários para nos auxiliar com assistência jurídica, defesa de direitos e oportunidades de ensino. Vários associados da Sidley doaram dinheiro e ajudaram me apresentando a doadores importantes.

A parte mais empolgante para mim era recrutar membros. Com a ajuda da organização nacional, afixamos anúncios aos interessados nos campi universitários de todo o país, ao mesmo tempo procurando talentos mais próximos dali. Minha equipe e eu fomos visitar faculdades comunitárias e algumas das grandes escolas de ensino médio em Chicago. Batemos de porta em porta no conjunto habitacional Cabrini-Green, fomos a reuniões comunitárias, examinamos programas que trabalhavam com mães solteiras. Abordávamos todos os que encontrávamos, de pastores a professores ao gerente do McDonald's do bairro, pedindo que indicassem os jovens mais interessantes que conheciam. Quem eram os líderes? Quem estava preparado para algo maior do que já tinha? Essas eram as pessoas que queríamos incentivar a se inscreverem, insistindo que esquecessem por um minuto todos os obstáculos que normalmente impossibilitavam tais coisas e prometendo que, como organização, faríamos o possível — fosse fornecer a passagem de ônibus ou uma quantia para pagar alguém que ficasse com as crianças — para ajudar a cobrir suas necessidades.

No outono, tínhamos uma legião de 27 membros trabalhando em toda a Chicago, fazendo estágios por toda parte, da prefeitura a uma agência de assistência comunitária no South Side e à Latino Youth, uma escola alternativa de ensino médio em Pilsen. Os membros formavam um grupo eclético e animado, cheio de idealismo e aspirações, representando uma ampla gama de históricos pessoais. Entre eles tínhamos um ex-integrante de quadrilha, uma latina que crescera na zona sudoeste de Chicago e fora para Harvard, uma jovem que morava no conjunto habitacional Robert Taylor Homes, criava um filho e ao mesmo tempo tentava economizar para a faculdade, e um rapaz de 26 anos do Grand Boulevard que largara o ensino médio, mas continuara estudando sozinho com livros da biblioteca e depois voltara para tirar o diploma.

Toda sexta-feira, o grupo inteiro da Public Allies se reunia num dos escritórios que abrigavam nossa agência e passavam o dia inteiro apresentando relatórios e avaliações, estabelecendo contato e passando por uma série de oficinas de desenvolvimento profissional. Eu adorava esses dias, mais do que qualquer outra coisa. Adorava o barulho dos membros chegando, largando as mochilas no canto e tirando camadas e camadas de roupas de frio enquanto se sentavam em círculo. Adorava ajudá-los a resolver suas dúvidas, fosse para lidar com Excel, saber como se vestir para um emprego de escritório ou encontrar coragem para expor suas ideias numa sala cheia de gente mais instruída e confiante. Às vezes eu precisava dar um toque não muito simpático a um membro. Se ficasse sabendo que um deles chegava atrasado para trabalhar ou não estava levando as obrigações a sério, não hesitava em deixar bem claro que esperávamos mais. Quando um membro da Public Allies se irritava com a falta de organização das reuniões comunitárias ou com clientes problemáticos em sua agência, eu recomendava que não perdesse a perspectiva, lembrando-o de que, comparativamente, ele era um sortudo.

Mas, acima de tudo, festejávamos cada novo aprendizado ou avanço. E eram muitos. Nem todos os membros continuavam trabalhando no setor público ou sem fins lucrativos, e nem todos venciam os obstáculos comuns a quem parte de um meio menos privilegiado, mas com o tempo fiquei surpresa ao ver quantos recrutas nossos realmente se deram bem e se dedicaram a servir no longo prazo a um bem público maior. Alguns passaram a integrar a própria equipe da Public Allies; outros agora são até chefes de agências do governo e de organizações nacionais sem fins lucrativos. Vinte e cinco anos depois de sua criação, a Public Allies continua forte, com divisões em Chicago e mais de vinte outras cidades e com milhares de ex-participantes por todo o país.

Saber que desempenhei um pequeno papel nisso, ajudando a criar algo que permanece firme até hoje, é uma das sensações mais gratificantes da minha vida profissional.

Eu zelava pela Public Allies com o orgulho exausto da mãe que acaba de ter um filho. Todas as noites ia dormir pensando no que ainda precisava ser feito e todas as manhãs acordava com a lista mental pronta, com as tarefas do dia, da semana e do mês. Depois de formar nossa primeira turma de 27 membros na primavera, recebemos uma nova turma de quarenta no outono e continuamos crescendo. Olhando para trás, penso nesse emprego como o melhor que já tive, por me sentir maravilhosamente envolvida enquanto trabalhava e ver como cada pequena vitória — fosse encontrar uma boa colocação para um falante nativo de espanhol ou afastar os receios de alguém em trabalhar num bairro desconhecido — precisava ser conquistada a duras penas.

De fato, foi a primeira vez na vida que me senti fazendo algo imediatamente significativo, exercendo uma influência direta na vida de outras pessoas e, ao mesmo tempo, me mantendo ligada à minha cidade e à minha cultura. E isso também me permitiu entender melhor como Barack se sentia ao trabalhar como organizador comunitário ou no Projeto VOTE!, absorto na prioridade da luta para progredir — o único tipo de luta que Barack amava, o tipo que sempre amou e sempre amará —, sabendo que isso pode drenar suas energias ao mesmo tempo que oferece tudo aquilo de que é preciso na vida.

Enquanto eu me dedicava à Public Allies, Barack se estabelecera num período de relativa calma e previsibilidade — pelo menos para seus critérios. Estava dando aulas sobre racismo e legislação na Faculdade de Direito da Universidade de Chicago e trabalhando de dia no escritório de advocacia, sobretudo em casos envolvendo direitos de voto e discriminação no emprego. Às vezes ainda coordenava oficinas de organização comunitária, e conduziu umas duas sessões das sextas-feiras com minha turma na Public Allies. Por fora, parecia a vida ideal para um intelectual de espírito cívico na casa dos trinta anos que simplesmente abrira mão de várias opções mais lucrativas e prestigiosas em favor dos princípios. Foi o que ele fez, a meu ver. Encontrara um ótimo equilíbrio. Era advogado, professor e organizador. E logo também seria um autor com obra publicada.

Depois de voltar de Bali, Barack passou mais de um ano escrevendo uma segunda versão do livro nas horas em que não estava em um dos empregos. Trabalhava até tarde da noite num quartinho que havíamos transformado numa saleta de estudos, nos fundos do apartamento — um bunker lotado e abarrotado de livros ao qual dei o apelido carinhoso de Toca. Às vezes eu entrava lá e passava por cima das pilhas de papel para me sentar no divã na frente da sua cadeira enquanto ele trabalhava, tentando laçá-lo com uma brincadeira e um sorriso, atraí-lo dos campos distantes por onde galopava. Ele aceitava bem as minhas intromissões, desde que eu não demorasse muito.

Com o tempo entendi que Barack é o tipo de pessoa que precisa de uma toca, de um lugarzinho fechado onde possa ler e escrever sem ser incomodado. O tempo que passa ali parece renovar suas energias. Respeitando isso, criamos uma toca em todas as casas em que moramos — qualquer canto tranquilo serve. Até hoje, quando alugamos uma casa no Havaí ou em Martha's Vineyard, a primeira coisa que ele faz quando chegamos é procurar um cômodo vazio que sirva como toca de férias. Lá pode ficar mudando de um livro para outro, entre os seis ou sete que lê ao mesmo tempo, e largar os jornais no chão. Para ele, a Toca é uma espécie de templo sagrado, onde concebe as ideias e é visitado pela clareza. Para mim, é uma bagunça e uma desordem só. Sempre exigi que a Toca, onde quer que fique, tenha uma porta para que eu possa deixá-la fechada. Por motivos óbvios.

Em meados de 1995, *A origem dos meus sonhos* foi finalmente publicado. Teve boas resenhas, porém as vendas foram modestas. Sem problema. O importante era que Barack tinha conseguido processar a história da sua vida, juntado as peças avulsas de sua identidade afro-kansas-indonésio-havaiano--chicagoana, e utilizado a escrita para alcançar uma espécie de totalidade própria. Fiquei orgulhosa. Ao longo da narrativa, ele fez como que as pazes literárias com o fantasma do pai. Claro que foi um trabalho unilateral, Barack sozinho procurando preencher todas as lacunas e entender todos os mistérios que Obama pai criara. Mas, em todo caso, isso também condizia com a sua maneira de fazer as coisas. Desde menino, pelo que entendi, ele sempre procurou fazer tudo por conta própria.

Terminado o livro, havia um novo espaço vazio na vida dele, e — também condizendo com quem ele sempre foi — Barack se sentiu obrigado a preenchê-lo imediatamente. No lado pessoal, tinha de lidar com uma notícia penosa: a mãe, Ann, fora diagnosticada com câncer no ovário e viajara de Jacarta para Honolulu para se tratar. Pelo que sabíamos, ela estava recebendo um bom atendimento médico e a quimioterapia parecia dar resultados. Maya e Toot estavam ajudando a cuidar dela no Havaí, e Barack ia visitá-la com frequência. Mas o diagnóstico tinha chegado tarde, com o câncer já avançado, e era difícil saber o que aconteceria. Eu sabia que isso era um enorme peso no espírito de Barack.

Nesse meio-tempo, a política pegava fogo em Chicago. O prefeito Daley fora eleito para o terceiro mandato na primavera de 1995, e todos se preparavam para a eleição de 1996, na qual Illinois iria escolher um novo senador e o presidente Clinton tentaria a reeleição. Rolava o escândalo de um congressista federal investigado por crimes sexuais, o que abria espaço para um novo concorrente dos democratas no Segundo Distrito do estado, que incluía grande parte do South Side. Uma senadora estadual muito popular chamada Alice Palmer, que representava Hyde Park e o South Shore e que Barack conhecera quando trabalhava no Projeto VOTE!, começava a dizer em particular que pretendia concorrer à vaga. Com isso, por sua vez, seu assento no Senado estadual ficaria vago, abrindo a possibilidade de Barack concorrer a ele.

Ele estaria interessado? Iria concorrer?

Na época, eu não tinha como saber, mas essas perguntas dominariam os dez anos seguintes da nossa vida, pulsando como um tambor que soava por trás de quase tudo o que fazíamos. *Ele teria interesse? Seria capaz? Iria concorrer? Deveria?* Mas, antes dessas perguntas, sempre vinha outra, que o próprio Barack fazia e que era preliminar e supostamente mais importante quando se tratava de concorrer a qualquer cargo. A primeira vez que ele fez a pergunta foi no dia em que me falou de Alice Palmer, do assento vago e da ideia de que talvez pudesse ser não só advogado/professor/organizador/autor, mas tudo isso e também senador estadual: "O que você acha, Miche?".

Para mim, nunca foi muito difícil responder. Eu não achava uma boa ideia concorrer às eleições. Meu raciocínio podia variar ligeiramente a cada vez que a pergunta ressurgia, mas minha posição geral se mantinha, como uma sequoia enraizada no solo, embora qualquer um possa ver que nunca adiantou absolutamente nada.

No caso do Senado de Illinois em 1996, meu raciocínio foi o seguinte: eu não gostava muito de políticos, portanto não me agradava a ideia de meu marido se tornar um. Grande parte do que eu sabia sobre a política estadual vinha do que lia nos jornais, e nada daquilo me parecia positivo ou produtivo. Minha amizade com Santita Jackson me criara a impressão de que os políticos tinham de passar muito tempo longe de casa. Os legisladores me pareciam, em geral, praticamente tartarugas de casco duro, lentas e cheias de interesses próprios. Para mim, Barack tinha seriedade e projetos corajosos demais para conviver com aquele rancor improdutivo e persistente que permeava o Senado estadual, que ficava em Springfield, num edifício encimado por uma cúpula.

No fundo, eu simplesmente achava que uma boa pessoa tinha maneiras melhores de exercer algum impacto. Para ser muito sincera, achava que o comeriam vivo.

Mas no fundo da minha mente um argumento contrário já começava a se formar. Se Barack se julgava capaz de fazer algo na política, quem era eu para atrapalhar? Quem era eu para frear a ideia antes mesmo de ele sequer tentar? Afinal, ele foi o único que me incentivou quando eu quis deixar a carreira jurídica, que me apoiou ao ir para a prefeitura — mesmo se preocupando —, e que agora trabalhava em vários empregos, em parte para compensar a redução salarial que tive ao fazer o bem em tempo integral na Public Allies. Nos nossos seis anos juntos, ele nunca duvidou, nem uma única vez, dos meus instintos ou das minhas capacidades. O refrão foi sempre o mesmo: *Não se preocupe. Você é capaz. A gente dá um jeito.*

E assim dei minha aprovação à sua primeira candidatura a um cargo eletivo, recheando-a com um pouco de cautela de esposa. "Acho que você vai se frustrar", alertei. "Se você se eleger, vai ir até lá e não vai conseguir realizar nada, por mais que se esforce. Você vai enlouquecer."

"Pode ser", respondeu ele dando de ombros, com ar confuso. "Mas pode ser que eu consiga fazer algo de bom. Quem sabe?"

"Verdade", falei. Foi minha vez de encolher os ombros. Não cabia a mim interferir no otimismo dele. "Quem sabe?"

Não é novidade para ninguém, e meu marido de fato virou político. Era uma pessoa boa que queria fazer a diferença no mundo e, apesar do meu ceticismo, decidiu que esta era a melhor maneira. Tal é a natureza da sua fé.

Barack foi eleito para o Senado de Illinois em novembro de 1996 e prestou o juramento do cargo dois meses depois, no começo do ano seguinte. Para minha surpresa, gostei de acompanhar o desenrolar da campanha. Eu tinha ajudado a coletar assinaturas para a candidatura dele, passando os sábados batendo à porta dos meus antigos vizinhos, ouvindo o que os moradores tinham a dizer sobre o estado e o governo, tudo o que achavam que precisava ser corrigido. Isso me fazia lembrar os fins de semana da época em que eu era criança, acompanhando meu pai enquanto ele subia os degraus de todas aquelas varandas e cumpria suas obrigações de delegado distrital do Partido Democrata. Afora isso, eu não era muito necessária, o que vinha a calhar. Podia tratar a campanha como um passatempo, participando quando conveniente, entretendo-me um pouco e então voltando ao meu trabalho.

A mãe de Barack faleceu em Honolulu logo depois que ele anunciou a candidatura. Ela definhou tão depressa que ele nem conseguiu ir se despedir. Ficou arrasado. Tinha sido Ann Dunham quem o apresentara às maravilhas da literatura e ao poder de um argumento bem fundamentado. Sem ela, Barack não teria conhecido as chuvas torrenciais das monções em Jacarta nem os templos aquáticos em Bali. Talvez nunca tivesse aprendido a gostar da facilidade e da emoção de ir rapidamente de um continente para outro ou a aceitar o desconhecido. Ann era uma exploradora, uma intrépida seguidora do que ditava seu coração. Eu via esse espírito em Barack, tanto nas pequenas quanto nas grandes coisas. A dor da perda se cravou como uma lâmina em nós dois, ao lado da lâmina cravada quando perdemos meu pai.

Agora que era inverno e o ano legislativo se iniciara, passávamos boa parte da semana separados. Nas segundas-feiras à noite, Barack dirigia por quatro horas até Springfield e ficava num hotel barato onde também se hospedavam muitos outros legisladores. Geralmente voltava às quintas-feiras, tarde da noite. Dispunha de uma saleta no edifício do Senado e de um assistente em meio período em Chicago. Barack voltou a reduzir o expediente no escritório de advocacia, mas, para saldar nossas dívidas, tinha aumentado a carga horária na faculdade de direito, marcando as aulas para os dias em que não estava em Springfield e dando mais cursos quando o ano no Senado se encerrava. Quando estava fora, conversávamos todas as noites pelo telefone, trocando impressões e contando como tinha sido nosso dia. Nas sextas, com ele de volta a Chicago, tínhamos um encontro fixo marcado à noite, geralmente num restaurante chamado Zinfandel, no centro, depois do fim dos nossos expedientes.

Hoje relembro essas noites com enorme ternura pela meia-luz aconchegante do restaurante e por como se tornara previsível o fato de eu ser sempre a primeira a chegar, nunca deixando de lado a pontualidade. Eu esperava Barack e, como era o último dia útil da semana, não me incomodava se ele se atrasasse, até porque a essa altura já tinha me acostumado. Sabia que alguma hora ele chegaria e que o meu coração, como sempre, iria disparar ao vê-lo entrar, entregar o sobretudo à recepcionista e caminhar entre as mesas, abrindo um grande sorriso ao finalmente me ver. Então ele me beijava, tirava o paletó, colocava-o nas costas da cadeira e se sentava. *O meu marido.* Eu gostava da rotina. Quase todas as sextas, pedíamos a mesma coisa — carne ensopada, couve-de-bruxelas e purê de batatas; quando chegava, limpávamos o prato.

Foi uma época de ouro para nós, para o equilíbrio do casamento, ele com os seus objetivos e eu com os meus. Numa única semana, no começo do mandato em Springfield, Barack apresentara dezessete projetos de lei — provavelmente um recorde e, no mínimo, uma amostra de sua vontade de realizar. Alguns foram aprovados, mas a maioria logo ficou obstruída na Câmara — que era controlada pelos republicanos —, derrotada pelo partidarismo e por um cinismo que se passava por praticidade entre seus novos colegas. Naqueles primeiros meses vi, tal como havia previsto, que a política seria uma briga, e uma briga exaustiva, com concessões e traições, com conchavos e maracutaias às vezes muito penosos. Mas, da mesma forma, vi que a previsão de Barack também estava correta. Ele era estranhamente talhado para as disputas do legislativo, mantendo a calma no olho do furacão, acostumado a ser alguém de fora, encarando as derrotas com sua serenidade havaiana. Continuava esperançoso, insistentemente esperançoso, convicto de que um dia, de alguma forma, sua visão prevaleceria, pelo menos em parte. Ele já estava ficando exaurido, mas não se incomodava. Realmente parecia feito para aquilo, como uma panela velha de cobre, amassada, mas sempre reluzente.

Eu também estava em plena transição. Aceitara um novo emprego, me surpreendendo com a decisão de deixar a Public Allies, a organização que com tanto zelo ajudara a crescer. Durante três anos, eu me dedicara a ela com entusiasmo, assumindo a responsabilidade por todas as tarefas operacionais, da maior à menor, a até mesmo a reabastecer o papel da fotocopiadora. Como a Public Allies prosperava e sua longevidade estava praticamente garantida por vários anos graças a verbas federais e ao apoio de fundações, senti que poderia sair com a consciência tranquila. E assim, no outono de 1996, uma nova oportunidade surgiu quase do nada. Art Sussman, o advogado da Universidade de Chicago com quem eu me reunira anos antes, telefonou para me informar de uma vaga que acabavam de criar.

A universidade estava procurando um sub-reitor que se concentrasse nas relações comunitárias, se comprometendo a melhorar a integração entre instituição e município, sobretudo com as áreas do South Side ao redor do campus, inclusive com a criação de um programa de atendimento comunitário para encaminhar os estudantes a oportunidades de trabalho voluntário nos bairros. Assim como o cargo na Public Allies, nesse novo trabalho eu lidaria com uma realidade que conhecia pessoalmente. Como havia dito anos antes a Art, a Universidade de Chicago sempre me parecera menos acessível e interessada em mim do que as sofisticadas faculdades da Costa Leste que acabei frequentando: um local que virava as costas para a sua vizinhança. A chance de tentar diminuir essas barreiras — de ter mais estudantes envolvidos com o município e mais moradores envolvidos com a universidade — me parecia inspiradora.

Fora a inspiração, outras razões me levaram a fazer essa transição. A universidade oferecia o tipo de estabilidade institucional que uma organização sem fins lucrativos ainda recente não era capaz de oferecer. O salário era melhor, a jornada de trabalho mais razoável, e outras pessoas manteriam a copiadora abastecida de papel e consertariam a impressora a laser quando quebrasse. Eu estava com 32 anos e começando a refletir mais sobre que tipo de fardo queria carregar. Em nossos encontros no Zinfandel, muitas vezes Barack e eu retomávamos a conversa que, de uma ou outra forma, mantínhamos por anos — como e onde cada um de nós poderia exercer impacto, fazer a diferença, qual seria a melhor maneira de empregar nosso tempo e nossas energias.

Algumas velhas questões — quem eu era, o que queria ser na vida — começavam a reaflorar em mim e a ocupar o primeiro plano na minha mente. Eu aceitara o novo emprego em parte para criar um pouco mais de espaço na nossa vida e também porque o plano de saúde era melhor do que tudo o que eu já havia tido. E isso viria a ser fundamental. Enquanto Barack e eu estávamos sentados frente a frente, com as mãos dadas sobre a mesa à luz de velas em mais uma sexta à noite no Zinfandel — depois de acabarmos com o ensopado de carne e aguardando a sobremesa —, um grande senão rondava nossa felicidade. Estávamos tentando engravidar e não estava dando certo.

É claro que nem duas pessoas muito engajadas e decididas, unidas por um profundo amor e uma vigorosa ética do trabalho, conseguem uma gravidez apenas com força da vontade. A fertilidade não é algo que se conquiste. É exasperador, pois não há uma linha reta que vá do esforço à recompensa. Para nós, era decepcionante e igualmente surpreendente. Por mais que tentássemos, a gravidez não acontecia. Por um tempo, disse a mim mesma que era apenas uma questão de sincronia, devido às idas e vindas de Barack a Springfield. Nossas tentativas de conceber aconteciam não de acordo com importantes marcadores hormonais mensais, mas com o cronograma legislativo de Illinois. Isso, pensei, era uma questão que poderíamos tentar corrigir.

Mas nossos ajustes não funcionaram, mesmo Barack dirigindo apressado na estrada depois de uma votação tardia para chegar no período da minha ovulação, nem quando o Senado entrou no recesso de meio de ano e ele ficou em casa, disponível em tempo integral. Depois de muitos anos de cuidadosas precauções para evitar a gravidez, eu estava especialmente empenhada em tentar o contrário. Para mim era como uma missão. Certo dia um teste de gravidez apresentou resultado positivo, e isso nos fez esquecer todas as inquietações e ficar em êxtase, mas uns quinze dias depois tive um aborto espontâneo, que não só me causou desconforto físico como enterrou todo o nosso otimismo. Ao ver as mulheres andando alegremente com as suas crianças pela rua, eu sentia um forte desejo, seguido por uma sensação brutal de inadequação. O único consolo era que morávamos a apenas uma quadra de distância de Craig e sua esposa, que agora tinham duas lindas crianças, Leslie e Avery. Eu sentia conforto em brincar e ler histórias para elas.

Se eu fizesse uma lista com as coisas que só nos contam quando estamos no meio delas, começaria com os abortos espontâneos. Um aborto espontâneo é algo solitário, doloroso e desmoralizante quase em nível celular. Quando acontece, é muito provável que a gente sinta como uma falha pessoal, e não é.

Ou como uma tragédia, o que, por pior que seja no momento, também não é. O que ninguém nos conta é que os abortos espontâneos acontecem o tempo todo, com muito mais mulheres do que jamais imaginaríamos, porque se trata de um assunto que nunca é tratado em público. Só soube disso depois que contei a algumas amigas, e elas me envolveram em afeto e apoio, e também me contaram os próprios abortos espontâneos que tinham sofrido. Minha dor não cessou, mas, ao revelarem os seus dramas pessoais, elas me acalmaram durante o meu drama, me ajudando a entender que aquilo não passava de um vacilo biológico normal, um óvulo fecundado que, por alguma razão provavelmente muito boa, precisara abandonar o barco.

Uma dessas amigas me encaminhou a um médico especialista em reprodução a quem ela e o marido haviam recorrido. Barack e eu fomos fazer os exames e depois, na conversa com o médico, nos foi dito que não apresentávamos nenhum problema perceptível. O mistério de não conseguirmos engravidar continuaria um mistério. Ele sugeriu que eu tentasse tomar Clomid, medicamento que estimula a produção de óvulos, durante uns dois meses. Não funcionou, então ele recomendou que recorrêssemos à fertilização in vitro. Nossa imensa sorte foi que o meu plano de saúde da universidade cobria grande parte das despesas desse procedimento.

Era como comprar um bilhete de loteria de prêmio altíssimo, mas com o envolvimento da ciência. Quando os procedimentos médicos preliminares terminaram, infelizmente o recesso tinha acabado e o Senado estadual retomara os trabalhos, levando o meu querido e atencioso marido e me deixando basicamente sozinha para levar meu sistema reprodutor à eficiência máxima. Isso incluía um regime de injeções diárias que eu tinha de aplicar em mim mesma durante várias semanas. A programação era ministrar primeiro um medicamento para reprimir os ovários e depois outro para estimulá-los. Em tese, isso os faria produzir uma cascata de óvulos viáveis.

Todo o trabalho e a incerteza da situação me deixavam ansiosa, mas eu queria um bebê. Era uma necessidade que sempre existira. Quando criança, depois de cansar de tanto beijar minhas bonecas de plástico, implorei à minha mãe que tivesse outro bebê, um de verdade, só para mim. Prometi que cuidaria de tudo. Como minha mãe não me deu ouvido, revirei a gaveta de calcinhas dela, procurando suas pílulas anticoncepcionais, imaginando que, se as pegasse, talvez desse resultado. Não deu, claro, mas a questão é que eu esperava por aquilo fazia muito tempo. Eu desejava uma família e Barack também, e agora ali estava eu, sozinha, no banheiro do nosso apartamento, tentando, em nome de todo aquele desejo, reunir coragem para espetar uma seringa na coxa.

Acho que foi aí que senti o primeiro lampejo de ressentimento em relação à política e ao inabalável compromisso de Barack com o trabalho. Ou talvez estivesse apenas sentindo o fardo de ser mulher. Fosse como fosse, ele estava fora e eu estava ali, carregando a responsabilidade. Já percebia que os sacrifícios seriam mais meus do que dele. Nas semanas seguintes, ele continuaria com suas atividades normais, enquanto eu passaria por ultrassons diários para monitorar os óvulos. Não tirariam sangue de Barack. Ele não teria de cancelar todas as reuniões para fazer um exame cervical. Meu marido era extremamente amoroso e dedicado, fazia tudo o que estava ao seu alcance. Leu tudo sobre fertilização in vitro e falava a noite toda sobre isso, mas sua única obrigação concreta era aparecer no consultório do médico e fornecer um pouco de esperma. Depois, se quisesse, podia tomar um martíni. Não era culpa dele, claro, mas tampouco era algo igualitário, e qualquer mulher que vive pelo mantra de que igualdade é importante pode se sentir um pouco confusa. Era eu quem tinha de mudar tudo, de deixar de lado as minhas paixões e sonhos profissionais, para realizar essa parte do nosso sonho. Por um instante, refleti. Eu queria isso? Queria, sim, muito. Assim, ergui a agulha e a finquei na carne.

Cerca de dois meses depois, ouvi um som que apagou todos os traços de ressentimento: um ruído aquoso e sibilante de um coração batendo, captado no ultrassom, emanando da caverna quente que era o meu corpo. Tínhamos engravidado. Era para valer. De repente, a responsabilidade e o sacrifício adquiriram um significado inteiramente diferente, como uma paisagem ganhando novas cores ou a rearrumação de toda a mobília de uma casa, em que agora tudo parecia estar no devido lugar. Agora eu andava com um segredo dentro de mim. Era um privilégio meu, a dádiva de ser mulher. Eu me sentia radiante com a promessa do que trazia em mim.

Eu me senti assim durante a gravidez inteira. Mesmo esgotada com o cansaço do primeiro trimestre, com o trabalho intenso na universidade e com as viagens semanais de Barack à capital do estado. Tínhamos nossa vida exterior, mas agora havia algo interior acontecendo, um bebê, uma menininha crescendo.

(Como Barack é um homem prático e eu sou uma planejadora, era obrigatório descobrirmos o sexo do bebê.) Nós não a víamos, mas ela estava ali, ganhando força e tamanho enquanto o outono se transformava em inverno, e o inverno em primavera. Aquilo que eu sentia antes — a inveja por Barack estar distante do processo — se inverteu completamente. Ele estava de fora, enquanto eu é que vivia o processo. Eu *era* o processo, inseparável daquela vida pequenina que germinava dentro de mim e começava a me dar cotoveladas e a cutucar minha bexiga com os calcanhares. Eu nunca estava sozinha, nunca ficava solitária. Ela estava ali, sempre, enquanto eu pegava o carro e ia para o trabalho, picava as verduras para a salada ou deitava na cama à noite, lendo atentamente pela milésima vez o livro *O que esperar quando você está esperando*.

O verão em Chicago é uma estação especial para mim. Adoro o céu claro até o anoitecer, o lago Michigan cheio de barcos a vela, o calor tão intenso que fica quase impossível lembrar as agruras do inverno: adoro ver quando, no verão, a política se acalma aos poucos e a vida fica mais inclinada à diversão.

Embora no fundo não tivéssemos nenhum controle sobre nada, de certa forma, no fim, foi como se houvéssemos programado tudo com perfeição. Em 4 de julho de 1998, de manhã bem cedinho, senti as primeiras pontadas. Barack e eu demos entrada no hospital da Universidade de Chicago, na companhia da minha mãe e de Maya, que viera do Havaí para estar conosco na semana prevista para o parto. Ainda faltavam algumas horas para o carvão das churrasqueiras começar a arder por toda a cidade e as pessoas estenderem as toalhas na grama à beira do lago, agitando bandeiras e esperando o espetáculo dos fogos de artifício que brilhavam e estouravam por sobre a água em comemoração ao Dia da Independência. De todo modo, não acompanharíamos nada naquele ano, estaríamos envolvidos em um espetáculo totalmente novo. Estávamos pensando na família, e não no país, quando entrou no nosso mundo Malia Ann Obama, um dos dois bebês mais lindos e perfeitos que já nasceram em todos os tempos.

14

A maternidade se tornou a minha motivação. Ditava meus movimentos, minhas decisões, o ritmo dos meus dias. O novo papel de mãe não levou um piscar de olhos, um instante sequer de reflexão, para me absorver totalmente. Sou uma pessoa detalhista, e um bebê não é nada além de um imenso reservatório de detalhes. Barack e eu estudávamos a pequena Malia, absorvíamos o mistério dos seus lábios arredondados, a cabeça coberta por uma penugem escura, o olhar vago, os membros minúsculos se movendo de forma agitada. Dávamos banho nela, colocávamos a fralda e mantínhamos Malia junto ao nosso peito. Nós a observávamos se alimentar, dormir, fazer qualquer barulhinho. Analisávamos o conteúdo de cada fralda como se nos contasse todos os segredos dela.

Ela era uma pessoa minúscula, uma pessoa confiada aos nossos cuidados. A responsabilidade me inebriava, eu estava totalmente cativada por ela. Podia passar uma hora inteira apenas observando sua respiração. Quando há um bebê em casa, o tempo se contrai e se dilata, sem obedecer a regras. Um único dia pode parecer interminável, e de repente seis meses se passaram num piscar de olhos. Barack e eu ríamos com as mudanças que a paternidade e a maternidade haviam causado em nós. Se antes passávamos a hora do jantar esquadrinhando as complexidades do sistema judiciário juvenil, comparando o que eu aprendera na Public Allies com as ideias que ele queria incluir num projeto de lei, agora debatíamos com o mesmo fervor se Malia estava criando muita dependência da chupeta e comparávamos nossos métodos para fazê-la dormir. Como a maioria dos pais de primeira viagem, éramos obsessivos e um pouco maçantes, e nada nos deixava mais felizes. Nas nossas noites de sexta levávamos Malia no carrinho de bebê ao Zinfandel, tentando descobrir como otimizar nossos pedidos para chegar e sair logo, antes de ela ficar agitada demais.

Meses depois do nascimento de Malia, retornei ao trabalho na Universidade de Chicago. Negociei voltar apenas em meio período, imaginando que seria bom para os dois lados — e que eu poderia ser a mulher com uma carreira e a mãe perfeita, alcançando o tão sonhado equilíbrio Mary Tyler Moore/ Marian Robinson. Encontramos uma babá, Glorina Casabal, muito afetuosa e experiente, cerca de dez anos mais velha do que eu. Nascida nas Filipinas, era enfermeira formada e tinha criado dois filhos. Glorina — "Glo" — era uma mulher baixa, dinâmica, de cabelo curto de corte bem prático e óculos de armação dourada, que trocava uma fralda em exatos doze segundos. Era uma profissional supercompetente, com energia para fazer de tudo, e se tornou uma estimada e essencial integrante da nossa família pelos anos seguintes. Sua qualidade mais importante, porém, era o fato de adorar a minha bebê.

O que não percebi — e isso também entra na lista de coisas que geralmente aprendemos tarde demais — foi que um emprego de meio período pode ser uma armadilha, sobretudo quando é para ser uma versão reduzida do emprego que antes era em tempo integral. Pelo menos foi o que aconteceu comigo. Continuei a comparecer a todas as reuniões de antes e continuei lidando com a maioria das mesmas responsabilidades de antes. A única diferença era que agora eu recebia metade do salário e tentava fazer tudo numa jornada de vinte horas semanais. Se uma reunião se prolongava muito, eu acabava saindo esbaforida para conseguir buscar Malia e chegarmos a tempo (Malia curiosa e feliz, eu suada e morrendo de calor) para a aula de música na Wiggleworms, um estúdio musical no North Side. Para mim, era um dilema que desafiava a sanidade mental. Eu morria de culpa quando tinha de atender a ligações de trabalho em casa. E morria com outro tipo de culpa quando me distraía no escritório pensando que Malia talvez fosse alérgica a amendoim. Em tese, o trabalho em meio período me daria mais liberdade, mas na prática me fez sentir como se fizesse tudo pela metade, como se todas as linhas na minha vida tivessem se borrado.

Enquanto isso, Barack parecia não enfrentar nada disso. Poucos meses depois do nascimento de Malia, foi reeleito para mais quatro anos no Senado estadual, vencendo com 89% dos votos. Tinha sucesso e popularidade, e, como bom malabarista que era, começou também a pensar em coisas maiores — em concorrer ao Congresso nacional, esperando desbancar um democrata chamado Bobby Rush, que estava no quarto mandato. O que eu achava? Era uma boa ideia concorrer ao Congresso? Não, eu achava que não. Parecia improvável que ele ganhasse, pois Rush era conhecido e Barack não era quase ninguém. Mas agora ele estava na política e tinha certa força na seção estadual do Partido Democrata. Dispunha de assessores e apoiadores, alguns dos quais insistiam que ele tentasse. Haviam feito uma pesquisa eleitoral preliminar, que indicava que talvez ele conseguisse ganhar. E uma coisa eu sei sobre o meu marido: se alguém acena com uma oportunidade, algo que lhe dê mais campo de ação, não espere que ele dê as costas. Pois não dará. Nunca.

Na época do Natal de 1999, fomos ao Havaí e levamos Malia, então com quase um ano e meio, para visitar a bisavó Toot, que estava com 77 anos e ocupava o mesmo pequeno apartamento onde morava fazia décadas num arranha-céu. A intenção era fazer uma visita de família — a única época do ano em que Toot poderia ver o neto e a bisneta. O inverno voltara a cobrir Chicago, expulsando o calor do ar e o azul do céu. Estávamos nos sentindo inquietos em casa e no trabalho, então reservamos um modesto quarto de hotel em Waikiki e começamos a contar os dias. O semestre de aulas de Barack na faculdade de direito havia terminado e eu pedi uns dias de licença. Mas aí a política se intrometeu.

O Senado de Illinois estava envolvido numa maratona de debates para definir as cláusulas de um importante projeto de lei de combate ao crime. Em vez de fazer um recesso de fim de ano, entrou em sessão especial para encaminhar o projeto à votação antes do Natal. Barack me ligou de Springfield, dizendo que teríamos de adiar a viagem por uns dias. A notícia não era muito boa, mas eu entendia que não dependia dele. Minha única preocupação era chegarmos lá em algum momento. Não queria que Toot passasse o Natal sozinha e, além disso, Barack e eu precisávamos de uns dias de folga. A ida ao Havaí, eu imaginava, nos afastaria do trabalho e nos daria um respiro.

Barack agora era candidato oficial ao Congresso, o que significava que raramente desligava. Numa entrevista a um jornal local, calculou que, nos seis meses de campanha para o Congresso, passara menos de quatro dias inteiros em casa, comigo e com Malia. Esta era a dura realidade da campanha. Além de suas outras responsabilidades, Barack vivia correndo contra o relógio, lembrando-se incessantemente das horas e dos minutos que lhe restavam antes das primárias de março. A forma de usar cada hora e cada minuto iria, pelo menos em tese, afetar o resultado final. Outra coisa que aprendi foi que, aos olhos dos organizadores de campanha, qualquer hora ou minuto que o candidato passa com a família é visto, acima de tudo, como um desperdício desse tempo valioso.

A essa altura, eu tinha experiência suficiente para não me envolver demais com os altos e baixos da disputa eleitoral. Tinha dado uma aprovação bem apática à decisão de Barack em concorrer, numa atitude do tipo "vamos resolver isso de uma vez então". Pensei que, se ele tentasse e não conseguisse entrar na política nacional, se motivaria a buscar algo totalmente diferente. Num mundo ideal (pelo menos ideal para mim), Barack faria algo como dirigir uma fundação, onde poderia fazer a diferença em questões importantes e conseguiria jantar em casa.

Para meu alívio, fomos para o Havaí no dia 23 de dezembro, depois que o Senado finalmente entrou em recesso para as festas de fim de ano, embora ainda não tivesse chegado a uma resolução final. A praia de Waikiki foi uma revelação para a pequena Malia. Ela andava à beira-mar chutando as ondas e se esbaldando de alegria. Passamos um Natal feliz e tranquilo com Toot, no apartamento dela, abrindo presentes e admirando sua dedicação ao quebra-cabeça de 5 mil peças que estava montando numa mesa de jogo. Como sempre, as águas verdes tranquilas e o entusiasmo do povo de Oahu contribuíram para nos afastar das preocupações do cotidiano e nos deixaram felizes, entregues à sensação de calor na pele e ao prazer em ver a nossa filha se deliciar com absolutamente tudo. As manchetes não paravam de nos lembrar que nos aproximávamos rapidamente do novo milênio e que estávamos num lugar encantador para passar os últimos dias de 1999.

Tudo caminhava bem até Barack receber um telefonema de Illinois com a notícia de que, um tanto abruptamente, o Senado iria retomar as sessões para terminar os trabalhos do projeto de lei de combate ao crime. Se ele quisesse votar, teria cerca de 48 horas para estar em Springfield. Agora era outra corrida contra o relógio. Com o coração apertado, observei Barack entrar em ação, remarcar nossas passagens para o dia seguinte e pôr fim às nossas férias. Tínhamos de ir. Não havia escolha. Eu poderia ter ficado sem ele, com Malia, mas qual seria a graça? A ideia de ir embora não me animava nem um pouco, porém eu entendia, mais uma vez, que política era assim. Tratava-se de uma votação importante — o projeto de lei incluía novas medidas para o controle de armas, que Barack defendera ardorosamente — que havia causado uma grande divisão, a ponto de a ausência de um único senador talvez ser capaz de impedir a aprovação do projeto. Voltaríamos para casa.

Mas então ocorreu algo inesperado. Da noite para o dia, Malia ficou com febre alta. Terminara o dia anterior correndo animada à beira da praia, mas menos de doze horas depois estava mole, abatida, ardendo em febre, com os olhos vidrados e gemendo de dor. Ela ainda era pequena demais para nos dizer algo mais específico. Demos Tylenol, mas não adiantou muito. Ela mexia na orelha, o que me fez imaginar que talvez fosse uma infecção no ouvido. Começamos a entender a realidade daquilo. Sentamos na cama e observamos Malia cair num sono inquieto e agitado. Faltavam poucas horas para o voo de volta. Vi a preocupação tomar conta do rosto de Barack. Ele se debatia, preso nas correntes que o puxavam para obrigações contrárias. A decisão que estávamos prestes a tomar ultrapassava em muito a questão do momento.

"Ela não pode embarcar", disse eu. "Isso está claro."

"Eu sei."

"Vamos ter de trocar as passagens outra vez."

"Eu sei."

O que não comentamos foi que ele poderia simplesmente ir. Podia sair, pegar um táxi até o aeroporto e chegar a Springfield ainda a tempo para votar. Podia deixar a filha doente e a mãe aflita no meio do Pacífico e se juntar aos colegas. Era uma opção. Mas eu não me martirizaria e sugeriria isso. Reconheço que estava vulnerável, mergulhada na incerteza do que se passava com Malia. E se a febre piorasse? E se ela precisasse ir para o hospital? Ao mesmo tempo, havia pelo mundo todo gente mais paranoica do que nós, preparando abrigos nucleares, acumulando dinheiro e garrafas de água, caso as piores previsões do ano 2000 se concretizassem e as redes de energia e comunicação entrassem em pane, por causa dos bugs nas redes de computadores incapazes de registrar o novo milênio. Não ia acontecer, mas mesmo assim... Ele realmente pensava em ir?

Não. Não pensava. Jamais pensaria.

Não ouvi Barack telefonar para o seu assistente legislativo naquele dia, explicando que não estaria presente na votação do projeto de lei. Não me importava. Eu só me concentrava na nossa menina. E, depois de desligar o telefone, ele também. Era o nosso pequeno ser humano. Devíamos tudo a ela, em primeiro lugar.

No fim, o ano 2000 chegou sem maiores incidentes. Depois de alguns dias de descanso e alguns antibióticos, Malia melhorou do que de fato era uma grave infecção no ouvido e voltou ao seu costumeiro entusiasmo. A vida continuava. Sempre continuava. Em outro dia perfeito de céu azul em Honolulu, embarcamos num avião e voltamos para Chicago, para o inverno gelado e o desastre político que se formava para Barack.

No fim das contas, por apenas cinco votos o projeto de lei não fora aprovado no legislativo estadual. Para mim, a conta era simples: mesmo que Barack tivesse voltado do Havaí em tempo, seu voto quase certamente não teria mudado o resultado. Mesmo assim, ele levou uma surra política pela ausência. Seus adversários nas primárias para o Congresso agarraram a oportunidade para pintar Barack como uma espécie de legislador bon vivant que estava de férias — no Havaí, ainda por cima — e não se dignara a interrompê-la para votar algo tão importante quanto o controle de armas.

Poucos meses antes, Bobby Rush, o congressista em exercício, perdera tragicamente um familiar em um episódio de violência armada em Chicago, o que lançava uma luz ainda mais negativa sobre Barack. Ninguém parecia levar em conta que ele era do Havaí, que fora visitar a avó viúva ou que a filha adoecera. A única coisa que interessava era a votação. A imprensa passou semanas insistindo nisso. O editorial do *Chicago Tribune* criticou o grupo de senadores que não votara naquele dia, chamando-os de "um bando de fracotes medrosos". Outro adversário de Barack, um colega do Senado estadual chamado Donne Trotter, também desferiu seus ataques, dizendo a um repórter que "usar a própria filha como desculpa para não ir trabalhar também depõe contra o caráter do indivíduo".

Eu não estava habituada a nada disso. Não estava acostumada a sequer ter adversários, quanto mais a ver minha vida familiar devassada nos noticiários.

Nunca antes eu ouvira questionarem o caráter do meu marido daquela maneira. Doía pensar que uma boa decisão — a decisão correta, a meu ver — parecia sair tão cara. Numa coluna que ele escreveu para uma publicação semanal do nosso bairro, Barack defendeu calmamente sua decisão de ficar comigo e com Malia no Havaí. "Sempre ouvimos os políticos falarem sobre a importância dos valores familiares", escreveu ele. "Espero que vocês entendam quando seu senador estadual procura viver à altura desses valores da melhor maneira que lhe é possível."

Parecia que, pelo capricho de uma dor de ouvido de uma criança, os três anos de trabalho de Barack no Senado estadual haviam praticamente desaparecido. Ele conduzira uma revisão das leis estaduais de financiamento de campanha que levou à adoção de normas éticas mais rigorosas para os representantes eleitos. Lutara por reduções de impostos e aumento de créditos tributários para os trabalhadores de baixa renda e estava empenhado em reduzir os custos dos medicamentos para idosos. Ganhara a confiança de senadores de todo o estado, tanto democratas quanto republicanos. Mas agora nada disso parecia importar. A disputa eleitoral se transformara numa série de golpes baixos.

Desde o começo da campanha, os oponentes de Barack, com os seus respectivos apoiadores, vinham propagando ideias descabidas para criar medo e desconfiança entre os eleitores afro-americanos, sugerindo que Barack fazia parte de um esquema criado pelos moradores brancos de Hyde Park — leia-se, judeus brancos — para alavancar o candidato preferido deles no North Side. "Barack é, em parte, visto como um negro de alma branca na nossa comunidade", disse Donne Trotter ao *Chicago Reader*. Falando à mesma publicação, Bobby Rush afirmou: "Ele frequentou Harvard e se tornou um tolo instruído. Não nos impressionamos com esses caras com diplomas de elite da Costa Leste". Em outras palavras, ele não é um dos nossos. Barack não era um negro de verdade, como eles — alguém que falava daquela maneira, que tinha aquela aparência, que lia todos aqueles livros jamais poderia ser negro de verdade.

O que mais me incomodava era que Barack encarnava tudo o que os pais do South Side diziam querer para os próprios filhos. Ele era tudo o que, durante anos, tinha sido tema dos discursos de Bobby Rush, Jesse Jackson e muitos outros líderes negros: estudara e, em vez de abandonar a comunidade afro-americana, agora procurava servir a ela. Era uma eleição muito disputada, claro, mas Barack estava sendo atacado apenas pelos motivos errados. Eu ficava assombrada ao ver como nossos líderes o tratavam somente como uma ameaça ao poder deles, instigando a desconfiança ao explorar ideias atrasadas e anti-intelectuais sobre etnias e classes.

Aquilo me deixava doente.

Barack, por sua vez, levava mais na esportiva do que eu, pois já tinha visto em Springfield como a política podia ser sórdida e como era frequente distorcerem a verdade para servir a fins políticos. Ferido, mas sem desistir, ele continuou a campanha durante o inverno. Ia e voltava de Springfield todas as semanas e tentava bravamente vencer a tempestade, mesmo quando as doações começaram a minguar e os apoios afluíam mais e mais para Bobby Rush. Com a aproximação das primárias, Malia e eu mal o víamos, embora ele nos telefonasse todos os dias para desejar boa-noite.

Eu me sentia mais grata do que nunca por aqueles poucos dias na praia. Sabia que, no fundo, Barack também. O que nunca se perdia em meio a toda a confusão, em meio a todas aquelas noites que passava longe de nós, era o fato de que ele se importava. Não foi fácil para Barack. Em quase todos os telefonemas, eu percebia uma ponta de angústia em sua voz ao desligar. Era quase como se todos os dias ele fosse obrigado a fazer sua escolha entre família e política, política e família.

Em março, Barack perdeu as primárias dos democratas e Bobby Rush teve uma vitória retumbante.

Enquanto isso, simplesmente continuei abraçando a nossa menina.

E então veio a nossa segunda menina. Natasha Marian Obama nasceu em 10 de junho de 2001, no Centro Médico da Universidade de Chicago, depois de apenas uma tentativa de fertilização in vitro, uma gravidez incrivelmente simples e um parto rápido, enquanto Malia, agora quase com três anos, aguardava em casa com a minha mãe. Nossa nova bebê era linda, parecia uma carneirinha com a cabeça coberta de cabelo escuro e olhos castanhos alertas — a quarta ponta do nosso quadrado. Barack e eu nos sentíamos nas nuvens.

Nossa ideia era chamá-la de Sasha. Tinha escolhido o nome porque achava que tinha um quê de ousado. Uma garota chamada Sasha não toleraria idiotices. Como toda mãe, eu tinha grandes aspirações para nossas filhas, e rezava para que nunca acontecesse nada de ruim com elas. Esperava que crescessem inteligentes e cheias de energia, otimistas como o pai e determinadas como a mãe. Mais que tudo, queria que fossem fortes, tivessem uma resistência de ferro para manterem a cabeça em pé e seguirem em frente ante qualquer circunstância. Eu não sabia o que viria pela frente, como seria nossa vida em família — se iriam bem, mal, ou se, como para a maioria das pessoas, teríamos uma mistura das duas coisas. Minha tarefa era garantir que elas estivessem preparadas.

O trabalho na universidade me deixava esgotada e me obrigava a fazer malabarismos nada perfeitos. Além disso, pesava nas nossas finanças, pois precisávamos que alguém cuidasse das meninas. Depois que Sasha nasceu, fiquei em dúvida se queria sequer voltar ao trabalho, pensando que talvez fosse melhor para a família se eu ficasse em casa em tempo integral. Glo, nossa querida babá, havia recebido uma proposta com remuneração melhor e, relutante, decidira nos deixar. Eu não podia criticá-la, claro, mas sua saída me fez rearrumar tudo no meu coração de mãe que trabalhava fora. A dedicação de Glo à nossa família me permitira manter minha dedicação ao emprego. Ela amava as nossas meninas como se fossem suas próprias filhas. Sabendo como seria difícil equilibrarmos as coisas sem ela, chorei sem parar na noite em que ela nos avisou de sua saída. Eu sabia que já era uma sorte termos recursos para contratá-la. Mas, quando ela saiu, foi como se tivéssemos perdido um braço.

Eu adorava ficar com as minhas filhinhas. Reconhecia o valor de cada minuto e cada hora em casa, principalmente com a agenda tão irregular de Barack. Pensei mais uma vez na decisão da minha mãe, de ficar em casa com Craig e comigo. Claro que eu romantizava indevidamente a vida dela — imaginar que fosse divertido passar Pinho Sol nos peitoris das janelas e fazer todas as nossas roupas em casa —, mas, em comparação à vida que eu vinha levando, parecia interessante e viável, e que valia a pena tentar. Eu gostava da ideia de cuidar de uma coisa só, em vez de duas, de não ficar me dividindo mentalmente entre as narrativas rivais do lar e do trabalho. E realmente parecia possível em termos financeiros. Barack passara de professor adjunto a professor titular na faculdade, o que nos dava direito a um desconto na Escola de Aplicação da universidade, onde Malia logo começaria a pré-escola.

Mas então recebi um telefonema de Susan Sher, minha ex-mentora e colega na prefeitura que agora era advogada geral e vice-presidente do Centro Médico da Universidade de Chicago, onde Sasha nascera pouco tempo antes. O centro estava com um novo presidente, que todo mundo vinha elogiando bastante, e uma das suas prioridades máximas era aumentar o alcance na comunidade. Ele queria contratar um diretor executivo para assuntos comunitários, função que parecia feita quase sob medida para mim. Será que eu estaria interessada em fazer uma entrevista?

Fiquei em dúvida em sequer enviar o currículo. Parecia uma ótima oportunidade, mas eu acabava de me convencer de que, para mim — e para todos nós —, era melhor ficar em casa. Além do mais, eu não estava numa fase de grande glamour, não era uma época em que conseguia me imaginar fazendo escova no cabelo e botando um terninho. Levantava várias vezes à noite para dar de mamar a Sasha, o que deixava meu sono atrasado e, consequentemente, prejudicava minha sanidade mental. Eu ainda tinha mania de organização, mas estava perdendo a batalha. O apartamento vivia com brinquedos, livros infantis e pacotes de fraldas espalhados por todo canto. Qualquer saída exigia um carrinho de bebê gigante, além de uma sacola nada elegante de fraldas e outros itens essenciais: uma porção de cereal, brinquedos e uma muda extra de roupas — para todas.

Mas a maternidade também me trouxe todo um leque de amizades maravilhosas. Eu me conectara a um grupo de mulheres profissionais liberais e formávamos uma espécie de grupo social muito ativo e falante. Estávamos, na maioria, na casa dos trinta e tantos, e tínhamos as mais variadas carreiras — de bancos a serviço público, passando por organizações sem fins lucrativos. Muitas de nós éramos mães ao mesmo tempo. Quanto mais filhos tínhamos, mais próximas ficávamos. Nós nos víamos quase todos os fins de semana. Cuidávamos umas dos filhos das outras, íamos em grupo ao zoológico, comprávamos um lote de entradas para o Disney on Ice. Às vezes, num sábado à tarde, deixávamos o bando de crianças na sala de brinquedos da casa de uma de nós e abríamos uma garrafa de vinho.

Todas essas mulheres eram instruídas, ambiciosas, devotadas aos filhos e, no geral, tão desnorteadas quanto eu na hora de organizar tudo isso ao mesmo tempo. As formas de trabalhar e cuidar dos filhos ao mesmo tempo eram as mais variadas. Algumas trabalhavam em tempo integral, outras em meio período, outras ficavam em casa com as crianças. Algumas deixavam as crianças comerem cachorro-quente e salgadinho; outras só usavam cereais integrais em tudo. Algumas tinham maridos superparticipantes; outras tinham maridos como o meu, sobrecarregados e muitas vezes ausentes. Algumas das minhas amigas eram incrivelmente felizes; outras estavam tentando mudar certas coisas e experimentar outro tipo de equilíbrio. A maioria vivia em estado de constante calibragem, ajustando uma coisa aqui para ter mais estabilidade ali.

As tardes que passamos juntas me ensinaram que não existia receita para a maternidade. Não havia fórmula certa ou errada. Foi muito útil constatar isso. Independentemente de quem vivia assim ou assado, por tal ou tal razão, todas as crianças pequenas naquela sala de brinquedos eram amadas e cresciam bem. Sempre que nos reuníamos, eu sentia a força coletiva de todas aquelas mulheres que procuravam fazer o certo para seus filhos. Sabia que, em qualquer circunstância, uma ajudaria a outra e tudo daria certo.

E foi assim que, depois de conversar longamente com Barack e com minhas amigas, resolvi fazer a entrevista para a vaga no hospital universitário, pelo menos para ver do que se tratava. Minha impressão era de que eu era perfeita para o trabalho. Sabia que era qualificada e sentia grande paixão pela área. Mas, se eu assumisse o trabalho, teria que ser forte, de modo que minha família não fosse prejudicada. Eu daria conta, pensei, se não me sobrecarregassem com reuniões supérfluas e me dessem espaço para administrar meu próprio tempo, trabalhando em casa quando necessário, saindo às pressas do escritório para pegar as crianças ou para uma consulta ao pediatra.

Além disso, eu também não queria mais um trabalho em meio período. Não dava mais. Queria um emprego em período integral, com um salário condizente que nos permitisse cobrir as despesas com babá para as crianças e ajudante para os serviços domésticos; assim, eu poderia deixar o Pinho Sol de lado e passar o tempo livre brincando com as meninas. Até lá, não tentaria esconder a bagunça que era meu dia a dia, desde a bebê que eu ainda amamentava e a garotinha de três anos na pré-escola ao fato de que, com a agenda política totalmente atropelada do meu marido, eu estava no comando de quase todos os aspectos da vida doméstica.

Expus tudo isso de maneira um tanto descarada na entrevista com Michael Riordan, novo presidente do hospital. Inclusive levei Sasha, então com três meses. Não lembro exatamente as circunstâncias, se não consegui encontrar uma baby-sitter no dia ou se nem me dei ao trabalho de procurar. Mas Sasha era muito pequena e ainda precisava muito de mim. Ela fazia parte da minha vida — uma parte fofa, balbuciante, impossível de ignorar —, e algo me obrigava a colocá-la quase literalmente na mesa para a conversa. O que eu estava dizendo era: *Aqui estou eu, e aqui está também minha bebê.*

Pareceu um milagre meu possível chefe se mostrar compreensivo. Se ele teve alguma reserva ao me ouvir explicar por que precisava de um horário flexível e ao mesmo tempo embalar Sasha no colo, torcendo o tempo todo para a fralda não vazar, não a manifestou. Saí da entrevista satisfeita e bastante segura de que me ofereceriam o emprego. Mas, qualquer que fosse o resultado, eu sabia que pelo menos tinha feito algo de bom por mim mesma ao expor minhas necessidades. O mero fato de expô-las em voz alta era empoderador. Voltei para casa com o espírito leve e uma bebê que estava começando a ficar agitada.

A nova matemática da família era a seguinte: tínhamos duas filhas, três empregos, dois carros, um apartamento e zero tempo livre. Aceitei a nova colocação no hospital; Barack continuou lecionando e legislando. Ambos estávamos no conselho diretor de várias organizações sem fins lucrativos e, por mais que lhe afligisse a derrota nas primárias para o Congresso, Barack ainda pensava em tentar um cargo mais elevado. O presidente era George W. Bush. O país sofrera o choque e a tragédia dos ataques terroristas do Onze de Setembro. Havia uma guerra no Afeganistão, um novo sistema de alerta em cores para ameaças nos Estados Unidos, e Osama bin Laden, ao que parecia, estava escondido numa caverna. Barack, como sempre, se inteirava cuidadosamente de todas as notícias, prosseguindo com suas atividades normais enquanto refletia em silêncio sobre tudo aquilo.

Não me lembro exatamente da primeira vez que ele levantou a possibilidade de concorrer ao Senado federal. Ainda era uma ideia incipiente, e uma decisão efetiva estava a muitos meses de distância, mas sem dúvida ela ocupava a mente de Barack. O que lembro é da minha reação, que foi olhar incrédula para ele, como se dissesse: *Você não acha que já estamos ocupados demais?*

Minha aversão à política só aumentava, não tanto pelo que se passava em Springfield ou em Washington, e mais porque, depois de cinco anos como senador estadual, a agenda sobrecarregada de Barack realmente começava a me irritar. Conforme Sasha e Malia cresciam, eu via que o ritmo só acelerava e as listas de tarefas só aumentavam, o que me fazia operar o tempo todo acima do limite. Barack e eu fazíamos o possível para manter a vida das meninas numa rotina calma e administrável. Tínhamos uma babá nova. Malia estava feliz na Escola de Aplicação da Universidade de Chicago, fazendo amizades e preenchendo sua própria agenda com festas de aniversário e aulas de natação no fim de semana. Sasha estava com cerca de um ano de idade, e começava a se equilibrar nos pezinhos, a falar algumas palavras e a nos maravilhar com seus sorrisos radiantes. Era extremamente curiosa e estava decidida a acompanhar Malia e os amiguinhos de quatro anos da irmã mais velha. Meu emprego no hospital ia bem, embora aos poucos eu estivesse descobrindo que a melhor maneira de dar conta dele era me levantando às cinco da manhã e ficando umas duas horas no computador antes que os outros acordassem.

Isso me deixava um pouco acabada à noite e às vezes eu entrava em conflito com meu marido e seus horários de coruja. Nas quintas à noite ele chegava falante de Springfield, querendo mergulhar de cabeça na vida de família para compensar o tempo perdido. Mas agora a questão do tempo era oficialmente um problema para nós. Se antes eu apenas implicava com sua falta de pontualidade, agora isso era motivo de pura e simples irritação. Eu sabia que ele ficava feliz com as quintas-feiras. Percebia o entusiasmo quando ele ligava para avisar que havia terminado o trabalho e finalmente estava voltando para casa. Entendia que tinha as melhores intenções quando dizia "Estou indo!" ou "Quase chegando!". Por algum tempo acreditei nisso. Eu dava banho nas meninas, mas adiava a hora de colocá-las na cama, para poderem dar um abraço no pai. Ou então dava o jantar e as colocava na cama, mas eu não comia. Em vez disso, acendia velas e ficava na expectativa de jantar com Barack.

E esperava. Esperava tanto que Sasha e Malia começavam a fechar os olhos e tinha de carregá-las para a cama. Ou esperava sozinha, com fome, cada vez mais irritada, sentindo as pálpebras pesadas, vendo a cera da vela pingar e formar uma poça na mesa. Estava aprendendo que *Estou indo* era fruto do eterno otimismo de Barack, um sinal da sua vontade de estar em casa, mas que não significava que realmente chegaria. *Quase chegando* não era um indicador geográfico, apenas um estado de espírito. Às vezes ele realmente estava vindo, mas precisava parar para uma última conversa de 45 minutos com um colega antes de entrar no carro. Outras vezes, realmente estava quase chegando, mas se esquecia de mencionar que antes ia dar uma passada rápida na academia.

Antes das meninas, esses aborrecimentos podiam parecer insignificantes, mas, como mãe que trabalhava em tempo integral, levantava antes do amanhecer e tinha um marido em meio período, eu sentia que minha paciência diminuía, até que certa hora simplesmente esgotava. Quando Barack chegava em casa, ou eu já estava furiosa ou já tinha dormido, depois de ter apagado todas as luzes da casa e ido de mau humor para a cama.

Todos nós vivemos de acordo com os paradigmas que conhecemos. Durante a infância de Barack, o pai sumiu e a mãe ia e vinha. Era dedicada, mas nunca se prendeu muito a ele; para Barack, não havia nada de errado nisso. Suas companhias eram os morros, as praias e a si mesmo. A independência era importante no mundo de Barack. Sempre fora e sempre seria. Já eu fora criada num tecido de relações muito estreitas dentro da minha família, no nosso apartamento, no nosso bairro, com avós, tias, tios por todos os lados, todos espremidos à mesma mesa aos domingos para os nossos jantares habituais. Depois de treze anos de amor, Barack e eu precisávamos entender o que isso significava.

Nesse sentido, eu me sentia vulnerável quando ele estava longe. Não que Barack não fosse devotado ao casamento — esta é e sempre foi uma certeza importante na minha vida —, mas porque, tendo crescido numa família em que todos sempre apareciam, eu podia ficar deprimida quando alguém não aparecia. Era propensa a sentir solidão e agora também queria bravamente atender às necessidades das meninas. Queríamos Barack junto de nós. Sentíamos saudade quando ele estava longe. Eu tinha medo de ele não entender como aquilo nos afetava. Temia que o caminho que ele escolhera — e que ainda parecia tão claramente determinado a trilhar — acabaria passando por cima de todas as nossas necessidades. Na primeira vez em que ele me consultara, anos antes, sobre a candidatura ao Senado estadual, éramos apenas nós dois. Eu não fazia ideia do que essa aprovação à política significaria para nós mais tarde, depois de acrescentarmos duas filhas à nossa união. A essa altura, porém, eu sabia o suficiente para entender que a política nunca é especialmente bondosa com as famílias. Já tinha visto no ensino médio, por meio da minha amizade com Santita Jackson, e vi novamente quando os adversários políticos de Barack se aproveitaram de sua decisão de ficar no Havaí, quando Malia adoeceu.

Assistindo ao noticiário ou lendo os jornais, às vezes eu me pegava fitando imagens das pessoas que haviam se entregado à vida política — os Clinton, os

Gore, os Bush, fotos antigas dos Kennedy — e me perguntava sobre a história por trás daquilo. Eram todos normais? Felizes? Aqueles sorrisos eram reais?

Em casa, nossas frustrações começaram a se manifestar com intensidade e frequência. Nós nos amávamos profundamente, mas era como se de repente houvesse um nó impossível de desfazer no centro da relação. Eu estava com 38 anos e tinha visto outros casamentos ruírem, o que me levava a querer proteger o nosso. Amigos e amigas próximas tinham passado por rupturas terríveis, geradas por pequenos problemas que não eram resolvidos ou por falhas de comunicação que acabaram levando a conflitos irreparáveis. Dois ou três anos antes, depois de uma lenta e dolorosa dissolução de seu casamento, Craig voltara a morar temporariamente no apartamento em que crescemos, acima do da nossa mãe.

No início, Barack relutou em recorrermos a uma terapia de casal. Estava acostumado a pensar e raciocinar sozinho sobre problemas complicados. Parecia-lhe desconfortável e até um pouco dramático se sentar diante de um desconhecido. Que tal dar um pulinho até a Borders e comprar uns livros sobre relacionamentos? Não poderíamos conversar sozinhos? Mas eu queria falar e ouvir de verdade, e não tarde da noite ou nas horas em que podíamos ficar com as meninas. Nossos poucos conhecidos que haviam recorrido à terapia de casal e que eram abertos o suficiente para comentarem a respeito diziam que havia ajudado. Assim, marquei uma hora com um psicólogo no centro da cidade, recomendado por um amigo, e Barack e eu fomos vê-lo algumas vezes.

Nosso terapeuta — vamos chamá-lo de dr. Woodchurch — era um homem branco de fala mansa, que frequentara boas universidades e sempre usava calças cáqui. Fui para lá imaginando que ele ouviria o que Barack e eu tínhamos a dizer e imediatamente daria razão a todas as minhas reclamações. Pois todas, a meu ver, todas, sem exceção, eram absolutamente válidas. Arrisco-me a dizer que Barack talvez achasse o mesmo em relação às suas reclamações.

Esta veio a ser para mim a grande revelação sobre a terapia de casal: não houve validação. Ele não tomou partido. Diante das nossas divergências, o dr. Woodchurch nunca seria o voto decisório. Pelo contrário, era um ouvinte paciente e compreensivo, nos conduzindo pelo labirinto dos nossos sentimentos, separando as armas das feridas. Ele nos alertava quando começávamos a falar como advogados e fazia perguntas cuidadosas que nos levavam a refletir sobre as razões de sentirmos o que sentíamos. Aos poucos, depois de horas falando, o nó começou a se desfazer. A cada vez que Barack e eu deixávamos o consultório dele, nos sentíamos um pouco mais conectados.

    Comecei a enxergar que havia outras maneiras de ser mais feliz que não exigiam necessariamente que Barack deixasse a política e aceitasse um emprego de nove às seis em alguma fundação. (No mínimo, nossas sessões de aconselhamento me mostraram que essa era uma expectativa irrealista.) Comecei a ver como eu vinha alimentando minhas partes mais negativas, presa à ideia de que tudo era injusto e, como advogada formada em Harvard, reunindo provas que sustentassem a hipótese. Agora eu tentava uma nova hipótese: era possível ter mais controle sobre a minha felicidade do que eu estava me permitindo ter. Andava tão ocupada me ressentindo com Barack por conseguir, por exemplo, encaixar uma academia na sua agenda que nem me dispunha a refletir sobre como eu mesma poderia passar a ir regularmente. Gastava tanta energia me preocupando se ele chegaria ou não em casa para jantar que os jantares, com ou sem ele, não tinham mais graça.

    Este foi meu ponto central, o momento em que me detive. Como uma alpinista prestes a escorregar de um cume coberto de neve, cravei minha picareta no solo. Isso não significa que Barack não tenha feito seus próprios ajustes — a terapia o ajudou a ver as falhas na nossa comunicação e ele se esforçou em melhorar nisso —, mas eu fiz os meus, eles me ajudaram e, como consequência, ajudaram a nós. Para começar, voltei a cuidar da minha saúde. Barack e eu frequentávamos a mesma academia, de um treinador jovem e motivador chamado Cornell McClellan. Eu tinha me exercitado com Cornell durante alguns anos, mas a maternidade mudara minha rotina. Para voltar, tive que fazer ajustes, que nesse caso vieram sob a forma da minha sempre generosa mãe, que ainda trabalhava em tempo integral, mas se prontificou a nos ajudar vários dias por semana, chegando às quinze para as cinco da manhã, para que eu saísse correndo e chegasse à academia a tempo de me encontrar com uma amiga para a aula das cinco, chegando de volta em casa às seis e meia para acordar as meninas e prepará-las para o dia. Esse novo regime mudou tudo: a calma e a força, duas coisas que tinha medo de estar perdendo, voltaram.

    Quanto ao dilema do jantar, estabeleci novos limites, que funcionavam melhor para mim e para as meninas. Fizemos nosso horário e nos prendemos a ele. O jantar era às seis e meia. O banho, às sete, depois vinham os livros, os carinhos e o apagar das luzes às oito em ponto. A rotina era inflexível, e o peso da responsabilidade de chegar na hora recaía sobre Barack. Para mim, fazia muito mais sentido do que atrasar o jantar e fazer as meninas esperarem acordadas, às vezes morrendo de sono, para um abraço. E assim retomei meu desejo de que elas crescessem fortes e centradas, sem se acomodarem a qualquer forma do velho patriarcado: não queria que elas acreditassem um instante sequer que a vida começava quando o homem da casa chegava. Não esperávamos o papai. Agora cabia a ele vir até nós.

15

Na Clybourn Avenue, em Chicago, logo ao norte do centro da cidade, havia um estranho paraíso, aparentemente construído para mães que trabalhavam e que eu podia jurar ter sido feito sobretudo para mim: era um shopping convencional, bem americano, que tinha de tudo: uma BabyGap, uma Best Buy, uma Gymboree e uma CVS, além de várias outras redes, pequenas e grandes, capazes de atender a qualquer urgência dos clientes, fosse um desentupidor de privada, um abacate maduro ou uma touquinha de banho infantil. Perto dele havia uma Container Store e uma lanchonete Chipotle, o que melhorava ainda mais as coisas. Eu era fã do lugar. Podia estacionar o carro, passar rapidinho por duas ou três lojas conforme a necessidade, pegar um burrito e voltar à minha mesa em sessenta minutos. Eu preferia as idas relâmpago na hora do almoço — comprava meias novas, presentes para alguma criança que estivesse fazendo aniversário, caixas de suco de frutas e copinhos de suco de maçã.

Sasha e Malia agora estavam com três e seis anos, respectivamente, muito ativas e espertas, crescendo rápido. A energia delas me tirava o fôlego. E isso só aumentava o encanto ocasional do shopping. Às vezes, eu me sentava no carro dentro do estacionamento e comia meu fast-food sozinha, com o rádio ligado, aliviada, impressionada com minha eficiência. Essa era a vida com crianças pequenas. Isso era o que às vezes podia se considerar uma realização. Eu tinha conseguido comprar o suco de maçã. Estava fazendo uma refeição. Todos ainda estavam vivos.

Olhem como estou dando conta, era o que eu queria dizer nesses momentos para o meu público inexistente. *Perceberam como estou me virando bem?*

Esta era eu aos quarenta anos, um pouco June Cleaver, um pouco Mary Tyler Moore. Nos meus melhores dias, eu me dava o crédito por ter conseguido. O equilíbrio da minha vida só era elegante à distância, e apenas se você olhasse rápido, mas ainda assim havia pelo menos algo que parecia equilíbrio. O emprego no hospital era bom, desafiador, gratificante e em sintonia com as minhas convicções. Na verdade, eu me espantava de ver como era tradicional o funcionamento de uma grande instituição respeitada como um centro médico universitário, com 9500 funcionários, dirigida basicamente por acadêmicos que faziam pesquisas médicas, escreviam artigos e, no geral, pareciam considerar a vizinhança tão assustadora que nem sequer atravessavam uma rua fora do campus. Para mim, aquele medo era estimulante. Ele me tirava da cama de manhã.

Eu passara a maior parte da minha existência convivendo com essas barreiras — notando o nervosismo dos brancos no meu bairro, percebendo todas as formas sutis com que as pessoas com certa influência pareciam se afastar da minha comunidade e se fechar em núcleos abastados cada vez mais distantes. E ali estava um convite para acabar com parte disso, para derrubar barreiras onde fosse possível — sobretudo incentivando as pessoas a se conhecerem. Eu contava com um bom apoio do meu novo chefe e tinha liberdade para montar meu próprio programa, criando uma relação mais sólida entre o hospital e a comunidade. Comecei com apenas uma pessoa trabalhando para mim, mas acabei comandando uma equipe de 22 pessoas. Instituí programas para levar curadores e membros da equipe hospitalar às cercanias do South Side, fazendo-os visitar escolas e centros comunitários, inscrevendo-os como mentores, orientadores e juízes em feiras de ciências, levando-os para conhecer as churrascarias locais. Trazíamos jovens locais para acompanharem o trabalho dos funcionários do hospital, montamos um programa para aumentar o número de voluntários dos bairros vizinhos para ajudar no hospital, trabalhamos com um instituto acadêmico de cursos de verão na escola de medicina, incentivando os estudantes da comunidade a pensarem em seguir a carreira médica. Ao ver que o sistema hospitalar poderia contratar mais empresas de mulheres e minorias, ajudei a montar o Setor de Diversidade Empresarial.

Por fim, havia a questão das pessoas em extrema necessidade de atendimento. O South Side tinha mais de 1 milhão de habitantes e carência de serviços médicos, isso sem falar da incidência desproporcionalmente elevada de doenças crônicas que costumam afligir os pobres — asma, diabetes, hipertensão, problemas cardíacos. Com uma quantidade enorme de gente sem plano de saúde e muitos dependendo do Medicaid — parceria dos governos estadual e federal que auxilia pessoas de baixa renda com os custos médicos —, o pronto-socorro do hospital vivia lotado de pacientes, que por diversas vezes apareciam em busca de um atendimento de rotina, não emergencial, ou tinham passado tanto tempo sem fazer tratamento preventivo que agora estavam extremamente necessitados de socorro. O problema era patente, dispendioso, ineficiente e desgastante para todos os envolvidos. Ademais, as visitas ao pronto-socorro pouco ajudavam a melhorar as condições de saúde do paciente no longo prazo. Criei a meta de tentar sanar esse problema. Começamos, entre outras coisas, a contratar e treinar acompanhantes — em geral, pessoas do bairro amigáveis e prestativas —, que se sentavam junto com os pacientes no pronto-socorro e os ajudavam a marcar consultas de acompanhamento nos postos de saúde da comunidade e os orientavam sobre os locais onde podiam receber atendimento regular decente e acessível.

Meu trabalho era interessante e recompensador, mas eu precisava ficar atenta para não ser consumida. Devia isso às minhas meninas. Nossa decisão de deixar a carreira de Barack avançar como avançara — de dar a ele a liberdade de moldar e perseguir os próprios sonhos — me levou a reduzir minha dedicação ao trabalho. De forma quase proposital, me anestesiei diante das minhas ambições, recuando em momentos em que teria avançado. Não sei se alguém à minha volta diria que eu não estava me dedicando o suficiente, mas sempre tive consciência de tudo o que podia ter feito e não fiz. Deixei de assumir alguns pequenos projetos. Poderia ter orientado melhor alguns jovens funcionários. Sempre ouvimos falar do que uma mãe que trabalha fora precisa abrir mão. As minhas eram essas. Se antes eu me dedicava completamente a cada tarefa, agora era mais cautelosa, ciosa do meu tempo, pois sabia que precisava reservar energias para a vida no lar.

No geral, minhas metas de vida consistiam na preservação da normalidade e da estabilidade, mas elas jamais seriam as de Barack. Agora reconhecíamos e aceitávamos melhor esse fato. Yin, yang. Eu ansiava por ordem e rotina, ele não. Ele podia viver no meio do mar; eu precisava do barco. Quando Barack estava em casa, sua presença era no mínimo marcante — brincava no chão com as meninas, lia *Harry Potter* em voz alta com Malia à noite, ria das minhas piadas e me abraçava, nos relembrando de seu amor e de sua estabilidade antes de sumir outra vez por pelo menos meia semana. Aproveitávamos ao máximo as brechas da sua agenda, preparando jantares e visitando amigos. Ele cedia à minha vontade (às vezes) e assistia comigo a *Sex and the City*. Eu cedia à vontade dele (às vezes) e assistia com ele a *Família Soprano*. Aceitara a ideia de que estar longe fazia parte do trabalho dele. Não gostava, mas de modo geral parei de brigar contra isso. Barack podia encerrar satisfeito seu dia num hotel distante com as mais variadas lutas políticas em andamento e pontas soltas pairando no ar. Enquanto isso, eu vivia para sentir o abrigo do lar — para a sensação de completude que tinha a cada noite, com Sasha e Malia confortáveis em suas camas e a lavadora de pratos zumbindo na cozinha.

Não havia outra opção a não ser me adaptar às ausências de Barack, pois elas não estavam perto de acabar. Além do trabalho normal, ele estava mais uma vez em campanha, agora para uma vaga no Senado federal, antes das eleições do outono de 2004.

Ele estava começando a se impacientar em Springfield, frustrado com a morosidade do governo estadual e convencido de que conseguiria fazer mais e melhor em Washington. Sabendo que eu tinha inúmeras razões para me opor à ideia de uma disputa para o Senado e sabendo também que ele teria um contra-argumento a apresentar, em meados de 2002 organizamos uma reunião informal com cerca doze amigos mais próximos — um brunch na casa de Valerie Jarrett. A intenção era expor a ideia e ver o que as pessoas achavam.

Valerie morava num edifício alto em Hyde Park, não muito longe de nós. Seu apartamento era iluminado e moderno, com paredes brancas, móveis brancos e buquês de belas orquídeas de tons vivos para acrescentar um colorido. Na época, ela era a vice-presidente executiva numa empresa imobiliária e membro do conselho diretor do Centro Médico da Universidade de Chicago. Apoiara minhas iniciativas na época em que eu estava na Public Allies e ajudara a angariar fundos para as várias campanhas de Barack, mobilizando sua ampla rede de contatos para impulsionar nossas iniciativas. Por causa disso e de sua postura sensata e acolhedora, Valerie havia ocupado uma curiosa posição na nossa vida. Nossa amizade era ao mesmo tempo pessoal e profissional. E ela era igualmente amiga minha e de Barack, coisa que, na minha experiência, é rara num casal: eu tinha meu grupo de mães ativas e Barack passava o pouco tempo livre disponível jogando basquete com um grupo de amigos. Também tínhamos alguns grandes casais de amigos, seus filhos amigos das nossas filhas, famílias com as quais gostávamos de passar férias. Mas com Valerie era diferente: ela era uma irmãzona para nós dois individualmente, uma pessoa que, quando estávamos em algum dilema, nos ajudava a recuar e avaliá-lo com distanciamento. Ela nos via com clareza, via nossas metas com clareza e protegia a ambos.

Em caráter pessoal, antes da reunião ela me dissera que tinha suas dúvidas se Barack deveria concorrer ao Senado. Assim, quando cheguei para o brunch naquela manhã, imaginava que estava com o meu argumento pronto.

Engano meu.

Barack explicou que aquela disputa para o Senado era uma oportunidade única. Ele achava que tinha chance. O então senador, Peter Fitzgerald, era um republicano conservador num estado cada vez mais democrata e estava com problemas para manter o apoio dentro do próprio partido. Era provável que houvesse vários candidatos disputando as primárias pelos democratas, o que significava que bastava Barack conseguir pluralidade na votação para ser o indicado do partido. Quanto à verba, ele me garantiu que não precisaria tocar nas nossas finanças pessoais. Quando perguntei como pagaríamos as despesas se tivéssemos casas em Washington e em Chicago, ele respondeu: "Bom, escrevo outro livro, e vai ser um livro e tanto, que vai render dinheiro".

Dei risada. Barack era a única pessoa que eu conhecia com esse tipo de confiança, imaginando que um livro seria capaz de resolver qualquer problema. Brinquei dizendo que ele parecia o menino de "João e o pé de feijão", que troca a subsistência da família por um punhado de feijões mágicos, acreditando que vão render alguma coisa, mesmo que ninguém mais acredite.

Para meu desalento, a lógica de Barack era sólida em todos os outros aspectos. Observei a expressão de Valerie enquanto ele falava e percebi que estava rapidamente ganhando pontos com ela e tinha uma resposta na ponta da língua toda vez que perguntávamos: "Mas e tal coisa?". Eu sabia que Barack tinha razão no que falava, mesmo evitando contar todas as horas a mais que ele iria passar longe de nós e pensar no fantasma de uma mudança para Washington, DC. Embora já discutíssemos havia anos o quanto sua carreira política pesava em nossa família, eu amava e confiava em Barack. Ele já era um homem com duas famílias, que dividia a atenção entre mim e as meninas, de um lado, e seus 200 mil eleitores do South Side, de outro. Será que dividi-lo com o estado de Illinois seria algo tão diferente? Eu não tinha como saber, mas também não podia me intrometer no caminho da sua aspiração, aquilo que sempre o impelia a tentar mais e mais.

Assim, naquele dia, fizemos um trato. Valerie concordou em ser a diretora financeira da campanha de Barack para o Senado federal. Vários amigos nossos concordaram em doar tempo e dinheiro à iniciativa. Dei meu aval a tudo, com uma condição importante, que disse em voz alta para todos ouvirem: se ele perdesse, abandonaria totalmente a política e encontraria outro tipo de trabalho. Se não desse certo no dia da eleição, era ponto-final.

Na real e para valer, era ponto-final.

O que aconteceu em seguida, porém, foi que para Barack houve uma sucessão de golpes de sorte. Primeiro, Peter Fitzgerald decidiu não disputar a reeleição, deixando o campo livre para os postulantes e candidatos recém-chegados, como o meu marido. Depois, um tanto estranhamente, tanto o favorito democrata nas primárias quanto o indicado republicano se envolveram em escândalos com suas ex-esposas. Faltando poucos meses para a eleição, Barack não tinha sequer um adversário republicano.

Sem dúvida, ele fez uma excelente campanha, tendo aprendido muito com sua derrota anterior. Derrotou sete oponentes nas primárias e obteve mais da metade dos votos para ganhar a indicação. Enquanto percorria o estado e entrava em contato com o eleitorado, era o mesmo homem que eu conhecia em casa — charmoso e divertido, inteligente e preparado. Suas respostas extremamente prolixas às perguntas nos fóruns municipais e nos debates eleitorais apenas reforçavam a impressão de que o lugar dele era o Senado federal. E, para além de todo o seu empenho, o caminho de Barack parecia forrado de trevos de quatro folhas.

Tudo isso foi antes de John Kerry convidá-lo para fazer o discurso de abertura da Convenção Nacional dos democratas de 2004, em Boston. Kerry, então senador por Massachusetts, estava numa disputa acirrada com George W. Bush pela presidência.

Em tudo isso, o meu marido era um completo desconhecido — um modesto legislador estadual que nunca estivera diante de uma multidão como a que se reuniria em Boston, de pelo menos 15 mil pessoas. Nunca usara um teleprompter, nunca estivera ao vivo no horário nobre da TV. Era um recém-chegado, um negro numa atividade que historicamente pertencia aos brancos, surgindo da obscuridade com um nome esquisito e um histórico estranho, que esperava encontrar eco junto ao democrata comum. Como depois apontaram os grandes analistas da mídia, a escolha de Barack Obama para falar a um público de milhões de telespectadores tinha sido uma enorme aposta.

E, no entanto, à sua maneira peculiar e indireta, ele parecia destinado exatamente àquele momento. Eu sabia porque vira de perto como sua atividade mental era intensa e incessante. Ao longo dos anos, tinha visto Barack respirar livros, jornais e ideias, e entusiasmar-se sempre que, no meio de uma conversa, alguém apresentava algum conhecimento ou experiência novos. Ele guardava tudo aquilo como um tesouro. Hoje vejo que ele estava construindo uma visão — e não uma visão pequena. Foi exatamente para isso que tive de conviver, de criar espaço na nossa vida, mesmo que de forma relutante. Às vezes isso me irritava profundamente, mas ao mesmo tempo era algo que eu jamais poderia rejeitar em Barack. Ele vinha trabalhando nisso silenciosa e meticulosamente desde que o conheci. E agora, talvez, o tamanho do público finalmente estaria à altura do que ele acreditava ser possível. Ele estava pronto para aquela ocasião. Bastava apenas falar.

A partir daí, meu refrão passou a ser "Deve ter sido um bom discurso". Era uma piada interna nossa, que desde aquela noite — de 27 de junho de 2004 — repeti de brincadeira inúmeras vezes.

Eu havia deixado as meninas em casa com a minha mãe e pegado um voo para estar com Barack em Boston, ficando nos bastidores enquanto ele entrava no palco sob as luzes intensas e à vista de milhões de pessoas. Ele estava um pouco nervoso, e eu também, mas ambos decididos a não deixar transparecer. De todo modo, era assim que Barack funcionava. Quanto maior a pressão, mais calmo parecia ficar. Tinha escrito suas notas durante uns quinze dias, trabalhando nelas no intervalo entre as votações no Senado estadual. Decorou o texto e o ensaiou cuidadosamente, de forma que nem precisaria do teleprompter, a menos que ficasse muito nervoso e tivesse um branco. Mas isso passou longe de acontecer. Barack fitou o público e as câmeras de TV e, como se desse a partida a algum motor interno, simplesmente sorriu e arrancou.

Naquela noite, ele falou durante dezessete minutos, expondo quem era e de onde vinha — o avô, soldado que integrara o exército de Patton; a avó, que trabalhara numa linha de montagem durante a guerra; o pai, que crescera como pastor de cabras no Quênia; o amor improvável entre seus pais e a confiança no que uma boa educação poderia fazer por um filho que não nascera rico nem bem relacionado. Com seriedade e habilidade, apresentou-se não como um forasteiro, mas como uma personificação literal da história americana. Relembrou ao público que não bastava o país estar pintado de azul e vermelho, que éramos unidos por uma mesma humanidade, com obrigação de zelar por toda a sociedade. Invocou a esperança para vencer o ceticismo. Falou com esperança, projetou esperança, quase cantou com esperança.

Foram dezessete minutos da facilidade e destreza de Barack com as palavras, dezessete minutos em que seu profundo e fascinante otimismo ficou à mostra. Ao terminar, com uma menção final a John Kerry e a seu colega de chapa John Edwards, a plateia inteira estava de pé, gritando e aplaudindo freneticamente. Entrei no palco sob as luzes ofuscantes, de vestido branco e sapatos de salto alto, e lhe dei um abraço de parabéns, depois me virei para o público entusiasmado e acenei junto com ele.

A energia era eletrizante, o barulho, absolutamente ensurdecedor. Já não era mais nenhum segredo que Barack era uma pessoa boa, de grande inteligência e firme na crença na democracia. Eu me orgulhava do que ele havia feito, mas não fiquei surpresa. Era esse o homem com quem havia me casado. Sempre soube das suas capacidades. Olhando em retrospecto, creio que foi nesse momento que, silenciosamente, comecei a abandonar a ideia de que um dia mudaria o caminho de Barack, de que um dia ele pertenceria apenas a mim e às meninas. Dava para praticamente ouvir isso na vibração dos aplausos. *Mais, mais, mais.*

A reação da mídia ao discurso de Barack foi hiperbólica. "Acabo de ver o primeiro presidente negro", declarou Chris Matthews aos colegas comentaristas da NBC. A manchete de primeira página no *Chicago Tribune*, no dia seguinte, trazia apenas "O fenômeno". O celular de Barack começou a tocar sem parar. Os grandes analistas da mídia o apelidaram de "rock star" e de "sucesso instantâneo", como se ele não tivesse passado anos trabalhando até chegar àquele momento no palco, como se tivesse sido criado pelo discurso, e não o inverso. Mesmo assim, o discurso foi o começo de algo novo, não só para ele, mas para nós, para toda a família. Fomos arrastados para outro nível de exposição e para a correnteza forte das expectativas dos outros.

Tudo aquilo era surreal. Só me restava brincar.

"Deve ter sido um bom discurso", dizia eu, dando de ombros quando as pessoas começaram a parar Barack na rua para pedir um autógrafo ou dizer que tinham adorado sua fala. "Deve ter sido um bom discurso", dizia eu quando saíamos de um restaurante em Chicago e encontrávamos uma multidão reunida na calçada para esperá-lo. Eu dizia a mesma coisa quando os jornalistas começaram a perguntar a Barack quais eram suas posições sobre temas nacionais importantes, quando grandes estrategistas políticos começaram a rodeá-lo e quando *A origem dos meus sonhos*, que, na época do lançamento, nove anos antes, passara quase despercebido, foi relançado em brochura e entrou na lista dos mais vendidos do *New York Times*.

"Deve ter sido um bom discurso", disse eu quando Oprah Winfrey entrou alvoroçada e radiante na nossa casa para passar o dia nos entrevistando para sua revista.

O que estava acontecendo conosco? Eu mal conseguia acompanhar. Em novembro, Barack foi eleito para o Senado federal com 70% dos votos, a maior margem na história de Illinois e a votação mais esmagadora daquele ano em todas as disputas do Senado no país. Teve maioria significativa entre negros, brancos e latinos, entre homens e mulheres, entre ricos e pobres, entre urbanos, suburbanos e rurais. Em dado momento, fomos ao Arizona para um rápido descanso e lá ele foi cercado por inúmeras pessoas lhe desejando boa sorte. Para mim aquilo foi uma verdadeira e estranha medida da sua fama: agora, até os brancos o reconheciam.

Peguei o que sobrou da minha normalidade e me rodeei dela. Quando estávamos em casa, as coisas continuavam como sempre. Quando estávamos com os amigos e parentes, as coisas continuavam como sempre. Com as nossas filhas, tudo era como sempre. Mas lá fora as coisas tinham mudado. Agora Barack vivia entre Chicago e Washington. Tinha um escritório no Senado e, em Capitol Hill, um apartamento de um quarto num prédio velho que já estava abarrotado de livros e papéis, sua Toca longe de casa. Sempre que as meninas e eu íamos visitá-lo, nem fingíamos querer ficar ali; em vez disso, reservávamos um quarto de hotel para nós quatro.

Mantive a minha rotina em Chicago. Academia, trabalho, casa, academia, trabalho, casa. Pratos no lava-louça. Aulas de natação, futebol, balé. Continuava no meu ritmo de sempre. Barack agora tinha uma vida em Washington, conduzindo-se com um tanto daquela solenidade que convinha ao cargo de senador, mas eu continuava a mesma, levando uma vida normal. Certo dia, eu estava sentada no carro, no estacionamento do shopping da Glybourn Avenue, comendo alguma coisa do Chipotle e dando um tempinho para mim mesma depois de uma ida apressada à BabyGap, quando a secretária do meu escritório me ligou, perguntando se podia transferir uma ligação. Era de uma mulher em Washington — alguém que eu não conhecia, esposa de um senador — que já havia tentado falar comigo algumas vezes.

"Claro, pode passar", falei.

E então, com uma voz agradável e calorosa, a esposa do senador disse:

"Ai, oi! Que bom finalmente falar com você!"

Respondi que também estava contente em falar com ela.

"Estou ligando para lhe dar as boas-vindas e dizer que gostaríamos de convidá-la para algo muito especial."

O convite era para participar de uma espécie de clube particular que, pelo que entendi, era formado principalmente pelas esposas de gente importante em Washington. Elas se reuniam periodicamente para almoçar e conversar sobre assuntos do momento.

"É uma boa maneira de conhecer as pessoas, e sei que isso nem sempre é fácil quando somos novas na cidade", comentou ela.

Na minha vida toda, eu nunca tinha sido convidada a entrar num clube. No ensino médio, via os colegas indo esquiar com seus grupos do clube Jack and Jill. Em Princeton, às vezes esperava acordada Suzanne chegar, falando baixinho e rindo abafado, de volta das festas do clube da faculdade. Metade dos advogados da Sidley, ao que parecia, pertencia a algum country club. Eu tinha visitado inúmeros clubes desses ao longo dos anos, arrecadando fundos para a Public Allies e para as campanhas de Barack. Logo se via que, no geral, eram lugares onde não faltava dinheiro. Ser sócio de um desses clubes era mais do que ser mero sócio de um clube.

O convite dela era gentil, genuíno, mas fiquei contente em recusar.

"Obrigada", respondi. "Muito gentil da sua parte pensar em mim. Mas, na verdade, decidimos que não vou me mudar para Washington." Expliquei que tínhamos duas meninas na escola em Chicago e que eu era muito ligada ao meu emprego. Falei que Barack estava se adaptando à vida em Washington e vinha para casa sempre que podia. Não comentei que éramos tão ligados a Chicago que estávamos procurando outra casa para comprar, graças ao dinheiro dos direitos autorais que começava a entrar com as vendas do livro e ao fato de que ele recebera uma proposta generosa para um segundo livro — a colheita inesperada dos feijões mágicos de Barack.

A esposa do senador fez uma pausa. Quando voltou a falar, disse amavelmente: "Isso pode ser muito difícil num casamento, sabe... As famílias se desfazem".

Senti seu tom de crítica. Ela estava em Washington fazia muitos anos. Quis deixar implícito que tinha visto as coisas desandarem quando a esposa não acompanhava o marido, que eu estava tomando uma decisão arriscada, que só havia uma maneira certa de ser esposa de um senador e que eu estava fazendo a escolha errada.

Agradeci outra vez, desliguei e soltei um suspiro. Nada daquilo tinha sido escolha minha, para começo de conversa. Nada daquilo era escolha minha, de maneira alguma. Agora eu era, como ela, a esposa de um senador federal — a sra. Obama, como ela me tratara durante toda a conversa —, mas isso não significava que precisaria abrir mão de tudo para apoiá-lo. Na verdade, não queria abrir mão de nada.

Eu sabia que havia outros senadores casados que preferiam morar na cidade de origem em vez de Washington. Sabia que o Senado federal, com catorze mulheres entre os cem membros, não era tão antiquado quanto já tinha sido. Mas, ainda assim, achei uma presunção outra mulher vir me dizer que eu estava errada em manter minhas filhas na escola e continuar no meu emprego. Semanas depois da eleição, eu fora com Barack a Washington para participar de um dia de orientações aos senadores recém-eleitos e às esposas. Naquele ano, éramos poucos e, depois de uma rápida apresentação, os políticos foram para um lado e as esposas conduzidas para outra sala. Eu tinha preparado várias perguntas, sabendo que se esperava que os políticos e as famílias aderissem a um código ético federal rigoroso que ditava de tudo, desde quem podia nos dar presentes a como as viagens de e para Washington eram pagas. Pensei que talvez fôssemos discutir como nos portar em ocasiões sociais com lobistas ou os aspectos legais de arrecadação de fundos para uma futura campanha.

Mas o que tivemos foi uma elaborada exposição da história e da arquitetura do edifício do Capitólio e um vislumbre da porcelana decorada feita oficialmente para o Senado federal, ao que se seguiu um almoço refinado e conversa fiada. A coisa toda se arrastou por horas. Poderia até ter sido divertido, se eu não tivesse tirado um dia de licença do trabalho e deixado nossas meninas com minha mãe. Se eu ia ser a esposa de um político, queria levar o assunto a sério. Não me interessava pela política em si, mas também não queria estragar nada.

O fato foi que Washington me deixou confusa, com sua tradição de decoro e um sóbrio autorrespeito, com o domínio do homem branco, as senhoras tendo de almoçar separadas dos maridos. No cerne da minha confusão havia uma espécie de medo, porque, mesmo escolhendo não me envolver, estava sendo sugada. Fazia doze anos que eu era a sra. Obama, mas isso começava a significar algo diferente. Pelo menos em algumas esferas, agora eu era a sra. Obama de uma maneira que podia ser redutora, uma "senhora" definida pelo seu senhor. Eu era a esposa de Barack Obama, o rock star da política, o único negro no Senado — o homem que falara de esperança e tolerância com tanta emoção e intensidade que agora havia um enxame de expectativas zumbindo atrás dele.

Meu marido era senador, mas, de certa forma, as pessoas pareciam querer saltar para além disso. Todo mundo estava curioso por saber se ele concorreria à presidência em 2008. Não havia como escapar da questão. Todos os repórteres perguntavam a mesma coisa. Quase todos que o abordavam na rua perguntavam. Meus colegas no hospital paravam à porta e perguntavam como quem não queria nada, sondando se havia alguma novidade. Até Malia, com seis anos e meio no dia em que pôs um vestido de veludo cor-de-rosa e ficou ao lado de Barack quando Dick Cheney tomou seu juramento de posse no Senado, queria saber. Ao contrário de muitos outros, porém, nossa menina, então em seu primeiro ano do ensino fundamental, tinha sensatez suficiente para perceber como tudo aquilo parecia prematuro.

"Papai, você vai tentar ser presidente?", perguntou. "Não é melhor antes ser vice-presidente ou coisa assim?"

Eu concordava com Malia. Eternamente pragmática, sempre recomendava uma abordagem lenta, uma checagem metódica. Era fã inata da espera longa e criteriosa. Nesse aspecto, eu sempre me sentia melhor quando ouvia Barack reagindo às perguntas com uma espécie de modéstia tímida e encabulada, descartando perguntas sobre a presidência, dizendo que seu único plano era se concentrar e se dedicar ao trabalho no Senado. Eu vivia relembrando às pessoas que ele não passava de um membro de baixo escalão do partido minoritário, um jogador do banco de reservas, se assim era possível dizer. E às vezes ele ainda acrescentava que tinha duas filhas para criar.

Mas os tambores já estavam soando, e era difícil pará-los. Barack estava escrevendo o que viria a ser *A audácia da esperança* — refletindo sobre suas convicções e sua visão para o país, pondo-as em palavras nos blocos de papel amarelo às altas horas da noite. Ele me contou que se sentia plenamente satisfeito em ficar onde estava, consolidando sua influência ao longo do tempo, aguardando sua vez de falar dentro da cacofonia das deliberações no Senado federal, mas então veio uma tempestade.

O furacão Katrina devastou a Costa do Golfo no fim de agosto de 2005, rompendo os diques de New Orleans, inundando as regiões de baixa altitude, ilhando moradores — em sua maioria, negros — nos telhados dos lares destruídos. As consequências foram devastadoras, com os noticiários mostrando hospitais sem gerador, famílias aflitas sendo evacuadas para o estádio Superdome, socorristas paralisados por falta de equipamentos. Cerca de 1800 pessoas morreram e mais de meio milhão ficaram desabrigadas, tragédia que foi intensificada pela incompetência do governo federal na intervenção. Foi uma terrível revelação das divisões estruturais do nosso país, sobretudo da enorme e desproporcional vulnerabilidade dos afro-americanos e dos pobres de todas as etnias quando as coisas pioraram.

Onde estava a esperança?

Acompanhei a cobertura do Katrina com uma dor no peito, sabendo que, se a catástrofe atingisse Chicago, muitos dos meus tios e tias, primos e vizinhos teriam destino semelhante. A reação de Barack foi igualmente emotiva. Uma semana depois do furacão, somando-se ao ex-presidente George H. W. Bush, ele foi a Houston junto com Bill e Hillary Clinton, de quem era então colega no Senado, para visitarem as dezenas de milhares de evacuados de New Orleans que haviam se abrigado no estádio Astrodome. A experiência acendeu algo dentro dele, aquela sensação incômoda de que o que fazia ainda não era suficiente.

Foi a esse pensamento que retornei cerca de um ano depois, quando o som dos tambores ficou realmente alto, quando a pressão sobre nós dois ficou enorme. Continuávamos com as nossas atividades regulares, mas a pergunta se Barack disputaria a presidência fazia vibrar o ar ao nosso redor. *Poderia? Gostaria? Deveria?* Em meados de 2006, os participantes de uma pesquisa de opinião espontânea citavam o nome dele como possibilidade para a Casa Branca, embora Hillary Clinton fosse, sem dúvida, a escolha número um. No outono, porém, as chances de Barack tinham começado a crescer graças, em parte, à publicação de *A audácia da esperança* e de um monte de aparições nos meios de comunicação devido à turnê de divulgação do livro. De repente, seus resultados nas pesquisas passaram a empatar ou superar os de Al Gore e John Kerry, os dois indicados anteriores dos democratas, dando provas do seu potencial. Eu sabia que ele vinha conversando com amigos, consultores e potenciais doadores, dando a entender que andava alimentando a ideia. Mas havia uma pessoa com quem ele evitava conversar, e essa pessoa era eu.

Claro que ele sabia como eu me sentia. Havíamos comentado a questão indiretamente, ao falar de outros assuntos. Fazia tanto tempo que convivíamos com as expectativas dos outros que elas já vinham praticamente embutidas em todas as nossas conversas. O potencial de Barack se sentava conosco à mesa do jantar. O potencial de Barack ia junto com as meninas para a escola e comigo para o trabalho. Estava ali mesmo quando não queríamos que estivesse, acrescentando a tudo uma energia estranha. Eu achava que o meu marido já fazia demais. Torci para que ele fosse prudente mesmo que estivesse apenas pensando em concorrer à presidência, preparando-se aos poucos, cumprindo o mandato no Senado e esperando as meninas crescerem — até 2016, talvez.

Desde que conheci Barack, tinha a impressão de que ele estava sempre com os olhos postos em algum horizonte distante, na sua ideia do mundo como devia ser. Só dessa vez, queria que ele se contentasse com a vida como era. Não entendia como Barack era capaz de olhar para Sasha e Malia, agora com cinco e oito anos, respectivamente, com seus rabos de cavalo e suas risadas alegres, e pensar em qualquer outra coisa. Às vezes isso me magoava.

Estávamos numa gangorra, o senhor num lado e a senhora no outro. Agora morávamos numa boa casa, uma construção de tijolos em estilo georgiano numa rua tranquila no bairro de Kenwood, com uma varanda ampla e árvores altas no quintal — exatamente o tipo de lugar que Craig e eu admirávamos boquiabertos nos passeios de domingo no Buick do meu pai. Eu pensava muito no meu pai e em tudo o que ele investira em nós. Queria muito que ele estivesse vivo para ver como as coisas tinham se desenrolado. Craig agora era extremamente feliz: por fim dera uma guinada na vida, deixando a carreira em bancos de investimento e voltando à sua primeira paixão, o basquete. Depois de alguns anos como assistente na Northwestern, agora era o treinador principal na Brown University, em Rhode Island, e estava prestes a se casar outra vez, com Kelly McCrum, uma reitora de admissões universitárias muito bonita e pragmática da Costa Leste. Os dois filhos de Craig tinham crescido, eram altos e confiantes, exemplos vivos e vibrantes do que a nova geração era capaz de fazer.

Eu era esposa de um senador, mas, além e acima disso, tinha uma carreira à qual dava importância. Na primavera anterior, fora promovida a vice-presidente do Centro Médico da Universidade de Chicago. Passara os dois últimos anos comandando o desenvolvimento de um programa chamado South Side Healthcare Collaborative [Assistência Colaborativa à Saúde do South Side], que já encaminhara mais de 1500 pacientes que tinham aparecido na nossa emergência a médicos que podiam consultar periodicamente, quer tivessem condições de pagar ou não. Eu tinha uma relação muito pessoal com meu trabalho. Via gente negra chegando em peso ao pronto-socorro com problemas que tinham passado muito tempo sem atendimento — diabéticos com problemas circulatórios que não haviam sido tratados e agora precisavam, por exemplo, amputar uma perna —, e era inevitável lembrar todas as consultas médicas que o meu pai não marcara, todos os sintomas de sua esclerose múltipla que ele disfarçara pois não queria criar alarde, dar despesa, preencher papeladas ou simplesmente queria evitar a sensação de se sentir diminuído por um médico branco abastado.

Eu gostava do meu trabalho e também gostava da minha vida, mesmo não sendo a ideal. Com Sasha prestes a entrar no primeiro ano do ensino fundamental, era como se eu estivesse a ponto de iniciar uma nova fase, à beira de poder reavivar minhas ambições e pensar num novo leque de objetivos. O que faria uma campanha presidencial? Impediria tudo isso. Eu sabia o suficiente para entender isso de antemão. Barack e eu já tínhamos passado por cinco campanhas em onze anos, e uma a uma elas me obrigaram a me esforçar cada vez mais para me ater às minhas prioridades pessoais. Todas haviam deixado uma pequena marca na minha alma e também no nosso casamento. Eu temia que uma disputa presidencial acabasse conosco. Barack ficaria mais distante do que quando trabalhava em Springfield ou Washington — não por metade da semana, mas por semanas inteiras; não por estirões de quatro a oito semanas com alguns recessos, mas por meses inteiros. O que isso causaria à nossa família? O que a mídia faria com nossas meninas?

Eu me empenhei ao máximo para ignorar o turbilhão em volta de Barack, mesmo que a tempestade não desse sinal algum de perder força. Os analistas dos noticiários debatiam as chances dele. O colunista conservador do *New York Times* David Brooks publicou uma espécie de apelo surpreendente com o título "Run, Barack, Run", pedindo que ele concorresse. Agora ele era reconhecido praticamente em todos os lugares, mas eu ainda tinha a bênção da invisibilidade. Certo dia de outubro, na fila de uma loja de conveniência, vi a capa da revista *Time* e precisei desviar os olhos: era um enorme close do rosto do meu marido com a manchete "Por que Barack Obama pode ser o próximo presidente".

Minha esperança era de que, em algum momento, o próprio Barack pusesse um fim a toda especulação, declarando-se fora da disputa e direcionando o olhar da mídia para outro lugar. Mas não fez isso. Nem faria. Queria concorrer. Ele queria, e eu não.

Toda vez que um repórter perguntava a Barack se iria disputar, ele desconversava e respondia apenas: "Ainda estou pensando. É uma decisão de família". Era um código para "Só se a Michelle disser que posso".

Nas noites que Barack passava em Washington, eu me deitava sozinha na cama com a sensação de que era eu contra o mundo. Queria Barack para nossa família. Todos os outros pareciam querê-lo para nosso país. Ele tinha seu grupo de consultores — David Axelrod e Robert Gibbs, os dois estrategistas de campanha que haviam desempenhado um papel essencial na sua eleição para o Senado; David Plouffe, outro consultor da firma de Axelrod; o chefe da equipe, Pete Rouse, e Valerie —, todos lhe dando um apoio cauteloso. Mas eles também já tinham deixado claro que não existia meia campanha e que

Barack e eu precisaríamos nos engajar totalmente. As demandas sobre ele seriam inimagináveis. Sem deixar por um instante as obrigações no Senado, ele precisaria construir e manter uma operação de campanha de costa a costa, desenvolver uma plataforma política e arrecadar um volume gigantesco de fundos. A mim caberia não só dar apoio tácito, mas participar ativamente da campanha. Teria de apresentar a mim e às meninas ao público, sorrir com ar de aprovação e apertar uma enorme quantidade de mãos. Percebi que agora tudo giraria em torno dele, em defesa dessa causa maior.

Mesmo Craig, que sempre foi tão protetor desde o dia em que nasci, fora arrebatado pelo entusiasmo de uma possível disputa presidencial. Certa noite ele me telefonou e frisou com todas as letras: "Ouça, Michelle", disse ele, usando expressões do basquete, como costumava fazer. "Eu sei que você está preocupada, mas, se passarem a bola para o Barack, ele tem de pegar. Você entende, não é?"

Dependia de mim. Dependia só de mim. Eu estava com medo ou era só cansaço?

Bem ou mal, eu me apaixonara por um homem dotado de visão, um otimista que não era ingênuo, não tinha medo de conflitos e se interessava pela complexidade do mundo. Estranhamente, não se deixava intimidar pela quantidade de trabalho que haveria pela frente. Segundo Barack, o que o apavorava era a ideia de deixar a mim e às meninas por longos períodos, mas ao mesmo tempo ele me relembrava constantemente da solidez do nosso amor. "Vamos conseguir lidar com isso, não é?", disse uma noite, segurando a minha mão no seu escritório no segundo andar. Por fim tínhamos começado a realmente falar sobre o assunto. "Somos fortes e somos inteligentes, e as nossas filhas também. A gente vai ficar bem. A gente pode se permitir isso."

O que ele queria dizer era que, sim, uma campanha seria custosa. Teríamos de abrir mão de certas coisas — do tempo, de estarmos juntos, da privacidade. Era cedo demais para prever exatamente o quanto seria necessário, mas sem dúvida seria muito. Para mim, era como gastar dinheiro sem saber o saldo no banco. Até que ponto éramos resistentes e flexíveis? Qual era o nosso limite? O que restaria no fim? A incerteza por si só parecia uma ameaça, algo capaz de nos afogar. Afinal, eu fora criada numa família que acreditava no valor da prudência — numa família que organizava simulações de incêndio em casa e comparecia a qualquer compromisso com antecedência. Crescendo numa comunidade trabalhadora e com um pai incapacitado, eu aprendera que a vigilância e o planejamento eram fundamentais. Podiam significar a diferença entre estabilidade e pobreza. As margens eram sempre estreitas. Um salário que faltasse podia acarretar o corte de energia; um trabalho de faculdade que faltasse podia deixar você para trás ou talvez acarretar a reprovação.

Tendo perdido uma colega do quinto ano num incêndio em casa e tendo visto Suzanne morrer antes de chegar à idade adulta, eu aprendera que o mundo podia ser aleatório e brutal, e que a dedicação ao trabalho nem sempre garantia um resultado positivo. Meu ponto de vista ficaria cada vez mais forte no futuro, mas mesmo naquele momento, sentada na nossa casa tranquila, na nossa rua tranquila, eu só queria proteger o que tínhamos — cuidar das meninas e esquecer o resto, pelo menos até crescerem um pouco mais.

No entanto, havia o outro lado disso, e Barack e eu o conhecíamos muito bem. Da nossa distância privilegiada, tínhamos visto a devastação causada pelo Katrina. Vimos pais erguendo bebês acima das águas da enchente e famílias afro-americanas tentando se manter unidas na depravação desumanizante que havia no estádio Superdome. Meus diversos empregos — na prefeitura, na Public Allies, na universidade — haviam me ajudado a ver que muita gente tinha dificuldade em ter coisas fundamentais como moradia e cuidados básicos de saúde. Tinha visto a linha tênue entre conseguir sobreviver e viver abaixo da linha da pobreza. Barack, por sua vez, passara um longo tempo ouvindo operários demitidos, jovens veteranos das Forças Armadas que têm de lidar com a deficiência permanente, mães cansadas de mandarem os filhos para escolas que funcionavam mal. Em outras palavras, entendíamos como éramos extremamente afortunados e sentíamos obrigação de não nos acomodarmos diante disso.

Sabendo que não tinha escolha a não ser pensar no assunto, finalmente abri uma brecha e permiti que aquilo entrasse em pauta. Barack e eu conversamos exaustivamente sobre a ideia, não uma, mas muitas vezes, até a data da nossa viagem de Natal, e durante toda ela, quando fomos visitar Toot no Havaí. Em algumas das conversas havia lágrimas e raiva, em outras seriedade e otimismo. Era a continuação de um diálogo que vínhamos tendo já fazia dezessete anos. *Quem éramos? O que nos importava? O que podíamos fazer?*

No final, a conversa se resumiu ao seguinte: concordei porque acreditava que Barack poderia ser um grande presidente. Ele tinha uma segurança que poucos têm. Tinha a inteligência e a disciplina para a tarefa, o temperamento para suportar tudo o que pudesse dificultá-la, o raro grau de empatia que o manteria em fina sintonia com as necessidades do país. Além do mais, estava cercado de pessoas boas e inteligentes, dispostas a ajudar. Quem era eu para detê-lo? Como iria colocar minhas necessidades pessoais e mesmo as das nossas meninas na frente da possibilidade de Barack ser o tipo de presidente que ajudaria a melhorar a vida de milhões de pessoas?

Concordei porque o amava e tinha fé no que poderia fazer.

Concordei, embora ao mesmo tempo nutrisse um pensamento perturbador, que não estava pronta para expressar: eu o apoiaria na campanha, mas tinha certeza de que ele não venceria. Ele falava muito e com grande empolgação em acabar com as divisões do nosso país, apelando para um conjunto de ideais elevados que acreditava serem inatos na maioria das pessoas. Mas o que vira dessas divisões era suficiente para fazer eu moderar minhas esperanças pessoais. Barack, afinal, era um negro nos Estados Unidos. Eu realmente não acreditava que ele pudesse vencer.

16

Assim que concordamos com a pré-candidatura de Barack, ele virou uma espécie de borrão humano, uma versão pixelada do homem que eu conhecia — um homem que de repente tinha que estar em todos os lugares ao mesmo tempo, movido por uma força maior e a ela submetido. Tínhamos menos de um ano até as disputas primárias, que começariam pelo estado de Iowa. Barack tinha de contratar depressa uma equipe, cortejar os tipos de financiadores capazes de preencher cheques polpudos e delinear a maneira de apresentar sua candidatura da maneira mais clamorosa possível. O objetivo era entrar no campo de visão das pessoas e ali ficar até o dia da eleição. Campanhas podem ser ganhas e perdidas nos primeiros movimentos.

A operação inteira seria supervisionada pelos dois engajadíssimos David: Axelrod e Plouffe. Axe, como todos os chamavam, tinha voz suave, maneiras afáveis e um bigode volumoso que se estendia de uma ponta a outra da boca. Ex-repórter do *Chicago Tribune*, havia migrado para a consultoria política e coordenaria a comunicação. Plouffe, com seu sorriso de menino aos 39 anos e seu profundo amor por números e estratégias, faria a coordenação geral. A equipe crescia rápido, com gente experiente recrutada para cuidar das finanças e do planejamento estratégico de eventos.

Alguém teve a sagacidade de sugerir a Barack que o anúncio formal de sua candidatura se desse em Springfield, bem no centro do país. Todos concordaram que seria um bom pano de fundo para a nova espécie de campanha que se pretendia — uma campanha conduzida de baixo para cima, em larga medida por pessoas novas no cenário político. Este era o objetivo fundamental de Barack. Em seus anos como organizador comunitário, ele aprendera que muita gente se sentia ignorada e sem voz na nossa democracia, e o Projeto VOTE! o ajudara a ver o que era possível quando se permitia que essas pessoas participassem. Sua candidatura à presidência serviria como um teste de dimensões ainda mais amplas para essa ideia. Será que sua mensagem funcionaria em escala maior? Haveria gente suficiente disposta a ajudar? Barack sabia que não era um candidato usual. E queria uma campanha não usual.

Chegou-se ao plano de que Barack faria o anúncio nos degraus do antigo capitólio estadual, um importante prédio histórico que, evidentemente, teria um apelo visual maior do que qualquer arena ou centro de convenções. Mas que o colocaria ao ar livre, em pleno Illinois, em pleno mês de fevereiro, quando a temperatura muitas vezes cai abaixo de zero. A decisão me pareceu bem-intencionada, mas pouco prática no geral, o que não contribuiu muito para eu sentir confiança na equipe da campanha, que agora praticamente regia nossas vidas. Fiquei aborrecida, imaginando as meninas e eu tentando sorrir no meio dos flocos de neve caindo ou do vento gelado, Barack tentando transmitir uma imagem vigorosa em vez de tiritante. Pensei em quanta gente não decidiria ficar em casa naquele dia, em vez de passar horas de pé no frio. Sou do Centro-Oeste: eu sabia como o clima é capaz de estragar tudo. Sabia também que Barack não podia se permitir um fiasco já de saída.

Cerca de um mês antes, Hillary Clinton anunciara a própria candidatura, transbordando confiança. John Edwards, vice do candidato presidencial John Kerry nas eleições de 2004, lançara sua campanha um mês antes dela, em New Orleans, discursando na frente de uma casa destruída pelo furacão Katrina. Ao todo, eram nove democratas disputando a indicação do partido. O campo estaria cheio e a concorrência seria feroz.

A aposta num anúncio ao ar livre era arriscada, mas não me cabia questionar. Apenas insisti com o pessoal da organização que pelo menos providenciassem um aquecedor para o palanque, para que Barack não parecesse tão desconfortável no noticiário nacional. Fora isso, fiquei de boca fechada. Meu controle não ia muito além disso. Planejavam-se comícios, estudavam-se estratégias, recrutavam-se voluntários — a campanha estava em andamento, e não tinha mais como desistir.

Provavelmente num gesto inconsciente de autopreservação, transferi minha atenção para algo que eu podia controlar: encontrar gorros aceitáveis para Malia e Sasha usarem na ocasião. Eu já havia providenciado casacos de inverno para elas, mas tinha esquecido totalmente os gorros.

Aproximando-se o dia do anúncio, comecei a fazer aflitas incursões pós--expediente nas lojas de departamento do Water Tower Place, vasculhando o estoque disponível de roupas de frio (já escasseando, por estarmos no meio da estação), revirando inutilmente as prateleiras em liquidação. Dali a pouco, minha preocupação de fazer Malia e Sasha parecerem filhas de um futuro presidente deu lugar à de fazer com que ao menos parecessem ter uma mãe. Creio que foi na minha terceira expedição que finalmente encontrei o que buscava: dois gorros de tricô, um branco para Malia e um rosa para Sasha, ambos no tamanho P adulto. O de Malia serviu direitinho, mas o de Sasha, então com cinco anos, sobrava em volta do seu rostinho. Não eram a última moda nem nada, mas eram bem simpáticos e, acima de tudo, protegeriam as meninas do frio que o inverno de Illinois nos reservava. Uma pequena vitória, mas nem por isso desconsiderável, e era uma vitória minha.

O dia do anúncio — 10 de fevereiro de 2007 — amanheceu claro e sem nuvens, o típico sábado ensolarado de inverno que é bem mais bonito do que agradável. A temperatura se estabilizou por volta dos onze graus abaixo de zero com uma leve brisa. Nossa família chegara a Springfield na véspera, e ficamos numa suíte de três quartos num hotel do centro da cidade. O andar inteiro estava reservado para quase trinta parentes e amigos nossos de Chicago.

Já começávamos a sentir as pressões de uma campanha nacional. O anúncio da candidatura de Barack coincidira inadvertidamente com o dia do State of the Black Union [Estado da União Negra], fórum anual organizado por Tavis Smiley, uma personalidade da televisão estatal. Ele ficou visivelmente irritado e deixou claro seu desagrado à equipe da campanha, insinuando que o fato mostrava um desrespeito à comunidade afro-americana, o que terminaria por prejudicar a candidatura de Barack. Foi uma surpresa, para mim, que os primeiros ataques desferidos contra nós viessem de dentro da comunidade negra. Para completar, bem no dia anterior ao anúncio, a *Rolling Stone* publicou uma matéria sobre Barack que incluía uma visita do repórter à Igreja da Trindade em

Chicago. Ainda éramos membros, embora nossa frequência tivesse reduzido consideravelmente desde o nascimento das meninas. A reportagem citava um sermão raivoso e inflamatório pregado muitos anos antes pelo reverendo Jeremiah Wright, a respeito do tratamento dispensado aos negros no nosso país, sugerindo que os americanos se importavam mais com a manutenção da supremacia branca do que com Deus.

A matéria em si era bastante positiva, mas a chamada na capa da revista era "As raízes radicais de Barack Obama", e sabíamos que isso logo seria usado como arma pela mídia conservadora. Era um desastre se formando, especialmente porque estávamos na véspera do pontapé inicial da campanha e porque o mesmo reverendo Wright faria a prece de invocação antes do discurso de Barack. A situação exigiu um telefonema difícil, em que Barack perguntou ao reverendo se ele se importaria em sair dos holofotes e nos abençoar nos bastidores. Wright ficou magoado, segundo Barack, mas pareceu entender o que estava em jogo, fazendo-nos crer que manteria seu apoio sem rancores.

Naquela manhã, eu me dei conta de que chegáramos ao ponto sem volta. Estávamos colocando nossa família literalmente diante do povo americano. Todos haviam dedicado semanas de preparação para aquele evento que representava uma festa maciça de início de campanha, e como toda anfitriã paranoica, eu não conseguia me livrar do medo de que não apareceria ninguém. Ao contrário de Barack, eu tinha meus momentos de dúvida, com inquietações que me acompanhavam desde criança. E se não estivéssemos à altura? Talvez tudo o que nos disseram fosse um exagero. Talvez Barack não tivesse a popularidade que seus apoiadores imaginavam. Talvez simplesmente ainda não fosse a hora dele. Tentei afastar essas dúvidas ao passarmos por uma entrada lateral até a área de concentração dentro do antigo capitólio, ainda sem conseguir ver o que se passava lá fora. Para conversar rapidamente com a equipe e ter uma ideia de como estavam as coisas, deixei Sasha e Malia com minha mãe e Kaye Wilson — "Mama Kaye" —, ex-preceptora de Barack que, nos últimos anos, assumira o papel de segunda avó das meninas.

Disseram-me que havia uma multidão considerável. As pessoas tinham começado a chegar ainda de madrugada. O plano era que Barack fosse o primeiro a aparecer, e pouco depois as meninas e eu nos juntaríamos a ele no palanque. Subiríamos alguns degraus e nos viraríamos para acenar para a multidão. Eu já tinha deixado claro que não ficaríamos no palco durante os vinte minutos de discurso, pois era pedir demais a duas crianças que ficassem tanto tempo sentadas quietas, fingindo interesse. Não seria nada bom se fizessem cara de tédio, se uma delas espirrasse ou começasse a se remexer com impaciência. O mesmo se aplicava a mim. Eu sabia qual era o estereótipo que deveria encarnar: o da esposa-bibelô, impecavelmente arrumada, com um sorriso fixo no rosto, fitando o marido com um olhar refulgente, como que arrebatada por cada palavra dele. Essa não era eu, e jamais seria. Podia dar apoio, mas não podia ser um robô.

Após as instruções e a oração com o reverendo Wright, Barack saiu para cumprimentar o público. Sua aparição foi saudada com uma aclamação estrondosa que eu pude ouvir de dentro do edifício. Voltei para pegar Sasha e Malia, começando a me sentir realmente nervosa.

"Estão prontas, meninas?", perguntei.

"Estou com calor, mamãe", queixou-se Sasha, arrancando o gorro cor-de-rosa.

"Querida, não tire isso, lá fora está um gelo."

Recoloquei o gorro nela.

"Mas não estamos lá fora, estamos aqui dentro", retrucou ela.

Essa era Sasha, nossa menina de carinha redonda que só dizia verdades. Não dava para discutir com sua lógica. Lancei um olhar de socorro a uma das assistentes ali por perto, tentando telegrafar uma mensagem a uma jovem que muito provavelmente não era mãe: *Santo Deus, se não começarmos logo com isso, vamos perder essas duas.*

Num gesto de compaixão, ela compreendeu e nos encaminhou para a porta. Era hora.

Àquela altura, eu já tinha ido a uma boa quantidade de eventos políticos de Barack e já o vira muitas vezes em contato com grandes grupos de eleitores — lançamentos de campanha, eventos de arrecadação de fundos e festas em noites de eleição. Já vira públicos cheios de velhos amigos e parceiros políticos de longa data. Springfield foi totalmente diferente de tudo.

Meus nervos fraquejaram quando subimos no palanque. Eu estava totalmente concentrada em Sasha, lembrando-a de sorrir e atenta para que as botinhas que usava não a fizessem tropeçar. "Levante a cabeça, querida", eu dizia, segurando-a pela mão. "Sorria!" Malia já estava adiante de nós, de cabeça erguida, e abriu um sorriso enorme ao alcançar o pai e acenar. Só quando subimos os degraus é que finalmente consegui ver a multidão, ou pelo menos tentar. O bramido era enorme. Havia mais de 15 mil pessoas presentes, como viríamos a saber depois, distribuídas por um panorama de trezentos graus a partir do edifício do antigo capitólio, seu entusiasmo nos envolvendo.

Nunca fui do tipo que escolheria passar um sábado num comício político. Eu não entendia muito bem qual era o sentido em ficar de pé num ginásio aberto ou num auditório de escola para ouvir frases feitas e promessas vazias. Fiquei me perguntando o que aquela gente toda estava fazendo ali? Por que se dar ao trabalho de se agasalhar todo e passar horas naquele frio? Talvez para ver uma banda querida, daquelas que sabemos cantar junto todas as músicas, aí sim; ou um Super Bowl debaixo de neve, para torcer pelo time que acompanhamos desde a infância. Mas política? Nunca tinha visto algo parecido.

Foi quando me ocorreu que nós éramos a banda. Éramos o time que ia entrar em campo. E o que senti ao perceber isso foi, acima de tudo, um súbito senso de responsabilidade. Devíamos algo a cada pessoa ali presente. Estávamos pedindo que depositassem em nós sua fé, e agora nos cabia corresponder ao que nos haviam trazido, carregando aquele entusiasmo por vinte meses e cinquenta estados, direto para a Casa Branca. Se antes eu não acreditava que isso fosse possível, agora talvez acreditasse. Entendi, naquele momento, que aquela era a chamada-e-resposta da democracia, um contrato firmado com cada indivíduo. *Você vem por nós e nós vamos por você.* Eram 15 mil novas razões para eu querer que Barack vencesse.

Agora eu estava totalmente envolvida. Nossa família inteira estava envolvida, mesmo que parecesse um pouco assustador. Eu não conseguia nem imaginar o que vinha pela frente, mas lá estávamos nós — lá fora —, os quatro, diante da multidão e das câmeras, inteiramente expostos, fora os casacos nas nossas costas e um gorro cor-de-rosa um pouco folgado numa cabecinha miúda.

Hillary Clinton era uma oponente séria e temível. Em pesquisa após pesquisa, ela mantinha uma dianteira respeitável entre os potenciais eleitores democratas do país nas primárias, com Barack dez ou vinte pontos atrás e Edward alguns pontos atrás de Barack. Os eleitores democratas conheciam os Clinton e estavam ansiosos por uma vitória, excedendo em muito a quantidade dos que ao menos sabiam pronunciar o nome do meu marido. Todos nós (Barack, eu e a equipe de campanha) sabíamos, muito antes de oficializada sua candidatura, que as probabilidades corriam contra um negro chamado Barack Hussein Obama, por maiores que fossem suas competências políticas.

Foi um problema que enfrentamos também dentro da comunidade negra. Tal como minha própria reação inicial à candidatura de Barack, muitos negros não conseguiam acreditar que ele tivesse chances reais. Muitos ainda não achavam possível que um negro vencesse em áreas predominantemente brancas, o que os levava a apostar num nome mais seguro, recaindo para a segunda melhor opção. Assim, um dos desafios de Barack era converter para si o voto de negros que mantinham uma persistente lealdade a Bill Clinton, o qual havia mostrado uma rara desenvoltura com a comunidade afro-americana e estabelecera com ela muitas ligações. Barack já criara boas relações com um amplo leque do eleitorado em todo o estado de Illinois, inclusive em áreas rurais brancas do sul. Ele já mostrara que era capaz de alcançar todos os setores demográficos, mas muita gente não entendia isso a seu respeito.

Barack estava submetido a um escrutínio ainda mais cerrado que o normal, com lentes de aumento cada vez mais potentes. Sabíamos que, como candidato negro, ele não podia se permitir nenhum deslize. Tinha que ser duas vezes melhor em tudo que fizesse. Para Barack — e para qualquer outro candidato sem o sobrenome Clinton —, a única chance de ser o indicado pelo partido era arrecadando muitos fundos e começando a gastá-los rapidamente, na esperança de que um bom desempenho nas primárias iniciais lhe desse impulso suficiente para ultrapassar a máquina Clinton.

Nossas esperanças se concentravam em Iowa. Era ganhar lá ou desistir. Um estado majoritariamente rural cuja população branca ultrapassa os 90%, era curioso que Iowa servisse como termômetro político da nação, e talvez não fosse o local mais óbvio para um negro de Chicago tentar se definir como alternativa política, mas a realidade era essa. Desde 1972, era em Iowa que se iniciavam as primárias presidenciais. Os filiados dos dois partidos votavam nas prévias — os caucuses — em pleno inverno, sob o olhar do país inteiro. Se a pessoa ganhasse notoriedade em Des Moines e Dubuque, sua candidatura automaticamente se tornaria importante em Orlando e Los Angeles. Sabíamos também que uma boa presença em Iowa mostraria ao eleitorado negro que era possível acreditar naquela opção. Por ser senador no estado vizinho de Illinois, Barack tinha familiaridade com as questões mais gerais da área e tornava seu nome razoavelmente reconhecido, e foi com base nisso que David Plouffe se convenceu de que tínhamos pelo menos uma pequena vantagem em Iowa — a qual tentaríamos, agora, capitalizar.

Isso significava que eu iria a Iowa quase todas as semanas, pegando um voo bem cedo em O'Hare para fazer três ou quatro visitas de campanha num dia. Eu logo avisei a Plouffe que participaria da campanha com prazer, mas que uma das condições era que eu estivesse de volta a Chicago em tempo de pôr minhas filhas para dormir. Minha mãe já concordara em reduzir sua carga horária no trabalho durante meu período de viagens, para poder ficar mais tempo com as meninas. Barack também passaria muitas horas em Iowa, embora raramente aparecêssemos juntos, tanto lá quanto em qualquer outro lugar. Eu passava a ser o que chamam de representante do candidato, uma substituta para um encontro com eleitores num centro comunitário em Iowa City enquanto ele fazia campanha em Cedar Falls ou angariava fundos em Nova York. Éramos postos na mesma sala apenas em ocasiões muito importantes.

Barack agora viajava com uma legião de assistentes atentos, e eu recebi verba para manter duas pessoas me assessorando. Era mais do que suficiente, visto que eu pretendia atuar pela campanha apenas dois ou três dias por semana. Não fazia ideia do que precisava em termos de assistência. Melissa Winter, que foi minha primeira contratação e mais tarde se tornaria minha assessora-chefe, me foi recomendada pelo responsável pela agenda de Barack. Ela havia trabalhado no gabinete do senador Joe Lieberman em Capitol Hill e participara de sua campanha a vice-presidente em 2000. Melissa era loura, usava óculos e tinha quase quarenta anos. Ao entrevistá-la, em nossa casa em Chicago, fiquei bem impressionada com seu humor irreverente e sua devoção quase obsessiva pelos detalhes, o que seria essencial para me ajudar a encaixar as atividades de campanha na minha agenda já bastante tomada pelo trabalho no hospital. Ela era esperta, extremamente eficiente e agia rápido. Além disso, estava na política havia tempo suficiente para não se abalar com a intensidade e o ritmo do trabalho. Melissa tinha poucos anos a menos do que eu, por isso se tornou para mim mais uma parceira e aliada do que o pessoal da campanha que eu conhecera, a maioria muito mais jovem. Até hoje, confio nela para assuntos de todos os aspectos da minha vida.

Katie McCormick Lelyveld completava nosso pequeno trio, tornando-se minha assessora de imprensa. Com menos de trinta anos, já trabalhara numa campanha presidencial e também para Hillary Clinton quando era ainda primeira-dama, experiência duplamente pertinente para mim. Despachada, inteligente e sempre vestida impecavelmente, Katie ficou encarregada de tratar com os jornalistas e as equipes de TV, garantindo que nossos eventos tivessem boa cobertura e também — graças à pasta de couro em que sempre carregava um removedor de manchas, pastilhas de menta, um kit de costura e uma meia-calça reserva — que eu me mantivesse apresentável apesar da correria por aeroportos e eventos.

Ao longo dos anos, eu vira na mídia candidatos presidenciais percorrendo Iowa em todo tipo de atividade: interrompendo o café de cidadãos simples, posando com cara de bobos com uma vaca em tamanho real entalhada numa grande barra de manteiga, comendo uma fritura qualquer em feiras de rua. O que era significativo para os eleitores e o que era apenas encenação, isso eu não sabia muito bem.

Os conselheiros de Barack tinham tentado desmistificar Iowa para mim, explicando que minha missão era basicamente passar algum tempo com democratas em todo canto do estado, discursando para pequenos grupos, motivando voluntários e tentando ganhar os líderes comunitários. Os iowanos, disseram eles, levavam muito a sério seu papel de definidores das tendências políticas. Estudavam direitinho o currículo dos candidatos e faziam perguntas sérias sobre os programas de governo. Acostumados a serem cortejados cuidadosamente por meses, não seria um sorriso ou um aperto de mão que os ganharia. Disseram-me ainda que alguns iowanos levavam meses, até terem conversado frente a frente com cada candidato, antes de se comprometerem com um deles. O que não me disseram foi qual deveria ser minha mensagem em Iowa. Não recebi nenhum roteiro, nenhuma lista de questões a abordar, nenhuma recomendação. Imaginei que teria de me virar sozinha.

Meu primeiro evento solo de campanha se deu no começo de abril, num lar modesto de Des Moines. Havia algumas dezenas de pessoas reunidas na sala de estar, instaladas nos sofás e em cadeiras dobráveis trazidas para a ocasião, ou mesmo sentadas de pernas cruzadas no chão. Enquanto observava ao redor, preparando-me para falar, o que vi provavelmente não deveria me surpreender, mas surpreendeu, pelo menos um pouco. As mesinhas de canto estavam decoradas com as mesmas toalhinhas brancas de crochê que minha avó Shields tinha em casa; notei uns bibelôs de porcelana iguais aos que tinha nas estantes de Robbie na Euclid Avenue, no andar abaixo do nosso; um homem na primeira fila sorria cordialmente para mim. Eu estava em Iowa, mas tinha a clara sensação de estar em casa. Estava percebendo que os iowanos eram como os Shields e os Robinson: não suportavam tolos; não confiavam em gente de nariz empinado; farejavam um impostor a quilômetros de distância.

O que me cabia era ser eu mesma, falar como eu mesma. E foi o que fiz.

Vou falar sobre mim. Sou Michelle Obama. Cresci no South Side de Chicago, num pequeno sobrado muito parecido com este aqui. Meu pai trabalhava na prefeitura como bombeiro hidráulico e minha mãe ficava em casa para cuidar do meu irmão e de mim.

Falei sobre tudo: sobre meu irmão e os valores com que fomos criados, sobre aquele advogado fantástico que conheci no trabalho, o homem que roubou meu coração com sua sensatez e sua visão de futuro para o mundo, o homem que naquele dia mesmo deixara as meias largadas e que às vezes roncava. Contei que continuava a trabalhar e que aquele dia minha mãe buscaria nossas filhas na escola.

Não embelezei o que sentia sobre política. Não era um mundo para pessoas boas, confessei, explicando como me sentira dividida quanto a apoiar ou não a candidatura de Barack, temendo o que os holofotes causariam a nossa família. Mas, se eu estava ali diante deles, era porque acreditava em meu marido e no que ele podia fazer. Sabia o quanto ele lia e o quão profundamente refletia sobre as coisas. Falei que ele era exatamente a pessoa inteligente e correta que eu escolheria para governar o país, mesmo que meu egoísmo o preferisse por mais tempo em casa.

Foram semanas e semanas contando a mesma história. Em Davenport, Cedar Rapids, Council Bluffs; em Sioux City, Marshalltown, Muscatine — em livrarias, sindicatos, um abrigo para veteranos militares idosos e, à medida que o clima melhorava, em alpendres de casas e parques públicos. Quanto mais eu contava minha história, mais minha voz se firmava. Eu gostava da minha história. Sentia-me à vontade ao contá-la. E a contava a pessoas que, apesar da cor de pele diferente, me lembravam a minha família: funcionários dos correios que sonhavam mais alto, tal como Dandy; professoras de piano de espírito cívico, tal como Robbie; mães e donas de casa atuantes na Associação de Pais e Mestres, tal como a minha; proletários que fariam qualquer coisa por sua família, tal como meu pai. Não era preciso ensaiar nem consultar anotações: eu dizia apenas o que sentia.

Durante esse tempo todo, repórteres e mesmo alguns conhecidos começaram a me fazer a mesma pergunta em formas variadas: Como era ser uma mulher negra de 1,80 metro de altura formada numa universidade da Ivy League falando para salas cheias de iowanos na maioria brancos? Era muito estranho?

Nunca gostei dessa pergunta. Parecia sempre vir acompanhada por um meio sorriso encabulado e um tom de "não me leve a mal" que as pessoas normalmente usam ao tratar da questão de raça. Era uma ideia, a meu ver, que diminuía a todos nós, por supor que as pessoas enxergavam apenas as diferenças.

Acima de tudo, me irritava porque a pergunta contradizia totalmente o que eu vivenciava e o que meus interlocutores pareciam vivenciar também, fosse o homem com o logo de uma espiga de milho no bolso da camisa, o universitário com um pulôver azul e dourado ou a aposentada com um pote de sorvete cheio de biscoitos que ela havia decorado formando o desenho de um sol nascente — o logo da nossa campanha. Essas pessoas me procuravam depois das palestras para comentar, animadas, o que tínhamos em comum. Contavam que o pai também tivera esclerose múltipla ou que os avós eram iguaizinhos aos meus. Muitos diziam que nunca tinham se envolvido em política, mas que algo na nossa campanha os levava a achar que valeria a pena e que por isso estavam pensando em se oferecer como voluntários no escritório local. Contavam que iam tentar convencer o marido ou a esposa ou um vizinho a fazer o mesmo.

Eram interações naturais, autênticas. Eu me via abraçando as pessoas instintivamente e ganhando de volta um abraço apertado.

Foi mais ou menos nessa época que levei Malia ao nosso pediatra para uma consulta de rotina, que fazíamos com uma periodicidade de três a seis meses, para acompanhar a asma de que ela sofria desde bebê. A asma estava sob controle, mas o médico me fez um alerta de outra coisa: o índice de massa corporal de Malia (um indicador de saúde que relaciona altura, peso e idade) estava começando a subir. Não era grave, segundo ele, mas era uma tendência a ser levada a sério. Se não mudássemos alguns hábitos, poderia se tornar um verdadeiro problema com o tempo, aumentando o risco de pressão alta e diabetes tipo 2. Ao ver minha expressão aflita, ele me garantiu que era um problema comum e solucionável. O índice de obesidade infantil estava aumentando em todo o país. Ele já vira muitos casos no consultório, a maioria sendo afro-americanos da classe trabalhadora.

A notícia me atingiu como uma pedra numa vidraça. Eu me esforçara tanto para que minhas filhas fossem saudáveis e felizes... Onde tinha errado? Que espécie de mãe eu era, se nem havia reparado nada diferente?

Conversando mais com o médico, comecei a enxergar melhor a rotina que levávamos. Com Barack sempre fora, a praticidade se tornara o fator mais importante nas minhas escolhas domésticas. Comíamos fora com mais frequência. Com menos tempo para cozinhar, muitas vezes eu comprava comida pronta na volta para casa. De manhã, colocava biscoitos e suco de caixinha na lancheira das meninas. Nos fins de semana, geralmente passávamos no McDonald's no intervalo entre a aula de balé e a de futebol. Não havia nada de mais nisso, disse o médico, nem nada de terrível se fosse uma vez ou outra. Em excesso, porém, era realmente problemático.

Era evidente que algo precisava mudar, mas eu não sabia como. Qualquer solução exigiria mais tempo — mais tempo para ir ao mercado, para cozinhar, para picar vegetais ou tirar a pele do frango —, e justo quando o tempo já parecia um recurso em extinção no meu mundo.

Então me lembrei de um comentário feito por uma velha amiga que eu havia encontrado por acaso no avião algumas semanas antes. Ela e o marido contrataram um rapaz chamado Sam Kass para ir à casa deles preparar refeições saudáveis. Por coincidência, Barack e eu conhecêramos Sam anos antes, por intermédio de outro grupo de amigos.

Eu nunca tinha imaginado que um dia pagaria a alguém para ir à minha casa cozinhar para minha família. Parecia meio esnobe, o tipo de coisa que faria meus parentes do South Side me olharem de esguelha. Barack, aquele que tinha uma Datsun com um buraco no assoalho, também não morreu de amores pela ideia; não combinava com sua arraigada frugalidade de organizador comunitário, nem com a imagem que ele queria promover como candidato presidencial. Mas, para mim, era a única escolha sensata. Algo precisava ser feito. Ninguém mais podia fazer meu trabalho no hospital, ninguém mais podia falar como esposa de Barack Obama, ninguém podia ocupar meu lugar como mãe de Malia e Sasha na hora de dormir — mas talvez Sam Kass pudesse fazer algumas refeições para nós.

Combinei com Sam de ele ir à nossa casa duas ou três vezes por semana e preparar duas refeições: uma para o jantar daquele dia e outra que pudesse ser guardada e consumida na noite seguinte. Um rapaz branco de 26 anos, com cabeça raspada reluzente e uma eterna sombra de barba por fazer, Sam era como que um estranho no lar dos Obama, mas as meninas se afeiçoaram às suas piadas batidas com a mesma rapidez com que se afeiçoaram à sua comida. Também as ensinava a cortar cenouras e higienizar verduras, tirando nossa família da mesmice fluorescente dos mercados e nos trazia para o ritmo sazonal dos alimentos. Mostrava reverência à chegada das ervilhas frescas na primavera e ao momento em que as framboesas amadureciam, em junho. Esperava até que os pêssegos ficassem suculentos e polpudos antes de servi-los às meninas, sabendo que só assim poderiam concorrer a sério com os doces. Além disso, Sam tinha uma compreensão esclarecida de questões relativas à nutrição, consciente de que a indústria alardeava a praticidade dos alimentos processados para as famílias e que isso estava tendo graves consequências para a saúde pública. Isso me pareceu interessante, e percebi que estava relacionado com coisas que eu vira quando trabalhava no sistema hospitalar e com as concessões que eu mesma já fizera como mãe que trabalha fora.

Certa noite, Sam e eu passamos horas conversando na cozinha, trocando ideias sobre como eu poderia usar meu papel de primeira-dama, caso Barack chegasse à presidência, para procurar corrigir alguns desses problemas. Uma ideia levava a outra. E se plantássemos verduras e legumes na Casa Branca e ajudássemos a mostrar a importância de alimentos frescos? E se usássemos isso como base para algo maior, toda uma iniciativa voltada para a saúde infantil que ajudasse os pais a evitar algumas das ciladas em que eu caíra?

Conversamos até tarde. Em determinado momento, olhei para Sam e suspirei. "O único problema é que o nosso candidato está trinta pontos atrás nas pesquisas", falei quando nós dois começamos a delirar demais. "Ele nunca vai ganhar."

Era um sonho, mas eu gostei dele.

Quanto à campanha, cada dia era uma nova maratona a vencer. Ainda tentava me ater a algum tipo de normalidade e estabilidade, não só pelas meninas, mas também por mim. Andava com dois BlackBerrys, um para o trabalho, o outro para minha vida pessoal e as obrigações políticas, ambos agora intimamente entrelaçados, para o bem ou para o mal. Minhas conversas telefônicas com Barack eram geralmente breves e informativas — *Onde você está? Como estão indo as coisas? Como vão as crianças?* —, nós dois tendo nos acostumado a evitar falar em cansaço ou em necessidades pessoais. Afinal, não havia o que fazer. A vida era uma corrida contra o relógio.

No trabalho, eu fazia de tudo para me manter em dia, às vezes conversando com minha equipe espremida no banco de trás de um Corolla de um estudante de antropologia que se oferecera como voluntário em Iowa, ou num canto silencioso de um Burger King em Plymouth, New Hampshire. Vários meses após o anúncio oficial da pré-candidatura de Barack, meus colegas de trabalho me apoiaram quando decidi retomar um expediente de meio período, pois sabiam que era a única maneira possível de eu continuar. Melissa, Katie e eu passávamos dois ou três dias por semana juntas e, àquela altura, tínhamos formado uma família eficiente. Encontrávamo-nos de manhã no aeroporto e passávamos esbaforidas pela segurança, onde todos os guardas já me conheciam pelo nome. Agora eu era reconhecida com mais frequência, principalmente por mulheres afro-americanas, que gritavam "Michelle! Michelle!" quando eu passava por elas a caminho do portão de embarque.

Algo estava mudando, tão gradualmente que no início não notei. Às vezes eu tinha a impressão de estar flutuando num universo desconhecido, acenando para estranhos que agiam como se me conhecessem, embarcando em aviões que me tiravam do meu mundo normal. Estava me tornando uma pessoa *conhecida*. E conhecida por meu marido e por meu envolvimento na política, o que só multiplicava a estranheza de tudo aquilo.

Descobri que percorrer a corda de segurança nos eventos era como tentar se manter de pé no olho do furacão. Desconhecidos cheios de entusiasmo e boas intenções se esticavam para pegar na minha mão e tocar meu cabelo, outros tentavam me empurrar canetas, câmeras e bebês sem avisar. Eu sorria, apertava mãos e ouvia histórias enquanto tentava avançar. Eu emergia dali com marcas de batom no rosto e marcas de mão na blusa, e com uma aparência de quem acabou de sair de um túnel de vento.

Eu não tinha tempo para pensar muito nisso, mas, no fundo, afligia-me que, conforme minha visibilidade como a esposa de Barack aumentava, outras partes de mim desapareciam da visão das pessoas. Os jornalistas raramente perguntavam sobre meu trabalho. Incluíam em minha descrição um "formada em Harvard" e só. Alguns veículos haviam publicado matérias especulando que eu fora promovida no hospital não por mérito, mas por causa da crescente estatura política de Barack, o que me doeu muito. Em abril, Melissa me ligou para avisar da coluna ácida de Maureen Dowd no *New York Times*. Ela se referia a mim como uma "princesa do sul de Chicago" e dava a entender que eu enfraquecia Barack ao comentar publicamente sobre as meias que ele não guardava ou a manteiga que não devolvia à geladeira. Sempre considerei importante que vissem Barack como ser humano, não como um salvador sobrenatural, mas, pelo visto, Maureen Dowd preferia que eu adotasse o sorriso fixo no rosto e o olhar de adoração. Achei estranho e triste que uma crítica tão áspera viesse de outra mulher profissional liberal, alguém que não se preocupara em me conhecer e agora tentava dar a versão depreciativa da minha história.

Eu procurava não levar essas coisas para o plano pessoal, mas às vezes era difícil.

A cada evento, a cada reportagem, a cada sinal de que podíamos estar ganhando terreno ficávamos um pouco mais expostos, mais sujeitos a ataques. Corriam boatos absurdos sobre Barack: que ele havia estudado numa madrassa islâmica radical e que prestara o juramento de senador com as mãos sobre o Corão; que se negara a recitar o Voto de Lealdade; que não colocava a mão no peito durante o hino nacional; que tinha como amigo íntimo um terrorista dos anos 1970. As inverdades eram desmentidas sistematicamente por fontes de informação abalizadas, mas continuavam a se propagar por correntes de e-mail anônimas, repassadas não só por teóricos da conspiração, mas também por tios, colegas de trabalho e vizinhos incapazes de distinguir entre fatos e ficção.

A segurança de Barack era uma questão sobre a qual eu nem queria pensar, quanto mais discutir. Muitos de nós crescemos ouvindo notícias de assassinatos no jornal. Os Kennedy foram baleados. Martin Luther King Jr. foi baleado. Ronald Reagan foi baleado. John Lennon foi baleado. Se a pessoa atraísse muita atenção, corria certo risco. Mas, afinal, Barack é negro. Correr riscos não era novidade para ele. Às vezes, quando levantavam a questão, eu tentava lembrar às pessoas: "Ele pode levar um tiro no caminho até a padaria".

Em maio, Barack passara a receber proteção do Serviço Secreto. Nunca se designara uma equipe de segurança com tanta antecedência para um candidato presidencial: um ano e meio antes que ele pudesse se tornar de fato o presidente eleito — o que indicava a natureza e a gravidade das ameaças contra ele. Barack agora viajava em carros pretos lustrosos fornecidos pelo governo e era acompanhado por mulheres e homens de terno, armados e com escuta. Um agente ficava de guarda na entrada de nossa casa.

De minha parte, eu raramente me sentia insegura. À medida que continuava com as viagens, conseguia atrair multidões cada vez mais numerosas. Se antes eu me encontrava com vinte pessoas por vez em residências modestas, agora falava para centenas em ginásios de escolas. Segundo nossa equipe em Iowa, minhas falas rendiam inúmeros compromissos de apoio (medidos por cartões assinados que nosso estafe recolhia e acompanhava meticulosamente). A certa altura, o pessoal da campanha começou a se referir a mim como "a Finalizadora", pela maneira como contribuía para que as pessoas tomassem uma posição.

Cada dia me trazia uma nova lição sobre como me deslocar com mais eficiência, como não me deixar atrasar por algum mal-estar ou alguma confusão qualquer. Depois de refeições um tanto questionáveis em restaurantes de beira da estrada simpáticos, aprendi a valorizar a insípida segurança de um cheeseburguer do McDonald's. Ao percorrer estradas cheias de solavancos ligando uma cidadezinha a outra, aprendi a preservar minhas roupas optando por lanches que podiam até esfarelar, desde que não fossem carregados nos molhos, pois não seria bom que me fotografassem com uma mancha de homus no vestido. Disciplinei o meu consumo de água, pois sabia que raramente havia tempo para paradas na estrada para ir ao banheiro. Aprendi a dormir ao som de carretas pesadas da rodovia interestadual de Iowa na madrugada e mesmo (como aconteceu num hotel de paredes extremamente finas) a ignorar um casal feliz aproveitando a noite de núpcias no quarto ao lado.

Apesar dos altos e baixos, aquele primeiro ano de campanha foi repleto sobretudo de afetuosas lembranças e acessos de riso. Sempre que eu podia, levava Sasha e Malia comigo a reboque. Viajavam com muita alegria e resistência. Certo dia atarefado numa feira livre em New Hampshire, eu me afastei para cumprimentar eleitores e deixei as meninas passeando entre as barracas e os brinquedos com um assessor. Depois, iríamos fazer fotos para uma revista. Mais ou menos uma hora depois, ao ver Sasha, entrei em pânico: as bochechas, o nariz e a testa tinham sido inteira e meticulosamente pintados de branco e preto. Minha filha estava felicíssima com sua transformação em panda. Pensei de imediato na equipe da revista que nos esperava, na agenda de horários que agora estouraria, mas então olhei outra vez para aquela carinha de urso e soltei um suspiro de alívio. Ela estava uma graça e alegre. Só consegui dar risada e procurar um banheiro para remover a pintura.

De tempos em tempos, fazíamos viagens em família, nós quatro. Alugamos um trailer por alguns dias em Iowa e percorremos os povoados da zona rural, jogando partidas animadas de Uno entre uma parada e outra. Passamos uma tarde na Feira Estadual de Iowa, onde brincamos nos carrinhos bate-bate e atiramos em bexigas cheias de água para ganharmos bichos de pelúcia, enquanto os fotógrafos disputavam posição, as lentes bem na nossa cara. A verdadeira diversão começou depois que Barack seguiu para seu próximo destino, livrando-nos do furacão da imprensa, dos seguranças e da equipe que então o acompanhava e criava alvoroço por onde passava. Depois que ele foi embora, fomos explorar só nós três, descendo a toda num escorregador amarelo gigante, o vento soprando.

Semana após semana eu voltava a Iowa, olhando pela janela do avião e acompanhando a mudança de estação, a terra aos poucos recuperar o verde e as lavouras de soja e milho crescer em linhas retas como se traçadas a régua. Eu adorava a geometria impecável daqueles campos, as manchas de cor que se revelavam celeiros, as estradas planas correndo retas até o horizonte. Passara a amar o estado de Iowa, embora parecesse que, apesar de todo o nosso empenho, não venceríamos ali.

Durante boa parte do ano, Barack e sua equipe despejavam recursos em Iowa, mas, segundo a maioria das pesquisas, ele ainda estava em segundo ou terceiro lugar, atrás de Hillary e de John Edwards. A disputa parecia acirrada, mas ele estava perdendo. Nacionalmente, o quadro se afigurava ainda pior: Barack vinha sempre atrás de Hillary por quinze ou vinte pontos — e eu me deparava com essa realidade a cada vez que passava diante da TV em aeroportos e restaurantes.

Meses antes, eu ficara tão farta dos incessantes comentários histriônicos na CNN, MSNBC e Fox News que excluí esses canais da minha vida quando estava em casa, preferindo me regalar com uma dieta mais apaziguante de E! e HGTV. Digo uma coisa a vocês: ao final de um dia agitado, não há nada melhor do que acompanhar um jovem casal encontrando a casa dos seus sonhos em Nashville ou uma noiva escolhendo o vestido.

Para ser bem sincera, eu não acreditava nos analistas políticos e tampouco confiava muito nas pesquisas eleitorais. No fundo, estava convencida de que eles estavam errados. O clima descrito dentro dos estúdios urbanos e estéreis não era o que eu encontrava nos salões das igrejas e nos centros de recreação de Iowa. Os analistas não conheciam os "Barack Stars", estudantes de ensino médio que trabalhavam como voluntários depois de um longo dia de atividades escolares. Não seguravam as mãos de uma avó branca que imaginava um futuro melhor para os netos mestiços. E não estavam cientes do gigante em crescimento que era nossa organização de campo. Estávamos num processo de construção de uma rede maciça de campanha de base — no final, eram duzentas pessoas em 37 escritórios —, a maior na história dos caucuses de Iowa.

Tínhamos a juventude do nosso lado. Nossa atuação era alimentada pelo idealismo e pela energia de jovens entre 22 e 25 anos que haviam largado tudo e ido para Iowa a fim de contribuírem para a campanha, cada um deles carregando algum tipo de transmutação do mesmo gene que, muito antes, levara Barack a assumir o trabalho de organização comunitária em Chicago. Sua disposição e capacidade ainda não haviam sido computadas nas pesquisas eleitorais. Todas as vezes que eu ia até lá, sentia a esperança que brotava do contato com atuantes convictos na vitória, gente que passava quatro ou cinco horas por dia visitando eleitores, telefonando, formando redes de apoio mesmo nos povoados mais minúsculos e conservadores, sabendo de cor todos os aspectos da posição do meu marido sobre a criação de porcos em confinamento ou seus planos para corrigir o sistema de imigração.

Para mim, os jovens que administravam nossos escritórios de campo representavam a promessa de uma nova geração de lideranças. Não estavam desgastados e agora estavam unidos, com a energia catalisada. Estavam criando uma ligação mais direta entre eleitores e democracia, fosse por intermédio do escritório de campanha na rua ou por um site em que organizavam encontros e mutirões de telefonemas. Como Barack dizia, o que estávamos fazendo não servia somente a uma eleição. Estávamos criando uma política melhor para o futuro: menos movida a dinheiro, mais acessível e, no final das contas, mais esperançosa. Mesmo que não vencêssemos, estávamos realizando progressos importantes. De uma maneira ou de outra, o trabalho deles fazia diferença.

Quando o clima começou a esfriar outra vez, Barack sabia que, na prática, dispunha de uma última chance de mudar o cenário em Iowa, com uma demonstração de força no jantar Jefferson-Jackson, um ritual democrata que ocorre anualmente em todos os estados. Em Iowa, durante uma eleição presidencial, o evento era realizado no começo de novembro, cerca de dois meses antes dos caucuses de janeiro, e recebia cobertura da mídia nacional. O pressuposto era que todos os candidatos fizessem um discurso — sem notas nem teleprompter — e que levassem o maior número possível de apoiadores. Em essência, uma gigantesca queda de braço.

Os comentaristas dos telejornais tinham passado meses duvidando que os iowanos se manifestariam em favor de Barack à época do caucus, insinuando que, por mais dinâmico e original que fosse como candidato, ele ainda não conseguira converter o entusiasmo em votos. A multidão presente no Jefferson-Jackson foi nossa resposta. Cerca de 3 mil apoiadores nossos vieram de todo o estado, mostrando que éramos ativos e organizados — mais fortes do que qualquer um imaginava.

Nos discursos daquela noite, John Edwards provocou Clinton, falando em termos velados sobre a importância da sinceridade e da confiabilidade. Com um sorriso meio forçado, Joe Biden reconheceu o ruidoso e impressionante comparecimento de eleitores de Obama com um sarcástico "Olá, Chicago!". Hillary, lutando contra uma gripe, também aproveitou a oportunidade para atacar Barack: "'Mudança' é uma mera palavra se você não tem força e experiência para fazê-la acontecer".

Barack foi o último a falar naquela noite, fazendo uma entusiástica defesa de sua mensagem central — que o país chegara a um momento decisivo, uma chance de superar não só os medos e os fracassos do governo Bush, mas também a polarização reinante na condução da política desde muito tempo antes, inclusive, claro, durante o governo Clinton. "Não quero passar o próximo ano nem os próximos quatro anos travando as mesmas lutas que travamos nos anos 1990", afirmou ele. "Não quero lançar a América Vermelha contra a América Azul, quero ser o presidente dos Estados Unidos da América."

O auditório retumbou. No salão, eu assistia a tudo com imenso orgulho. "América, nossa hora é agora", proferiu Barack. "Nossa hora é agora."

Seu desempenho naquela noite deu à campanha a injeção de força exata, catapultando-o para a dianteira da disputa. Ele ocupou a liderança em cerca de metade das pesquisas de Iowa e continuava ganhando impulso conforme os caucuses se aproximavam.

Logo após o Natal, restando somente cerca de uma semana na campanha de Iowa, tínhamos a impressão de que metade do South Side tinha migrado para o frio extremo de Des Moines. Minha mãe e Mama Kaye apareceram. Meu irmão e Kelly vieram, com as crianças. Sam Kass estava lá. Valerie, que se juntara à campanha uns dois meses antes como uma das assessoras de Barack, também estava lá, junto com Susan e meu grupo de amigas, com maridos e crianças. Fiquei comovida com a presença de colegas do hospital, de amigos nossos da Sidley & Austin, de professores de direito que haviam trabalhado com Barack. E, em conformidade com o espírito "agora ou nunca" da campanha, todos ajudaram no empurrão final, vinculando-se a um escritório de campo local, batendo à porta de casas num frio de zero grau, promovendo Barack e lembrando às pessoas a importância de irem ao caucus. A campanha ganhou um reforço adicional com a chegada de mais centenas de pessoas, vindas de todo o país para a última semana. Hospedadas em casas de moradores locais, dirigiam-se diariamente aos menores vilarejos e percorriam as mais remotas estradas de cascalho.

Eu mesma quase não aparecia em Des Moines, comparecendo a cinco ou seis eventos por dia que me faziam cruzar o estado de um lado a outro, com Melissa e Katie numa van alugada e um grupo de voluntários se revezando ao volante. Barack fazia o mesmo, e começava a ficar rouco.

Qualquer que fosse a quantidade de quilômetros que precisássemos percorrer, eu fazia questão de estar de volta ao nosso apart-hotel no Residence Inn, em West Des Moines, no horário de Malia e Sasha irem dormir, às oito. Elas, é claro, mal pareciam sentir minha ausência, pois passavam o dia cercadas por primos, amigos e babás, brincando no salão do hotel ou passeando pela cidade. Certa noite, ao abrir a porta com o único pensamento de despencar na cama para alguns momentos de silêncio, deparei com o quarto cheio de utensílios de cozinha. Rolos de macarrão na colcha da cama, tábuas de cortar sujas na mesinha, tesouras de cozinha no chão. Os abajures e a tela da TV estavam cobertos com uma leve camada de... aquilo era *farinha*?

"Sam nos ensinou a fazer macarrão!", anunciou Malia. "A gente se empolgou um pouco demais."

Dei risada. Eu tinha ficado preocupada, pois seria o primeiro Natal das meninas sem a bisavó, que morava no Havaí, mas, por sorte, um pacote de farinha em Des Moines se mostrou um bom substituto para uma toalha de praia em Waikiki.

Dias depois, numa quinta-feira, realizaram-se os caucuses. Barack e eu paramos para almoçar num shopping no centro de Des Moines e fomos visitar vários lugares de caucus para cumprimentar o máximo de eleitores que pudéssemos. À noite, reunimo-nos com um grupo de amigos e parentes para um jantar, agradecendo-lhes o apoio durante aqueles onze loucos meses desde o anúncio, em Springfield. Saí cedo e voltei para o apart-hotel a fim de me preparar para o discurso de Barack, fosse de derrota ou de vitória. Dali a pouco, Katie e Melissa irromperam com a notícia que acabava de chegar ao QG da campanha: "Vencemos!".

Ficamos alucinadas de alegria, gritando tanto que o agente do Serviço Secreto bateu à nossa porta para ver o que estava acontecendo.

Numa das noites mais frias do ano, um número recorde de iowanos havia se encaminhado ao seu caucus, quase o dobro de quatro anos antes. Barack vencera entre brancos, negros e jovens. Mais da metade dos votantes nunca havia participado de um caucus, e foi provavelmente esse grupo que ajudou a garantir a vitória. Os âncoras dos telejornais finalmente haviam chegado a Iowa e agora entoavam louvores ao garoto-prodígio da política que vencera com folga tanto a máquina Clinton quanto um ex-candidato à vice-presidência.

Naquela noite, durante o discurso de vitória, quando nós quatro — Barack, eu, Malia e Sasha — estávamos no palco em Hy-Vee Hall, eu me senti incrível, talvez até um pouco envergonhada por ter duvidado. Talvez, pensei comigo mesma, tudo o que Barack vinha falando nesses anos todos fosse de fato possível. Todas aquelas idas a Springfield, todas as suas frustrações por não exercer impacto suficiente, todo o seu idealismo, sua rara e firme convicção de que as pessoas eram capazes de superar o que as dividia, de que, ao fim e ao cabo, as coisas podiam dar certo — talvez ele estivesse certo esse tempo todo.

Realizáramos algo histórico, algo monumental, e não só Barack, não só eu, mas Melissa e Katie, Plouffe, Axelrod e Valerie, todos os jovens assistentes, todos os voluntários, todos os professores, agricultores, aposentados e estudantes que haviam se manifestado naquela noite em favor de algo novo.

Era mais de meia-noite quando fomos para o aeroporto, sabendo que passaríamos meses sem voltar a Iowa. As meninas e eu seguimos para Chicago, retornando ao trabalho e à escola. Barack tomou o voo para New Hampshire, cuja primária seria em menos de uma semana.

Iowa transformara todos nós. Pessoalmente, me fizera cultivar uma fé verdadeira. Nossa obrigação, agora, era reparti-la com o resto do país. Nos dias seguintes, nossos organizadores de campo partiriam dali para se espalharem por outros estados — Nevada e Carolina do Sul, Novo México, Minnesota e Califórnia — e continuar divulgando a mensagem que fora comprovada: a de que a mudança era realmente possível.

17

Quando eu estava no primeiro ano do fundamental, um menino da minha classe me deu um soco na cara, seu punho vindo sobre mim fulminante e inesperado como um cometa. Estávamos formando fila para almoçar, todos discutindo os assuntos que crianças de seis e sete anos consideram importantes — quem corria mais rápido, os nomes esquisitos das cores do giz de cera — quando *bam!* Não sei qual foi o motivo e esqueci o nome do menino, mas me lembro de ficar olhando atônita para ele, com dor, meu lábio inferior já inchando, as lágrimas quentes nos meus olhos. Com a raiva inoculada pelo choque, fui correndo para casa.

O menino levou um sermão da professora e minha mãe foi à escola para botar os olhos nele, pois queria avaliar a ameaça que representava. Southside, que devia estar lá em casa nesse dia, também se indignou e insistiu em ir junto. Os adultos tiveram uma conversa. Chegou-se a um castigo. Recebi do menino um pedido de desculpas envergonhado e fui instruída a não me preocupar mais com ele.

"Aquele menino estava com medo e raiva de coisas que não têm nada a ver com você", minha mãe me explicou mais tarde, na nossa cozinha, enquanto preparava o jantar. E balançou a cabeça, como que para sugerir que sabia mais do que contaria. "Ele está com uns problemas."

Era assim que falávamos dos bullies. Quando eu era pequena, era fácil de entender: bullies eram pessoas assustadas escondidas dentro de pessoas assustadoras. Eu tinha visto isso em DeeDee, a menina durona do meu bairro, e até em Dandy, meu próprio avô, que por vezes era agressivo e rude com a esposa. Eles atacavam porque se sentiam impotentes. A praxe era desviar quando possível e se defender quando necessário. De acordo com minha mãe, que provavelmente gostaria de um adágio do gênero "cada um na sua" em sua lápide, o importante era jamais permitir que as ofensas ou agressões de um bully nos atingissem.

Se permitisse — bom, aí você podia se machucar de verdade.

Somente numa etapa da vida muito posterior isso se tornaria um desafio real para mim. Aos quarenta e poucos anos, quando estivesse ajudando meu marido a se eleger presidente, me recordaria daquele dia no primeiro ano, da incompreensão e da dor de levar um soco totalmente inesperado.

Passei boa parte de 2008 tentando não me preocupar com os murros.

Vou começar dando um salto para uma lembrança feliz daquele ano, pois tenho inúmeras. Visitamos Butte, em Montana, no Quatro de Julho, que por acaso coincidiu com o décimo aniversário de Malia. Estávamos a quatro meses das eleições gerais. Butte é uma resistente e histórica cidade tradicional do minério de cobre. É situada na ponta sudoeste do estado de Montana, com o contorno escuro das Montanhas Rochosas visível ao longe. Butte era uma cidade de eleitores indecisos num estado de eleitores indecisos — ou assim esperávamos. Montana havia escolhido o republicano George W. Bush na eleição anterior, mas tinha eleito um governador democrata. Parecia um bom lugar para Barack visitar.

Mais do que nunca, cálculos determinavam como Barack passava cada minuto de cada dia. Ele era observado, medido, avaliado. As pessoas tomavam nota de quais estados ele visitava, onde ia tomar o café da manhã, que tipo de carne pedia para comer com ovos. A essa altura, cerca de 25 membros da imprensa viajavam com ele o tempo inteiro, enchendo a parte traseira do avião, abarrotando os corredores e os quartos dos hotéis de cidades pequenas, seguindo-o por cada lugar em que ele parava, suas canetas imortalizando tudo. Um resfriado de um candidato era divulgado. Um corte de cabelo num lugar caro ou um pedido de mostarda Dijon no TGI Fridays (como Barack tivera a ingenuidade de pedir anos antes, ato digno de uma manchete no *New*

York Times) era divulgado e analisado através de centenas de perspectivas na internet. Seria o candidato um fraco? Seria um esnobe? Um impostor? Um americano genuíno?

Fazia parte, nós compreendíamos isso — era um teste para ver quem tinha temperamento para se sustentar como líder e como símbolo do país. Como se todos os dias lhe fizessem uma radiografia da alma e a esquadrinhassem incansavelmente à caça de qualquer indício de falibilidade. Ninguém se elege sem primeiro se submeter à inspeção total do olhar americano, que perpassa toda a sua história de vida, incluindo as relações sociais, as escolhas profissionais e as restituições de imposto de renda. E pode-se dizer que esse olhar estava mais intenso e sujeito à manipulação do que nunca. Estávamos entrando em uma época em que cliques eram medidos e revertidos em lucro. O Facebook só agora se popularizava, o Twitter era relativamente novo. A maioria dos adultos americanos tinha telefone celular e a maioria dos celulares tinha câmera. Era o prelúdio de algo que ainda nenhum de nós entendia por completo.

Barack já não estava mais tentando ganhar apenas os eleitores democratas: ele agora visava o país inteiro. Depois dos caucuses de Iowa, um processo às vezes tão penoso e feio quanto estimulante e decisivo, Barack e Hillary Clinton passaram o primeiro semestre de 2008 em embate por todos os estados e territórios, lutando arduamente por cada voto pelo privilégio de ser um candidato que romperia fronteiras. (Antes do fim de janeiro, John Edwards, Joe Biden e outros competidores já tinham desistido.) Os dois candidatos haviam se testado com veemência, com Barack ganhando uma vantagem pequena mas por fim decisiva em meados de fevereiro. "Agora ele é o presidente?", Malia me perguntaria algumas vezes ao longo dos meses seguintes, quando estávamos em algum palco, a música festiva saindo altíssima ao nosso redor. Sua mente jovem era ainda incapaz de entender algo além do objetivo final.

"*Agora* ele é o presidente, né?"

"Não, querida, ainda não."

Foi somente em junho que Hillary reconheceu que lhe faltava número de delegados para vencer. Sua demora em admitir a derrota gerou o desperdício de recursos preciosos, impedindo Barack de se voltar para o adversário republicano, John McCain. O veterano senador do Arizona havia se tornado o presumível representante do Partido Republicano já em março, e concorria como um herói de guerra inconformista com um histórico de bipartidarismo e grande experiência em segurança nacional, o que faria com que ele liderasse de forma bem diferente de George W. Bush.

Estávamos em Butte no Quatro de Julho com dois objetivos, como quase tudo que fazíamos na época. Barack acabava de chegar de quatro dias em campanha nos estados de Missouri, Ohio, Colorado e Dakota do Norte. Ele não podia perder tempo desviando da rota da campanha para comemorar conosco o aniversário de Malia nem sair da vista dos eleitores no feriado mais simbólico do país. Portanto, nós fomos até ele, em uma tentativa de conjugar as duas coisas — um dia em família passado quase inteiramente sob os olhos do público. Estávamos acompanhados pela meia-irmã de Barack, Maya, seu marido, Konrad, e a filha deles, Suhaila, uma menininha fofa de quatro anos.

Qualquer pai de uma criança nascida em um feriado importante sabe que já existe uma linha tênue entre a comemoração individual e as festividades mais universais. Os bondosos habitantes de Butte pareciam entender. Havia cartazes desejando "Feliz Aniversário, Malia!" nas vitrines das lojas da rua principal. Espectadores lhe davam parabéns aos berros, para serem ouvidos acima das batidas dos bumbos e das flautas entoando "Yankee Doodle" enquanto nossa família assistia ao desfile de Quatro de Julho das arquibancadas. As pessoas eram gentis com as meninas e respeitosas conosco, mesmo quando confessavam que votar em um democrata seria um desvio meio absurdo da tradição.

Naquele mesmo dia, a campanha promoveu um piquenique em um campo com vista para as montanhas pontudas que marcam a Divisória Continental. Seria um comício para algumas centenas de nossos apoiadores locais, bem como uma comemoração de aniversário improvisada para Malia. Fiquei comovida com todas as pessoas que apareceram, mas ao mesmo tempo sentia algo mais íntimo e premente que nada tinha a ver com o lugar onde estávamos. Naquele dia, fui surpreendida pela ternura abobalhada trazida pela maternidade e pela paternidade, a estranha condensação do tempo que acontece quando de súbito percebemos que nossos bebês estão crescendo, os membros, antes rechonchudos, agora esbeltos, os olhos adquirindo sabedoria. Para mim, o Quatro de Julho de 2008 foi o limiar mais relevante que cruzamos: dez anos antes, Barack e eu chegávamos à maternidade acreditando que sabíamos muito sobre o mundo quando, na verdade, ainda não sabíamos nada.

Eu passara boa parte da última década na tentativa de encontrar o equilíbrio entre família e trabalho, de descobrir como ser amorosa e presente com Malia e Sasha, e também ser boa na minha profissão. O eixo tinha mudado. Agora, eu tentava equilibrar a criação delas com algo totalmente diferente e mais confuso: a política, meu país, a jornada de Barack na busca por fazer algo relevante. A magnitude do que estava acontecendo na vida dele, as exigências da campanha, os holofotes na nossa família — tudo parecia crescer depressa. Após as convenções de Iowa, resolvi tirar uma licença do meu cargo no hospital, ciente de que seria de fato impossível continuar e ser útil. Pouco a pouco, a campanha consumia tudo. Depois de Iowa, eu estava tão ocupada que nem sequer fui até lá para pegar meus pertences ou fazer uma despedida decente. Agora eu era mãe e esposa em período integral, ainda que esposa com uma causa e mãe que queria impedir que as filhas fossem engolidas por essa causa. Foi doloroso me afastar do trabalho, mas não havia alternativa: minha família precisava de mim, e ela era o mais importante.

Portanto, ali estava eu num piquenique de campanha em Montana, encabeçando um grupo basicamente de estranhos para cantar "Parabéns pra você" para Malia, que estava sentadinha sorrindo no gramado, com um hambúrguer no prato. Os eleitores achavam nossas filhas uma graça e gostavam de ver nossa família unida, mas eu sempre me perguntava como elas enxergavam aquilo tudo, qual seria a visão delas. Tentei refrear qualquer sensação de culpa. Faríamos uma festa de aniversário de verdade no fim de semana, que incluía um monte de amigas da Malia dormindo em nossa casa e nenhuma política, e naquela noite teríamos uma reunião mais íntima no hotel. Mesmo assim, à medida que a tarde passava e as meninas corriam pela área do piquenique enquanto Barack e eu cumprimentávamos e abraçávamos eleitores, eu me pegava me questionando se as duas se lembrariam daquele passeio como algo divertido.

Naquela época, eu observava Sasha e Malia com uma nova ferocidade no coração. Assim como acontecia comigo, agora estranhos as chamavam pelo nome, querendo tocar nelas e tirar fotos. No inverno, o governo havia estendido para nós quatro a proteção do Serviço Secreto, pois consideraram a mim e as meninas expostas demais. Assim, quando elas iam à escola ou à colônia de férias (geralmente com minha mãe), seguranças as acompanhavam em outro carro.

No piquenique, cada um de nós tinha ao lado um agente examinando a reunião, atento a qualquer sinal de ameaça e interferindo sutilmente quando um simpatizante se empolgava demais ou exagerava no contato físico. Felizmente, as meninas pareciam ver os agentes mais como amigos adultos do que como guarda-costas, novas adições ao grupo crescente de pessoas simpáticas com quem viajávamos, distintos apenas pelo fone no ouvido e pela vigilância silenciosa. Sasha geralmente se referia a eles como "os secretos".

As meninas deixavam a campanha mais tranquila, no mínimo por não terem muito interesse no resultado. Para mim e Barack, era um alívio tê-las por perto — um lembrete de que, no fim das contas, nossa família era mais importante do que qualquer cômputo de apoiadores ou qualquer queda nas pesquisas. Nenhuma das duas ligava muito para o alvoroço em torno do pai. Não estavam concentradas em construir uma democracia melhor ou em chegar à Casa Branca, tudo que queriam (e queriam muito) era um cachorrinho. Adoravam brincar de pega-pega ou jogar cartas com a equipe de campanha nas horas mais sossegadas e faziam questão de achar uma sorveteria em todos os lugares novos a que iam. Todo o resto era apenas ruído de fundo.

Até hoje, Malia e eu caímos na risada ao lembrar que ela tinha oito anos quando Barack, nitidamente com um senso de responsabilidade, fez uma pergunta uma noite, ao colocá-la para dormir. "O que você acharia se o papai se candidatasse à presidência? Acha uma boa ideia?"

"Claro, papai!", ela respondeu, dando um beijo na bochecha do pai. A decisão de concorrer mudaria quase toda sua vida, mas como ela poderia imaginar? Ela simplesmente se virou para o lado e dormiu.

Naquele dia em Butte, visitamos o museu da mineração local, travamos uma batalha de pistola de água e jogamos bola no gramado. Barack fez seu discurso no palanque e distribuiu cumprimentos, mas também pôde voltar para se apoiar no nosso pequeno grupo. Sasha e Malia pularam em cima dele, rindo e deleitando-o com seus pensamentos. Eu via leveza em seu sorriso, admirando-o pela capacidade de afastar as distrações periféricas e ser apenas pai quando tinha a oportunidade. Ele bateu um papo com Maya e Konrad e manteve o braço nos meus ombros enquanto caminhávamos.

Nunca estávamos sozinhos. Havia sempre a equipe da campanha, os agentes de segurança, membros da imprensa esperando por entrevistas, curiosos tirando fotos de longe — agora, esse era nosso normal. No decorrer da campanha, nossos dias haviam ficado tão planejados que víramos nossa privacidade e autonomia escaparem aos poucos, tanto Barack quanto eu entregando quase todos os aspectos da nossa vida a um grupo de jovens inteligentíssimos e competentes, mas que não tinham como saber a dor que era abrir mão do controle da minha própria vida. Se eu precisava de alguma coisa, tinha que pedir a alguém que fosse à loja comprar. Para falar com Barack, normalmente tinha que enviar um pedido por meio de um de seus assessores. Eventos e atividades surgiam do nada na minha agenda.

Mas aos poucos, como questão de sobrevivência, aprendíamos a viver nossas vidas em público, aceitando a realidade como era.

Ainda naquela tarde em Butte, demos uma entrevista à TV, nós quatro — Barack, as meninas e eu —, coisa que nunca tínhamos feito. Em geral, insistíamos em manter os jornalistas longe das nossas filhas, limitando-as a fotos, e mesmo assim apenas em eventos públicos de campanha. Não sei o que nos induziu a dizer sim daquela vez. Segundo me lembro, a equipe achou que seria legal dar ao público uma visão um pouco mais íntima de Barack como pai, e na época não vi mal nenhum nisso. Ele amava nossas filhas, afinal. Amava todas as crianças. Era exatamente por isso que seria um ótimo presidente.

Sentamo-nos por cerca de quinze minutos com Maria Menounos, do *Access Hollywood*. Nós quatro conversamos com ela sentados em um banco de praça forrado com um tecido para dar um ar mais festivo. Malia estava de cabelo trançado e Sasha usava um vestido vermelho. Como sempre, elas foram irresistivelmente fofas. Menounos foi gentil e manteve a conversa leve enquanto Malia, a professora júnior da família, ponderava seriamente cada pergunta. Disse que às vezes o pai a constrangia quando tentava apertar a mão de suas amigas, e que ele incomodava todas nós ao deixar as malas na porta. Sasha fez o possível para ficar quietinha e concentrada, interrompendo a entrevista uma única vez, ao me perguntar: "Ei, quando é que a gente vai tomar sorvete?". De resto, escutava a irmã, interferindo de tempos em tempos com detalhes que lhe vinham à cabeça. "O papai já teve um cabelão desse tamanho!", exclamou a certa altura, já no final, referindo-se ao penteado black power. Todos caímos na risada.

A entrevista foi transmitida alguns dias depois, em quatro partes, na ABC, e recebida com entusiasmo, coberta por outros órgãos de imprensa com manchetes melosas tais como "As cortinas se abrem para as filhas de Obama em entrevista de TV" e "As duas garotinhas dos Obama contam tudo". De repente, os comentários infantis de Malia e Sasha eram examinados mundo afora.

Barack e eu nos arrependemos na mesma hora. Não havia nada de inapropriado na entrevista; nenhuma pergunta exploratória, nenhum detalhe especialmente revelador foi apresentado, mas sentíamos ter feito uma escolha errada, colocando suas vozes na esfera pública muito antes de poderem sequer começar a entender tudo aquilo. Nada no vídeo faria mal a Sasha ou Malia, mas agora estava solto no mundo e viveria para sempre na internet. Pegamos duas meninas pequenas que não escolheram essa vida e, sem pensar direito, as entregamos aos leões.

Àquela altura, eu já sabia alguma coisa sobre os leões. Vivíamos com os olhares sobre nós, o que acrescentava uma energia estranha a tudo. Oprah Winfrey me mandava mensagens de incentivo; Stevie Wonder, meu ídolo de infância, tocava em eventos de campanha, brincando comigo e me chamando pelo primeiro nome como se fôssemos velhos conhecidos. A quantidade de atenção que recebíamos era desorientadora, sobretudo porque eu sentia que não tínhamos feito muita coisa para merecê-la. Éramos suspensos pela força da mensagem que Barack passava adiante, mas também pelo potencial e pelo simbolismo do momento. Se os Estados Unidos elegessem seu primeiro presidente negro, isso significaria algo não só para Barack como também para o país. Para inúmeras pessoas, e por inúmeras razões, aquilo importava muito.

Barack, é claro, era o foco principal — da adulação pública e do exame minucioso que inevitavelmente vinha junto. Quanto mais popular alguém se torna, mais inimigos adquire. É quase uma regra tácita, principalmente na política, em que adversários investem em pesquisa sobre a oposição, contratando investigadores para revirar cada pedacinho do passado do candidato, procurando qualquer coisa que lembre sujeira.

Somos forjados de formas diferentes, meu marido e eu, e é por isso que um escolheu a política e outro, não. Ele tinha ciência dos boatos e ideias falsas que eram lançados como vapor tóxico na campanha, mas era raro que se incomodasse. Barack havia vivido outras campanhas. Tinha estudado história política, o que lhe dava uma contextualização. E, em termos gerais, ele simplesmente não é do tipo de se assustar fácil ou se desorientar com coisas abstratas como insegurança ou mágoa.

Eu, por outro lado, ainda estava descobrindo a vida pública. Me considerava uma mulher autoconfiante e bem-sucedida, mas, por outro lado, ainda era a menina que dizia às pessoas que queria ser pediatra e se dedicava a fazer tudo certo na escola. Em outras palavras, eu me importava com o que os outros pensavam. Tinha passado a juventude buscando aprovação, seguindo a cartilha de boa menina e evitando situações sociais conturbadas. Com o tempo, fui me aprimorando no tocante a não medir meu valor estritamente em termos de conquistas padronizadas, que seguissem as normas, mas tendia a acreditar que bastava agir com diligência e honestidade para não ser incomodada e ser sempre vista como eu mesma.

Essa crença estava prestes a cair por terra.

A vitória de Barack em Iowa tornou minha mensagem nas visitas de campanha ainda mais veemente, quase proporcional ao tamanho das plateias nos comícios. De centenas de pessoas por vez, eu agora me dirigia a mais de mil. Lembro-me de ter ido a um evento em Delaware, com Melissa e Kate, e ver a fila dobrando a esquina, todos esperando para entrar em um auditório já entupido. Isso me deixou perplexa, mas de um jeito positivo. Eu repetia para todas as plateias: estava encantada com o entusiasmo e o engajamento que as pessoas traziam à campanha. Ficava assombrada com sua dedicação, com o trabalho que eu as via fazerem no dia a dia para elegê-lo.

No que se refere ao meu discurso, com base na teoria de campanha que funcionara tão bem para mim em Iowa, eu o desenvolvera com estrutura flexível, embora não usasse teleprompter nem me preocupasse se fazia um leve desvio. Minhas palavras não eram buriladas e eu nunca seria tão eloquente quanto meu marido, mas falava de coração. Contava que minhas dúvidas iniciais sobre o processo político vinham diminuindo semana a semana, substituídas por algo mais estimulante e esperançoso. Muitos de nós enfrentávamos as mesmas batalhas, nutríamos as mesmas preocupações em relação aos filhos e às angústias em relação ao futuro. E muitos acreditavam, assim como eu, que Barack era o único candidato capaz de mudanças genuínas.

Barack queria tirar as tropas americanas do Iraque, queria revogar os cortes de impostos que George W. Bush conseguira aprovar para os abastados, queria assistência médica acessível para todos. Era uma plataforma ambiciosa, mas sempre que eu entrava em um auditório fervoroso, tinha a impressão de que talvez estivéssemos prontos, como nação, para superar nossas diferenças a fim de concretizá-la. Havia orgulho naqueles salões, um espírito de união que ia muito além da cor da pele. O otimismo era enorme e revigorante. "A esperança está ressurgindo!", eu declarava em todas as paradas.

Foi em Wisconsin, em fevereiro, que Katie recebeu um telefonema da equipe de comunicação relatando um problema. Era evidente que eu tinha dito algo controverso no discurso que fizera em um teatro de Milwaukee algumas horas antes. Katie ficou confusa, assim como eu, pois o que falei em Milwaukee não foi diferente do que tinha acabado de dizer a uma multidão em Madison, que não era diferente do que vinha dizendo a todas as plateias havia meses. Nunca teve nenhum problema. Por que teria agora?

No fim do dia, vimos o que aconteceu. Alguém tinha filmado meu discurso de aproximadamente quarenta minutos e o editado em um trecho de dez segundos, retirando todo o contexto e colocando ênfase em algumas poucas palavras.

De repente, circulavam trechos de Milwaukee e de Madison, ambos da parte em que eu falava que me sentia animada. A versão completa do que eu disse naquele dia era a seguinte:

"O que descobri ao longo deste ano é que a esperança está ressurgindo! E me permitam dizer: pela primeira vez em toda a minha vida adulta estou de fato orgulhosa do meu país. Não só pelo bom desempenho de Barack, mas porque acho que o povo está com sede de mudança. Eu estava desesperada para ver nosso país seguir nessa direção, para não me sentir tão sozinha na minha frustração e decepção. Eu vejo gente ávida por se unir em torno de problemas básicos em comum, e isso me dá orgulho. Eu me sinto privilegiada só de poder testemunhar isso."

Quase tudo tinha sido eliminado, inclusive minhas referências a esperança e união e minha afirmação de estar comovida com o que via. Sem a nuance do sentido, o olhar era dirigido a uma única coisa. O que os vídeos editados mostravam — e que agora entrava em alta rotação nas rádios conservadoras e nos talk shows, segundo nos informaram — era o seguinte: "Pela primeira vez em toda a minha vida adulta estou de fato orgulhosa do meu país".

Não era preciso assistir aos noticiários para saber a distorção promovida: *Ela não é patriota. Ela sempre odiou o país. Essa é quem ela é de verdade. O resto são só aparências.*

Aquele foi o primeiro soco. E, ao que parecia, eu mesma havia cavado aquilo. Ao tentar falar de um jeito casual, acabara esquecendo o peso que cada palavra poderia carregar. Involuntariamente, dei aos oponentes um banquete de dezesseis palavras. Assim como no primeiro ano do fundamental, foi um golpe totalmente inesperado.

Voltei para Chicago naquela noite sentindo culpa e desânimo. Eu sabia que Melissa e Katie estavam acompanhando as repercussões negativas pelo BlackBerry, embora tivessem o zelo de não dividi-las comigo, pois entendiam que isso só pioraria a situação. Estávamos trabalhando juntas fazia quase um ano, somando milhas que nenhuma de nós três conseguiria contar, sempre correndo contra o relógio para que eu conseguisse estar de volta em casa, com minhas filhas, à noite. Havíamos percorrido auditórios do país inteiro, comido mais fast-food do que gostaríamos e comparecido a festas beneficentes promovidas em casas tão opulentas que tínhamos de ficar sempre atentas para não ficarmos de boca aberta. Enquanto Barack e sua equipe viajavam em aviões fretados e ônibus de turismo confortáveis, nós três continuávamos tirando os sapatos nas vagarosas filas para passar pela segurança dos aeroportos, sentando na classe econômica e contando com a boa vontade de voluntários para nos levarem a eventos às vezes a centenas de quilômetros de distância.

Minha impressão era de que, de modo geral, estávamos fazendo um excelente trabalho. Já tinha visto Katie subir na cadeira para gritar ordens para fotógrafos com o dobro da sua idade e dar foras em repórteres por fazerem perguntas indevidas. Já tinha visto Melissa arquitetar todos os detalhes da minha agenda com uma habilidade que conciliava múltiplos eventos em um só dia, digitando freneticamente no teclado do BlackBerry para resolver possíveis problemas e ao mesmo tempo garantindo que eu não perdesse a peça da escola, o aniversário de uma amiga antiga nem a chance de ir à academia. As duas abriram mão de tudo em prol dessa iniciativa, sacrificando a própria vida pessoal para que eu pudesse preservar um simulacro da minha.

Sentada no avião, sob o domo da luzinha individual, eu temia ter estragado tudo com aquelas dezesseis palavras impensadas.

Depois de pôr as meninas para dormir e liberar minha mãe para descansar um pouco em sua casa, liguei para Barack. Era a véspera das primárias de Wisconsin, e as pesquisas mostravam uma corrida apertada. Barack tinha uma vantagem tênue mas crescente em relação ao número de delegados na convenção nacional. Hillary vinha veiculando propagandas com todo tipo de críticas a Barack, desde seu projeto de assistência médica ao fato de não concordar em travar mais debates com ela. Os riscos eram altos. A campanha não podia arcar com uma desilusão. Eu me desculpei pelo que estava acontecendo com o meu discurso. "Não fazia ideia de que estava cometendo um erro", expliquei. "Faz meses que falo a mesma coisa."

Naquela noite, Barack estava indo do Wisconsin ao Texas. Quase o vi dando de ombros do outro lado da linha. "Olha, isso é porque suas plateias são imensas", ele me explicou. "Você se tornou uma potência na campanha, e isso significa que as pessoas irão um pouco atrás de você. É da natureza das coisas."

Como fazia sempre que nos falávamos, ele me agradeceu pelo tempo que eu estava dedicando à campanha e lamentou que eu tivesse que lidar com os efeitos colaterais. "Te amo, meu bem", disse ele, antes de desligar. "Sei que essas coisas são difíceis, mas vai passar. Sempre passa."

Ele estava ao mesmo tempo certo e errado. Em 19 de fevereiro de 2008, Barack venceu a primária de Wisconsin por uma boa margem, o que parecia indicar que eu não lhe causara danos naquele ponto. No mesmo dia, Cindy McCain disparou contra mim em um comício, declarando: "Tenho orgulho do meu país. Não sei vocês, se ouviram aquilo, mas eu tenho muito orgulho do meu país". A CNN considerou que estávamos em uma "polêmica patriótica" e os blogueiros fizeram o que os blogueiros fazem. Em uma semana, porém, boa parte da comoção parecia ter se dissipado. Barack e eu tínhamos feito comentários à imprensa, esclarecendo que eu estava orgulhosa de ver tantos americanos dando telefonemas em prol da campanha, falando com os vizinhos e se sentindo mais confiantes no próprio poder que exercem na nossa democracia, o que para mim era inédito. E assunto encerrado. Nos meus discursos, tentei tomar mais cuidado com a maneira como as palavras saíam da minha boca, mas a mensagem se mantinha a mesma. Eu continuava orgulhosa e continuava entusiasmada. Quanto a isso, nada havia mudado.

No entanto, uma semente nociva fora plantada — uma percepção de mim como descontente e um tanto hostil, carente de certo nível esperado de graciosidade. Não sabíamos se isso vinha dos adversários políticos de Barack ou de outra fonte, mas os boatos e os comentários tendenciosos quase sempre transmitiam um recado pouco sutil sobre raça, feito para suscitar no público eleitor o medo mais profundo e mais feio. *Não deixem os negros assumirem o controle. Eles não são como vocês. Não têm a mesma visão que vocês têm.*

Não contribuiu em nada o exame minucioso feito pela ABC News de 29 horas de sermões do reverendo Jeremiah Wright, resultando numa compilação chocante que o mostrava descontrolado, tendo empedernidos e inadequados acessos de fúria e rancor contra a América branca, como se os brancos fossem culpados por todas as mazelas do país. Barack e eu ficamos estarrecidos ao ver aquilo, um reflexo do lado pior e mais paranoico do homem que havia celebrado nosso casamento e batizado nossas filhas. Ambos tínhamos crescido em famílias que viam a raça pela lente da desconfiança. Eu vivenciei o ressentimento latente de Dandy pelas décadas que passara sendo preterido profissionalmente por causa da cor de sua pele, bem como os temores de Southside em relação à segurança dos netos em bairros tipicamente brancos. Já Barack escutara Toot, sua avó branca, tecer descuidadas generalizações étnicas e até confessar que às vezes tinha medo ao cruzar com um homem negro na rua. Foram anos de convivência com a estreiteza mental de alguns familiares mais velhos, e aceitamos que ninguém era perfeito, sobretudo aqueles que cresceram numa época de segregação. Talvez por isso tivéssemos ignorado os absurdos dos sermões ferozes do reverendo Wright, ainda que não estivéssemos presentes em nenhum dos sermões em questão. Aquela versão extrema de sua virulência divulgada nos noticiários, entretanto, nos deixou consternados. O caso todo era um lembrete de que as distorções do nosso país quanto à raça podiam ser bilaterais — que a desconfiança e a criação de estereótipos existiam dos dois lados.

Enquanto isso, alguém tinha desencavado minha monografia de Princeton, escrita mais de duas décadas antes. Era uma pesquisa que examinava como ex-alunos afro-americanos viam raça e identidade depois de estudar em Princeton. Por razões que jamais vou entender, a mídia conservadora tratava meu trabalho como se fosse um manifesto secreto do poder negro, como se houvessem desenterrado uma ameaça. Era como se aos 21 anos eu estivesse, em vez de tentando tirar 10 em sociologia e entrar na Escola de Direito de Harvard, tramando um plano ao estilo Nat Turner para derrubar a maioria branca — e agora, graças a meu marido, finalmente tivesse a chance de colocá-lo em ação. "Será que Michelle Obama é a responsável pelo fiasco Jeremiah Wright?" foi o subtítulo de um artigo publicado on-line pelo escritor

Christopher Hitchens. Ele atacava a Michelle universitária, sugerindo que eu havia sido excessivamente influenciada por pensadores negros radicais e que, além do mais, eu escrevia porcamente. "Descrevê-la como difícil de ler seria um engano", afirmava ele. "Não é possível 'ler' a monografia, no sentido estrito do verbo. Isso porque não foi escrita em nenhuma língua conhecida."

Eu era pintada não apenas como uma outsider, mas como totalmente "outra", tão estrangeira que nem meu idioma era reconhecível. Foi um insulto tacanho e ridículo, sem dúvida, mas o escárnio ao meu intelecto e a marginalização do meu eu jovem transmitiam um desdém maior. Agora, Barack e eu éramos conhecidos demais para nos tornarem invisíveis, mas se nos vissem como estranhos e intrusos, talvez nossa potência pudesse ser esvaziada. O recado não raro parecia ser telegrafado, nunca dito diretamente: *Essas pessoas não são daqui*. Uma foto de Barack de turbante e roupas somalis tradicionais, que lhe foram dadas quando de uma visita oficial que ele fizera ao Quênia como senador, apareceu no *Drudge Report*, ressuscitando velhas teorias de que ele era muçulmano em segredo. Meses depois, a internet produziria outro boato anônimo infundado, este questionando a cidadania de Barack, fazendo circular a ideia de que ele tinha nascido não no Havaí, mas no Quênia, o que o tornaria inelegível.

Enquanto prosseguíamos com as primárias de Ohio e Texas, Vermont e Mississippi, eu continuava a falar em otimismo e união, sentindo a positividade do público em eventos de campanha, que se aglomerava em torno da ideia de mudança. Em paralelo, porém, a contranarrativa nada lisonjeira a meu respeito parecia só ganhar força. Na Fox News, havia discussões sobre minha "ira militante". Na internet, produziram-se mais rumores sobre um suposto vídeo em que eu usava o termo "branquelos", um boato que era não apenas bizarro como descaradamente mentiroso. Em junho, quando Barack finalmente conquistou a indicação democrata, eu o saudei de um jeito brincalhão, dando um soquinho no punho dele, em um evento em Minnesota, e o gesto renderia manchetes, interpretado por um comentarista da Fox como uma saudação terrorista, sugerindo de novo que éramos perigosos. Um âncora da mesma rede havia se referido a mim como *Obama's Baby Mama*, evocando conceitos clichês dos guetos negros americanos e lançando sobre mim uma alteridade que me excluía até do meu casamento.

Eu estava me cansando, não física, mas emocionalmente. Os golpes machucavam, mesmo eu sabendo que pouco tinham a ver comigo como pessoa. Era como se existisse uma versão caricatural de mim que criava o caos, uma mulher sobre a qual sempre ouvia falar mas que não conhecia — uma Godzilla muito alta, muito impetuosa e incisiva chamada Michelle Obama. O que também me doía era que, às vezes, amigas me ligavam e descarregavam suas preocupações sobre mim, me enchendo de conselhos que achavam que eu deveria transmitir ao coordenador de campanha ou querendo que eu as tranquilizasse sobre uma matéria negativa que tinham visto sobre mim, sobre Barack ou sobre a situação da campanha. Quando surgiram os boatos do vídeo dos branquelos, uma amiga que me conhece bem me telefonou, nitidamente temendo que fosse verdade. Tive que passar uma boa meia hora convencendo-a de que não tinha virado racista, e, quando desliguei, estava totalmente abatida.

Em geral, minha sensação era de que nada que eu fizesse estaria certo, que nenhuma fé ou empenho no mundo me fariam superar meus detratores e suas tentativas de me invalidar. Eu era mulher, negra e forte, o que para certas pessoas, mantendo certa mentalidade, só poderia se traduzir em "raivosa". Era outro clichê danoso, sempre empregado para varrer para o canto as mulheres de minorias, um sinal inconsciente de que não deveriam escutar o que tínhamos a dizer.

Eu estava começando a realmente ter um pouco de raiva, o que só me fazia me sentir pior, como se estivesse cumprindo uma profecia lançada por inimigos, como se tivesse cedido. É incrível como um estereótipo funciona como uma armadilha. Quantas "mulheres negras raivosas" ficaram presas na lógica circular dessa expressão? Se você não é ouvida, por que não elevar a voz? Ser desconsiderada por ser raivosa ou emotiva não provoca justamente raiva e emoção?

Eu estava ficando esgotada pela crueldade, desconcertada com o quanto os ataques haviam se tornado pessoais, mas convicta de que não havia a menor chance de eu desistir. A certa altura de maio, o Partido Republicano do Tennessee divulgou na internet um vídeo em que minhas falas em Wisconsin eram alternadas com cenas de eleitores dizendo coisas como "Cara, tenho orgulho de ser americano desde criança". O site da NPR divulgou uma matéria sob o título: "Será Michelle Obama um trunfo ou um fardo?". Abaixo, em negrito, vinham os pontos que aparentemente norteavam o debate a meu respeito: "Sinceridade reconfortante ou franqueza excessiva?" e "Seu visual: majestoso ou intimidante?".

Olha, essas coisas doíam.

Às vezes eu culpava a campanha de Barack pela situação em que eu me encontrava. Entendia que era mais ativa do que muitas esposas de candidatos, o que fazia de mim um alvo mais fácil. Meu instinto era revidar, me pronunciar contra as mentiras e generalizações injustas ou pedir a Barack que fizesse algum comentário, mas os assessores sempre me diziam que era melhor não reagir, seguir em frente e simplesmente aguentar. "É só política", era o mantra, como se não pudéssemos fazer nada, como se tivéssemos nos mudado para uma cidade em outro planeta, chamado Política, onde nenhuma das regras normais se aplicava.

Sempre que minha energia começava a cair, eu me punia ainda mais, com um monte de pensamentos depreciativos: não tinha optado por aquilo. Nunca tinha gostado de política. Tinha largado meu emprego e aberto mão da minha identidade em prol da campanha e agora era um inconveniente? Para onde fora meu poder?

Sentados na nossa cozinha em Chicago, em uma noite de domingo em que Barack estava de folga, desabafei todas as minhas frustrações.

"Não preciso disso", falei. "Se estou fazendo mal à campanha, por que estou nela?"

Expliquei que Melissa, Katie e eu não estávamos conseguindo acompanhar o volume de demandas da imprensa e o trabalho que dava viajar com o orçamento apertado de que dispúnhamos. Eu não queria estragar nada e queria apoiá-lo, mas nos faltava tempo e recursos para fazer algo mais planejado. E eu estava cansada de não poder reagir ao escrutínio cada vez maior, cansada de ser vista como uma pessoa completamente diferente do que era. "Posso ficar em casa com as crianças, se for melhor", falei. "Serei a esposa normal, que aparece só nos grandes eventos e sorri. Talvez fique bem mais fácil para todo mundo."

Barack me escutava com empatia. Ele estava nitidamente cansado, louco para subir para o quarto e ter o descanso tão necessário. Às vezes eu detestava como as fronteiras entre vida doméstica e vida política haviam se dissipado. Os dias de Barack eram repletos de resolução de problemas em frações de segundos e centenas de interações pessoais, e eu não queria ser mais uma questão que lhe cabia resolver. No entanto, minha existência havia sido completamente fundida à dele.

"Você traz muito mais vantagens do que desvantagens, Michelle, você precisa ter consciência disso", ele me disse, consternado. "Mas se quiser parar ou diminuir o ritmo, vou entender perfeitamente. Você pode fazer o que quiser."

Disse que eu nunca deveria me sentir em dívida com ele ou com as engrenagens da campanha e que, se quisesse continuar, contanto que houvesse mais apoio e recursos, ele encontraria um jeito de providenciar o que fosse necessário.

As palavras dele me reconfortaram, mas só um pouco. Eu ainda me sentia a menina que acabava de levar um soco na fila do almoço.

Depois disso, deixamos a política de lado e levamos nossos corpos cansados para a cama.

Não muito tempo depois, fui ao escritório de David Axelrod em Chicago e me sentei com ele e Valerie para assistir a algumas das minhas aparições públicas. Foi, agora percebo, uma espécie de intervenção, uma tentativa de me mostrar quais partes do processo eu poderia controlar. Os dois me elogiaram pelo trabalho intenso que vinha fazendo e pela eficiência em arregimentar eleitores, mas em seguida Axe passou o mesmo discurso sem volume, apagando minha voz para que examinássemos mais atentamente minha linguagem corporal, sobretudo as expressões faciais.

O que eu via? Eu me via falando com intensidade e convicção, e nunca amenizava o tom. Sempre abordava a época complicada que muitos americanos enfrentavam, bem como as desigualdades nas escolas e no sistema de saúde. Meu rosto refletia a seriedade do que eu acreditava estar em jogo, a importância da escolha que nossa nação precisava fazer.

Porém, eu era séria demais, severa demais — pelo menos segundo o que as pessoas eram condicionadas a esperar de uma mulher. Observei minha expressão conforme um estranho a perceberia, principalmente se legendada com uma mensagem desagradável. Entendi como a oposição havia conseguido picotar aquelas imagens e me servir ao público como uma megera raivosa. Era, é claro, outro estereótipo, outra armadilha. A forma mais fácil de desmerecer a voz de uma mulher é resumi-la a uma pessoa rabugenta.

Ninguém criticava Barack por parecer sério demais ou não sorrir muito. Eu era a esposa e não a candidata, obviamente, então talvez a expectativa fosse de que eu propiciasse mais leveza, mais graciosidade. E, no entanto, se havia qualquer questão acerca de como as mulheres em geral se saíam no Planeta Política, bastava ver como Nancy Pelosi, a inteligente e ambiciosa speaker da Câmara dos Representantes dos Estados Unidos, não raro era retratada como uma bruxa ou o que Hillary Clinton aguentava enquanto os entendidos da TV a cabo ou os colunistas requentavam a cada passo da campanha. O gênero de Hillary foi usado contra ela de modo incessante, trazendo à tona os piores estereótipos. Ela era chamada de tirana, resmungona, vaca. Sua voz era considerada estridente; sua risada, um cacarejo. Hillary foi a adversária de Barack, o que significa que eu não estava inclinada a simpatizar com ela na época, mas foi inevitável admirar sua capacidade de se levantar e continuar lutando em meio à misoginia.

Naquele dia, ao rever o vídeo com Axe e Valerie, senti as lágrimas brotarem nos olhos. Estava chateada. Agora percebia que havia um elemento performativo na política, que eu ainda não havia dominado. E já fazia mais de um ano que vinha proferindo discursos. Reparei que me comunicava melhor em lugares menores, como em Iowa. Era mais difícil transmitir calor humano em grandes auditórios. Plateias mais numerosas exigiam pistas faciais mais claras, algo que eu precisava trabalhar. Tive medo de ser tarde demais para isso.

Valerie, uma amiga querida de mais de quinze anos, apertou minha mão.

"Por que vocês não discutiram isso comigo antes?", indaguei. "Por que ninguém tentou ajudar?"

A resposta é que ninguém estava prestando muita atenção. A percepção dentro da campanha era de que eu estava me saindo bem, até me sair mal. Só então, quando virei um problema, fui convocada à sala de Axe.

Foi um ponto de virada para mim. O aparato de campanha existia para servir exclusivamente ao candidato, não à esposa ou à família. E, por mais que a equipe me respeitasse e valorizasse minhas contribuições, nunca tinha me dado muito em termos de orientação. Até então, ninguém havia se dado ao trabalho de viajar comigo ou mesmo comparecer aos meus eventos. Eu nunca tinha recebido treinamento de mídia nem de oratória. Foi quando me dei conta de que ninguém cuidaria de mim a não ser que eu lutasse por isso.

Ciente de que os olhares só se intensificariam naqueles seis meses restantes de campanha, finalmente concordamos que eu precisava de uma ajuda mais sólida. Se continuaria atuando como se fosse candidata, eu precisava receber apoio como se fosse candidata. Para me proteger, decidi ser mais organizada e insistir em obter os recursos necessários para cumprir bem minha função. Nas semanas finais das primárias, os coordenadores da campanha providenciaram reforços na minha equipe, incluindo uma assistente pessoal — Kristen Jarvis, a amável ex-assistente de Barack no Senado, cuja postura firme me sustentaria em momentos de estresse extremo — e uma especialista em comunicação assertiva e com experiência na política, Stephanie Cutter. Junto com Katie e Melissa, Stephanie me ajudou a aprimorar minha mensagem e minha apresentação, construindo o que se tornaria um grande discurso na Convenção Nacional Democrata, em agosto. Além dos recursos humanos, finalmente pudemos utilizar um avião de campanha, que me garantia uma movimentação mais eficiente. Agora eu podia dar entrevistas durante os voos, fazer cabelo e maquiagem a caminho dos eventos e levar Sasha e Malia sem que isso representasse um custo extra.

Era um alívio. Tudo isso era um alívio. E realmente acredito que esse alívio me permitiu sorrir mais, me tirou um pouco da postura defensiva.

Quando planejávamos minhas aparições públicas, Stephanie me recomendava explorar meus pontos fortes e me lembrar dos assuntos de que eu mais gostava de falar, isto é, o amor que nutria por meu marido e minhas filhas, a conexão que sentia com mães que trabalham fora e o orgulho que tinha de minhas raízes em Chicago. Reparando que eu gostava de fazer brincadeiras, ela me disse para não refrear meu humor. Em outras palavras, não havia problema em ser eu mesma. Pouco depois de encerradas as primárias, concordei em participar de *The View*. Passei uma hora feliz e divertida com Whoopi Goldberg, Barbara Walters e as outras apresentadoras diante de uma plateia. Falei sobre os ataques contra mim, mas também fiz graça com as meninas, troquei cumprimentos de soquinhos e comentei sobre o incômodo de usar meias-calças. Eu havia ganhado tranquilidade, um novo domínio da minha voz. O programa foi bem recebido, de modo geral. Usei um vestido preto e branco de 148 dólares que de repente as mulheres estavam correndo para comprar.

Eu estava causando impacto e, ao mesmo tempo, começando a me divertir, me sentindo cada vez mais aberta e otimista. Eu também estava tentando aprender com os americanos que encontrava pelo país, participando de mesas-redondas com foco no equilíbrio entre trabalho e família, questão pela qual me interessava. As lições mais assombrosas vinham de visitas a comunidades militares, onde eu conhecia cônjuges de soldados — em sua maioria mulheres, mas às vezes alguns homens.

"Me contem sobre suas vidas", eu dizia, e escutava as histórias de mulheres com bebês no colo, algumas ainda adolescentes. Algumas narravam terem passado por oito ou mais transferências em menos de uma década, e a cada vez tinham que se organizar de novo, pôr os filhos em aulas de música e outras atividades. Elas explicavam também a dificuldade de manter uma carreira apesar de tantas mudanças de endereço. Uma professora, por exemplo, não conseguia emprego porque um estado não reconhecia o certificado profissional de outro estado, um problema similar ao que encontravam manicures e fisioterapeutas. Muitos jovens pais não conseguiam achar creches acessíveis. E tudo isso, é claro, era obscurecido pelos fardos logístico e emocional de ver a pessoa amada ser enviada, por períodos de doze meses ou mais, para lugares como Cabul, Mossul ou para um porta-aviões no mar da China Meridional. Encontrar essas esposas imediatamente colocava minha dor em perspectiva. O sacrifício delas era muito maior que o meu. Nesses encontros, eu ficava sentada absorta e meio assustada por saber tão pouco sobre a vida dos militares. Jurei a mim mesma que, se Barack tivesse a sorte de ser eleito, eu encontraria uma maneira de dar mais apoio àquelas famílias.

Tudo isso renovou minhas energias para dar um último empurrãozinho para Barack e Joe Biden, o gentil senador de Delaware que logo seria anunciado como seu companheiro de chapa. Eu me sentia animada a voltar a seguir meus instintos, cercada por pessoas que me apoiavam. Em eventos públicos, eu me concentrava em estabelecer vínculos pessoais, fosse em grupos pequenos ou em plateias de milhares, em papos de bastidores ou em filas. Quando tinham a oportunidade de me ver como uma pessoa real, os eleitores entendiam que as caricaturas eram mentirosas. Aprendi que é mais difícil odiar alguém de perto.

Acelerei ainda mais o ritmo ao longo do verão de 2008, convicta de que podia fazer uma diferença positiva para Barack. Nos preparativos para a convenção que se aproximava, escrevi meu discurso com uma especialista pela primeira vez, uma jovem talentosa chamada Sarah Hurwitz, que me ajudou a moldar minhas ideias em um discurso preciso de dezessete minutos. No fim de agosto, após semanas de preparo cuidadoso, subi ao palco do Pepsi Center de Denver e me vi diante de cerca de 20 mil pessoas e mais milhões de espectadores pela TV, pronta para enunciar ao mundo quem eu realmente era.

Naquela noite, meu irmão, Craig, me apresentou. Minha mãe estava na primeira fila de um camarote, parecendo meio aturdida com o tamanho gigantesco que a plataforma de nossas vidas havia adquirido. Falei sobre meu pai; sobre sua humildade, sua resiliência, e sobre como tudo isso havia moldado Craig e a mim. Tentei dar aos americanos a visão mais íntima possível de Barack e de seu nobre coração. Quando terminei, as pessoas não paravam de aplaudir, e senti um vigoroso sopro de alívio, ciente de que talvez tivesse finalmente feito alguma coisa capaz de mudar a percepção que o público tinha de mim.

Foi um grande momento, sem dúvida — grandioso e público e até hoje fácil de encontrar no YouTube —, mas a verdade é que, por essas mesmas razões, foi também, estranhamente, um momento um tanto quanto insignificante. Minha visão começava a se inverter, como um suéter que fosse lentamente virado do avesso. Palcos, plateias, luzes, aplausos. Tudo isso estava se tornando mais comum do que jamais imaginara. Agora, eu ansiava pelos momentos não ensaiados, não fotografados, intervenientes, em que ninguém estava atuando nem julgando, em que a surpresa verdadeira ainda era possível — em que às vezes, sem aviso prévio, se podia sentir um pequeno ferrolho se abrir no coração.

Para isso, precisamos retornar a Butte, Montana, no Quatro de Julho. Era o fim do nosso dia ali, o sol de verão finalmente se pondo atrás das montanhas ocidentais, o estourar dos fogos de artifícios começando a soar ao longe. Fomos passar a noite no Holiday Inn Express, perto da rodovia interestadual. Barack iria para Missouri no dia seguinte, enquanto as meninas e eu iríamos para casa. Estávamos cansados, todos nós, depois do desfile e do piquenique. Tínhamos a sensação de ter falado com todos os residentes da cidade. E agora faríamos finalmente uma reuniãozinha só para Malia.

Se me perguntassem naquele momento, eu diria que falhamos com ela, no fim das contas; que seu aniversário parecera algo secundário no turbilhão da campanha. Nos juntamos em um salão do hotel iluminado por lâmpadas fluorescentes e de pé-direito baixo, com Konrad, Maya e Suhaila, além de alguns membros da equipe que eram próximos de Malia e, claro, os agentes do Serviço Secreto, que estavam sempre por perto, acontecesse o que acontecesse. Arranjamos alguns balões, um bolo de supermercado, dez velas e um pote de sorvete. Havia alguns presentes comprados e embrulhados às pressas por alguém que não eu. O clima não era propriamente desanimado, mas também não era festivo. O dia simplesmente fora longo demais. Barack e eu trocamos um olhar triste, cientes de nossa falha.

No final das contas, entretanto, como em tantas coisas, era só uma questão de perspectiva — como decidíamos enxergar o que estava à nossa frente. Barack e eu estávamos concentrados somente em nossos defeitos e insuficiências, vendo-os refletidos naquela sala insípida e na festa improvisada, mas Malia estava focada em algo diferente. E ela enxergou o que buscava. Viu rostos amáveis, pessoas que a amavam, um bolo com uma camada grossa de glacê, a irmã mais nova e uma prima a seu lado, um novo ano adiante. Tinha passado o dia ao ar livre, visto o desfile e no dia seguinte andaria de avião.

Ela foi até Barack e se jogou no colo dele. "Esse é o meu melhor aniversário de *todos*!", declarou.

Malia não reparou que tanto a mãe como o pai ficaram com os olhos marejados ou que metade dos presentes se emocionou junto. Porque ela tinha razão. E de repente todos vimos. Ela estava completando dez anos naquele dia, e tudo era maravilhoso.

18

Quatro meses depois, em 4 de novembro de 2008, eu depositava na urna meu voto em Barack. Fomos bem cedo à nossa zona eleitoral, no ginásio da escola de ensino fundamental Beulah Shoesmith, a poucos quarteirões da nossa casa. Levamos Sasha e Malia, ambas prontas para ir à escola. Mesmo no dia da eleição — talvez especialmente no dia da eleição —, achei que seria uma boa ideia elas irem à aula. Escola era rotina. Escola era conforto. Enquanto passávamos por batalhões de fotógrafos e câmeras de TV no caminho para o ginásio, enquanto todos ao nosso redor falavam do caráter histórico de tudo aquilo, eu estava feliz por ter preparado as lancheiras.

Que tipo de dia seria aquele? Seria um dia longo. Fora isso, ninguém sabia.

Como sempre é o caso em dias de muita tensão, Barack estava mais sereno do que nunca. Cumprimentou os mesários, dirigiu-se à urna e apertou a mão de todos com quem cruzou, transparecendo tranquilidade. Fazia sentido. Em breve aquele empreendimento todo sairia de suas mãos.

Ficamos lado a lado nas nossas respectivas cabines de votação, as meninas atentas ao que estávamos fazendo.

Eu já tinha dado inúmeros votos a Barack, em primárias e em eleições gerais, em níveis estadual e nacional, e aquela ida à zona eleitoral não me pareceu diferente. Votar era um hábito, um ritual saudável a ser realizado de modo consciente e em todas as oportunidades. Meus pais me levavam à zona eleitoral quando criança, e criei o hábito de levar minhas filhas sempre que possível, para reforçar tanto a facilidade quanto a importância do ato.

A carreira do meu marido me permitiu testemunhar de perto as maquinações da política e do poder. Eu já tinha testemunhado como um punhado de votos em cada distrito poderia fazer a diferença não só entre candidatos, mas entre sistemas de valores inteiros. A abstenção de algumas poucas por bairro podia determinar o que nossos filhos aprenderiam na escola, quais recursos de saúde estariam disponíveis ou se mandaríamos ou não tropas à guerra. O voto era tão simples quanto poderoso.

Naquele dia, demorei alguns segundo a mais encarando a cédula com o nome do meu marido para presidente dos Estados Unidos. Depois de quase 21 meses de atuação em campanha, ataques sofridos e exaustão, finalmente chegara o momento — a última tarefa a cumprir.

Barack olhou para mim e riu.

"Ainda está indecisa?", brincou ele. "Quer mais um tempinho?"

Se não fosse pela ansiedade que me dominava, eu poderia dizer que o dia da eleição foi como miniférias, uma pausa surreal entre tudo que acontecera e tudo que viria pela frente. Já tínhamos saltado, mas não aterrissado. Ainda não havia como saber como seria o futuro. Após tantos meses em que tudo ocorria rápido demais, o tempo rastejava de maneira agonizante. Ao voltar para casa, fiz o papel de anfitriã para familiares e amigos que nos fizeram breves visitas para bater um papo leve e ajudar a aguentar a espera.

Ainda pela manhã, Barack saiu para jogar basquete com Craig e uns amigos em um clube próximo. Era quase um costume para dias de eleição. Para Barack, nada melhor que uma intensa partida de basquete para acalmar os nervos.

"Só não deixe ninguém quebrar o nariz do meu marido", pedi a Craig quando os dois iam saindo. "Ele vai aparecer na TV mais tarde."

"Sempre jogando a responsabilidade para cima de mim", foi a resposta de Craig, típica de irmão. E lá foram eles.

Quem acreditasse em pesquisas pensaria que Barack já estava seguro da vitória, mas eu sabia que ele havia preparado dois possíveis discursos para aquela noite: um de vitória, outro de admissão da derrota. Àquela altura, já entendíamos o suficiente de política e pesquisas para não aceitar nada como garantido. Conhecíamos o fenômeno chamado "efeito Bradley", em homenagem a um candidato afro-americano, Tom Bradley, que concorreu a governador da

Califórnia no começo dos anos 1980. Embora sucessivas pesquisas o mostrassem na liderança, Bradley perdeu, surpreendendo a todos e proporcionando ao mundo uma grande lição sobre intolerância, já que isso se repetiu durante anos a fio, em diferentes disputas de peso com candidatos negros no país inteiro, formando um padrão. A teoria era de que, no tocante a candidatos de minorias, os eleitores escondiam seu preconceito quando eram questionados, expressando-o apenas na privacidade da cabine de votação.

No decorrer da campanha de Barack, diversas vezes me questionei se o país estaria mesmo preparado para eleger um presidente negro, se havia se fortalecido o suficiente para ver além das raças e superar o preconceito. Estávamos, finalmente, prestes a descobrir isso.

Como um todo, a eleição geral tinha sido menos cansativa do que a batalha campal das primárias. John McCain não foi muito feliz ao escolher a governadora do Alasca, Sarah Palin, como vice. Inexperiente e despreparada, ela logo virou uma piada nacional. Depois, em meados de setembro, as notícias tomaram um rumo desastroso. A economia americana começou a sair do controle quando o Lehman Brothers, um dos maiores bancos de investimento do país, de repente faliu. O mundo agora percebia que os titãs de Wall Street haviam passado anos lucrando com empréstimos imobiliários sem valor. As ações sofreram uma queda brusca. Os mercados de crédito congelaram. Fundos de pensão desapareceram.

Barack era a pessoa certa para aquele momento da história, para um cargo que nunca seria fácil mas que tinha, graças à crise financeira, se tornado exponencialmente mais difícil. Eu vinha proclamando fazia mais de um ano e meio, por todos os Estados Unidos: meu marido era calmo e preparado. A complexidade não o assustava. Seu cérebro era capaz de destrinchar todo tipo de dificuldade. Era um julgamento parcial, claro, e pessoalmente eu ainda ficaria feliz em perder as eleições em troca de recuperar alguma versão incompleta da nossa vida antiga. Mas o país de fato precisava da ajuda dele. Estava na hora de pararmos de pensar em algo tão arbitrário como a cor da pele. Seria uma tolice não colocá-lo no poder àquela altura. Porém, ele herdaria o caos.

Era quase noite e eu sentia meus dedos dormentes, um formigamento de nervosismo em todo o corpo. Mal conseguia comer e não me interessava mais em falar amenidades com minha mãe ou com os amigos que apareciam. Em dado momento, subi para ficar um pouco só.

E descobri que Barack também tinha se refugiado lá em cima, com a mesma necessidade que eu.

Estava sentado à sua mesa, repassando o discurso de vitória no escritório abarrotado de livros contíguo ao nosso quarto — sua Toca. Fui até lá e massageei seus ombros.

"Você está bem?", perguntei.

"Sim."

"Cansado?"

"Não."

Ele sorriu para mim, como se tentasse provar que era verdade. Apenas um dia antes, tínhamos recebido a notícia de que Toot, sua avó de 86 anos, havia falecido no Havaí após meses de batalha contra um câncer. Sabendo que já perdera a chance de se despedir da mãe, ele fez questão de ver Toot. Levamos as crianças para vê-la no final do verão, e dez dias antes das eleições gerais ele voltara lá sozinho, deixando a campanha de lado por um dia para se sentar ao lado dela e segurar sua mão. Me dei conta de como isso era triste. Barack perdera a mãe bem na gênese de sua carreira política, dois meses depois de anunciar que concorreria ao senado, e agora a avó não estaria presente para vê-lo chegar a seu ápice. As pessoas que o criaram tinham partido.

"Estou orgulhosa de você, aconteça o que acontecer", declarei. "Você se saiu muito bem."

Ele se levantou e me abraçou.

"Você também", ele me disse. "Nós dois nos saímos bem."

Eu só conseguia pensar em tudo que ele ainda precisaria realizar.

Depois de um jantar em família em casa, nos arrumamos e fomos à suíte reservada para nós no hotel Hyatt Regency, para acompanhar os resultados da eleição com um pequeno grupo de amigos e parentes. Em respeito à nossa privacidade, a equipe de campanha estava concentrada em outra área do hotel. Joe e Jill Biden tinham a própria suíte para amigos e familiares no fim do corredor.

Os primeiros resultados parciais foram anunciados por volta das seis da tarde pelo horário padrão central: McCain levou Kentucky e Barack levou Vermont. Em seguida veio a Virgínia Ocidental, escolhendo McCain, que logo depois conquistou também a Carolina do Sul. Minha confiança diminuiu um pouco, mas nada disso era surpresa. Segundo Axe e Plouffe, que apareciam a toda hora na nossa suíte para nos repassar cada mínima informação que recebiam, tudo seguia como previsto. Embora as atualizações fossem geralmente positivas, conversa sobre política era a última coisa que eu queria ouvir. Se não tínhamos controle, qual o sentido daquilo? Tínhamos saltado e agora, de uma forma ou de outra, iríamos aterrissar. Víamos pela TV que milhares de pessoas já se reuniam no Grant Park, a uns dois quilômetros do lago, onde a cobertura das eleições era transmitida em telões e onde, mais tarde, Barack apareceria para proferir um de seus dois discursos. Havia policiais em praticamente todas as esquinas, barcos da Guarda Costeira patrulhando o lago, helicópteros sobrevoando a área. Parecia que Chicago inteira prendia o fôlego, aguardando as notícias.

Connecticut foi para Barack. New Hampshire foi para Barack. Assim como Massachusetts, Maine, Delaware e Washington, DC. Quando anunciaram que Illinois era de Barack, ouvimos buzinas e gritos empolgados nas ruas. Achei uma cadeira junto à porta da suíte e me sentei sozinha, contemplando a cena diante dos meus olhos. A essa altura, a sala estava em silêncio. As atualizações inquietas tinham dado lugar a uma calmaria expectante, quase sóbria. No sofá à minha direita estavam as meninas, uma de vestido vermelho e outra de preto, e no sofá à minha esquerda estava Barack, o paletó pendurado em outro canto da sala, ao lado da minha mãe, que naquela noite vestia um elegante terno preto e brincos prateados.

"Preparada para mais essa, vó?", ouvi Barack perguntar a ela.

Nunca dada a exagerar nas emoções, minha mãe apenas lhe lançou um olhar de soslaio e deu de ombros, fazendo os dois sorrirem. Mais tarde, no entanto, ela descreveria para mim como estava emocionada naquele momento, comovida, assim como eu, com a vulnerabilidade de Barack. Os Estados Unidos tinham passado a ver Barack como um homem seguro de si e poderoso, mas minha mãe também reconhecia a importância daquela aprovação, a solidão da tarefa que ele teria. Ali estava um homem sem pai nem mãe, prestes a ser eleito o líder do mundo livre.

Quando olhei novamente, vi que ela e Barack estavam de mãos dadas.

Eram exatamente dez horas da noite quando as redes de notícia começaram a exibir imagens do meu marido sorridente, declarando que Barack Hussein Obama se tornava o 44º presidente dos Estados Unidos. Todos nos levantamos e instintivamente começamos a gritar de emoção. A equipe da campanha afluiu na sala, assim como os Biden, todos pulando de abraço em abraço. Foi um momento surreal. Minha sensação era de que havia saído do meu corpo e via de fora minha reação.

Ele tinha conseguido. Nós todos tínhamos conseguido. Mal parecia possível, mas a vitória fora anunciada.

Foi ali que senti que nossa família havia sido lançada por um canhão em um estranho universo subaquático. Tudo me parecia lento e aquoso e meio distorcido, embora nos movimentássemos rápido e com orientações precisas, guiados por agentes do Serviço Secreto até um elevador de carga, pela saída dos fundos do hotel e para o veículo que nos aguardava. Será que inspirei fundo quando saímos? Será que agradeci à pessoa que abriu a porta para passarmos? Será que estava sorrindo? Não sei. Eu ainda tentava nadar de volta para a realidade. Essa sensação vinha também da fadiga após um dia longo, como já imaginávamos que seria. Isso se via claramente nas meninas. Eu tinha preparado as duas para aquela parte da noite, explicando que haveria uma comemoração barulhenta no parque, papai ganhasse ou perdesse.

Seguimos pela Lake Shore Drive em um comboio escoltado pela polícia rumo ao Grant Park. Eu já percorrera aquele mesmo trajeto centenas de vezes na vida, desde as viagens de ônibus à Whitney Young até as idas à academia antes do amanhecer. Aquela era minha cidade, que eu conhecia como a palma da minha mão, mas naquela noite ela me parecia muito diferente, transformada em algo estranhamente silencioso. Era como se estivéssemos suspensos no tempo e no espaço, em um sonho.

Malia espiava pela janela do carro, absorvendo tudo.

"Papai", disse ela, quase em tom de desculpas, "só tem a gente na rua. Acho que ninguém vai à sua comemoração."

Barack e eu nos olhamos e caímos na risada. Foi então que reparamos que éramos, de fato, o único carro na pista. Agora, Barack era o presidente eleito. O Serviço Secreto tinha evacuado os arredores, fechado um trecho inteiro da Lake Shore Drive, bloqueado todos os cruzamentos do percurso — uma precaução usual para presidentes, como logo descobriríamos. Para nós, era novidade.

Tudo era novidade.

Passei o braço em torno de Malia.

"Já estão todos lá, querida", esclareci. "Não se preocupe, eles estão nos esperando."

E estavam mesmo. Mais de 200 mil pessoas se amontoavam no parque para nos ver. Ouvimos os murmúrios de expectativa ao descermos do veículo e sermos conduzidos a uma série de tendas brancas montadas na frente do parque, criando um túnel que levava ao palco. Um grupo de amigos e parentes haviam se reunido ali para nos cumprimentar, mas agora, devido ao protocolo do Serviço Secreto, estavam isolados atrás de um cordão. Barack passou o braço em volta de mim, como que para ter certeza de que eu ainda estava ali.

Fomos em direção ao palco alguns minutos depois, nós quatro, eu segurando a mão de Malia e Barack segurando a de Sasha. Vi muitas coisas ao mesmo tempo. Vi que um muro de vidro blindado havia sido erguido em torno do palco; vi um mar de gente, muitos balançando bandeirinhas americanas. Meu cérebro não conseguia processar nada. Tudo parecia grandioso demais.

Pouco me lembro do discurso de Barack naquela noite. Sasha, Malia e eu ficamos assistindo dos bastidores, cercadas pelo escudo de vidro, por nossa cidade e pelo conforto dos mais de 69 milhões de votos. O que permaneceu comigo foi aquela sensação de calma, a tranquilidade incomum daquela noite à beira do lago, em Chicago, num calor incomum para novembro. Depois de tantos meses em comícios cheios de energia, com plateias estimuladas a entrar em um frenesi de gritos e cantos, a atmosfera no Grant Park era marcadamente distinta. Estávamos diante de uma gigantesca massa exultante de americanos que também estava palpavelmente reflexiva. O que ouvi era quase um silêncio. Era quase como se conseguisse distinguir todos os rostos na multidão. Lágrimas brotavam em muitos olhos.

Talvez essa tranquilidade tenha sido fruto da minha imaginação, ou talvez fosse, para todos nós, mero produto da hora avançada. Era quase meia-noite, afinal. E todos estavam à espera. Estávamos à espera fazia muito, muito tempo.

UMA HISTÓRIA MAIOR

19

Não existe um manual para primeiras-damas dos Estados Unidos. Tecnicamente, não é um trabalho, tampouco um título oficial de governo. Não vem com salário nem com uma lista detalhada de obrigações. É um estranho tipo de carona da presidência, um assento que, quando assumi, já tinha sido ocupado por mais de 43 mulheres, cada uma delas tendo cumprido a função a seu modo.

Eu sabia pouco a respeito das primeiras-damas anteriores e sobre como haviam atuado na posição. Sabia que Jackie Kennedy tinha se dedicado a redecorar a Casa Branca. Lembrava que Rosalynn Carter participava de reuniões de gabinete, que Nancy Reagan havia arrumado problemas por aceitar roupas de estilistas de graça, que Hillary Clinton foi ridicularizada por assumir uma função de política na administração do marido. Alguns anos antes, em um almoço para cônjuges de senadores, eu tinha visto — em parte chocada, em parte admirada — Laura Bush posando, serena e sorridente, para fotos cerimoniais com cerca de cem pessoas, sem jamais perder a compostura nem precisar fazer uma pausa. Primeiras-damas apareciam nos noticiários tomando chá com os cônjuges de dignitários estrangeiros, mandavam cartões em datas comemorativas e usavam vestidos lindos em jantares oficiais. Normalmente, também escolhiam uma ou duas causas para defender.

Eu já entendia que seria medida por uma outra régua. Como a única primeira-dama afro-americana a pisar na Casa Branca, eu era "de outro tipo" quase automaticamente. Se havia uma suposta graciosidade atribuída, quase que espontaneamente, às minhas antecessoras brancas, eu sabia que provavelmente comigo não seria assim. Os tropeços da campanha haviam me ensinado que eu teria que ser melhor, mais rápida, mais inteligente e mais forte do que nunca. Minha graciosidade precisaria ser conquistada. Eu me preocupava com o fato de que muitos americanos não se viam em mim ou não se identificavam com minha trajetória. Eu não teria o luxo de me adequar à nova função aos poucos antes de ser julgada. E, no tocante a ser julgada, estava mais vulnerável do que nunca aos medos infundados e estereótipos raciais que jaziam logo abaixo da superfície da percepção pública, prontos para serem instigados por boatos e insinuações.

Estava honrada e animada para ser primeira-dama, mas nem por um segundo achei que incorporaria um papel glamoroso e fácil. Isso jamais aconteceria a alguém que tivesse as palavras "primeira" e "negra" imputadas a si. Eu estava no sopé da montanha, ciente de que precisaria galgar meu caminho até a aceitação.

Aquele momento fez reviver em mim um antigo mecanismo interno de chamada e resposta que eu usava desde a época do ensino médio, quando me vi tomada pela insegurança ao chegar à Whitney Young. Foi quando aprendi que a confiança às vezes tem que ser invocada de dentro. Desde então, repetia as mesmas palavras a mim mesma em inúmeras ocasiões desafiadoras.

Sou boa o bastante? Sim.

Os 76 dias entre a eleição e a posse eram um momento crucial para eu começar a dar o tom de que tipo de primeira-dama gostaria de ser. Depois de tudo que tinha feito para deixar o direito corporativo em nome de um trabalho mais significativo, voltado para a comunidade, eu sabia que seria mais feliz se pudesse me engajar ativamente e buscar resultados concretos. Pretendia cumprir as promessas que havia feito aos cônjuges de militares que conheci durante a campanha: ajudá-los a expor suas histórias e encontrar maneiras de atendê-los. E havia também minha ideia de plantar uma horta e melhorar a saúde e a alimentação das crianças em uma escala maior.

Eu não queria fazer nada disso de forma casual. Minha intenção era chegar à Casa Branca com uma estratégia bem pensada e uma equipe forte. Se eu tinha aprendido alguma coisa com os horrores da campanha — com as diversas maneiras de tentarem me descartar como raivosa ou inapropriada —, era que o julgamento público é veloz em preencher qualquer espaço vazio: se você não assume logo uma posição, os outros rápida e imprecisamente definem uma posição para você. Eu não estava interessada em me acomodar em uma posição passiva e esperar orientações da equipe de Barack. Depois de passar pela prova de fogo do ano anterior, eu jamais permitiria que me batessem tanto assim de novo.

Minha mente estava acelerada diante de tudo que precisava ser feito. Não tive como me preparar para a transição, pois qualquer coisa que eu fizesse antes do tempo seria considerado presunção. Sistemática como sou, foi difícil ficar de braços cruzados. E agora entrávamos em marcha acelerada. A maior prioridade eram Sasha e Malia, cuidar para que se adaptassem com a maior rapidez e o maior conforto possíveis, o que significava definir todos os detalhes da nossa mudança para Washington, DC, e arrumar uma escola nova para elas, um lugar onde fossem felizes.

Seis dias após a eleição, fui à capital me encontrar com os diretores de algumas escolas. Sob circunstâncias normais, eu teria me concentrado apenas nos aspectos acadêmicos e culturais de cada instituição, mas já estávamos bem longe da possibilidade de uma vida normal. Havia inúmeros inconvenientes novos a considerar e discutir: protocolos do Serviço Secreto, esquemas de evacuação emergencial, estratégias para proteger a privacidade de nossas filhas agora que os olhos de toda a nação estariam voltados para elas. As variáveis haviam se tornado exponencialmente mais complexas. Havia mais gente envolvida, e as decisões mais triviais exigiam conversas prévias.

Por sorte, pude manter minhas principais assessoras — Melissa, Katie e Kristen — durante o período de transição. Imediatamente, começamos a equacionar a logística da nossa mudança e a contratar uma equipe (especialistas de planejamento, especialistas políticos, profissionais de comunicação) para meus futuros gabinetes na Ala Leste, bem como a entrevistar pessoas para cargos na nossa residência. Uma das minhas primeiras contratações foi Jocelyn Frye, uma velha amiga da faculdade que tinha uma mente analítica fantástica. Ela seria minha diretora de política e projetos, supervisionaria minhas iniciativas.

Enquanto isso, Barack preenchia os cargos de seu gabinete e se reunia com diversos especialistas para debater meios de recuperar a economia. Havia mais de 10 milhões de desempregados, e a indústria automobilística estava em uma perigosa queda livre. Dava para perceber, pelo maxilar enrijecido do meu marido após esses encontros, que a situação era pior do que a maioria dos americanos sequer compreendia. Ele também recebia informes diários da inteligência, de repente inteirado dos maiores segredos da nação: as ameaças sigilosas, as alianças na surdina e as operações secretas sobre as quais a população não ficava sabendo.

Como o Serviço Secreto passaria anos nos protegendo, a agência designou codinomes oficiais para nós. Barack era "Renegade" e eu era "Renaissance". As meninas puderam escolher os próprios nomes, de uma lista pré-aprovada de opções aliteradas. Malia virou "Radiance" e Sasha escolheu "Rosebud". (Depois, minha mãe ganharia um codinome informal, "Raindance".)

Quando se dirigiam a mim, os agentes do Serviço Secreto geralmente me chamavam de madame. "Por aqui, madame", "Por favor, dê um passo para trás, madame" e "Seu carro já vai chegar, madame".

Quem é a "madame"?, eu tinha o instinto de perguntar no início. "Madame" me soava como uma senhora com uma bolsa chique, boa postura e sapatos confortáveis que talvez estivesse sentada em algum lugar ali perto.

Mas eu era a madame. A madame era eu. Fazia parte dessa mudança maior, dessa transição louca pela qual passávamos.

Tudo isso estava na minha cabeça no dia em que fui a Washington, DC, para visitar escolas. Após uma das reuniões, voltei ao aeroporto para me encontrar com Barack, que chegaria de Chicago em um avião fretado. Conforme o protocolo para o presidente eleito, havíamos sido convidados pelo então presidente e pela sra. Bush a fazer uma visita à Casa Branca, e eu a havia marcado para coincidir com minha viagem. Estava de pé no terminal particular quando o avião de Barack aterrissou. Ao meu lado estava Cornelius Southall, um dos agentes que chefiavam minha equipe de segurança.

Cornelius era um ex-jogador de futebol americano universitário de ombros enormes que já trabalhara na equipe de segurança do presidente Bush. Assim como todos os chefes da equipe, era inteligente e treinado para ter extrema atenção o tempo inteiro, um sensor humano. Já naquele momento, enquanto nós dois observávamos o avião de Barack taxiar e parar a uns vinte metros de distância, ele notou algo antes de mim.

"Madame", disse Cornelius quando uma nova informação lhe chegou pelo fone de ouvido, "sua vida está prestes a mudar para sempre."

Quando lhe lancei um olhar confuso, ele completou: "Espere só".

E apontou para a direita. Eu me virei. Bem na hora, algo imenso surgiu à vista: uma comprida tropa veicular que incluía uma legião de viaturas e motocicletas policiais, uma série de utilitários pretos, duas limusines blindadas com bandeiras americanas na capota, um carro de processamento de emergências químicas, uma força militar de elite com metralhadoras à vista, uma ambulância, uma picape equipada para detecção de projéteis, algumas vans e mais um grupo de escolta policial. O comboio presidencial. Era uma fila de no mínimo vinte veículos avançando em formação orquestrada, carro após carro após carro, até a frota inteira parar silenciosamente, as limusines bem em frente ao avião já estacionado.

"E o caminhão de circo?", indaguei a Cornelius. "Falando sério, é assim que ele vai circular a partir de agora?"

Ele sorriu. "Todos os dias de sua presidência. Sim, vai ser assim o tempo todo."

Absorvi o espetáculo: milhares e milhares de quilos de metal, um pelotão de soldados, tudo blindado. E eu não havia nem compreendido que aquela ainda era apenas a metade visível da proteção de Barack. Não sabia que o tempo inteiro haveria também um helicóptero por perto pronto para retirá-lo, atiradores a postos em telhados ao longo do caminho que ele percorresse, um médico particular acompanhando-o para qualquer emergência e um estoque do seu tipo de sangue no veículo em que estivesse, para o caso de precisar de transfusão. Em questão de semanas, pouco antes da posse de Barack, a limusine presidencial seria trocada para um novo modelo — acertadamente chamado de Beast, "Fera" —, um tanque de sete toneladas disfarçado de veículo de luxo, equipado com canhões de gás lacrimogêneo, pneus à prova de rupturas e um sistema de ventilação fechado que o protegeria em caso de ataque biológico ou químico.

Agora eu estava casada com um dos seres humanos mais vigiados da Terra. Era ao mesmo tempo um alívio e uma aflição.

Cornelius indicou que eu fosse em direção à limusine.

"Pode ir agora, madame", anunciou ele.

Eu só tinha entrado na Casa Branca uma vez, alguns anos antes. Por intermédio do gabinete de Barack no Senado, me inscrevi com Malia e Sasha para um passeio especial que estava sendo oferecido durante uma de nossas visitas a Washington, imaginando que seria um programa divertido. Os passeios pela Casa Branca geralmente não têm guias, mas esse incluía um curador da Casa Branca, que conduziu nosso pequeno grupo pelos corredores enormes e pelos vários salões públicos.

Fitamos os lustres de vidro lapidado que pendiam do teto alto do Salão Leste, onde opulentos bailes e recepções históricas aconteceram, e inspecionamos as bochechas coradas e a expressão solene de George Washington no retrato gigantesco com moldura dourada. Descobrimos, por cortesia do nosso guia, que a primeira-dama Abigail Adams, no final do século XVIII, usava aquele espaço imenso para pendurar as roupas lavadas e que décadas depois, durante a Guerra de Secessão, as tropas da União se aquartelaram ali temporariamente. Vários casamentos de primeiras-filhas foram celebrados no Salão Leste. Os caixões de Abraham Lincoln e de John F. Kennedy foram expostos ali para a despedida da população.

Eu sentia minha cabeça examinar todos os diversos presidentes naquele dia, tentando combinar o que aprendera nas aulas de história com a visão das famílias que tinham andado por aqueles ambientes. Malia, com oito anos na época, parecia espantada com o tamanho do lugar, enquanto Sasha, com cinco, lembrava-se de não tocar nos muitos objetos que não podiam ser tocados. Ela se manteve firme e forte quando fomos do Salão Leste à Sala Verde, que tinha belas paredes verde-esmeralda e vinha com uma anedota sobre James Madison e a Guerra de 1812, e dali à Sala Azul, com mobília francesa e acompanhada de uma história sobre o casamento de Grover Cleveland, mas quando o guia anunciou a Sala Vermelha, Sasha não se conteve mais e implorou para mim, no tom inquieto de uma criança angustiada: "Ah nããão, outra SALA, não!". Pedi que se calasse e lancei aquele olhar materno de *Não me faça passar vergonha*.

Sinceramente, como não concordar? A Casa Branca é um lugar gigantesco, com 132 salas, 35 banheiros e 28 lareiras espalhados por seis andares, todos carregados de tanta história que um único passeio não conseguiria cobrir. Francamente, era difícil imaginar a vida real transcorrendo ali. Em alguma parte do piso inferior, funcionários do governo entravam e saíam, enquanto, em algum lugar nos pisos acima, o presidente e a primeira-dama viviam com seus terriers escoceses na residência familiar. Mas estávamos em outra parte do prédio, a parte congelada no tempo, semelhante a um museu, onde o simbolismo vivia e interessava, onde se exibiam os velhos ossos do país.

Dois anos depois eu entraria ali de novo, dessa vez por outra porta e com Barack. Agora, veríamos o lugar como nosso futuro lar.

O presidente e a sra. Bush nos receberam na Sala de Recepção Diplomática, ao lado do Gramado Sul. A primeira-dama foi calorosa ao apertar minha mão, dizendo "Por favor, me chame de Laura", e seu marido foi igualmente acolhedor, possuidor daquele espírito texano magnânimo que parecia se sobrepor a quaisquer ressentimentos políticos. Ao longo da campanha, Barack havia criticado com frequência a liderança do então presidente e em minúcias, prometendo a eleitores que consertaria muitas coisas que via como erros. Bush, como republicano, naturalmente apoiara John McCain, mas prometeu fazer a transição presidencial mais suave da história, instruindo todos os departamentos do poder executivo a preparar informes para a futura administração. Também da parte da primeira-dama, os funcionários faziam listas de contatos, calendários e exemplos de correspondências a fim de me ajudar a tomar pé das obrigações sociais que vinham com o título. Havia bondade sob tudo isso, um genuíno amor ao país que sempre vou apreciar e admirar.

Apesar de o presidente Bush não ter feito nenhuma menção direta, eu seria capaz de jurar que via em seu rosto os primeiros sinais de alívio com o iminente fim de seu mandato. Tinha corrido uma maratona e em breve poderia voltar para o Texas. Era hora de deixar entrar seu sucessor.

Os dois homens foram conversar no Salão Oval, e Laura me levou ao elevador privativo reservado à família do presidente. Revestido de lambris de madeira, era operado por um elegante afro-americano de smoking.

Enquanto subíamos os dois andares até a área residencial, Laura me perguntou como estavam Sasha e Malia. À época, ela tinha 62 anos, e suas duas filhas já eram mais velhas quando viveram na Casa Branca. Ex-professora e bibliotecária, ela usara sua plataforma como primeira-dama para promover a educação e os profissionais da área. Ela me observou com seus carinhosos olhos azuis e perguntou: "Como está se sentindo?".

"Meio atordoada", admiti.

Ela sorriu com o que me pareceu compaixão verdadeira. "Entendo. Acredite, entendo mesmo."

Naquele instante, não consegui captar totalmente a relevância do que ela dizia, mas depois pensaria com frequência nisto: Barack e eu estávamos nos tornando membros de uma estranha e pequeníssima sociedade formada pelos Clinton, os Carter, dois grupos de Bush, Nancy Reagan e Betty Ford, as únicas pessoas na Terra que sabiam o que Barack e eu estávamos vivendo, que conheciam em primeira mão os deleites e as adversidades singulares da vida na Casa Branca. Por mais diferentes que todos fôssemos, sempre teríamos esse laço.

Laura me conduziu pela residência, mostrando-me cômodos e mais cômodos. A área particular da Casa Branca ocupa cerca de 1800 metros quadrados nos dois andares superiores da estrutura histórica principal — aquela que você deve conhecer por fotos, com seus pilares brancos icônicos. Fui à sala de jantar em que a família do presidente faz suas refeições e dei uma espiada na organizada cozinha, onde os empregados já preparavam o jantar. Fui às acomodações para hóspedes, no último andar, já pensando em minha mãe, caso conseguíssemos convencê-la a morar conosco. (Ali havia também uma pequena academia de ginástica, o lugar que mais empolgou Barack e Bush na versão masculina da excursão.) Meu maior interesse era verificar os dois quartos que eu tinha em mente para Sasha e Malia, no mesmo corredor do quarto principal.

Minha prioridade era garantir às meninas conforto e a sensação de estar em casa. Aparte toda a pompa e circunstância — a irrealidade quase de conto de fadas de se mudarem para uma mansão equipada com chefs, pista de boliche e piscina —, Barack e eu estávamos prestes a fazer algo que ninguém deseja aos filhos: iríamos arrancá-las de uma escola que amavam bem no meio do ano letivo e levá-las para longe dos amigos, jogando-as em casa e escolas novas sem muito tempo de preparo. Aquilo me preocupava, mas também era reconfortante lembrar que outras mães haviam feito o mesmo e se saído bem.

Ao entrarmos em um ambiente lindo e bem iluminado vizinho ao quarto principal, tradicionalmente usado como toucador da primeira-dama, Laura apontou a vista da janela para o Jardim das Rosas e o Salão Oval, comentando que era reconfortante às vezes poder olhar e ter certa noção do que o marido estava fazendo. Segundo ela, Hillary Clinton lhe havia mostrado aquela mesma vista na primeira visita que Laura fizera à Casa Branca, oito anos antes. Assim como Barbara Bush, sogra de Laura, fizera dezesseis anos antes. Olhei pela janela, sendo lembrada de que fazia parte daquele modesto continuum.

Ao longo dos meses seguintes, eu sentiria o poder do vínculo com essas outras mulheres. Hillary teve a gentileza de compartilhar comigo, por telefone, sua experiência na escolha de uma escola para Chelsea. Também tive o apoio afetuoso de Rosalynn Carter, em um encontro, e de Nancy Reagan, em uma ligação. Laura me convidou para voltar com Sasha e Malia algumas semanas depois, em um dia em que suas filhas, Jenna e Barbara, pudessem estar presentes para lhes mostrar as "partes divertidas" da Casa Branca — das poltronas macias do cinema a como deslizar pelos corredores que levavam ao andar de cima.

Tudo isso era animador. Eu já ansiava pelo dia em que poderia passar adiante o conhecimento que viria a adquirir.

Decidimos nos mudar para Washington logo após nosso tradicional recesso de Natal no Havaí, para que Sasha e Malia começassem na escola quando os outros alunos estivessem voltando das férias de inverno. Faltando ainda cerca de três semanas para a posse, tivemos de nos instalar temporariamente no último andar do hotel Hay-Adams, no centro da cidade. Nossos quartos tinham vista para a Lafayette Square e o Gramado Norte da Casa Branca, onde víamos a tribuna e as arquibancadas de metal serem montadas para a cerimônia de posse. Em um prédio de frente para o hotel, alguém tinha pendurado um banner gigantesco, onde se lia: "Bem-vindas, Malia e Sasha". Fiquei emocionada quando vi.

Após muita pesquisa, duas visitas e várias conversas, matriculamos nossas filhas na Sidwell Friends, uma escola particular quacre de excelente reputação. Sasha entraria no segundo ano do fundamental, cujo prédio ficava na suburbana Bethesda, em Maryland, e Malia faria o quinto ano no campus principal, localizado em um quarteirão sossegado a poucos quilômetros da Casa Branca. As duas teriam que fazer o trajeto diário de comboio, cada uma escoltada por um grupo de agentes armados do Serviço Secreto, alguns dos quais se postariam junto à porta da sala de aula e as acompanhariam a toda parte: recreios, almoços, à casa de amigas, nos treinos esportivos.

Agora vivíamos em uma bolha, isolados pelo menos em parte do mundo cotidiano. Eu não me lembrava da última vez que tinha saído à rua sozinha ou ido ao parque só por prazer. Todos os movimentos exigiam discussões prévias sobre segurança e agenda. A bolha ao nosso redor havia se formado aos poucos, no decorrer da campanha, à medida que a notoriedade de Barack crescia, exigindo limites entre nós e o público — e, em certos momentos, entre nós e nossos amigos e parentes. Viver naquela bolha era estranho e não muito agradável, mas eu entendia que era para nosso bem. Com uma escolta policial constante, já não parávamos mais no sinal vermelho, e raramente utilizávamos a entrada principal dos prédios se houvesse uma entrada de serviço ou uma área de carga e descarga em uma rua transversal. Para o Serviço Secreto, quanto menos fôssemos vistos, melhor.

Eu me apegava à esperança de que a bolha de Sasha e Malia fosse diferente, de que elas se mantivessem seguras mas não contidas, de que tivessem uma amplitude de movimento maior do que a nossa. Queria que fizessem amigos, amigos de verdade — crianças que se aproximassem por gostarem delas, não por serem filhas de Barack Obama. Queria que aprendessem, que vivessem aventuras, que cometessem erros e dessem a volta por cima. Esperava que a escola fosse uma espécie de refúgio, um lugar onde pudessem ser elas mesmas. A Sidwell Friends nos cativou por vários motivos, entre eles o fato de ter sido a escola que Chelsea Clinton frequentou quando o pai era presidente. Os funcionários sabiam como salvaguardar a privacidade de alunos notórios e a direção já tinha feito as adaptações de segurança que agora seriam necessárias para Malia e Sasha, o que significava que não seríamos um peso muito grande para os recursos da escola. Acima de tudo, gostei da atmosfera do lugar. A filosofia quacre era totalmente voltada para a comunidade, construída em torno da ideia de que nenhum indivíduo deve ser mais valorizado que outro, o que considerei um contrapeso saudável ao grande estardalhaço que agora rodeava o pai delas.

No primeiro dia de aula, Barack e eu tomamos café da manhã com Malia e Sasha no hotel e as ajudamos a se arrumarem. Barack não se conteve em dar conselhos de como sobreviver ao primeiro dia em uma escola nova (sorriam sempre, sejam gentis, prestem atenção nas aulas), acrescentando, enquanto as duas já colocavam nas costas as mochilas roxas: "E nem pensem em tirar meleca!".

Minha mãe se encontrou conosco no corredor e pegamos o elevador.

Do lado de fora, o Serviço Secreto havia erigido uma tenda de segurança para nos manter fora do campo de visão de fotógrafos e cinegrafistas a postos na entrada, sedentos de imagens da nossa família naquele período de transição. Barack havia chegado de Chicago na noite anterior e queria acompanhar as meninas até a escola, mas sabia que criaria uma confusão e tanto. Seu comboio era grande demais, ele havia se tornado pesado demais. Notei a tristeza em seu rosto quando ele deu um abraço de despedida nas duas.

Minha mãe e eu as acompanhamos no que se tornaria a nova versão de ônibus escolar delas: um utilitário preto com vidros fumê blindados. Tentei demonstrar segurança, sorrindo e brincando com as meninas, mas por dentro sentia o nervosismo vibrando, aquela sensação de avançar eternamente rumo a um perigo. Chegamos primeiro ao campus da escola secundária, onde Malia e eu passamos apressadas por monte de câmeras antes de entrar no prédio acompanhadas por agentes do Serviço Secreto. Depois que a entreguei a sua nova professora, o comboio nos levou a Bethesda, onde repeti o processo com a pequena Sasha, deixando-a em uma sala de aula agradável com mesas baixas e janelas amplas. Rezei para que fosse um lugar seguro e feliz para ela.

Voltei ao comboio e a Hay-Adams, abrigada em minha bolha. Eu tinha um dia longo pela frente, todos os minutos ocupados por reuniões, mas minha cabeça continuou presa às nossas filhas. Como estaria sendo o dia delas? O que estariam comendo? Será que as estavam encarando ostensivamente ou as deixando à vontade? Mais tarde, vi na imprensa uma foto do trajeto até a escola, e aquilo me levou às lágrimas. Deve ter sido tirada quando eu estava deixando Malia, pois mostrava Sasha esperando no carro com minha mãe. Com o rostinho redondo colado na janela do carro, ela observava os fotógrafos e curiosos lá fora com os olhos arregalados e pensativa. Tinha uma expressão séria, mas não transparecia o que se passava em seus pensamentos.

Estávamos exigindo demais delas. Esse pensamento me consumiu não só aquele dia inteiro, mas por meses e anos a fio.

O ritmo acelerado não deu trégua por todo o período da transição. Eu era bombardeada com centenas de decisões a tomar, todas urgentes, é claro. Tinha que escolher tudo para a residência, de toalhas de banho a pasta de dente, de sabão a cervejas; tinha que escolher minhas roupas para a cerimônia de posse e o baile de gala; tinha que tratar da logística dos cerca de 150 amigos e parentes que viriam de fora para a ocasião. Deleguei o que pude para Melissa e outros da minha equipe, que agora contava também com Michael Smith, um talentoso designer de interiores. Indicado por um amigo de Chicago, ele nos ajudaria com a mobília e a nova decoração da residência e do Salão Oval.

O presidente eleito, como descobri então, ganha acesso a 100 mil dólares para a mudança e a decoração, mas Barack insistiu que pagássemos tudo com o que tínhamos guardado dos direitos autorais de seu livro. Ele era assim desde que eu o conhecera: extremamente cauteloso no tocante a questões de dinheiro e ética, impondo a si mesmo um padrão mais alto que o ditado pela lei. Existe uma máxima antiquíssima: *É preciso ser duas vezes melhor para alcançar metade do caminho dos outros*. Como a primeira família afro-americana na Casa Branca, éramos vistos como representantes da nossa raça. Qualquer erro ou lapso de julgamento seria ampliado, repercutindo como algo além de suas dimensões reais.

Eu estava menos interessada em redecorar a casa e planejar os eventos de posse do que em descobrir o que poderia fazer com meu novo papel. Segundo percebia, eu na verdade não *tinha* que fazer nada. A inexistência de descrição do cargo significava a inexistência de requisitos do cargo, e isso me dava liberdade para escolher meus projetos. Queria garantir que qualquer iniciativa que tomasse pudesse ajudar a fomentar as metas mais abrangentes do novo governo.

Para meu enorme alívio, nossas filhas tiveram um primeiro dia de aula feliz, e o segundo, e o terceiro. Sasha teve dever de casa pela primeira vez e Malia já havia se inscrito para cantar em um coral. Elas relataram que as crianças às vezes davam uma segunda olhada para confirmar a primeira impressão, mas que todos as trataram bem. A cada dia que passava, o percurso do comboio até a Sidwell Friends se tornava um pouco mais rotineiro. Depois de cerca de uma semana, as meninas já se sentiam à vontade para irem sem mim. Agora apenas minha mãe as acompanhava, então os trajetos de levar e buscar as duas se tornaram menos trabalhosos, pois envolviam menos seguranças, menos veículos e menos armas.

A princípio, minha mãe não queria morar conosco em Washington, mas eu insisti na questão. As meninas precisavam dela. Eu precisava dela. E gostava de acreditar que ela também precisava de nós. Nos últimos anos, ela vinha sendo uma presença quase diária na nossa vida, sua praticidade um bálsamo para as preocupações de todos, mas tinha vivido todos os seus 71 anos em Chicago. Relutava em deixar o South Side e a casa na Euclid Avenue. ("Eu amo essas pessoas, mas também amo minha própria casa", declarou ela a uma repórter após a eleição, sem medir as palavras. "A Casa Branca parece um museu, e como eu poderia dormir em um museu?")

Tentei explicar que, caso se mudasse para Washington, ela conheceria muita gente interessante, não precisaria cozinhar nem fazer limpeza, e teria mais espaço no último andar da Casa Branca do que jamais tivera em casa. Mas nada disso tinha relevância para ela. Minha mãe era imune a glamour e badalação.

Acabei recorrendo a Craig. "Você tem que falar com ela por mim", pedi. "Por favor, convença a mamãe."

Funcionou. Craig era bom em coagir quando necessário.

Minha mãe acabaria ficando conosco em Washington pelos oito anos, mas na época ela alegou que seria temporário, que só ficaria até as meninas se adaptarem. E não deixou que a enfiassem em uma bolha. Rejeitou a proteção do Serviço Secreto e evitava a imprensa a fim de manter um perfil discreto e as pegadas leves. Ela encantou a equipe de serviços gerais da Casa Branca ao insistir em lavar as próprias roupas, e pelos anos seguintes entraria e sairia da residência quando bem entendia, caminhando até a farmácia mais próxima ou à loja de departamentos Filene's Basement quando precisava comprar alguma coisa, fazendo novas amigas e indo almoçar com elas regularmente. Sempre que um estranho comentava que ela era a cara da mãe de Michelle Obama, ela dava de ombros e dizia: "Pois é, todo mundo me diz isso", e seguia com sua vida. Minha mãe fazia as coisas à sua própria maneira, como sempre fez.

Minha família inteira compareceu à posse. Tias, tios e primos. Nossos amigos de Hyde Park também foram, bem como minhas amigas, com os maridos. Todos com seus filhos. Planejamos comemorações paralelas para os pequenos ao longo da semana de posse, entre elas um show de música infantil, um almoço só para as crianças durante o tradicional almoço no Capitólio que se segue ao juramento e uma caça ao tesouro e festinha na Casa Branca durante os bailes de posse.

Uma das bênçãos inesperadas dos últimos meses de campanha tinha sido a fusão orgânica de nossa família com a de Joe Biden. Apesar de terem sido rivais políticos poucos meses antes, Barack e Joe tiveram um entrosamento natural, ambos capazes de transitar com facilidade entre a seriedade do trabalho e a leveza do âmbito familiar.

Gostei imediatamente de Jill, a esposa de Joe, admirada com sua firmeza afável e sua ética profissional. Ela se casou com Joe em 1977, cinco anos depois que um trágico acidente de carro matou a primeira esposa dele e sua filha ainda bebê. Jill assumiu a criação dos dois filhos dele, e mais tarde os dois tiveram uma menina. Jill havia acabado de concluir o doutorado em Educação, e conseguira lecionar inglês em uma faculdade comunitária de Delaware não só durante os anos de Joe no Senado como ao longo das duas campanhas presidenciais. Assim como eu, Jill tinha interesse em achar novas formas de oferecer suporte às famílias de militares, mas, ao contrário de mim, tinha uma ligação emocional direta com a questão: Beau Biden, o filho mais velho de Joe, estava servindo no Iraque com a Guarda Nacional. Ele obtivera uma breve licença para ir a Washington ver o pai tomar posse como vice-presidente.

E havia também os netos dos Biden, cinco ao todo, todos tão expansivos e despretensiosos quanto Joe e Jill. À época da Convenção Nacional Democrata em Denver, eles haviam incorporado Sasha e Malia a sua turminha do barulho, convidando nossas meninas para dormirem na suíte do hotel de Joe, todos felicíssimos em ignorar a política que acontecia ao redor em nome de novas amizades. Era sempre um prazer ter as crianças da família Biden por perto.

No dia da posse fez um frio de rachar. As temperaturas não subiam além do congelante, e o vento dava a sensação térmica de dez graus abaixo de zero. Naquela manhã, Barack e eu fomos à igreja com as meninas, minha mãe, Craig e Kelly, Maya e Konrad, e Mama Kaye. O tempo inteiro ouvíamos que as pessoas tinham começado a formar filas no National Mall antes do amanhecer, bem agasalhadas, à espera das festividades da posse. Passei muito frio naquele dia, mas sempre me lembraria de quanta gente ficou ao ar livre mais horas do que eu, convictas de que o sacrifício valia a pena. Mais tarde, ficaríamos sabendo que foram quase 2 milhões de pessoas no Mall, vindas de todos os cantos do país, um mar de diversidade, energia e esperança que se estendia por quase dois quilômetros, indo além do Monumento a Washington. Depois da igreja,

Barack e eu fomos à Casa Branca para encontrar Joe e Jill, o presidente Bush, o vice-presidente Dick Cheney e suas esposas, todos nós reunidos para o café e o chá antes de irmos em comboio até o Capitólio para o juramento. Mais cedo, Barack havia recebido os códigos de autorização que lhe permitiriam acessar o arsenal nuclear do país e um informe sobre os protocolos para usá-los. Dali em diante, aonde quer que fosse, ele seria seguido de perto por um assistente militar com uma pasta de vinte quilos contendo códigos de autenticação de lançamento e sofisticados aparelhos de comunicação, muitas vezes chamada de bola nuclear. Mais um grande peso a se carregar.

Para mim, a cerimônia se tornaria mais uma daquelas experiências esquisitas, desaceleradas, de dimensões tão enormes que eu não conseguia processar totalmente o que estava acontecendo. Antes da cerimônia, fomos conduzidos a uma sala privativa do Capitólio para que as meninas fizessem um lanche e Barack tivesse alguns minutos comigo para praticar o ato de botar a mão na pequena Bíblia vermelha que 150 anos antes pertencera a Abraham Lincoln. Enquanto isso, muitos de nossos amigos, parentes e colegas de trabalho encontravam lugares no palanque do lado de fora. Mais tarde, me passou pela cabeça que essa era provavelmente a primeira vez na história que tantas pessoas de cor se sentavam diante do público e de uma audiência televisiva global, consideradas VIPs em uma cerimônia de posse americana.

Barack e eu sabíamos o que aquele dia representava para muitos americanos, principalmente para os que haviam participado do movimento pelos direitos civis. Ele fez questão de incluir entre seus convidados os Tuskegee Airmen, pilotos afro-americanos que fizeram história, e os soldados de terra que lutaram na Segunda Guerra Mundial. Também chamou o grupo conhecido como Little Rock Nine, os nove estudantes negros que em 1957 estavam entre os primeiros a testar a decisão da Suprema Corte no caso Brown contra o Conselho de Educação de Topeka ao se matricularem em uma escola só de brancos no Arkansas, suportando muitos meses de crueldade e abusos em prol de um princípio maior. Todos já eram idosos, tinham os cabelos grisalhos e ombros curvos, sinal das décadas de vida e, talvez, também do peso que tinham carregado pelas gerações seguintes. Barack dissera muitas vezes que só almejava subir os degraus da Casa Branca porque os Little Rock Nine haviam ousado subir os degraus da Central High School. De toda a continuidade de que éramos parte, talvez essa fosse a mais importante.

Quase ao meio-dia em ponto, ficamos perante o país com nossas duas meninas. Só me lembro das coisas mais simples: o brilho do sol na testa de Barack naquele exato instante, o silêncio respeitoso do público quando o presidente da Suprema Corte, John Roberts, deu início à cerimônia. Lembro que Sasha, muito pequena naquele mar de adultos, postou-se com imponência em um tamborete para ficar visível. Lembro como o ar estava frio. Levantei a Bíblia de Lincoln e Barack pôs a mão esquerda sobre ela, jurando proteger a Constituição dos Estados Unidos — com algumas frases curtas, ele concordava solenemente em defender todos os interesses do país. Era um gesto pesado e ao mesmo tempo alegre, sentimento refletido em seu discurso de posse.

"Neste dia", disse ele, "nos reunimos aqui porque escolhemos a esperança em vez do medo, a unidade de propósito em vez do conflito e da discórdia."

Eu via essa verdade espelhada várias e várias vezes no rosto das pessoas ali presentes, de pé no frio, para testemunhá-la. Era gente por toda parte, até onde a vista alcançava. Elas preenchiam cada centímetro do National Mall e da rota do desfile. Minha sensação era quase como se nossa família estivesse caindo nos braços deles. Estávamos fazendo um pacto, todos nós. Vocês estão conosco; nós estamos com vocês.

Malia e Sasha estavam aprendendo rápido o que era serem vigiadas pelos olhos públicos. Percebi isso quando entramos na limusine presidencial e iniciamos o lento trajeto até a Casa Branca, encabeçando o desfile de posse. Àquela altura, Barack e eu já tínhamos nos despedido de George e Laura Bush, acenando enquanto eles eram levados do Capitólio por um helicóptero da Marinha. Também já tínhamos almoçado. Comemos peito de pato em um formal salão de mármore do Capitólio com algumas centenas de convidados, dentre eles os novos funcionários do gabinete presidencial, congressistas e ministros da Suprema Corte, enquanto, em uma sala próxima, as meninas se deliciavam com suas comidas prediletas (frango empanado e macarrão com queijo) junto com as crianças da família Biden e alguns primos.

Fiquei admirada com o comportamento perfeito de nossas filhas ao longo da cerimônia, não demonstraram inquietação, não ficaram olhando para baixo ou esqueceram de sorrir. Enquanto o comboio percorria a Pennsylvania

Avenue ainda havia muitos milhares de pessoas observando da pista e pela televisão, embora os vidros fumê dificultassem ver dentro do carro. Quando Barack e eu descemos para andar um trecho da rota do desfile e acenar para o público, Malia e Sasha continuaram dentro do casulo quente da limusine em movimento, e parece que se deram conta de que enfim estavam relativamente sozinhas, longe dos olhares alheios.

Quando voltamos para o carro, as duas estavam aos risos, sem fôlego, tendo se libertado de toda a dignidade cerimoniosa. Tinham tirado os chapéus e desarrumado o cabelo uma da outra e se debatiam, envolvidas em uma batalha de cócegas fraternal. Finalmente cansadas, elas se esticaram nos bancos e passaram o restante do trajeto de pernas para cima, ouvindo Beyoncé no som do carro como se fosse um dia qualquer.

Sentimos um doce alívio naquele instante. Agora éramos a primeira-família, mas ainda éramos nós mesmos.

Quando o sol começou a se pôr, a temperatura caiu ainda mais. Barack, eu e o infatigável Joe Biden passamos duas horas em um palanque aberto, em frente à Casa Branca, vendo bandas e carros de todos os cinquenta estados passarem por nós. Em determinado momento, parei de sentir os dedos dos pés, mesmo depois de me darem uma manta para cobrir as pernas. Um a um, nossos convidados pediam licença para irem se arrumar para os bailes da noite.

Eram quase sete horas quando a última banda marcial terminou. Barack e eu caminhamos na escuridão e entramos na Casa Branca pela primeira vez como residentes. Durante a tarde, a equipe tinha feito uma extraordinária mudança de alto a baixo na residência, retirando os pertences dos Bush e trazendo os nossos. Naquele período de cinco horas, os carpetes foram vaporizados para eliminar rastros dos cachorros do ex-presidente e seu potencial alérgico para Malia, móveis foram arrumados, arranjos de flores, dispostos. Quando pegamos o elevador, nossas roupas já estavam organizadas nos closets, e a despensa da cozinha já estava abastecida com os alimentos de nossa preferência. Os mordomos, em sua maioria homens afro-americanos da nossa idade ou mais velhos, estavam prontos para nos ajudar com o que precisássemos.

Eu estava com tanto frio que nem pude me localizar direito em nossa nova residência. Tínhamos que estar no primeiro dos dez bailes em menos de uma hora. Tenho a lembrança de ver pouquíssimas pessoas lá em cima além dos mordomos, que eu ainda desconhecia. Na verdade, lembro que me senti meio solitária ao percorrer o longo corredor, passando por tantas portas fechadas. Eu passara os últimos dois anos rodeada de gente, sempre com Melissa, Katie e Kristen ao lado, e agora, de repente, me sentia muito sozinha. As crianças já tinham ido para outra parte da casa para a diversão da noite. Minha mãe, Craig e Maya estavam hospedados conosco, mas já haviam partido para as comemorações daquela noite. Uma cabeleireira aguardava para fazer meu cabelo, meu vestido estava pendurado em um cabide. Barack fora tomar um banho e vestir o smoking.

Foi um dia incrível, simbólico, para nossa família e, espero, também para o país, mas além disso foi uma espécie de ultramaratona. Tive apenas uns cinco minutos para aproveitar o banho quente e recarregar as energias para a etapa seguinte. Depois, comi um pouco de bife com batata que Sam Kass tinha preparado para mim, retoquei o penteado e a maquiagem e vesti o longo de chiffon de seda marfim que escolhera para a noite, feito especialmente para mim por um jovem estilista chamado Jason Wu. O vestido era de alça única e tinha delicadas flores de organza costuradas nele todo, cada uma com um minúsculo cristal no centro, e a saia caía em uma cascata exuberante até o chão.

Poucas vezes na vida eu tinha usado um vestido de gala, mas a criação de Jason Wu operou um pequeno milagre, fazendo com que eu me sentisse leve, bela e vicejante quando já começava a pensar que não me restava mais nada para mostrar. O vestido ressuscitou o aspecto onírico da metamorfose da minha família, a promessa de toda aquela experiência, me transformando se não em uma princesa de baile, pelo menos em uma mulher capaz de subir em mais um palco. Agora eu era a primeira-dama dos Estados Unidos, ao lado de Barack, o presidente dos Estados Unidos. Era hora de celebrar.

Naquela noite, Barack e eu fomos ao Neighborhood Ball [Baile de Posse da Vizinhança], o primeiro baile de posse a ser plenamente acessível e financeiramente viável ao público em geral e onde Beyoncé — a Beyoncé de verdade — cantou uma versão formidável, a plena voz, do clássico do R&B "At Last", a canção que havíamos escolhido para nossa "primeira dança". Dali, seguimos para o Home States Ball e depois o Commander in Chief Ball, então o Youth Ball, e mais seis. Nossa permanência em cada um foi relativamente curta e mais ou menos igual: uma banda tocava "Hail to the Chief", Barack tecia alguns comentários, sorríamos e tentávamos transmitir nosso apreço pela presença de todos e, enquanto todo mundo ficava de pé e assistia, dançávamos "At Last" outra vez.

A cada dança eu me agarrava ao meu marido, meus olhos encontrando tranquilidade nos dele. Continuávamos sendo a mesma dupla complementar, yin e yang, que éramos havia vinte anos, ainda unidos por um sólido amor visceral. Eu sempre me alegrava em mostrar isso.

Com o avançar das horas, no entanto, eu sentia que começava a perder as forças.

A melhor parte da noite deveria ser o último evento, uma festa particular na Casa Branca para algumas centenas de amigos. Ali, finalmente poderíamos relaxar e tomar champanhe, sem nos preocuparmos com a aparência. É claro que eu tiraria os sapatos.

Eram quase duas horas da madrugada quando chegamos. Barack e eu atravessamos os pisos de mármore que levavam ao Salão Leste, e a cena que se descortinou diante de nós foi da festa a pleno vapor — drinques brotando e pessoas elegantes rodopiando sob o cintilar dos lustres. Wynton Marsalis e sua banda tocavam jazz em um pequeno palco ao fundo do salão. Vi ao longe amigos de praticamente todas as fases da minha vida: amigos de Princeton, amigos de Harvard, amigos de Chicago, uma porção de membros das famílias Robinson e Shields. Era com aquelas pessoas que eu queria rir e perguntar: *Como foi que a gente veio parar aqui?*

Mas eu estava acabada. Tinha chegado ao meu limite. Também estava pensando à frente, ciente de que logo pela manhã — em poucas horas, na verdade — iríamos ao Serviço de Oração Nacional e depois teríamos que cumprimentar duzentos membros da população que iriam visitar a Casa Branca. Barack leu meus pensamentos ao olhar para mim. "Não precisa ficar", ele me disse. "Não tem problema."

Os convidados já se aproximavam, ávidos para interagir. Um doador de campanha, o prefeito de uma grande cidade. "Michelle! Michelle!", chamavam. Estava tão exausta que achei que fosse começar a chorar.

Quando Barack cruzou as portas do salão e foi prontamente sugado pela multidão, gelei por uma fração de segundo, então dei meia-volta e fugi. Sem um resquício de energia, não cheguei a verbalizar uma desculpa digna de primeira-dama nem a acenar para meus amigos. Simplesmente saí andando depressa pelo grosso tapete vermelho, ignorando os seguranças em meu encalço, ignorando tudo ao me enfiar no elevador e mergulhar na residência — percorrendo um corredor pouco familiar, entrando em um quarto pouco familiar, tirando os sapatos e o vestido e me deitando na cama estranha que era nossa nova cama.

20

As pessoas querem saber como é morar na Casa Branca. Às vezes digo que é como morar em um hotel chique, só que sem outros hóspedes — só você e sua família. Há flores frescas por toda parte, e novas são trazidas quase todos os dias. O prédio em si é antigo e um pouco intimidante. As paredes são tão espessas e as tábuas do assoalho tão sólidas que todos os sons parecem ser rapidamente absorvidos. As janelas são majestosas, altas e também equipadas com vidro resistente a bombas, e ficam fechadas o tempo todo por motivos de segurança, o que só reforça a quietude interna. O local é mantido impecavelmente limpo. Há um estafe composto por porteiros, contínuos, chefs de cozinha, camareiras e floristas, além de eletricistas, pintores e encanadores, todos indo e vindo educadamente e em silêncio, buscando a discrição em cada movimento, esperando que você vá para outro aposento para só então entrar de mansinho e trocar as toalhas ou colocar uma gardênia fresca no vaso à cabeceira da cama.

Os cômodos são grandes, todos eles. Até mesmo os banheiros e closets são construídos em uma escala diferente de qualquer coisa que eu já havia visto. Barack e eu ficamos impressionados com a quantidade de móveis necessária para tornar cada cômodo aconchegante. Nosso quarto tinha não apenas uma cama king size — uma bela cama de quatro colunas com um dossel de pano cor creme —, mas também uma lareira e uma área de estar com sofá, mesinha de centro e cadeiras estofadas. Havia cinco banheiros para os cinco moradores, além de outros dez banheiros extras. Eu não tinha apenas um closet, mas um espaçoso quarto de vestir contíguo — foi dali que Laura Bush me mostrou a vista do Jardim das Rosas. Com o tempo, esse espaço tornou-se meu escritório particular de fato, o lugar onde eu podia me sentar em silêncio e ler, trabalhar ou ver TV só de camiseta e calça de moletom, abençoadamente fora da visão de todos.

Eu tinha consciência da nossa sorte em viver dessa maneira. A suíte principal da residência era maior do que todo o apartamento que morei na infância, com minha família, na Euclid Avenue. Havia uma tela de Monet na saída do meu quarto e uma escultura de bronze de Degas na sala de jantar. Uma criança do South Side de Chicago, eu agora criava duas meninas que dormiam em quartos projetados por um sofisticado decorador de interiores e que podiam pedir o café da manhã a um chef renomado.

Às vezes pensar nisso me dava certa vertigem.

Tentei, à minha maneira, afrouxar o protocolo do lugar. Deixei claro para a equipe de manutenção da casa que nossas meninas arrumariam a própria cama, como faziam em Chicago. Instruí Malia e Sasha a agir como sempre agiram: a serem bem-educadas e afáveis e a não pedir nada além do absolutamente necessário ou que não pudessem obter por si mesmas. Mas também era importante para mim que nossas filhas se sentissem livres de algumas formalidades arraigadas do lugar. *Sim, podem jogar bola no corredor. Sim, podem procurar biscoitos na despensa.* Deixei bem claro que elas não precisavam pedir permissão para brincar lá fora. Fiquei comovida certa tarde, durante uma tempestade de neve, quando avistei as duas pela janela descendo a encosta do Gramado Sul sobre bandejas de plástico emprestadas pelo pessoal da cozinha.

A verdade é que, em tudo isso, as meninas e eu éramos coadjuvantes, beneficiários dos vários luxos concedidos a Barack — atrizes secundárias mas importantes, porque nossa felicidade estava ligada à dele; protegidas pela razão de que, se nossa segurança fosse comprometida, também estaria a capacidade de Barack de pensar com clareza e liderar a nação. A Casa Branca, segundo aprendemos, opera com o propósito expresso de otimizar o bem-estar, a eficiência e o poder geral de uma pessoa: o presidente. Barack vivia agora rodeado por pessoas cujo trabalho era tratá-lo como uma joia preciosa. Às vezes parecia um retorno à era em que todo lar girava em torno das necessidades exclusivas do homem, e isso era o oposto do que eu queria que nossas filhas considerassem normal. Barack também se sentia desconfortável com a atenção, mas tinha pouco controle sobre a questão.

Eram cerca de cinquenta funcionários para ler e responder sua correspondência. Havia pilotos de helicóptero — fuzileiros navais — de prontidão para levá-lo a qualquer lugar aonde precisasse ir. Uma equipe de seis pessoas organizava grossas pastas de clippings para mantê-lo atualizado e capaz de tomar decisões abalizadas. Uma outra equipe de nutricionistas cuidava de sua alimentação, e havia também gente cuja função era fazer compras anônimas em diferentes supermercados, sem nunca revelar para quem trabalhavam, para nos proteger de envenenamentos e contaminações criminosas em alimentos.

Desde que conheço Barack, ele nunca sentiu prazer em compras, culinária nem qualquer outro trabalho de manutenção doméstica. Não é do tipo que guarda ferramentas ou alivia o estresse do trabalho preparando um risoto ou aparando sebes. A eliminação de todas as obrigações e preocupações relativas à casa fazia de Barack um homem nada mais que feliz, principalmente porque deixavam o caminho livre para seu cérebro se concentrar em preocupações maiores, as quais existiam em profusão.

O mais engraçado para mim era o fato de que Barack agora tinha três criados pessoais, todos militares, cujos deveres incluíam ficar de vigia em seu closet, certificando-se de que os sapatos estivessem engraxados, as camisas passadas, as roupas de ginástica sempre limpas e dobradas. A vida na Casa Branca era muito diferente da vida na Toca.

"Viu como eu ando arrumado agora?", ele comentou comigo um dia no café da manhã, alegre. "Já deu uma olhada no meu armário?"

"Sim", respondi, sorrindo. "E você não tem crédito em nada disso."

Em seu primeiro mês no cargo, Barack assinou a Lei Lilly Ledbetter de Pagamento Justo, lei que ajudou a proteger os trabalhadores contra a discriminação salarial baseada em fatores como gênero, raça ou idade. Ele ordenou o fim do uso de tortura em interrogatórios e iniciou um esforço (em última instância, sem sucesso) para fechar o centro de detenção na baía de Guantánamo dentro de um ano. Revisou as regras éticas que regem as interações entre funcionários da Casa Branca com os lobistas e, o mais importante, conseguiu aprovar no Congresso um grande projeto de lei de estímulo econômico, embora nem um único deputado da bancada republicana na Câmara tenha votado a favor. A meu ver, ele parecia estar em uma excelente fase. A mudança que prometera se tornava realidade.

Como um bônus, estava conseguindo aparecer para o jantar na hora.

Para mim e para as meninas, essa foi a surpresa feliz que resultou de morarmos na Casa Branca com o presidente dos Estados Unidos, em vez de morarmos em Chicago com um pai que trabalhava em um Senado distante e muitas vezes estava em campanha por um cargo mais alto. Finalmente, tínhamos o papai em casa. A vida dele era mais disciplinada e ordenada agora. Como sempre, Barack cumpria um horário de expediente ridiculamente longo, mas às 18h30 em ponto ele entrava no elevador e subia para uma refeição em família, mesmo que muitas vezes precisasse voltar ao Salão Oval logo depois. Minha mãe às vezes também jantava conosco, embora tivesse sua própria rotina, descendo para nos cumprimentar antes de acompanhar Malia e Sasha até a escola, mas em geral preferindo jantar no terraço adjacente ao seu quarto enquanto via *Jeopardy!*. Mesmo quando lhe pedíamos para ficar, ela se despedia com um aceno. "Vocês precisam de um tempo só de vocês", dizia.

Nos primeiros poucos meses na Casa Branca, senti necessidade de estar atenta a tudo. Uma das minhas primeiras lições foi que podia ser relativamente caro morar ali. Embora estivéssemos isentos de aluguel e de despesas com água, eletricidade, gás e funcionários, cobríamos todas as outras despesas, que pareciam aumentar depressa, especialmente em função da altíssima qualidade de tudo. Todo mês recebíamos uma conta detalhada listando cada item alimentício e cada rolo de papel higiênico. Pagávamos por cada hóspede que lá passava uma noite e cada convidado que fazia uma refeição conosco. E uma vez que a equipe de culinária tinha padrões nível Michelin e uma profunda vontade de agradar ao presidente, eu precisava ficar de olho no que era servido. Quando Barack fazia um comentário casual de que tinha gostado de alguma fruta exótica no café da manhã ou do sushi no jantar, o pessoal da cozinha anotava e a partir daí passava a incluir o item com regularidade no cardápio. Só mais tarde, inspecionando a conta, é que percebíamos que alguns desses produtos estavam sendo trazidos do exterior a um custo elevado.

No entanto, a maior parte da minha vigilante atenção naqueles primeiros meses se concentrou em Malia e Sasha. Eu monitorava o ânimo delas, interrogando-as sobre como se sentiam e como interagiam com as outras crianças. Tentava me conter a cada vez que me relatavam ter feito uma nova amizade, embora por dentro transbordasse de alegria. A essa altura, já tinha compreendido que não havia uma maneira simples e fácil de organizar visitas de amiguinhos na Casa Branca ou passeios, mas aos poucos estávamos encontrando um jeito.

Eu tinha permissão para usar um BlackBerry pessoal, mas fui aconselhada a limitar meus contatos a cerca de dez dos meus amigos mais íntimos — as pessoas que me amavam e me apoiavam sem qualquer tipo de interesse ou segundas intenções. A maioria das minhas comunicações era mediada por Melissa, que agora era minha vice-chefe de gabinete e conhecia melhor do que qualquer um os contornos da minha vida. Ela me mantinha informada de todos os meus primos, todos os meus amigos da faculdade. Dávamos o número de telefone e o endereço de e-mail de Melissa em vez dos meus, direcionando a ela todos os pedidos. Parte do problema era que velhos conhecidos e parentes distantes ressurgiam do nada com uma enxurrada de solicitações. Será que Barack poderia discursar na formatura de Fulano? Seria possível, por favor, que eu fizesse um discurso na ONG de Beltrano? Quem sabe participar dessa ou daquela festa ou daquele evento beneficente? A maioria muito generosa e bem-intencionada, mas era impossível dar conta de tudo.

Com relação ao dia a dia de nossas filhas, muitas vezes eu tinha que confiar em jovens funcionários para ajudar na logística. Meu estafe se reunia de antemão com professores e administradores na Sidwell, registrando datas importantes para eventos escolares, resolvendo processos para pedidos de informações por parte da mídia e respondendo a perguntas de professores sobre como abordar tópicos de política ou notícias em sala de aula. Quando as meninas começaram a fazer planos sociais fora da escola, minha assistente pessoal tornou-se o ponto de contato, pegando o número de telefone de outros pais, organizando as viagens de carro para buscar e levar os amiguinhos convidados para os encontros. Assim como em Chicago, eu sempre fazia questão de conhecer pessoalmente os pais dos novos amigos das meninas, convidando algumas mães para almoçar e me apresentando durante os eventos na escola. Admito que essas interações podiam ser embaraçosas. Eu sabia que às vezes demorava um minuto para um novo conhecido deixar de lado suas ideias preconcebidas sobre mim e sobre Barack, esquecer a imagem a meu respeito formada a partir da TV ou do noticiário e me ver simplesmente, se possível, como a mãe de Malia ou de Sasha.

Era constrangedor ter de explicar que, para que Sasha pudesse ir à festa de aniversário da pequena Julia, o Serviço Secreto precisaria passar na casa deles e realizar uma varredura de segurança. Era estranho exigir o número do Seguro Social de qualquer pai, mãe, babá ou responsável que levasse de carro até nossa casa uma criança para brincar com nossas filhas. Tudo isso era complicado, mas necessário. Eu não gostava da existência dessa estranha e pequena linha divisória a ser cruzada sempre que conhecia alguém, mas, para meu alívio, era muito diferente para Sasha e Malia, que saíam em disparada para cumprimentar os amigos da escola tão logo eram deixados na Sala de Recepção Diplomática — ou Sala Dip, como passamos a chamá-la —, pegando-os pela mão e entrando correndo, aos risos. No fim, ficou claro que as crianças só dão importância à fama por alguns poucos minutos. Depois disso, elas só querem se divertir.

Logo no início aprendi que eu deveria trabalhar em conjunto com minha equipe para planejar e executar uma série de festas e jantares tradicionais, a começar pelo Governors' Ball, festa de gala realizada todos os anos em fevereiro, no Salão Leste. O mesmo valia para a anual Corrida dos Ovos de Páscoa, uma celebração familiar pascal ao ar livre com um concurso de "rolamento de ovos" que começou em 1878 e envolvia milhares de pessoas. Havia também almoços de primavera de que eu participaria em homenagem aos cônjuges dos senadores e congressistas — semelhante àquele em que eu vira Laura Bush com um sorriso imperturbável enquanto tirava fotos intermináveis com os convidados.

Esses eventos sociais muitas vezes me pareciam distrações do que eu esperava que seria um trabalho mais impactante, mas, ao mesmo tempo, comecei a pensar em maneiras de acrescentar ou pelo menos modernizar algumas delas, de modo a envergar ainda que minimamente a barra fixa da tradição. Em geral, minha ideia era de que a vida na Casa Branca poderia ser mais comprometida com os novos tempos sem desprezar a história e a tradição ali estabelecidas. Com o passar dos meses, Barack e eu daríamos passos nessa direção. Por exemplo, acrescentamos às paredes algumas obras de artistas afro-americanos e fizemos móveis contemporâneos conviverem com antiguidades; no Salão

Oval, Barack substituiu um busto de Winston Churchill por um de Martin Luther King Jr.; e demos aos mordomos a opção de trocarem o smoking por trajes mais descontraídos (calça cáqui e camisa polo) nos dias em que não havia eventos públicos.

Queríamos fazer um trabalho melhor no sentido de democratizar a Casa Branca, de modo que parecesse menos elitista e mais aberta. Quando organizávamos um evento, eu queria abri-lo a pessoas comuns, não apenas aquelas acostumadas aos trajes finos. E queria mais crianças por perto, porque elas tornam tudo melhor. Eu queria tornar o Easter Egg Roll acessível a mais gente, com mais lugares para as crianças das escolas municipais e para as famílias dos militares, como os garantidos aos filhos e netos de congressistas e outros VIPs. Por fim, se eu fosse me sentar e almoçar com as esposas (em sua maioria) dos congressistas e senadores, não poderia também convidá-las a um projeto comunitário na cidade?

Eu sabia o que importava para mim. Não queria ser um enfeite bem-vestido só para dar as caras em festas e cortar fitas em cerimônias de inauguração. Queria fazer coisas significativas e duradouras. E decidi que meu primeiro empreendimento real seria a horta.

Eu não entendia do assunto e nunca na minha vida havia cultivado uma horta, mas agora sabia, graças a Sam Kass e aos esforços de nossa família para comer melhor em casa, que os morangos chegam ao auge da suculência em junho, que as folhas escuras são mais ricas em nutrientes e que não era tão difícil fazer chips de couve no forno. Ao ver minhas filhas comerem salada de ervilha e macarrão com couve-flor, me dei conta de que até pouco tempo antes a maior parte do que sabíamos sobre alimentação havia chegado até nós por meio de propagandas de tudo embalado, congelado ou processado para a conveniência, fosse em jingles publicitários com recursos de animação ou em embalagens projetadas para atrair o pai e a mãe atarefados que faziam compras às pressas pelos corredores dos supermercados. Ninguém fazia propaganda de itens frescos e saudáveis — a crocância de uma cenoura, a inigualável doçura de um tomate recém-arrancado da rama.

Plantar uma horta na Casa Branca foi minha resposta a esse problema, e meu desejo era de que aquilo sinalizasse o início de algo maior. A administração de Barack estava concentrada em melhorar o acesso da população a serviços de saúde financeiramente viáveis, e a horta era minha maneira de transmitir uma mensagem paralela sobre uma vida saudável. Encarei aquele projeto como um teste preliminar que me ajudaria a determinar o que eu poderia realizar como primeira-dama — uma maneira literal de me enraizar naquele novo trabalho. Concebi a ideia como uma espécie de sala de aula ao ar livre, um lugar que as crianças poderiam visitar para aprender sobre o cultivo de alimentos. Na superfície, a horta parecia elementar e apolítica, uma tarefa inofensiva e inocente de uma dama com uma pá — o que agradava aos conselheiros da Ala Oeste de Barack, constantemente preocupados com a "ótica", aflitos com os olhos da opinião pública.

Mas havia mais coisas em jogo. Planejei usar o trabalho que faríamos no jardim para estimular um debate público sobre nutrição, especialmente uma conversa nas escolas e entre os pais, o que, idealmente, levaria a discussões sobre os meios de produzir, rotular e comercializar os alimentos e sobre como afetavam a saúde pública. Além disso, ao iniciar o debate sobre esses temas na Casa Branca, eu estaria propondo um desafio implícito às gigantescas corporações na indústria de alimentos e bebidas, ao modelo de negócios que vigorava havia décadas.

A verdade é que eu não tinha a menor ideia de como isso tudo se daria. O que sabia, ao instruir Sam — que havíamos incorporado aos funcionários da Casa Branca — a começar a trabalhar na criação da horta, era que estava pronta para descobrir.

Meu otimismo naqueles primeiros meses foi mitigado principalmente por um fator: a política. Agora morávamos em Washington, bem perto da feia dinâmica de vermelho-contra-azul que durante anos eu tentara evitar, mesmo que Barack tivesse escolhido trabalhar bem dentro dela. Agora que ele era presidente, essas forças praticamente dominavam seus dias. Semanas antes, às vésperas da cerimônia de posse, o apresentador de rádio conservador Rush Limbaugh anunciara, sem rodeios: "Espero que Obama fracasse". E eu vira, consternada, os republicanos no Congresso fazerem o mesmo, combatendo todos os esforços de Barack para estancar a crise econômica, recusando-se a apoiar medidas que reduziriam impostos e salvariam ou criariam milhões de empregos. No dia em que Barack assumiu o cargo, indicadores apontavam que a economia norte-americana estava entrando em colapso a uma velocidade igual ou maior à do início da Grande Depressão. Quase 750 mil postos de trabalho foram fechados somente em janeiro.

Barack havia baseado sua campanha na ideia de que era possível construir consenso entre partidos, de que os americanos estavam, no fundo, mais unidos do que divididos, mas o Partido Republicano lançava mão de um esforço deliberado para refutá-lo e provar que ele estava errado, em pleno momento de emergência crítica.

Isso ocupava minha mente durante a noite de 24 de fevereiro, quando Barack falou diante de uma sessão conjunta do Congresso. O evento é basicamente um Estado da União substituto para todo presidente recém-empossado, uma vitrine para que delineasse os objetivos para o ano vindouro em uma transmissão ao vivo no horário nobre de um discurso proferido no salão da Câmara dos Representantes, com juízes da Suprema Corte, membros do gabinete, generais das forças militares e congressistas presentes. É também uma tradição de grande pompa, em que os legisladores expressam com eloquência sua aprovação ou desaprovação das ideias do presidente — levantando-se para repetidas ovações ou permanecendo sentados com a cara fechada.

Naquela noite, sentei-me na galeria entre uma menina de catorze anos que escrevera uma carta sincera a seu presidente e um afável veterano da Guerra do Iraque e esperamos a chegada do meu marido. Dali, eu podia ver a maior parte da Câmara abaixo. Era uma visão aérea incomum dos líderes do nosso país, um oceano de brancura e masculinidade trajando ternos escuros. A ausência de diversidade era flagrante — honestamente, era embaraçosa — para um país moderno e multicultural. E era mais drástico e impactante entre os republicanos: na época, havia apenas sete não brancos entre eles no Congresso, nenhum negro e apenas uma mulher. No geral, quatro em cada cinco membros do Congresso eram homens.

O espetáculo começou minutos depois, com um estrondo: o bater de um martelo e o anúncio feito pelo sargento de armas. A multidão ficou de pé, aplaudindo por mais de cinco minutos seguidos enquanto os líderes eleitos disputavam boas posições nos corredores. No centro do furacão, cercado por um grupo de agentes de segurança e por um cinegrafista que fazia a filmagem caminhando para trás, surgiu Barack, apertando mãos e sorrindo enquanto lentamente abria caminho pelo salão em direção ao pódio.

Eu já acompanhara aquele ritual muitas vezes pela televisão, em outros anos, com outros presidentes. Ver meu marido lá embaixo, em meio à multidão, de súbito tornou muito real a magnitude de seu trabalho e o fato de que ele precisaria conquistar mais da metade do Congresso para conseguir promover alguma mudança.

O discurso de Barack naquela noite foi detalhado, sóbrio e sensato, reconhecendo o estado desalentador da economia, as guerras em andamento, a constante ameaça de ataques terroristas e a ira de muitos americanos que sentiam que o socorro financeiro dado pelo governo aos bancos estava ajudando justamente os culpados pela crise financeira. Ele teve o cuidado de ser realista, mas também ressoar notas de esperança, lembrando seus ouvintes de nossa resiliência como nação, nossa capacidade de nos recuperarmos de tempos difíceis.

Vi da galeria os membros republicanos permanecerem sentados a maior parte do tempo, com uma expressão obstinada e irritada, os braços cruzados e propositalmente carrancudos, como crianças quando não conseguem o que querem. Eles lutariam contra tudo que Barack fizesse, fosse bom para o país ou não. Pareciam ter esquecido que havia sido o desgoverno de um presidente republicano o responsável por colocar o país naquele caos. Mais do que tudo, parecia que só queriam que Barack fracassasse. Confesso que naquele momento, com essa visão, eu de fato me perguntei se havia alguma saída.

Quando eu era menina, tinha ideias vagas sobre como minha vida poderia ser melhor. Ia brincar na casa das irmãs Gore e sentia inveja do espaço que tinham, uma casa inteirinha só para sua família; achava que seria o máximo se tivéssemos condições de comprar um carro melhor; não deixava de notar qual das minhas amigas tinha mais pulseiras ou Barbies do que eu, quem comprava roupas no shopping em vez de usar o que a mãe costurava em casa por uma ninharia, usando moldes de revista. As crianças aprendem a medir muito antes de entenderem o tamanho ou o valor de qualquer coisa. No fim das contas, se você tiver sorte, aprenderá que sempre mediu tudo errado.

Agora, morávamos na Casa Branca, e aos poucos começávamos a nos familiarizar — não porque algum dia eu tenha me acostumado com a vastidão do espaço ou a opulência do estilo de vida, mas porque era ali que minha família dormia, comia, ria e vivia. Nos quartos das meninas, colocamos à mostra as crescentes coleções de bugigangas que Barack tinha o hábito de trazer de suas muitas viagens: globos de neve para Sasha, chaveiros para Malia. Começamos a fazer mudanças sutis na residência, acrescentando iluminação moderna para acompanhar os candelabros tradicionais e velas perfumadas que deixavam o local com mais cara de lar. Eu nunca veria com a maior naturalidade do mundo nossa imensa sorte nem todo aquele conforto, embora tenha começado a apreciar mais a humanidade do lugar.

Até minha mãe, que se queixara da formalidade que tornava a Casa Branca semelhante a um museu, logo descobriu que havia mais elementos a considerar ali dentro. O lugar estava cheio de pessoas que não eram tão diferentes de nós. Vários dos mordomos trabalhavam ali havia muitos anos, cuidando de todas as famílias que por lá passavam. Sua dignidade discreta me lembrava meu tio-avô Terry, que, quando eu era criança, morava abaixo de nós na Euclid Avenue, onde aparava a grama de sapato social e suspensório. Eu tentava me certificar de que nossas interações com os funcionários fossem respeitosas e afirmativas. Fazia questão de que nunca se sentissem invisíveis. Se os mordomos tinham posicionamentos políticos, se intimamente eram fiéis aos ideais de um ou outro partido, guardavam para si mesmos. Tinham o cuidado de respeitar nossa privacidade, mas também eram sempre abertos e acolhedores, e aos poucos nos tornamos próximos. Eles sentiam instintivamente quando precisavam me dar espaço ou quando eu estava disposta a ouvir alguma piada ou brincadeira. Estavam sempre reclamando de seus times na cozinha, onde gostavam de me contar sobre as últimas fofocas de outros funcionários ou as façanhas de seus netos enquanto eu dava uma olhada nas manchetes do dia. Se houvesse um jogo de basquete universitário na TV à noite, às vezes Barack assistia com eles por algum tempo. Sasha e Malia passaram a amar o espírito de convívio da cozinha, entrando de fininho para fazer smoothies ou pipoca depois da escola. Muitos funcionários encantaram-se em especial com minha mãe, aparecendo no terraço para bater papo com ela.

Levei algum tempo para reconhecer a voz de cada operadora de telefonia da Casa Branca, responsáveis pelo serviço de chamada-despertador que me acordava de manhã ou por me conectar aos escritórios da Ala Leste, no andar de baixo, mas logo elas também se tornaram familiares e amigáveis. Conversávamos sobre o tempo, ou eu brincava sobre como em muitos eventos oficiais eu precisava ser despertada horas mais cedo que Barack só para arrumar o cabelo. Eram interações rápidas, mas faziam a vida parecer um pouco mais normal. Um dos mordomos mais experientes, um afro-americano de cabelo branco chamado James Ramsey, servia desde a administração Carter. De vez em quando ele aparecia com a última edição da revista *Jet*, dizendo, com um sorriso orgulhoso: "Veja o que descolei para a senhora".

A vida é sempre melhor quando medimos o carinho.

Eu andava por aí certa de que nossa casa nova era um exagero de tamanho e pompa até abril, quando conheci Sua Majestade, a rainha da Inglaterra.

Foi a primeira viagem internacional que Barack e eu fizemos juntos desde a posse: para Londres, a bordo do Força Aérea 1, para uma reunião do Grupo dos 20 (ou G20), cúpula composta pelos líderes das maiores economias do mundo. Era um momento decisivo para o encontro. A crise econômica nos Estados Unidos havia criado reverberações devastadoras em todo o mundo, fazendo os mercados financeiros de todo o planeta entrarem em parafuso. A cúpula do G20 também marcou a estreia de Barack como presidente no cenário internacional. E como acontecia muitas vezes em seus primeiros meses de mandato, seu principal trabalho ali era limpar a bagunça; no caso, absorver a frustração de outros chefes de Estado, cuja opinião era de que havíamos perdido oportunidades cruciais de regular banqueiros imprudentes e evitar o desastre em que todos eles se viam agora.

Já mais confiante de que Sasha e Malia estavam confortáveis em sua rotina escolar, deixei minha mãe no comando pelos poucos dias que eu passaria fora, ciente de que ela imediatamente afrouxaria todas as minhas regras de ir para a cama cedo, comer todos os legumes e hortaliças servidos no jantar etc. Ela gostava de ser avó, especialmente quando podia deixar de lado toda a minha rigidez em favor de seu estilo mais brando e mais leve, que era marcadamente mais indulgente do que quando Craig e eu éramos as crianças sob seus cuidados. As meninas adoravam ficar com a vovó.

Gordon Brown, então primeiro-ministro do Reino Unido, estava organizando o encontro do G20, que incluiu um dia inteiro de reuniões econômicas em um centro de conferências na cidade, mas, como muitas vezes acontece quando os líderes mundiais vão a Londres para eventos oficiais, a rainha também receberia a todos no Palácio de Buckingham para dar um olá cerimonial. Barack e eu fomos convidados a chegar mais cedo para uma audiência particular com a rainha, por conta da estreita relação entre Estados Unidos e Grã-Bretanha, e suponho que também em função de sermos novos no cenário.

Desnecessário será dizer que eu não tinha experiência em encontros com a realeza. Deram a entender que eu poderia ou fazer uma reverência ou apertar a mão da rainha, e eu sabia que deveríamos nos referir a ela como "Sua Majestade", ao passo que seu marido, o príncipe Philip, duque de Edimburgo, passava por "Sua Alteza Real". Fora isso, não sabia muito bem o que esperar quando nossa comitiva de carros atravessou os altos portões de ferro do palácio. Passamos por espectadores espremidos junto às cercas, por uma coleção de guardas e um trombeteiro real, depois cruzamos o arco interno e chegamos ao pátio, onde o mestre oficial da casa esperava do lado de fora para nos receber.

Então vi o quanto o Palácio de Buckingham é grande — tão grande que quase desafia as possibilidades de descrição. Tem 775 cômodos e quinze vezes o tamanho da Casa Branca. Nos anos seguintes, Barack e eu teríamos a sorte de voltar lá algumas vezes como convidados, e nessas viagens posteriores dormimos em uma suntuosa suíte no andar térreo, aos cuidados de lacaios de libré e damas de companhia. Participaríamos de um banquete formal no salão de baile, comendo com talheres revestidos de ouro. Certa vez, durante uma visita guiada, nosso anfitrião diria coisas como "Este é nosso Salão Azul", apontando para um vasto salão cinco vezes maior que o nosso Salão Azul na Casa Branca. Em outra ocasião, o criado-mor da rainha conduziria a mim, minha mãe e as meninas pelo Jardim das Rosas, que continha milhares de flores em plena imaculada florescência e ocupava um terreno de mais de 4 mil metros quadrados, fazendo as poucas roseiras que tão orgulhosamente mantínhamos do lado de fora do Salão Oval parecerem de repente não tão impressionantes. Achei o Palácio de Buckingham ao mesmo tempo de tirar o fôlego e imperscrutável.

Nessa primeira visita, fomos escoltados até o apartamento privativo da rainha e levados a uma sala de estar onde ela e o príncipe Philip nos aguardavam. Então com 82 anos, Elizabeth II era diminuta e graciosa, tinha um sorriso delicado e um cabelo branco que subia da testa em cachos majestosos. Usava um vestido rosa-claro e um conjunto de pérolas, e mantinha uma bolsa de mão preta devidamente pendurada em um dos braços. Trocamos um aperto de mãos e posamos para uma foto. A rainha educadamente perguntou sobre nosso jet lag e nos convidou a sentar. Não me lembro exatamente do que conversamos.

Um pouco de economia, a situação geral na Inglaterra, as várias reuniões de que Barack vinha participando.

Há um constrangimento que acompanha praticamente toda e qualquer reunião formal, mas, na minha experiência, é algo que demanda um esforço consciente para contornar. Ali, sentada com a rainha, tive que me obrigar a sair da minha própria cabeça, forçosamente deixando de lado o esplendor do cenário e combatendo a paralisia que senti ao me ver frente a frente com um genuíno ícone. O rosto de Sua Majestade me era familiar, eu já o vira dezenas de vezes em livros de história, na TV, em cédulas e moedas de libra esterlina, mas ali estava ela em carne e osso, olhando-me atentamente e fazendo perguntas. Ela era cordial e encantadora, e tentei corresponder. A rainha era um símbolo vivo e bem treinada para lidar com isso, mas era tão humana quanto todos nós. Gostei dela.

Naquela mesma tarde, Barack e eu circulamos pela recepção do palácio, comendo canapés com os outros líderes do G20 e seus maridos e esposas. Conversei com a alemã Angela Merkel e o francês Nicolas Sarkozy, conheci o rei da Arábia Saudita, o presidente da Argentina, os primeiros-ministros do Japão e da Etiópia. Fiz o meu melhor para lembrar quem vinha de qual nação e quem era o cônjuge de quem, tomando o cuidado de não falar muito por medo de dizer algo errado. No geral, foi uma ocasião digna e amistosa e um lembrete de que até mesmo chefes de Estado são capazes de falar sobre os filhos e fazer piadas sobre o clima britânico.

Em algum momento mais para o fim da festa, virei a cabeça e constatei que a rainha Elizabeth havia surgido ao meu lado. Subitamente, nos vimos juntas, apenas nós duas, no salão apinhado. Usava as luvas impecavelmente brancas e aparentava estar tão descansada e bem-disposta quanto horas antes, em nosso primeiro encontro. Ela sorriu.

"Você é tão alta", comentou, inclinando a cabeça.

"Bem, os sapatos ajudam", respondi, rindo. "Mas, sim, sou alta."

A rainha então olhou para meus Jimmy Choos pretos e balançou a cabeça.

"Esses saltos são desconfortáveis, não?" Ela gesticulou com alguma frustração para os próprios escarpins pretos.

Confessei que meus pés doíam. Ela disse que os dela também. Então nos entreolhamos com expressões idênticas, como quem diz: *Quando é que vai finalmente acabar essa história de ficar de pé em meio aos líderes mundiais?* E, com isso, ela deixou escapar uma risada simplesmente encantadora.

Não importava que a rainha às vezes usasse uma coroa cravejada de diamantes e que eu tinha sido levada para Londres pelo jato presidencial: éramos apenas duas senhoras cansadas, oprimidas pelos nossos sapatos. Então fiz o que me é instintivo sempre que me sinto conectada a uma nova pessoa, que é expressar externamente meus sentimentos. Coloquei a mão carinhosamente em seu ombro.

Naquele momento eu não tinha como saber, mas estava cometendo o que seria considerado uma gafe épica. Toquei a rainha da Inglaterra, o que, logo depois eu descobriria, é algo que aparentemente *não se faz*. O gesto foi registrado por câmeras e nos dias seguintes seria reproduzido na mídia de todo o mundo: "Quebra do protocolo!", "Michelle Obama se atreve a abraçar a rainha!". Isso reavivou parte das especulações da época da campanha eleitoral de que eu era desprovida da graça e da elegância padrão de uma verdadeira primeira-dama, e também me deixou um tanto preocupada, por pensar que de algum modo eu estava possivelmente desatenta aos esforços de Barack no exterior. Tentei não me deixar abalar. Se eu não tinha agido corretamente no Palácio de Buckingham, pelo menos tinha agido com humanidade. Ouso dizer que a rainha levou meu gesto numa boa, porque, quando a toquei, ela apenas chegou mais perto, pousando de leve a mão enluvada nas minhas costas.

No dia seguinte, enquanto Barack partia para uma maratona de reuniões sobre a economia, fui visitar um colégio interno para meninas. Era uma escola secundária pública, mantida pelo governo em uma área periférica e desprivilegiada do bairro de Islington, não muito longe de uma área de moradia social. Mais de 90% das novecentas alunas da escola eram negras ou de alguma minoria étnica; um quinto delas eram filhas de imigrantes ou refugiados. A escola me atraiu porque era uma instituição diversificada, com recursos financeiros limitados e, no entanto, tida como extraordinária em termos acadêmicos. Quando eu visitava um local como primeira-dama, fazia questão de conhecê-lo de verdade, entrando em contato com as pessoas que viviam lá, não apenas seus dirigentes. Eu tinha oportunidades que Barack não tinha nas viagens ao exterior. Podia escapar das sigilosas e orquestradas reuniões multilaterais e das conferências com líderes e encontrar novas maneiras de levar um pouco de afabilidade para aquelas visitas em geral tão solenes. Eu pretendia fazer isso em todas as viagens ao estrangeiro, a começar pela Inglaterra.

Mas eu não estava totalmente preparada para o que senti quando entrei na Escola Elizabeth Garrett Anderson e fui conduzida a um auditório onde cerca de duzentos alunos se reuniam para assistir à apresentação de algumas de suas colegas e depois me ouvir falar. A escola tinha o nome de uma médica pioneira que também se tornou a primeira prefeita eleita na Inglaterra. O prédio em si não tinha nada de especial — um quadrado de tijolinhos numa rua comum —, mas quando me acomodei em uma cadeira dobrável no palco e comecei a assistir à apresentação — que incluiu uma cena de Shakespeare, uma dança moderna e um coral cantando uma bela versão de uma música de Whitney Houston —, algo dentro de mim começou a vacilar. Quase me senti caindo de costas para dentro do meu próprio passado.

Bastava olhar para os rostos no auditório para saber que, apesar de seu potencial, aquelas meninas precisariam se esforçar muito para serem vistas. Havia meninas de *hijab*, outras para as quais o inglês era uma segunda língua, meninas de pele em todos os tons de marrom. Eu sabia que elas teriam que lutar para rechaçar os rótulos preconcebidos dos estereótipos, a infinidade de julgamentos que sofreriam antes de sequer terem a chance de se definirem por si mesmas. Elas precisariam lutar contra a invisibilidade que vem no pacote de pobre, mulher e não branca. Teriam que trabalhar com afinco para encontrar a própria voz, para não serem diminuídas e inferiorizadas, para não serem subjugadas. Teriam que dar duro apenas para aprender.

Mas eu via esperança naqueles rostos, e agora também me sentia confiante. Naquele momento, tive uma estranha revelação interna: elas eram eu, a que eu outrora havia sido. E eu era elas, a que elas poderiam ser. A energia que senti pulsando naquela escola nada tinha a ver com obstáculos. Era o poder de novecentas meninas em pleno crescimento.

Terminada a apresentação, fui até o púlpito para falar, mal conseguindo conter a emoção. Olhei para minhas anotações preparadas de antemão, mas de repente tinha pouco interesse nelas. Fitando as meninas, comecei a conversar com elas, explicando que, embora eu viesse de longe e carregasse esse estranho título de primeira-dama dos Estados Unidos, tínhamos mais semelhanças do que elas imaginavam. Contei que também crescera em um bairro da classe trabalhadora, em uma família de condições modestas e amorosa, e que muito cedo entendi a escola como o lugar onde eu poderia começar a me definir

— que a educação é algo pelo qual vale a pena se empenhar, que a educação ajudaria a lançá-las adiante no mundo.

Àquela altura, eu tinha apenas dois meses como primeira-dama. Em diferentes ocasiões, me sentira sobrecarregada pelo ritmo intenso, indigna do glamour, preocupada com nossas filhas e incerta do meu propósito. Há aspectos da vida pública, de uma pessoa que abre mão da privacidade para tornar-se um símbolo ambulante e falante de uma nação, que podem parecer especificamente concebidos para abolir uma parte de sua identidade. Mas ali, falando com aquelas meninas, enfim senti algo completamente diferente, puro — um alinhamento do meu antigo eu com meu novo papel. *Vocês são boas o suficiente? Sim, vocês são.* Expressei às alunas da Elizabeth Garrett Anderson que elas haviam tocado meu coração. Falei que elas eram preciosas, porque de fato eram. E quando terminei minha fala, fiz o que me era instintivo e abracei todas as meninas que pude alcançar.

Em Washington, a primavera tinha chegado. O sol surgia mais cedo e se demorava um pouco mais a cada dia. O Gramado Sul gradualmente ganhava um tom de verde exuberante. Das janelas da residência, eu via as tulipas vermelhas e o jacinto-de-uva lavanda que circundavam o chafariz na base da colina. Fazia dois meses que minha equipe e eu trabalhávamos para transformar em realidade minha ideia de horta, o que não foi fácil. Para começar, tivemos que persuadir o Serviço Nacional de Parques e a equipe de jardinagem da Casa Branca a derrubar um pedaço de um dos gramados mais icônicos do mundo. A própria sugestão foi recebida com resistência, inicialmente. Fazia décadas desde que o Jardim da Vitória fora plantado na Casa Branca, sob os auspícios de Eleanor Roosevelt, e ninguém parecia muito interessado em uma reprise. "Eles acham que somos loucos", disse-me Sam Kass em certo momento.

No fim, conseguimos. De início, recebemos um minúsculo lote de terra escondido atrás das quadras de tênis, ao lado de um galpão de ferramentas. Devo dar o crédito a Sam por lutar por uma porção de terra melhor e conseguir um lote de 102 metros quadrados em formato de L em uma área ensolarada do Gramado Sul, não muito longe do Salão Oval e do balanço que tínhamos instalado para as meninas. Consultamos o Serviço Secreto, para evitar que nosso cultivo danificasse algum dos sensores ou prejudicasse as linhas de visão necessárias para a proteção do perímetro, e em seguida fizemos testes no solo, para determinar se tinha nutrientes suficientes e se não continha elementos tóxicos como chumbo ou mercúrio.

A partir daí, era só pôr a mão na massa.

Vários dias depois de voltar da Europa, recebi novamente um grupo de alunos da Bancroft, uma escola de ensino fundamental bilíngue da cidade. Semanas antes, tínhamos preparado o solo, com pás e enxadas, e agora as crianças estavam de volta para me ajudar no plantio. Nosso pedaço de terra não ficava longe da cerca ao sul da E Street, onde os turistas se aglomeravam para espiar a Casa Branca, e fiquei feliz porque agora a horta seria parte do que eles veriam.

Quer dizer, estava torcendo para que isso acontecesse em algum momento. Porque, com uma horta, nunca se sabe ao certo se algo vai de fato germinar e crescer. Tínhamos aberto o plantio à cobertura da mídia e convidado os chefs da Casa Branca para ajudar, assim como Tom Vilsack, secretário da Agricultura; a nosso pedido, estariam todos de olho no nosso projeto. Agora só nos restava esperar pelos resultados. "Sinceramente", eu comentara com Sam naquela manhã, antes de começarmos, "é bom que isso funcione."

Passei o dia ajoelhada com crianças do quinto ano, colocando sementes no solo cuidadosamente, apertando de leve em torno dos frágeis caules. Depois de ver cada roupa que eu usara na viagem à Europa dissecada na imprensa (meu cardigã de lã no encontro com a rainha foi quase tão escandaloso quanto tocá-la), era um alívio estar com um casaco leve e calças casuais para trabalhar na terra. As crianças me fizeram perguntas, algumas sobre legumes, frutas e hortaliças e a tarefa à mão, mas também coisas como "Cadê o presidente?" e "Por que ele não está ajudando?", mas elas logo esqueceram minha presença, voltando sua atenção totalmente para as luvas de jardinagem e para as minhocas que encontravam no solo. Adoro estar com crianças. Naquele dia, como durante todo o tempo que passei na Casa Branca, elas foram um bálsamo para meu espírito, um breve escape das preocupações de primeira-dama, da insegurança em ser constantemente julgada. Com elas, eu voltava a me sentir eu mesma. Para elas, eu não era um espetáculo, era apenas uma senhora simpática meio grandalhona.

Naquela manhã, plantamos alface e espinafre, erva-doce e brócolis. Introduzimos na terra cenouras e couve, cebolas e ervilhas. Plantamos arbustos de baga e uma variedade de ervas. Qual seria o resultado de tudo aquilo? Eu não sabia, da mesma maneira que não sabia o que estava por vir para nós na Casa Branca, tampouco o que o futuro reservava para o país ou para qualquer uma daquelas doces crianças ao meu redor. Tudo que podíamos fazer era depositar nossa fé no esforço despendido, confiando que, com o sol, a chuva e o tempo, algo minimamente bom brotaria da terra.

21

Em uma noite de sábado no fim de maio, Barack me levou para um encontro romântico. Nos últimos quatro meses — desde que se tornara presidente —, ele vinha trabalhando nas promessas feitas aos eleitores durante a campanha; agora, estava cumprindo uma promessa feita a mim. Íamos para Nova York, e nosso programa incluía um jantar e uma peça de teatro.

Durante anos em Chicago, nossa noite a dois foi um momento sagrado de toda semana, um prazer que incorporamos à nossa vida de casal e que protegíamos a qualquer custo. Adoro conversar com meu marido, nós dois frente a frente a uma mesa pequena à meia-luz. Sempre gostei e espero gostar para sempre. Barack é um bom ouvinte, paciente e atencioso. Adoro quando ele inclina a cabeça para trás e ri. Amo a leveza do seu olhar, a afabilidade de sua natureza. Tomar um drinque e apreciar juntos uma refeição sem pressa sempre foi nosso caminho de volta ao começo, àquele primeiro verão quente em que tudo entre nós carregava uma eletricidade.

Eu me enfeitei toda para nosso encontro em Nova York, escolhendo um vestido de coquetel preto, passando batom e fazendo um penteado elegante. Sentia uma trêmula empolgação ante a perspectiva de uma fuga, de um tempo só para nós dois. Nos últimos meses, promovemos jantares e comparecemos a apresentações no Kennedy Center, mas quase sempre eram eventos oficiais, com muitas outras pessoas. Aquele sábado seria uma verdadeira noite de folga.

Barack vestiu um terno escuro sem gravata. No fim da tarde, nos despedimos das meninas e da minha mãe e seguimos de mãos dadas pelo Gramado Sul até o Marine 1, o helicóptero presidencial, que nos levou à Base Militar Andrews. Dali, embarcamos em um pequeno avião da Força Aérea até o Aeroporto JFK, e por fim, um outro helicóptero nos deixou em Manhattan. Cada movimento foi planejado meticulosamente, visando, como sempre, o máximo de eficiência e segurança.

Barack (com a ajuda de Sam Kass) escolhera um restaurante perto da Washington Square que eu certamente adoraria por sua ênfase em alimentos de cultivo local. Era um estabelecimento pequeno e escondido chamado Blue Hill. No último trecho da nossa jornada — do heliporto ao Greenwich Village —, notei as luzes dos carros de polícia que bloqueavam as ruas transversais ao restaurante, e senti uma pontada de culpa ao ver que nossa mera presença na cidade estava prejudicando o tráfego da noite de sábado. Nova York sempre despertou em mim um deslumbramento, tão grande e intensa que reduz vertiginosamente o ego de qualquer um. Lembrei-me de como tinha ficado de olhos arregalados na primeira vez em que pisei na cidade, décadas antes, com Czerny, minha mentora de Princeton. Barack sentia algo ainda mais profundo. Anos antes, quando estudava na Columbia, a energia avassaladora e a diversidade de Nova York serviram como incubadora para seu intelecto e imaginação.

Chegando ao restaurante, fomos levados até uma mesa em um canto discreto, cruzando o salão sob olhares contidos. Mas não havia como esconder nossa chegada. Qualquer um que entrasse depois de nós teria que se submeter a detectores de metal, um processo geralmente rápido, mas ainda assim inconveniente. Lá vinha mais uma pontada de culpa.

Pedimos martínis. Conversamos sobre temas leves. Mesmo depois de quatro meses no governo, ainda estávamos nos adaptando, descobrindo como a identidade do presidente funcionava com a da primeira-dama e o que isso trazia para o nosso casamento. Não havia praticamente um único aspecto da complicada vida de Barack que não impactasse a minha de alguma forma, o que nos dava uma infinidade de questões em comum que poderíamos discutir: a viagem ao exterior que haviam programado para Barack durante as férias das meninas, por exemplo, ou se minha chefe de gabinete estava sendo ouvida nas reuniões matinais do estafe na Ala Oeste. Porém, tentei evitá-las, não apenas naquela noite, mas em todas. Se eu tivesse algum problema com origem em algo da Ala Oeste, em geral eu o confiava à minha equipe para que o transmitisse a Barack, buscando manter os assuntos da Casa Branca fora do tempo que tínhamos para nós.

Vez por outra Barack queria falar sobre o trabalho, embora quase sempre evitasse. Afinal, a maior parte do que ele tinha em mãos era muito extenuante, desafios de proporções imensas, muitos deles aparentemente intransponíveis. A General Motors estava a dias de declarar falência; a Coreia do Norte acabara de realizar um teste nuclear; Barack em breve iria ao Egito proferir um discurso destinado a estender a mão aberta para os muçulmanos em todo o mundo. O chão ao redor dele nunca parava de tremer. Sempre que velhos amigos vinham nos visitar na Casa Branca, eles achavam graça que tanto eu como Barack os interrogássemos com veemência sobre como iam seus empregos, seus filhos, seus passatempos, qualquer coisa. Estávamos sempre menos interessados em falar sobre as complexidades de nossa nova existência e ávidos por amenidades e fofocas dos nossos conhecidos em Chicago. Aparentemente, nós dois ansiávamos por vislumbres da vida normal.

Naquela noite em Nova York, comemos, bebemos e conversamos à luz de velas, saboreando a sensação, ainda que ilusória, de termos saído às escondidas. A Casa Branca é um lugar extraordinariamente bonito e confortável, uma espécie de fortaleza disfarçada de lar, e do ponto de vista dos agentes do Serviço Secreto, que tinham a função de nos proteger, provavelmente o ideal seria que jamais deixássemos a residência. E mesmo dentro dela, os agentes pareciam ficar mais felizes quando pegávamos o elevador em vez de usar as escadas, pois evitava o risco de cairmos. Se Barack ou eu tivéssemos uma reunião na Blair House, localizada logo depois de um trecho já bloqueado da Pennsylvania Avenue, às vezes eles insistiam que fôssemos de comboio em vez de andarmos ao ar livre. Respeitávamos toda essa vigilância, mas quase sempre tínhamos a sensação de vivermos em confinamento. Às vezes eu negociava um equilíbrio entre minhas necessidades e a conveniência dos outros. Se um de nós quisesse sair à Varanda Truman — o encantador terraço em forma de arco com vista para o Gramado Sul, e o único espaço exterior minimamente reservado de que dispúnhamos na Casa Branca —, precisávamos alertar o Serviço Secreto com antecedência, para que fosse fechado o trecho da E Street com campo de visão para o terraço, esvaziada a via pública e dispersadas as multidões de turistas que se apinhavam do lado de fora dos portões a qualquer hora do dia e da noite. Houve muitas ocasiões em que pensei em sair para me sentar na varanda, mas reconsiderei ao lembrar o incômodo que eu causaria e as férias que interromperia só porque seria agradável tomar um chá ao ar livre.

Com nossos movimentos tão controlados, o número de passos que Barack e eu dávamos por dia despencou. Como resultado, ambos nos tornamos dependentes da pequena academia que havia no último andar da residência. Barack corria na esteira cerca de uma hora todos os dias, tentando afastar a inquietação física. Eu também me exercitava todas as manhãs, muitas vezes com Cornell, que tinha sido nosso treinador em Chicago e agora morava parte do tempo em Washington por nossa conta, vindo pelo menos algumas vezes por semana para nos incentivar a suar a camisa com exercícios aeróbicos e pesos.

Deixando de lado as questões do país, nunca nos faltavam assuntos para conversar. Naquela noite, durante o jantar, falamos sobre as aulas de flauta de Malia, sobre a ininterrupta devoção de Sasha a seu cobertor preferido, com o qual ela cobria a cabeça para dormir, mesmo já estando em farrapos. Quando contei a história do maquiador que havia tentado, sem sucesso, colocar cílios postiços em minha mãe para uma sessão de fotos, Barack jogou a cabeça para trás e riu, exatamente do jeito que eu adorava. E tínhamos também muito a comentar sobre o divertido bebê recém-incorporado a nossa família: um espevitado cão de água português de sete meses, que chamávamos de Bo. Foi um presente do senador Ted Kennedy e um cumprimento da promessa que fizéramos às meninas durante a campanha. As duas brincavam de esconde-esconde com ele, agachando-se atrás de árvores e gritando o nome dele enquanto Bo corria em disparada, seguindo as vozes delas. Todos nós amávamos Bo.

Quando finalmente terminamos nossa refeição e nos levantamos para sair, os clientes à nossa volta ficaram de pé e aplaudiram, um gesto que achei gentil ainda que desnecessário. É possível que alguns deles tenham ficado felizes em nos ver partir.

Éramos um incômodo, Barack e eu, uma perturbação de qualquer cena normal. Não havia como fugir desse fato. Sentimos isso de forma intensa quando nosso comboio nos levou rapidamente pela Sexta Avenida em direção à Times Square. Horas antes, a polícia havia isolado um quarteirão inteiro, as cercanias do teatro, onde os outros espectadores agora aguardavam na fila para passar por detectores de metal que normalmente não estariam lá, e os artistas precisariam iniciar a peça 45 minutos depois do normal, devido às verificações de segurança.

O espetáculo, quando finalmente começou, foi maravilhoso. Era um drama de August Wilson ambientado em uma pensão de Pittsburgh durante a Grande Migração, quando milhões de afro-americanos deixaram o Sul e afluíram em torrentes rumo ao Meio-Oeste, assim como meus parentes maternos e paternos haviam feito. Sentada no escuro ao lado de Barack, fiquei fascinada, um pouco emotiva, e por um breve período consegui me perder na apresentação e na sensação de silenciosa satisfação que decorria apenas de estar de folga e no mundo.

No voo de volta para Washington, eu já sabia que demoraria muito para que voltássemos a fazer algo parecido. Os adversários políticos de Barack o criticariam por me levar a Nova York para uma peça. Antes mesmo de chegarmos em casa o Partido Republicano divulgaria um comunicado à imprensa afirmando que nossa noite romântica tinha sido extravagante e custosa para os contribuintes, mensagem que seria captada e debatida nos canais de notícias. O estafe de Barack reforçaria sutilmente essa ideia, incentivando-nos a ser mais conscienciosos com os meandros da política, e eu me sentiria culpada e egoísta por ter reivindicado um raro momento sozinha com meu marido.

Mas não era nem isso o que pesava. Sempre haveria críticas. Os republicanos nunca desistiriam. A percepção pública sempre governaria nossa vida.

Era como se, com nossa noite a dois, Barack e eu tivéssemos testado uma teoria e provado tanto a melhor quanto a pior parte de uma longa suspeita. A parte boa era que *podíamos* sair de cena para uma noite romântica, como costumávamos fazer, anos antes, quando a vida política dele ainda não tinha assumido o controle. Podíamos, mesmo na Casa Branca, nos sentir próximos e conectados, aproveitar um jantar e uma peça em uma cidade que tanto amávamos. A parte ruim era ver o egoísmo inerente a fazer isso, sabendo que nosso programa havia exigido horas de reuniões entre as equipes de segurança e a polícia local. Acarretara trabalho extra para nossos funcionários, para o teatro, para os garçons do restaurante, para as pessoas cujos carros haviam sido desviados da Sixth Avenue, para os policiais na rua. Era parte do peso que nos acompanhava agora. Era muita gente envolvida, muita gente afetada, para qualquer coisa ser leve.

Da Varanda Truman eu podia ver a plenitude da horta tomando forma no canto sudoeste do gramado. Para mim, uma visão gratificante, um pequeno Éden em desenvolvimento, constituído de gavinhas jovens espiraladas e brotos, talos de cenoura e cebola apenas começando a subir, os canteiros com espinafre densos e verdes, com flores de amarelo e vermelho intensos desabrochando nas bordas. Estávamos produzindo comida.

No fim de junho, nossa equipe original de jardineiros mirins da escola Bancroft veio mais uma vez para nossa primeira colheita, e nos ajoelhamos juntos na terra para arrancar os pés de alface e retirar as vagens de ervilha dos caules. Dessa vez, eles também brincaram com Bo, nosso cachorrinho que se mostrou apaixonado pela horta, saltitando em círculos ao redor das árvores antes de se esparramar de barriga ao sol entre os canteiros crescidos.

Depois da colheita, Sam e as crianças da escola foram para a cozinha e fizeram salada de alface e ervilhas fresquinhas, que depois comemos com frango assado, e de sobremesa tivemos cupcakes cobertos de frutas vermelhas. Em dez semanas, produzimos mais de quarenta quilos de hortifrútis — a partir de apenas cerca de duzentos dólares em sementes e cobertura morta.

A horta era popular e saudável, mas eu também sabia que, para algumas pessoas, não seria o suficiente. Compreendi que estava sendo observada com certo tipo específico de expectativa, especialmente pelas mulheres, e talvez mais especialmente ainda pelas mulheres com carreira profissional. Elas queriam saber se eu enterraria minha experiência e formação para me prender a uma categoria predeterminada de primeira-dama, um lugar ou compartimento alinhado com folhas de chá e linho cor-de-rosa. Essa parcela da população parecia preocupada, temendo que eu não mostrasse meu eu completo.

É claro que, independentemente do que eu escolhesse fazer, estava fadada a decepcionar algum grupo. A campanha me ensinara que todos os meus movimentos e expressões faciais seriam interpretados de dezenas de maneiras diferentes. Eu era agressiva e raivosa ou obstinada; com a horta e as mensagens sobre alimentação saudável, eu era uma decepção para as feministas, desprovida de certa estridência. Meses antes de Barack ser eleito, eu tinha declarado a uma revista que meu foco principal na Casa Branca seria continuar a exercer meu papel como "matriarca" da família. Falei isso de maneira descontraída, mas esse pequeno trecho da entrevista repercutiu e foi amplificado na imprensa. Alguns pareceram encampar a ideia, entendendo muito bem o volume de organização e esforço demandados na criação de filhos, enquanto outros demonstraram quase um choque, presumindo que, na condição de primeira-dama, eu não faria nada além de projetos de artesanato com minhas filhas.

A verdade era que eu pretendia fazer tudo, como sempre fiz: realizar um trabalho com propósito e cuidar das minhas filhas com zelo. A única diferença era que agora havia muitas pessoas assistindo.

Meu estilo de trabalho, pelo menos a princípio, foi a discrição. Eu queria ser metódica na formulação de um plano maior, esperando ter plena confiança antes de ir a público apresentar algo. Como disse à minha equipe, prefiro profundidade à amplidão ao enfrentar questões. Às vezes me sentia como um cisne em um lago, sabendo que meu trabalho era em parte deslizar e aparentar serenidade, enquanto debaixo d'água jamais parava de pedalar minhas patas. O interesse e o entusiasmo com a horta, a resposta positiva da imprensa e as cartas que chegavam do país inteiro, só me confirmaram que eu poderia gerar empolgação em torno de uma boa ideia. O passo seguinte era chamar a atenção para um problema maior e exigir soluções maiores.

Na época em que Barack assumiu o cargo, quase um terço das crianças americanas era obesa ou estava com sobrepeso. Nas últimas três décadas, o índice de obesidade infantil havia triplicado. Crianças estavam sendo diagnosticadas com pressão alta e diabetes tipo 2 em índices recordes. Até líderes militares relatavam que a obesidade era um dos fatores desqualificadores mais comuns no recrutamento militar.

O problema estava entranhado em todos os aspectos da vida familiar, desde o elevado preço das frutas in natura até os cortes generalizados no financiamento de programas esportivos e recreativos nas escolas públicas. A TV, os computadores e os video games competiam pelo tempo das crianças, e, em alguns bairros, ficar dentro de casa parecia mais seguro do que sair para brincar, como Craig e eu fazíamos quando crianças. Muitas famílias em áreas carentes das grandes cidades não tinham mercearias próximas. Em vastas regiões do país, os interessados em comprar hortifrutigranjeiros tinham difícil acesso a produtos frescos. Enquanto isso, o tamanho das porções nos restaurantes e lanchonetes só aumentava. Os slogans e anúncios de cereais açucarados, alimentos de conveniência para micro-ondas e tudo no "tamanho família" eram descarregados direto na mente das crianças nos intervalos dos desenhos animados.

No entanto, a tentativa de melhorar uma parte que fosse do sistema alimentar poderia desencadear ondas de antagonismo. Se eu tentasse declarar guerra às bebidas açucaradas para crianças, provavelmente sofreria a oposição não apenas das grandes indústrias, mas também dos agricultores que forneciam o milho usado em muitos adoçantes. Se fizesse campanha em defesa de merendas escolares mais saudáveis, me colocaria em rota de colisão com os grandes lobbies corporativos que não raro ditavam o que colocar na bandeja dos estudantes. Durante anos, especialistas e defensores da saúde pública foram esmagados pelo complexo industrial de alimentos e bebidas, mais bem organizado e financiado por verbas mais polpudas. As refeições escolares nos Estados Unidos eram um negócio de 6 bilhões de dólares por ano.

Ainda assim, parecia-me o momento certo para exigir mudanças. Eu não era a primeira nem a única a ser atraída por essas questões. De uma ponta a outra dos Estados Unidos, um nascente movimento de alimentos saudáveis vinha ganhando força. Agricultores urbanos realizavam experiências em todo o país. Republicanos e democratas abordaram o problema em níveis estadual e local, investindo em uma vida saudável, construindo mais calçadas e hortas comunitárias — uma prova de que havia terreno político comum a ser explorado.

Em meados de 2009, minha pequena equipe e eu começamos a trabalhar em consonância com o estafe dos assuntos políticos da Ala Oeste e a nos reunir com especialistas dentro e fora do governo a fim de formular um plano. Decidimos voltar nosso trabalho para as crianças. É espinhoso e politicamente difícil fazer adultos mudarem de hábitos; teríamos mais chances se tentássemos ajudar as crianças a pensar de maneira diferente sobre alimentação e exercícios. E quem poderia ir contra nós se estivéssemos genuinamente cuidando das crianças?

Minhas filhas estavam em férias de verão. Eu me comprometera a passar três dias por semana na função de primeira-dama e dedicaria o resto do meu tempo à família. Em vez de despachar as meninas para um acampamento, decidi criar a Colônia de Férias Obama, convidando amigos delas para excursões locais, para conhecermos a região onde agora morávamos. Fomos a Monticello e Mount Vernon e exploramos cavernas no Vale do Shenandoah. Visitamos o Bureau of Engraving and Printing para ver como os dólares eram fabricados e visitamos a casa de Frederick Douglass, onde aprendemos como uma pessoa escravizada pode se tornar um estudioso e um herói. Por um tempo, exigi um pequeno relatório depois de cada visita, com um resumo do que haviam aprendido, mas elas logo começaram a protestar e deixei de lado a ideia.

Sempre que podíamos, agendávamos esses passeios para as primeiras horas da manhã ou para o fim do dia, assim o Serviço Secreto podia evacuar o local ou isolar uma área antes da nossa chegada sem causar muita complicação. Ainda éramos um incômodo, eu sabia disso, embora sem a presença de Barack ao menos nos sentíssemos um incômodo menor. Acima de tudo, eu tentava me isentar de qualquer culpa quando se tratava das meninas. Queria que nossas filhas pudessem ir e vir com a mesma liberdade de outras crianças.

Meses antes, eu tivera uma briga com o Serviço Secreto por causa de Malia. Um grupo de amigos da escola a convidou para ir a uma sorveteria, mas, por razões de segurança, ela não tinha permissão para entrar no carro de outras pessoas, e como cada minuto do presidente e da primeira-dama era milimetricamente definido com semanas de antecedência, Malia teria que esperar uma hora até que o chefe de seu destacamento de segurança viesse dos subúrbios, o que, é claro, resultou em um punhado de telefonemas de pedidos de desculpas e atrasou todos os envolvidos.

Era exatamente esse tipo de peso que eu não queria colocar nas costas das minhas filhas. Não pude conter minha irritação. Não fazia sentido: havia agentes em praticamente todos os corredores da Casa Branca, e pela janela eu via os veículos do Serviço Secreto estacionados na entrada, mas mesmo assim ela não podia simplesmente pedir permissão à mãe para sair com os amigos. Nada podia ser feito sem a presença do chefe do destacamento de segurança.

"Não é assim que as famílias funcionam e não é assim que funciona uma ida à sorveteria", argumentei. "Se você vai proteger uma criança, tem que ser capaz de se deslocar como uma criança." Solicitei que os procedimentos fossem ajustados para que, no futuro, Malia e Sasha pudessem sair da Casa Branca com segurança sem um mastodôntico planejamento. Esse foi mais um pequeno teste de limites para mim. Barack e eu já havíamos abandonado a ideia de que nós dois podíamos ser espontâneos, nos rendendo à constatação de que em nossa vida não havia mais espaço para a impulsividade e para fazermos o que nos desse na telha, mas lutaríamos para manter viva essa possibilidade para nossas meninas.

Em algum momento durante a campanha de Barack, as pessoas começaram a prestar atenção nas minhas roupas. Ou pelo menos a mídia prestava atenção, o que levou os blogueiros de moda a prestar atenção, o que, por sua vez, aparentemente fez brotar toda espécie de comentários na internet. Não sei explicar exatamente por quê — talvez porque eu seja alta e não tenha medo de usar estampas mais chamativas —, mas foi o que aconteceu.

Quando eu não usava salto alto, virava notícia. Meus colares de pérolas, meus cintos, meus cardigãs, meus vestidos pouco originais da J. Crew, minha suposta corajosa escolha de usar branco na cerimônia de posse — tudo parecia provocar uma avalanche de opiniões e comentários instantâneos. Usei um vestido roxo sem mangas no discurso de Barack em uma sessão conjunta do Congresso e um tubinho preto sem mangas para a foto oficial da Casa Branca, e de repente meus braços eram manchete. Em 2009, visitamos o Grand Canyon no auge do verão e recebi duras críticas por uma suposta falta de dignidade ao ser fotografada saindo do avião (em um calor de quarenta graus, devo ressaltar) de shorts.

Aparentemente, minhas roupas importavam mais para as pessoas do que qualquer coisa que eu tivesse a dizer. Em Londres, fui escoltada para os bastidores depois de ser levada às lágrimas enquanto falava para as meninas da Elizabeth Garrett Anderson, apenas para descobrir que a primeira pergunta de um repórter dirigida a um assessor tinha sido: "Quem assinou o vestido?".

Esse tipo de coisa me entristecia, mas tentei enxergar como uma oportunidade de aprendizado, reverter positivamente a força que eu encontrasse dentro de uma situação que não me agradava. Assim, se as pessoas folheassem uma revista com o objetivo principal de ver minhas roupas, que ao menos vissem também o marido ou a esposa de um militar ao meu lado, ou que lessem o que eu tinha a dizer sobre saúde infantil. Quando a *Vogue* me convidou para estampar a capa de uma edição, pouco depois de Barack ser eleito, chegamos a debater se isso não demonstraria frivolidade ou elitismo durante um período de inquietação econômica, mas no fim aceitamos, pois é importante que mulheres negras apareçam em capas de revistas. Também insisti em escolher minhas próprias roupas para a sessão de fotos, usando Jason Wu e Narciso Rodriguez, um talentoso estilista latino-americano.

Eu tinha noções básicas de moda. Como mãe que trabalhava fora, não tinha muito tempo para me debruçar sobre o assunto. Durante a campanha, fiz a maioria das minhas compras em uma butique em Chicago, onde tive a sorte de conhecer uma jovem vendedora chamada Meredith Koop, de St. Louis. Meredith, além de perspicaz, tinha um bom conhecimento de diferentes estilistas e um senso lúdico de cores e texturas. Depois da eleição, consegui levá-la para Washington como assistente de estilo pessoal e a encarreguei do meu guarda-roupa. Ela não demorou a se tornar também uma amiga de confiança.

Algumas vezes por mês, Meredith chegava com vários racks de roupas, e passávamos uma ou duas horas experimentando peças e escolhendo o figurino para os compromissos das semanas seguintes. Eu pagava por tudo, com exceção de alguns vestidos de alta-costura que usei em eventos formais; estes me eram emprestados pelos estilistas e posteriormente doados aos Arquivos Nacionais, aderindo assim às diretrizes éticas da Casa Branca. Em termos de estilo, eu tentava ser um tanto imprevisível, para evitar que atribuíssem alguma mensagem ao que eu vestia. Era preciso um equilíbrio milimétrico. Eu deveria me destacar, mas sem ofuscar ninguém; deveria me harmonizar às outras mulheres, mas sem desaparecer. Como mulher negra, também, eu sabia que seria criticada se fosse considerada vistosa e sofisticada, assim como seria criticada se fosse informal demais. Então pincelava um pouco de cada. Combinava uma saia Michael Kors com uma camiseta da Gap, usava algo da Target um dia e Diane von Fürstenberg no dia seguinte. Tinha em mente a ideia de promover e prestigiar os designers americanos, especialmente os menos consagrados, mesmo que isso às vezes frustrasse os veteranos — Oscar de la Renta, por exemplo, estava descontente por eu não usar suas criações, segundo me foi passado. Minhas escolhas de moda eram, para mim, simplesmente uma maneira de usar aquela curiosa relação com o olhar público para impulsionar um diversificado grupo de profissionais em ascensão.

A imagem que passávamos regia mais ou menos tudo no mundo político, e eu expressava isso em todas as roupas, o que exigia tempo, reflexão e dinheiro — mais do que eu jamais gastara em roupas. Também requeria uma cuidadosa pesquisa por parte de Meredith, particularmente em viagens ao exterior. Eram horas e horas para verificar se os modelos, cores e estilos escolhidos prestavam o devido respeito às pessoas e aos países que visitávamos. Meredith também providenciava o que Sasha e Malia vestiriam em eventos públicos, o que aumentava as despesas, mas as meninas também estavam sob o escrutínio público. Às vezes eu suspirava de inveja ao ver Barack pegar no armário o mesmo terno escuro e sair para o trabalho sem nem precisar pentear o cabelo. Seu maior desafio indumentário em aparições públicas era decidir se mantinha ou tirava o paletó. Com gravata ou sem gravata?

Éramos cuidadosas, Meredith e eu, no sentido de estar sempre preparadas. No quarto de vestir, sempre que experimentava algo novo eu me agachava, me esticava e girava os braços, para ter certeza de que conseguiria me mexer. Qualquer coisa muito apertada e restritiva voltava para o rack. Em viagens, à guisa de segurança eu levava roupas extras, para o caso de mudanças no clima ou no horário; sem mencionar possíveis tragédias de um vinho derramado ou um zíper emperrado. Aprendi que era importante sempre incluir na bagagem, sem falta, um traje de funeral, porque às vezes éramos chamadas em cima da hora para o enterro de soldados, senadores ou líderes mundiais.

Passei a depender tremendamente de Meredith, mas também de Johnny Wright, meu cabeleireiro, que era um furacão, uma metralhadora verbal de gargalhada solta, e de Carl Ray, meticuloso maquiador de fala mansa. O trabalho dos três (que minha equipe técnica apelidou de "a trifeta") me dava a confiança necessária para aparecer em público a cada dia, todos nós conscientes de que um deslize levaria a uma enxurrada de comentários ridicularizantes e desagradáveis. Eu nunca me imaginara contratar pessoas para manter minha imagem, e no começo a ideia me incomodava, mas rapidamente descobri uma verdade sobre a qual ninguém fala: hoje, praticamente toda mulher na vida pública — seja nas esferas da política, do entretenimento e tudo mais — tem alguma versão de Meredith, Johnny e Carl. É quase um pré-requisito, um pedágio interno imposto pelo nosso padrão duplo de julgamento social.

Como é que outras primeiras-damas lidavam com suas dificuldades com o cabelo, a maquiagem e o guarda-roupa? Eu não fazia ideia. Ao longo daquele primeiro ano na Casa Branca, em várias ocasiões me flagrei pegando biografias de primeiras-damas anteriores, mas acabava sempre devolvendo-as à prateleira. Era quase melhor não saber as semelhanças e diferenças entre nós.

Em setembro, tive um agradável almoço com Hillary Clinton, nós duas sentadas na sala de jantar da área residencial da Casa Branca. Barack a escolhera como secretária de Estado, o que me surpreendera um pouco. Ambos conseguiram deixar de lado as feridas de guerra da campanha das primárias e construir uma produtiva relação de trabalho. Hillary foi sincera comigo sobre como havia julgado mal a disposição do país em ter uma mulher profissional proativa no papel de primeira-dama. Quando Clinton foi governador do Arkansas, Hillary manteve seu emprego em um escritório de advocacia, ao mesmo tempo que ajudava nos esforços do marido para melhorar os serviços de saúde e educação. Chegando a Washington com o mesmo tipo de desejo e energia para contribuir, no entanto, ela foi ferrenhamente desdenhada e ridicularizada por assumir um papel político com vistas a reformar o sistema de saúde. A mensagem foi transmitida com uma franqueza retumbante e brutal: os eleitores tinham votado no marido dela, não nela. Primeiras-damas não tinham lugar na Ala Oeste. Ao que parece, ela tentou fazer coisas demais rápido demais, e deu de cara com uma parede.

Tentei ficar atenta a essa parede, aprendendo com a experiência alheia e tomando cuidado para não me inserir direta ou abertamente nos assuntos oficiais. Confiava no meu estafe para se comunicar diariamente com Barack, trocando conselhos, sincronizando nossos cronogramas e revisando cada plano. Na minha opinião, os conselheiros do presidente se irritavam de modo excessivo com as aparências. Em dado momento, anos depois, quando decidi cortar uma franja, minha equipe sentiu necessidade de primeiro submeter a ideia à aprovação do estafe de Barack, apenas para ter certeza de que não haveria problema.

Com a economia em frangalhos, a equipe de Barack vivia em constante alerta a qualquer imagem que saísse da Casa Branca, para se resguardar de qualquer acusação de ato frívolo ou leviano, dada a sombria gravidade dos tempos. Isso nem sempre me agradava. Eu sabia por experiência que mesmo em tempos difíceis, talvez especialmente em tempos difíceis, ainda era bom rir. Para o bem das crianças, acima de tudo, era preciso encontrar maneiras de se divertir. Nesse quesito, minha equipe estava discutindo com o estafe de comunicação de Barack sobre minha ideia de organizar uma festa infantil de Halloween na Casa Branca. A Ala Oeste — em particular David Axelrod, hoje conselheiro sênior na administração, e o porta-voz da Casa Branca Robert Gibbs — achou que isso seria percebido como um gesto de ostentação, custoso demais, e poderia despertar a antipatia do povo. "Vai passar uma imagem ruim", decretaram eles. Discordei, argumentando que uma festa de Halloween para crianças locais e famílias de militares que nunca tinham visitado a Casa Branca era um gasto perfeitamente apropriado para uma minúscula fatia do orçamento do Gabinete Social.

Axe e Gibbs nunca consentiram totalmente, mas em algum momento pararam de resistir. No fim de outubro, para minha grande alegria, uma abóbora de meia tonelada foi instalada no gramado. Uma banda de esqueletos tocava jazz, enquanto uma gigantesca aranha negra descia o Pórtico Norte. Eu me posicionei à entrada, vestida de onça — calça preta, blusa amarela com manchas pretas e um arco com orelhas de gata —, enquanto Barack, que mesmo antes dos olhares alheios nunca foi muito de usar fantasias, estava ao meu lado com um suéter sem graça (Gibbs, ao contrário, apareceu vestido como Darth Vader, pronto para se divertir.) Naquela noite, distribuímos saquinhos de biscoitos, frutas secas e M&M's em uma caixa decorada com o selo presidencial, enquanto mais de 2 mil princesas, ceifadores, piratas, super-heróis, fantasmas e jogadores percorriam o gramado para nos encontrar. Na minha opinião, a imagem estava excelente.

A horta continuou produzindo através das estações, ensinando-nos todo tipo de coisas. Colhemos melões que se revelaram pálidos e sem gosto, enfrentamos tempestades que destruíram a camada orgânica do solo, pássaros comeram nossos mirtilos, besouros devoraram os pepinos. Toda vez que algo dava errado, tínhamos a ajuda de Jim Adams, do Serviço Nacional de Parques, que era nosso jardineiro-chefe, e de Dale Haney, paisagista-chefe da Casa Branca; assim, fazíamos pequenos ajustes e continuávamos, saboreando a abundância geral. Os jantares na residência agora habitualmente incluíam nossos próprios brócolis, cenouras e couves. Começamos a doar uma parte de cada colheita para a Miriam's Kitchen, uma organização sem fins lucrativos local que atendia os moradores de rua, e também começamos a produzir legumes, frutas e verduras em conserva e oferecê-los como presentes a dignitários em visitas oficiais, junto com potes de mel de nossas colmeias recém-incorporadas. Entre os funcionários, a horta tornou-se uma fonte de orgulho. Os céticos iniciais rapidamente se converteram em fãs. Para mim, a horta era simples, próspera e saudável, um símbolo de diligência e fé. Era linda e ao mesmo tempo poderosa. E alegrava as pessoas.

Nos meses anteriores, tínhamos conversado com especialistas em saúde infantil para nos ajudar a desenvolver os pilares centrais nos quais direcionar nossos esforços: para informar melhor os pais, para orientá-los a fazer escolhas saudáveis; contribuir para que as escolas fossem mais saudáveis; ampliar o acesso a alimentos nutritivos; e promover a atividade física entre os jovens. Sabendo que o modo de apresentar nosso projeto era tão importante tanto quanto qualquer outra coisa, novamente recrutei o auxílio de Stephanie Cutter, que veio na condição de consultora para ajudar Sam e Jocelyn Frye a dar forma à iniciativa, enquanto o pessoal da comunicação criava uma face divertida para a campanha. A Ala Oeste parecia sempre aflita com meus planos, temendo que eu parecesse uma personificação do Estado-babá, justo em um momento em que pacotes de resgate financeiro para bancos e montadoras de carros haviam deixado os norte-americanos desconfiados de qualquer coisa que se assemelhasse à intervenção estatal.

Meu objetivo, contudo, era transcender o governo. Tendo em mente as lições que Hillary me passara sobre suas experiências, queria deixar a política para Barack e concentrar meus esforços em outros lugares. Para tratar com os executivos-chefes de empresas de refrigerante e fornecedores de refeições escolares, optei por fazer um apelo humano em vez de instaurar medidas regulatórias, colaborar em vez de comprar briga. E quanto à vida que as famílias levavam, queria falar diretamente com as mães, os pais e, em especial, as crianças.

Como estratégia, não me interessava seguir os princípios do mundo político ou aparecer no noticiário nas manhãs de domingo. Em vez disso, concedia entrevistas a revistas de saúde voltadas para pais e filhos, brinquei de bambolê no Gramado Sul para mostrar que exercícios podem ser divertidos e fiz uma participação especial no programa *Vila Sésamo*, conversando com Elmo e Garibaldo sobre a importância de incluir vegetais na alimentação. Sempre que eu falava com jornalistas na horta da Casa Branca, mencionava que muitos americanos tinham dificuldade de acesso a produtos frescos em suas comunidades e procurava tecer comentários acerca dos custos dos serviços de saúde relacionados ao aumento dos níveis de obesidade. Queria ter certeza de que conseguiríamos a aprovação e a adesão dos agentes necessários para fazer da iniciativa um sucesso, antecipando-nos a quaisquer objeções que pudessem ser suscitadas. Com isso em mente, passamos semanas e semanas fazendo reuniões sigilosas com grupos empresariais e grupos de pressão e influência, bem como com congressistas, na formulação de políticas. Formamos grupos focais para testar a recepção do mercado à marca desenvolvida para o projeto e recrutamos ajuda gratuita de relações-públicas para fazer a sintonia fina da mensagem.

Em fevereiro de 2010, eu finalmente estava pronta para compartilhar o meu ideal. Era uma terça-feira fria, em que o Distrito de Columbia (D.C.) ainda se recuperava de uma nevasca histórica, quando tomei meu lugar numa tribuna na Sala de Jantar do Estado na Casa Branca, rodeada por crianças e secretários de gabinete, celebridades do mundo esportivo e prefeitos, juntamente com especialistas em medicina, educação e agricultura, além de um pequeno grupo de jornalistas, para orgulhosamente anunciar nossa nova iniciativa, que decidimos chamar de Let's Move! [Vamos nos mexer!]. O objetivo central da campanha era acabar, no decorrer de uma geração, com a epidemia de obesidade infantil no país.

O importante, para mim, era que não estávamos apenas anunciando fantasiosos castelos de areia. O esforço era real e o trabalho estava bem adiantado. Naquele mesmo dia, Barack havia assinado um memorando para a criação de uma força-tarefa federal, a primeira do gênero, cuja missão era refrear a obesidade infantil. E mais: os três principais fornecedores de refeições para as escolas anunciaram que reduziriam a quantidade de sal, açúcar e gordura em sua produção, e a Associação Americana dos Fabricantes de Bebidas já prometera adotar rótulos com informações nutricionais mais claras. Envolvemos a Academia Americana de Pediatria para incentivar os médicos a incluir a medida do índice de massa corporal nos procedimentos padrão de atendimento e convencemos a Disney, a NBC e a Warner Bros. a veicular anúncios de serviço público e investir em uma programação especial que incentivasse escolhas para um estilo de vida saudável. Dirigentes de doze ligas esportivas profissionais também concordaram em promover a campanha Sessenta Minutos de Brincadeira por Dia para incentivar as crianças a se mexerem mais.

E isso foi apenas o começo. Tínhamos planos de ajudar a trazer vendedores de hortifrútis para áreas urbanas e rurais conhecidas como "desertos alimentares", de exigir informações nutricionais mais precisas nas embalagens de alimentos e de redesenhar a velha pirâmide alimentar para que fosse mais acessível e alinhada com as últimas pesquisas. Ao longo do caminho, trabalharíamos para responsabilizar a comunidade empresarial por tomadas de decisão em torno de problemas com impactos na saúde das crianças.

Seriam necessários comprometimento e organização para que tudo isso fosse implementado, mas era exatamente esse o tipo de trabalho que me agradava. Estávamos assumindo a batalha contra um problema de proporções imensas, mas agora eu tinha a vantagem de operar em uma plataforma enorme. Estava começando a perceber que tudo que me parecia bizarro na minha nova existência — a estranheza da fama, o escrutínio extremo da minha imagem, a falta de clareza na descrição das atribuições da minha função — poderia ser organizado a serviço de objetivos reais. Aquilo me encheu de energia. Finalmente eu encontrara uma maneira de me mostrar por inteira.

22

Numa manhã de primavera, Barack, as meninas e eu fomos convocados da residência para o Gramado Sul. Um homem que eu nunca tinha visto antes nos esperava na entrada para carros. Ele tinha um rosto simpático e um bigode grisalho que lhe dava um ar distinto. Apresentou-se como Lloyd.

"Sr. presidente, Sra. Obama", disse o homem. "Achamos que seria do seu agrado uma pequena mudança na rotina e organizamos um minizoológico para vocês." Ele abriu um largo sorriso. "Nunca antes uma primeira-família participou de algo assim."

O homem gesticulou para sua esquerda. A uns trinta metros de nós, quatro grandes e belos felinos descansavam à sombra dos cedros. Havia um leão, um tigre, uma pantera-negra de pelagem reluzente e um guepardo esguio salpicado de pintas pretas. Não vi cercas nem correntes. Aparentemente, não havia nada que confinasse os animais. Aquilo tudo me pareceu estranho. Sem dúvida, uma mudança na rotina.

"Obrigada. É muito atencioso da sua parte", falei, tentando soar cortês e elegante. "Tem certeza... Lloyd, não é?... que não deveria haver cercas nem nada? Não é um pouco perigoso para as crianças?"

"Sim, é claro, nós pensamos nisso", respondeu o homem. "Imaginamos que seria uma experiência melhor se os animais vagassem livremente, como na natureza, então os sedamos, para sua segurança. Não há perigo algum." Ele fez um aceno reconfortante. "Podem se aproximar. Divirtam-se!"

Barack e eu pegamos Malia e Sasha pela mão e abrimos caminho pela grama ainda orvalhada. Os animais eram maiores do que eu esperava, lânguidos e vigorosos, sacudindo a cauda enquanto avaliavam nossa aproximação. Eu nunca tinha visto nada assim, quatro amistosos felinos em fila. O leão se mexeu ligeiramente quando chegamos perto. Vi que os olhos da pantera acompanhavam nossos movimentos, que as orelhas do tigre se abaixavam um pouco. Então, sem aviso, o guepardo saiu em disparada, a uma velocidade ofuscante, correndo feito um foguete na nossa direção.

Entrei em pânico. Agarrei Sasha pelo braço e fui correndo com ela na direção da casa, imaginando que Barack e Malia estavam fazendo o mesmo. A julgar pelo barulho, todos os outros animais também haviam despertado e agora estavam atrás de nós.

Lloyd ficou parado à entrada, imperturbável.

"Você disse que eles estavam sedados!", berrei.

"Não se preocupe, madame", respondeu ele, também aos gritos. "Temos um plano de contingência exatamente para este cenário!"

E dando um passo para o lado, ele deixou passar um enxame de agentes do Serviço Secreto, que portavam armas carregadas de dardos tranquilizantes, imaginei. Nesse momento, senti Sasha escapar da minha mão.

Ao me virar, fiquei horrorizada ao ver minha família sendo perseguida por animais selvagens, e os animais selvagens sendo perseguidos por agentes disparando suas armas.

"*É esse o seu plano?*", gritei. "*Você só pode estar de brincadeira!*"

Foi aí que o guepardo soltou um grunhido e se lançou para cima de Sasha, as garras para fora, o corpo parecendo voar. Um agente desferiu um tiro, mas errou o alvo. Pelo menos foi o suficiente para o animal dar uma guinada e, desviando-se de sua rota, recuar para a colina. Por uma fração de segundo fiquei aliviada, mas só até ver um dardo branco e laranja alojado no braço de Sasha.

Eu me sentei na cama assustada, o coração batendo forte no peito, o corpo encharcado de suor. Meu marido dormia profunda e tranquilamente ao meu lado. Foi só um pesadelo.

Eu ainda sentia como se estivéssemos caindo de costas, toda a nossa família, um gigantesco salto de confiança. Eu confiava no aparato montado ao nosso redor, mas ainda me sentia um pouco vulnerável sabendo que tudo, desde a segurança de nossas filhas até a orquestração dos meus movimentos, estava quase inteiramente nas mãos de outras pessoas — muitas delas pelo menos vinte anos mais novas que eu. Da maneira como cresci, aprendi que autossuficiência era tudo. Fui criada para saber cuidar de mim mesma, mas agora isso parecia quase impossível. Cuidavam de tudo por mim. Para eu poder sair de casa, agentes percorriam de carro a rota que eu faria até meu destino, cronometrando cada minuto do trajeto e programando até os intervalos para eu ir ao banheiro. Agentes levavam minhas filhas para encontrar os amigos da escola, camareiras recolhiam nossa roupa suja; eu não dirigia e não carregava nem itens banais como dinheiro ou as chaves de casa. Assessores atendiam ao meu telefone, compareciam a reuniões em meu lugar e redigiam declarações em meu nome.

Tudo isso era maravilhoso e útil, pois permitia que eu me concentrasse nos afazeres mais importantes, mas de vez em quando ainda me deixava — eu, uma pessoa detalhista — com a sensação de que tinha perdido o controle dos detalhes. Era quando os leões e guepardos começavam a espreitar.

Havia também muita coisa que não era possível ser planejada, uma desordem mais ampla que pairava nas fronteiras do nosso dia a dia. Quando você é casada com o presidente, entende rapidamente que o caos transborda no mundo, que desastres se apresentam sem aviso prévio. Forças visíveis e invisíveis estão sempre prontas para acabar com o mínimo de calma que você ainda consegue manter. Era impossível ignorar as notícias: é um terremoto que assola o Haiti; uma explosão a 1500 metros de profundidade, sob uma plataforma de petróleo ao largo da costa da Louisiana, lança milhões de barris de petróleo cru no Golfo do México; uma revolução que causa distúrbios no Egito; um homem que abre fogo no estacionamento de um supermercado no Arizona, matando seis pessoas e mutilando uma congressista.

Tudo era grande e tudo era relevante. Eu lia as notícias selecionadas pelo meu estafe todas as manhãs e sabia que Barack seria obrigado a absorver e responder a cada novo acontecimento e desdobramento importante. Ele seria culpado por eventos fora de seu alcance, pressionado a resolver problemas assustadores em nações distantes, cobrado para tapar um buraco no fundo do oceano. Seu trabalho, ao que parecia, era pegar todo esse caos e dar um jeito de convertê-lo em uma serena liderança — todas as horas do dia, todos os dias do ano.

Eu fazia o possível para não deixar as perturbadoras incertezas do mundo afetarem meu trabalho pelo país, mas às vezes não tinha jeito. A maneira como Barack e eu nos comportávamos em face da instabilidade era importante. Entendíamos que representávamos a nação e éramos obrigados a dar um passo à frente e estar presentes quando houvesse tragédia, adversidades, sofrimento e confusão. Parte do nosso papel, segundo nosso entendimento, era incorporar o modelo de racionalidade, compaixão e estabilidade. Depois que finalmente foi contido o derramamento de óleo da British Petroleum — o pior da história dos Estados Unidos —, muitos americanos ainda estavam aturdidos, pouco dispostos a acreditar que era seguro voltar a passar férias no Golfo do México, o que prejudicou a economia da região. Então, fizemos uma viagem em família para a Flórida, durante a qual Barack levou Sasha para um mergulho, liberando para a imprensa uma foto em que os dois se divertiam alegremente nas ondas. Foi um gesto pequeno, mas de mensagem maior: *Se ele confia nessa água, você também pode confiar.*

Quando um de nós ou ambos viajávamos para algum lugar na esteira de uma tragédia, muitas vezes era para instar nosso povo a não menosprezar a dor dos outros. Eu tentava salientar os esforços de socorristas, assistentes sociais, educadores e voluntários da comunidade, de qualquer um que oferecesse mais em momentos difíceis. Visitei o Haiti com Jill Biden três meses após o terremoto de 2010, e senti um aperto no coração ao ver montanhas de escombros onde outrora existiam casas, locais onde dezenas de milhares de pessoas — mães, avós, bebês — haviam sido enterradas vivas. Visitamos um conjunto de ônibus convertidos em abrigos onde artistas locais faziam arteterapia com crianças desalojadas, que, apesar de terem perdido tudo, ainda transbordavam esperança graças aos adultos ao seu redor.

O luto e a resiliência vivem juntos. Como primeira-dama, aprendi isso não apenas uma vez, mas inúmeras.

Sempre que eu podia, visitava hospitais militares, onde os soldados americanos se recuperavam dos ferimentos de guerra. A primeira vez que fui ao Centro Médico Militar Nacional Walter Reed, localizado a menos de vinte quilômetros da Casa Branca, acabei permanecendo cerca de quatro horas quando estavam previstos noventa minutos.

Geralmente, o Walter Reed era a segunda ou terceira parada para militares feridos em serviço no Iraque ou no Afeganistão. Muitos eram triados na zona de guerra e recebiam tratamento em uma instalação militar em Landstuhl, na Alemanha, antes de serem levados para os Estados Unidos. Alguns soldados ficavam apenas alguns dias no Walter Reed; para outros, a internação durava meses. O hospital empregava excelentes cirurgiões e oferecia serviços de reabilitação da mais alta qualidade, aparelhados e equipados para tratar os mais devastadores ferimentos sofridos em campo de batalha. Graças ao desenvolvimento de armaduras e trajes bélicos modernos, os americanos em serviço, agora sobreviviam a explosões que em outros tempos os matariam. Essa era a boa notícia. A má notícia era que, depois de quase uma década de envolvimento em dois conflitos caracterizados por ataques-surpresa e explosivos ocultos, esses ferimentos ainda eram abundantes e graves.

Por mais que eu tentasse me preparar para tudo na vida, não havia preparação para o que vi e ouvi em hospitais militares e nas Casas Fisher — alojamentos e residências temporárias onde, graças à organização homônima, famílias de militares podiam se hospedar de graça enquanto cuidavam de um ente ferido. Como eu já disse, cresci sabendo pouco sobre os militares. Meu pai serviu dois anos no Exército, mas isso foi bem antes de eu nascer. Até o início da campanha de Barack, jamais tivera contato em primeira mão com o alvoroço ordeiro de uma base militar ou com as modestas vilas onde residiam os membros das Forças Armadas com suas famílias. A guerra sempre foi aterrorizante, mas também abstrata, envolvendo paisagens que não podia sequer imaginar e pessoas que eu não conhecia. Hoje sei que ver as coisas dessa maneira era um luxo.

Nesses hospitais, geralmente eu era recebida por uma enfermeira encarregada, que me dava um avental e me instruía a lavar as mãos cada vez que entrasse em um quarto. Antes de abrir cada porta, recebia um breve resumo das condições da pessoa. Cada paciente também era consultado com antecedência quanto ao desejo de receber ou não uma visita minha. Alguns recusavam, talvez por não estarem se sentindo bem ou talvez por razões políticas. Qualquer que fosse o motivo, eu entendia. A última coisa que queria era ser um fardo para eles.

A duração das visitas dependia da receptividade de cada paciente. Todas eram privadas, sem a presença da mídia nem de funcionários ou seguranças. A conversa era às vezes sombria, às vezes leve. A partir da sugestão de um escudo de time ou fotografias na parede, falávamos sobre esportes, nosso estado natal, nossos filhos. Ou sobre o Afeganistão e o que tinham vivido lá. Às vezes o assunto eram as necessidades deles, do que precisavam e também do que não precisavam — neste último quesito, em geral dispensavam a piedade alheia.

Certa vez, deparei-me com um papel vermelho colado a uma porta, com uma mensagem escrita em pilot preto que parecia dizer tudo:

> **ATENÇÃO, TODOS QUE ENTRAREM AQUI:**
> **Se você está vindo com tristeza ou para sentir pena da minha condição, pode voltar. Minhas feridas eu sofri em um trabalho que amo, por pessoas que amo, em nome da liberdade de um país que amo demais. Sou extremamente forte e vou me recuperar por completo.**

Isso era resiliência. Refletia um espírito maior de autossuficiência e orgulho que eu tinha visto em todas as partes das Forças Armadas. Um dia, sentei-me com um homem jovem e saudável quando foi enviado para atuar numa força-tarefa no exterior, deixando para trás a esposa grávida, e voltara para casa tetraplégico, incapaz de mover os braços ou as pernas. Enquanto conversávamos, o filho deles — um pequenino recém-nascido de rosto rosado — estava enrolado em um cobertor, aninhado no peito do pai. Conheci outro militar que teve uma das pernas amputadas e me fez muitas perguntas sobre o Serviço Secreto. Alegremente, ele me contou que, antes, tinha a esperança de se tornar um agente depois de deixar o Exército, mas que agora estava pensando em outros caminhos.

E havia as famílias. Eu me apresentava a esposas e maridos, mães e pais, primos e amigos que encontrava ao lado do leito, pessoas que quase sempre colocavam o resto de sua vida em espera para ficar perto dos entes queridos. Às vezes essas pessoas eram as únicas com quem eu podia conversar, pois o paciente estava fortemente sedado ou dormindo. Esses familiares carregavam seu próprio peso. Alguns vinham de gerações de serviço militar, ao passo que outros eram namoradas adolescentes que tinham se tornado noivas pouco antes de um rapaz ser enviado para uma missão no exterior — o futuro de ambos tendo tomado um repentino e complicado rumo. Não sou capaz de contar com quantas mães chorei, vendo nelas um sofrimento tão agudo que só nos cabia unir as mãos e rezar em silêncio em meio às lágrimas.

O que eu vi da vida militar me deixou mais humilde. Ao longo de toda a minha vida, jamais havia encontrado o tipo de força e lealdade com que me deparei naqueles quartos.

Um dia, em San Antonio, no Texas, notei uma pequena agitação no corredor do hospital que estava visitando. Enfermeiras entravam e saíam apressadas do quarto para onde eu estava prestes a ir. "Ele não quer ficar na cama", ouvi alguém sussurrar. Lá dentro, encontrei um jovem de ombros largos do interior do Texas que havia sofrido múltiplos ferimentos e cujo corpo fora gravemente queimado. Estava em clara agonia, arrancando os lençóis e tentando deslizar os pés para o chão.

Levamos um minuto para entender. Apesar da dor, ele estava tentando se levantar e bater continência para saudar a esposa de seu comandante em chefe.

Em algum momento no início de 2011, Barack mencionou Osama bin Laden. Tínhamos acabado de jantar e Sasha e Malia saíram correndo para fazer o dever de casa, deixando-nos a sós.

"Achamos que sabemos onde ele está", disse Barack. "Podemos entrar e tentar pegá-lo, mas não há certeza."

Bin Laden era o homem mais procurado do mundo e tinha conseguido sumir do mapa havia anos. Capturá-lo ou matá-lo era uma das principais prioridades de Barack tão logo ele assumiu o cargo. Eu sabia que isso significaria muito para a nação, para os muitos milhares de militares que passaram anos tentando nos proteger da al-Qaeda e especialmente para todos aqueles que perderam entes queridos no Onze de Setembro.

Pelo tom sombrio de Barack, percebi que ainda havia muito a ser resolvido. As variáveis eram claramente um pesado fardo sobre os ombros dele, embora eu tenha tido o discernimento de não fazer muitas perguntas, tampouco pedir uma explicação pormenorizada. Barack e eu éramos caixas de ressonância um para o outro em termos profissionais, e sempre foi assim, proporcionando estímulo e apoio à reflexão mútuos. Mas eu sabia também que ele passava os dias cercado por consultores especialistas, que tinha acesso a todo tipo de informações ultrassecretas e que, no que me dizia respeito, ele não precisava das minhas opiniões e sugestões, sobretudo em questões de segurança nacional. Geralmente, meu desejo era de que o tempo que ele passava comigo e com as meninas fosse um descanso, ainda que o trabalho estivesse sempre por perto. Afinal, literalmente morávamos no emprego.

Sempre bom em compartimentar setores de sua vida, Barack conseguia ser admiravelmente presente quando estava conosco. Foi algo que aprendemos juntos ao longo do tempo, à medida que nossa vida profissional se tornava cada vez mais atarefada e intensa. Cercas precisavam ser erguidas; limites necessitavam de proteção. Bin Laden não era convidado para o jantar, tampouco a crise humanitária na Líbia, muito menos os republicanos do Tea Party, a ala ultraconservadora da direita. Tínhamos filhas, e as crianças precisam de espaço para se expressar e se desenvolver. Durante o tempo que dedicávamos à família, as grandes preocupações e as inquietações urgentes eram abrupta e impiedosamente reduzidas a nada, de modo que as pequenas pudessem, com justeza, assumir o controle. Durante o jantar, ouvíamos histórias do recreio na Sidwell ou detalhes do trabalho de Malia sobre animais em extinção como se essas fossem as coisas mais importantes do mundo. Porque eram. Mereciam ser.

Ainda assim, o trabalho se acumulava mesmo enquanto comíamos. Eu podia ver no corredor, por cima do ombro de Barack, assistentes deixando na mesinha nossa cota noturna de boletins informativos com as principais notícias do dia, geralmente quando estávamos no meio da refeição. Fazia parte do ritual: toda noite nos eram entregues duas pastas, uma para mim e uma muito mais grossa para Barack. Ambas continham documentos de nossos respectivos gabinetes, que deveríamos ler da noite para o dia.

Depois de colocar as crianças na cama, Barack normalmente se enfurnava na Sala dos Tratados com sua pasta, enquanto eu levava a minha para meu quarto de vestir, onde passava uma ou duas horas todas as noites ou de manhã bem cedo examinando a papelada — memorandos, rascunhos de discursos e decisões a serem tomadas.

Um ano após o lançamento da campanha Let's Move!, já víamos resultados. Atuando em parceria com diferentes fundações e fornecedores de alimentos, instalamos 6 mil bufês de salada em cantinas e refeitórios escolares e recrutamos chefs locais para ajudar a servir refeições que fossem não apenas saudáveis como saborosas. O Walmart, então o maior varejista de gêneros alimentícios do país, aderiu ao nosso esforço ao prometer reduzir a quantidade de açúcar, sal e gorduras em seus produtos industrializados e diminuir os preços dos hortifrútis. Também convocamos prefeitos de quinhentas cidades, pequenas e grandes, de todo o país para se comprometerem a combater a obesidade infantil em âmbito local.

Mais importante, ao longo de 2010 me empenhei para ajudar a aprovar no Congresso uma nova lei relacionada à nutrição infantil, expandindo o acesso das crianças a alimentos saudáveis e de alta qualidade nas escolas públicas e aumentando o subsídio federal a refeições pela primeira vez em trinta anos. Ainda que geralmente eu me mantivesse de fora da política e da formulação de políticas públicas, essa tinha sido minha grande briga, a questão pela qual eu estava disposta a me lançar dentro do ringue. Foram horas ligando para senadores e representantes, tentando convencê-los de que nossas crianças mereciam coisa melhor do que lhes era oferecido. Eu conversava sobre isso interminavelmente com Barack, com seus assessores, com qualquer um que se dispusesse a ouvir. A nova lei acrescentou mais frutas, legumes e hortaliças frescos, cereais integrais e laticínios reduzidos em gordura a cerca de 43 milhões de refeições servidas todos os dias; regulamentou as máquinas de venda automática dentro das escolas; forneceu às instituições escolares verbas para financiar a criação de hortas e o uso de produtos cultivados localmente. A meu ver, era uma vitória simples e direta — um golpe forte porém prático na questão da obesidade infantil.

Barack e seus assessores também fizeram enorme pressão na luta pela aprovação do projeto de lei. Depois que os republicanos conquistaram a maioria na Câmara dos Representantes, nas eleições intercalares, Barack fez da proposta uma prioridade em suas negociações com os legisladores, pois sabia que em breve veria reduzidas suas chances de obter uma ampla e esmagadora mudança. Os entraves finais foram eliminados no início de dezembro, antes de o novo Congresso tomar posse, e onze dias depois me postei orgulhosamente ao lado de Barack no momento em que ele assinou a lei, rodeado por crianças em uma escola primária local.

"Se eu não tivesse conseguido aprovar esta lei, teria que dormir no sofá", brincou ele com os jornalistas.

Como no caso da horta, eu estava tentando cultivar algo, uma rede de defensores, um coro de vozes que falavam sem medo em nome das crianças e de sua saúde. Eu via meu trabalho como um complemento do sucesso de Barack em estabelecer a Patient Protection and Affordable Care Act [Lei de

Proteção e Cuidado Acessível ao Paciente], em 2010, que aumentou muito o acesso de todos os americanos ao seguro-saúde. E agora eu também estava concentrada em fazer decolar o chamado Joining Forces [Unindo Forças], este em colaboração com Jill Biden, cujo filho havia acabado de retornar são e salvo do Iraque. Esse trabalho também serviria para apoiar os deveres de Barack como comandante em chefe.

Sabendo que devíamos aos nossos membros das Forças Armadas e a suas famílias mais do que agradecimentos simbólicos, Jill e eu estávamos colaborando com um grupo de assessores para encontrar formas concretas de auxiliar a comunidade militar e aumentar sua visibilidade. No início do ano, Barack dera o pontapé inicial instaurando uma auditoria em todas as esferas do governo com o pedido de que cada setor e órgão público encontrasse meios de apoiar famílias de militares. Eu, enquanto isso, entrei em contato com os mais poderosos executivos-chefes e presidentes de empresas do país com o objetivo de obter deles o comprometimento de contratar um número significativo de veteranos e cônjuges de militares. Jill amealhou promessas de universidades de treinar professores para entender melhor as necessidades dos filhos de militares. Também queríamos combater o estigma que cercava os problemas de saúde mental que acompanhavam alguns de nossos soldados que retornavam para casa, e planejamos fazer lobby junto aos roteiristas e produtores de Hollywood para tentar influenciá-los a incluírem histórias de militares em filmes e programas de TV.

As questões em que eu estava trabalhando não eram simples, mas eram administráveis, ao contrário de boa parte dos problemas e pontos de controvérsia que mantinham meu marido em sua mesa de trabalho noite adentro. Desde que conheci Barack, é no período noturno que sua mente opera sem distrações. Nessas horas de silêncio, ele conseguia assumir perspectivas mais objetivas e coerentes, além de absorver melhor novas informações, acrescentando dados a seu vasto mapa mental. Várias vezes ao longo da noite, funcionários chegavam à Sala dos Tratados para entregar mais pastas, que continham mais documentos recém-gerados por assessores que trabalhavam até tarde no andar de baixo. Se Barack tivesse fome, um criado lhe trazia um pratinho de figos ou nuts. Ele tinha parado de fumar, felizmente, embora muitas vezes recorresse aos chicletes de nicotina. Durante a semana, quase toda noite ele ficava à mesa de trabalho até uma ou duas da manhã, lendo memorandos, ajustando discursos e respondendo a e-mails, a TV ligada baixinho no ESPN. Ele sempre fazia um intervalo para dar um beijo de boa-noite em mim e nas meninas.

A essa altura eu já estava acostumada a sua devoção à infinita tarefa de governar. Durante anos, as meninas e eu o dividimos com seus eleitores, e agora eles eram mais de 300 milhões. Deixando-o sozinho na Sala dos Tratados à noite, às vezes eu me perguntava se eles faziam alguma ideia da sorte que tinham.

A última etapa do trabalho a que Barack se dedicava, geralmente já passada a meia-noite, era ler cartas de cidadãos. Desde o início de seu governo ele pedira à equipe encarregada da correspondência que incluísse em sua pasta dez cartas ou e-mails de eleitores, selecionados entre os cerca de 15 mil que chegavam todo dia. Ele lia cada uma atentamente, fazendo anotações nas margens para que um assessor preparasse uma resposta ou encaminhasse uma reclamação ou anseio a um secretário de gabinete. Ele lia cartas de soldados. De presidiários. De pacientes com câncer com dificuldade de pagar pelo tratamento e de pessoas que perderam suas casas para a execução da hipoteca. De gays que sonhavam se casar legalmente e de republicanos que o acusavam de estar arruinando o país. De mães, avós e crianças. Barack lia cartas de gente que aprovava seu governo e de gente empenhada em informá-lo de que ele era um idiota.

Barack lia tudo isso, o que via como parte da responsabilidade que vinha com o juramento. Ele tinha um trabalho árduo e solitário — muitas vezes me parecia o mais árduo e solitário do mundo —, mas sabia que era seu dever permanecer aberto e disponível, não se fechar para nada. Enquanto dormíamos, ele baixava as cercas e deixava tudo entrar.

Nas noites de segunda e quarta-feira, Sasha, agora com dez anos, praticava natação a poucos quilômetros de casa. Vez por outra eu ia vê-la treinar, tentando entrar de fininho na sala contígua à piscina onde os pais acompanhavam o treino através de uma janela.

Circular por um movimentado centro esportivo durante as horas de pico era um desafio para os meus seguranças, mas eles se saíam muito bem. De minha parte, eu me tornara uma especialista em caminhar rápido e olhar para baixo quando estava em espaços públicos, o que sempre ajudava. Passava voando por universitários ocupados com seus exercícios de musculação e aulas de zumba. Às vezes ninguém parecia notar. Em outras ocasiões, eu sentia a agitação sem nem sequer precisar levantar os olhos, ciente do que tinha causado quando ouvia murmúrios ou mesmo um grito claro e direto: "Ei, é a Michelle Obama!". Mas nunca era mais que isso, logo passava. Eu era como uma aparição, surgindo e sumindo num piscar de olhos antes mesmo que estes registrassem a visão.

Nos treinos da noite, os assentos à beira da piscina ficavam vazios exceto por um punhado de pais que conversavam distraídos ou se distraíam no celular enquanto esperavam. Eu encontrava um lugar tranquilo para me sentar e me concentrava na atividade em andamento.

Eu adorava qualquer oportunidade de ver minhas filhas imersas no próprio mundo — livres da Casa Branca, livres dos pais, em espaços e relacionamentos que haviam forjado por si mesmas. Sasha era uma nadadora vigorosa, adorava o nado peito e queria dominar o borboleta. De touca azul-marinho e maiô, ela completava suas voltas na piscina com braçadas diligentes, parando de vez em quando para ouvir recomendações dos treinadores e batendo papo alegremente com os colegas durante os intervalos.

Não havia nada mais gratificante para mim do que esses momentos de espectadora, quase despercebida pelas pessoas ao meu redor, testemunhando o milagre de uma menina — a nossa menina — em crescimento, adquirindo independência e se tornando completa. Tínhamos jogado as duas dentro daquela intensidade da vida da Casa Branca, sem saber que impacto isso teria sobre elas ou o que tirariam da experiência. Eu tentava tornar a exposição das nossas filhas ao mundo mais amplo o mais positiva possível, percebendo que Barack e eu tínhamos uma oportunidade singular de lhes mostrar a história de perto. Quando Barack fazia viagens oficiais ao exterior que coincidiam com as férias escolares, viajávamos em família, sabendo que seria uma experiência educativa. No verão de 2009, nós as levamos em um périplo que incluiu visitas ao Kremlin, em Moscou, e ao Vaticano, em Roma. No espaço de sete dias, elas conheceram pessoalmente o presidente russo, passearam pelo Panteão e pelo Coliseu romano e atravessaram a "Porta sem retorno" em Gana, o ponto de onde partiu um número incontável de africanos para serem vendidos como escravos.

Sem dúvida, era muita coisa para processarem, mas eu estava aprendendo que cada criança absorvia o que podia e a partir de sua própria perspectiva. Ao fim de nossas viagens naquele verão, Sasha ingressou no terceiro ano. Então, passando por sua sala de aula em um dia de reunião de pais, deparei com uma breve redação de sua autoria, sobre o tema "Como foram minhas férias", exposta num mural ao lado de trabalhos de colegas. "Fui a Roma e conheci o papa", Sasha tinha escrito. "O polegar dele não tem um pedaço."

Eu não saberia dizer como é o polegar de Bento XVI, se ele não tem mesmo a ponta do dedo. O fato é que levamos a Roma, Moscou e Acra uma criança de oito anos muito observadora, prática e direta, e aquilo foi o que ela trouxe desses lugares. Àquela época, sua visão da história batia na altura da cintura.

Por mais que tentássemos criar um escudo protetor entre as meninas e os aspectos mais inquietantes do trabalho de Barack, eu sabia que ainda assim elas tinham muito a processar. Nossas filhas coexistiam com acontecimentos mundiais como poucas crianças, convivendo com o fato de que as notícias ocasionalmente se desenrolavam bem debaixo do nosso teto, de que o pai às vezes era chamado para emergências nacionais e de que sempre, não importava o que acontecesse, haveria alguma parcela da população que o insultava abertamente. Para mim, essa era outra versão dos leões e guepardos às vezes próximos demais.

Durante o inverno de 2011, tínhamos ouvido notícias de que o apresentador de TV e empresário nova-iorquino Donald Trump estava começando a fazer barulho sobre a possibilidade de concorrer à nomeação como candidato à presidência pelo Partido Republicano em 2012, quando Barack tentaria a reeleição. Na maioria das vezes, parecia que era só alarde. Trump surgia na TV para vociferar críticas mal elaboradas à política externa, questionando abertamente se Barack era de fato um cidadão americano. Os chamados *birthers* haviam tentado, durante a campanha eleitoral anterior, alimentar uma teoria da conspiração alegando que a certidão de Barack que comprovava seu nascimento no Havaí era falsificada e que na verdade ele vinha do Quênia. Agora, Trump estava trabalhando ativamente para ressuscitar o argumento, fazendo afirmações cada vez mais bizarras na televisão, insistindo que os anúncios publicados em 1961 no jornal de Honolulu sobre o nascimento de Barack eram fraudulentos e que nenhum colega de escola se lembrava dele. Na busca por cliques e audiência, a mídia — em particular a ala mais conservadora — bombeava oxigênio alegremente nessas alegações infundadas.

A coisa toda era uma loucura maldosa e mesquinha, é claro, a intolerância e xenofobia subjacentes quase impossíveis de disfarçar. Mas também era algo perigoso, cujo intuito deliberado era incitar os malucos e dementes. Eu tinha medo da reação. De tempos em tempos eu era informada pelo Serviço Secreto sobre ameaças mais sérias e entendia que havia pessoas capazes de concretizá-las. Tentava não me preocupar, mas às vezes não conseguia evitar. E se alguém mentalmente instável pegasse uma arma e fosse até Washington? E se essa pessoa fosse atrás das nossas meninas? Donald Trump, com suas insinuações estridentes e inconsequentes, colocava em risco a segurança da minha família. E isso eu nunca perdoaria.

Porém, pouca opção nos restava a não ser afugentar os medos, continuando a confiar na estrutura criada para nos proteger e simplesmente viver. Os que procuravam nos definir como os "outros" já tentavam isso havia anos. Barack e eu fizemos tudo o que podíamos para superar as mentiras e distorções, confiando que nossas ações mostrariam às pessoas a verdade sobre quem realmente éramos. Convivi com preocupações sinceras e bem-intencionadas por nossa segurança desde o dia em que Barack decidiu concorrer à presidência. "Estamos orando para que ninguém faça mal a vocês", diziam as pessoas ao me cumprimentar em eventos de campanha. Ouvi de gente de todas as raças, todas as origens e todas as faixas etárias um lembrete da bondade e generosidade reinantes em nosso país. "Oramos por você e sua família todos os dias."

Mantive comigo essas palavras. Eu sentia a proteção daqueles milhões de pessoas decentes que oravam por nós. Barack e eu também confiamos em nossa fé pessoal. Agora, íamos à igreja apenas em raras ocasiões, principalmente porque nossa presença se tornara um espetáculo, envolvendo repórteres berrando perguntas no caminho até o altar. Desde que o escrutínio do reverendo Jeremiah Wright tornou-se um problema, na primeira campanha presidencial de Barack, desde que os adversários tentaram usar a fé como arma — sugerindo que Barack era um "muçulmano secreto" —, tínhamos optado por exercitar nossa fé em particular e em casa, inclusive orando todas as noites antes do jantar e organizando uma escola dominical na Casa Branca para nossas filhas. Não frequentávamos nenhuma igreja em Washington porque não queríamos submeter outra congregação a ataques de má-fé como os que haviam chovido sobre a Trindade, em Chicago. Foi um sacrifício. Eu sentia falta do calor humano de uma comunidade espiritual. Muitas vezes, à noite, via Barack deitado de olhos fechados na cama, fazendo suas orações em silêncio.

Numa noite de sexta-feira de novembro, meses depois que os boatos dos *birthers* começaram a ganhar fôlego, um homem parou o carro em uma parte fechada da Constitution Avenue e começou a disparar um rifle semiautomático pela janela do veículo, mirando os andares mais altos da Casa Branca. Uma bala atingiu uma das janelas do Salão Oval Amarelo, onde eu às vezes gostava de tomar chá. Outra se alojou em um quadro de janela e outras mais atingiram o telhado. Barack e eu estávamos fora naquela noite, assim como Malia, mas Sasha e minha mãe estavam em casa, embora não tenham percebido; elas saíram ilesas. Demorou semanas para substituir o vidro blindado da janela, e nesse tempo eu muitas vezes me pegava fitando o espesso buraco redondo deixado pela bala, um lembrete de como éramos vulneráveis.

Em geral, eu entendia que era melhor para todos nós não legitimar o ódio ou insistir enfaticamente nos riscos, mesmo quando outras pessoas se sentiam compelidas a trazer o assunto à tona. Malia entrou para o time de tênis da Sidwell, que treinava nas quadras da escola na Wisconsin Avenue. Um dia, a mãe de outro aluno se aproximou e, apontando para a rua movimentada, perguntou: "Você não tem medo aqui fora?".

Minha filha estava encontrando a própria voz à medida que crescia, descobrindo suas próprias maneiras de reforçar os limites de que precisava. "Se a senhora está me perguntando se eu penso sobre a minha morte todos os dias", disse ela à mulher, com toda a polidez de que era capaz, "a resposta é não."

Dois anos depois, a mesma mãe viria até mim em um evento para pais na escola e me entregaria um bilhete com um sincero pedido de desculpas, dizendo que tinha entendido imediatamente o erro cometido: incutir preocupações em uma criança que nada podia fazer a respeito. Significou muito para mim que ela tivesse pensado tanto a respeito. Ela ouvira, na resposta de Malia, tanto a resiliência quanto a vulnerabilidade, um eco de tudo o que vivíamos e tentávamos manter à distância. Ela entendeu também que a única coisa que a nossa menina poderia fazer, naquele dia e em todos os dias depois, era voltar para a quadra e mirar outra bola.

Todo desafio, obviamente, é relativo. Eu sabia que minhas filhas estavam crescendo com mais vantagens e mais abundância do que a maioria das famílias poderia sequer imaginar. Tinham uma bela casa, comida na mesa, adultos devotados ao redor e nada além de encorajamento e recursos para sua educação. Eu transmitia tudo que sabia para Malia e Sasha e seu desenvolvimento, mas, como primeira-dama, também estava consciente de uma obrigação maior, sentia que devia mais às crianças do país, especialmente às meninas. Parte disso era gerado pela resposta que as pessoas tendiam a ter com relação à minha história de vida: a surpresa de que uma menina negra tinha dado um salto tão grande, passando por universidades de elite e cargos executivos até chegar à Casa Branca. Eu sabia que minha trajetória era incomum, mas não havia uma boa razão para que assim fosse. Quantas vezes constatei que era a única mulher negra — ou até mesmo a única mulher — na sala, sentada a uma mesa de conferência ou participando de uma reunião de diretoria ou entre os convidados de um evento VIP. Se fui a primeira em algumas dessas coisas, eu queria ter a certeza de que, no fim, não seria a única — de que outras estavam vindo depois de mim. Como minha mãe, a inimiga franca de toda hipérbole, ainda diz toda vez que alguém começa a fazer efusivos elogios a mim e a Craig e enaltecer nossas realizações: "Eles não têm nada de especial. O South Side está cheio de crianças assim". Só precisávamos ajudá-las a ter seu lugar naquelas salas.

Comecei a perceber que as partes importantes da minha história estavam menos no valor superficial de minhas realizações e mais no que as alicerçava: as muitas pequenas demonstrações e atos de apoio ao longo dos anos, e as pessoas que ajudaram a construir minha autoconfiança ao longo do tempo. Eu me lembrava de todas elas, de todos os que já haviam me dado algum empurrãozinho para a frente, fazendo o possível para me vacinar contra os sentimentos e as indignidades que eu certamente encontraria nos lugares para onde estava rumando — todos aqueles ambientes construídos para pessoas que não eram nem negras nem mulheres.

Eu pensava na minha tia-avó Robbie e em seus exigentes padrões na arte de tocar piano, em como ela me ensinou a erguer a cabeça e tocar com todo o meu coração em um piano de cauda, mesmo que tudo o que eu tivesse conhecido fosse um piano vertical com as teclas lascadas. Pensava no meu pai, que me ensinou a lutar boxe e lançar uma bola de futebol americano, exatamente como ensinou a Craig. Teve também o sr. Martinez e o sr. Bennett, meus professores na Bryn Mawr, que nunca ignoraram minhas opiniões. Minha mãe, meu mais firme esteio, cuja vigilância me salvou de definhar em uma tediosa sala de aula do segundo ano. Em Princeton, tive Czerny Brasuell, que me incentivou e alimentou meu intelecto de novas maneiras. E, já como jovem profissional, tive, entre outras, Susan Sher e Valerie Jarrett — ainda boas amigas e colegas de trabalho mesmo muitos anos depois —, que me mostraram o que era ser mãe e trabalhar fora e que repetidamente abriram portas para mim, convictas de que eu tinha algo a oferecer.

A maioria dessas pessoas não se conhecia e provavelmente nunca teria a oportunidade de se conhecer. Eu mesma tinha perdido contato com muitas delas. Mesmo assim, elas formavam uma constelação pessoal significativa. Foram os meus incentivadores, os meus crédulos, o meu coro gospel pessoal, cantando *Você consegue, garota!* ao longo de todo o caminho.

Nunca esqueci essas pessoas. Mesmo quando eu estava no início da carreira em direito, buscava retribuir o que me tinham feito, incentivando a curiosidade quando eu a via e trazendo pessoas mais jovens para conversas importantes. Se uma assistente me fizesse alguma pergunta sobre suas possibilidades profissionais, eu abria meu escritório para ela e lhe contava minha trajetória ou oferecia conselhos. Quando alguém precisava de orientação ou ajuda para fazer um contato, eu me desdobrava para colaborar. Tempos depois, quando atuei na Public Allies, pude ver em primeira mão os bons frutos de uma mentoria mais formal. Aprendi, com minha experiência de vida, como é importante quando alguém demonstra interesse genuíno em colaborar com o aprendizado e o desenvolvimento de outra pessoa, mesmo que seja por apenas dez minutos em um dia atarefado. E isso é ainda mais valioso para as mulheres e as outras minorias — para qualquer pessoa que a sociedade não hesita em negligenciar.

Com isso em mente, decidi iniciar um programa de liderança e mentoria na Casa Branca. Convidei vinte meninas dos ensinos fundamental e médio de escolas da Grande Washington para encontros mensais que incluíam bate-papos, viagens de campo e aulas sobre educação financeira e escolha de carreira. Mantivemos o programa basicamente a portas fechadas, em vez de jogar aquelas meninas na confusão da mídia.

Formamos duplas, designando uma mentora para cada adolescente. As duas estabeleciam um relacionamento pessoal, e a mentora disponibilizava seus recursos e relatava sua história de vida. Valerie foi uma mentora. Cris Comerford, a primeira mulher a se tornar chefe de cozinha da Casa Branca, foi uma mentora. Jill Biden também, assim como várias veteranas do estafe das alas Leste e Oeste. As estudantes eram indicadas pelo diretor ou pelo orientador educacional da escola e podiam seguir no programa até concluírem o ensino. Tínhamos meninas de famílias de militares, de famílias de imigrantes, uma mãe adolescente, uma menina que morava em um abrigo. Eram moças inteligentes e interessadas, todas elas. Em nada diferentes de mim, nem um pouco diferentes das minhas filhas. Acompanhei, com o tempo, as amizades que se formavam entre elas, o surgimento de afinidade umas com as outras e com os adultos envolvidos. Sentávamos em um grande círculo e passávamos horas conversando, comendo pipoca e trocando ideias sobre faculdade, imagem corporal e meninos. Nenhum assunto era proibido. Acabávamos dando muitas risadas, e era exatamente isso, mais do que tudo, o que eu queria que elas levassem para o futuro — a naturalidade, a tranquilidade, a experiência de fazer parte de uma comunidade, o incentivo para falarem e serem ouvidas.

Eu lhes desejava o mesmo que para Sasha e Malia: que, ao aprenderem a se sentir confortáveis na Casa Branca, elas se sentissem confortáveis e confiantes em exercer sua voz em qualquer sala, a qualquer mesa, dentro de qualquer grupo.

Vivíamos dentro da bolha da presidência havia mais de dois anos, e eu seguia fazendo tudo que podia para ampliar o perímetro dessa bolha. Barack e eu continuávamos a abrir a Casa Branca para mais pessoas, especialmente crianças, no intuito de transmitir a sensação de que aquele esplendor era inclusivo, misturando um pouco de vivacidade à formalidade e à tradição. Sempre que dignitários estrangeiros nos faziam visitas oficiais, convidávamos alunos de escolas locais para assistirem à pompa de uma cerimônia diplomática de boas-vindas e aproveitar o menu do jantar de gala. Quando recebíamos músicos para uma apresentação noturna, pedíamos que chegassem mais cedo para ministrarem uma oficina para jovens. Queríamos destacar a importância de expor as crianças às artes, mostrando que não se trata de um luxo, mas de uma necessidade para a formação geral. Eu adorava ver os estudantes interagindo com artistas contemporâneos como John Legend, Justin Timberlake e Alison Krauss, bem como lendas como Smokey Robinson e Patti LaBelle. Eu me sentia voltar no tempo, o jazz na casa de Southside, os recitais de piano e as oficinas de opereta organizadas por minha tia-avó Robbie, as visitas em família aos museus. Eu sabia como as artes e a cultura contribuem para o desenvolvimento de uma criança. E aqueles momentos também me faziam me sentir em casa. Barack e eu assistíamos da primeira fila a todas as apresentações, nosso corpo acompanhando o ritmo. Até minha mãe, que evitava aparições públicas, descia toda vez que havia música tocando.

Também promovíamos apresentações de dança e outras artes, trazendo artistas emergentes para mostrar seus trabalhos. Em 2009, aconteceu o primeiro sarau da Casa Branca. Um jovem compositor chamado Lin-Manuel Miranda se levantou e surpreendeu a todos com o trecho de um projeto ainda incipiente que ele chamou de "álbum conceitual sobre a vida de alguém que eu acho que encarna o hip-hop... o secretário do Tesouro Alexander Hamilton".

Lembro-me de cumprimentá-lo, desejando boa sorte com "a ideia do Hamilton".

Todos os dias éramos expostos a muitas coisas. Glamour, excelência, devastação, esperança, tudo junto, e durante todo o tempo tínhamos duas filhas tentando levar sua vida para além do que acontecia em casa. Eu fazia o que podia para manter a mim e as meninas integradas ao mundo cotidiano. Meu objetivo continuava o mesmo de sempre: encontrar a normalidade onde fosse possível, encaixar-me de novo em episódios de uma vida comum. Durante as temporadas de futebol americano e de lacrosse, eu ia a muitos dos jogos de Sasha e Malia. Ficava na arquibancada ao lado de outros pais, rejeitando educadamente os pedidos de fotos, mas sempre feliz em bater papo. Quando Malia começou a jogar tênis, eu assistia às partidas pela janela de um veículo do Serviço Secreto, estacionado discretamente perto da quadra, para não atrapalhar. Só no fim do jogo é que eu ia lhe dar um abraço.

Com Barack, praticamente desistimos da normalidade ou da leveza em seus movimentos. Tanto quanto podia, ele comparecia aos eventos da escola e aos eventos esportivos das meninas, mas, com um aparato de segurança nada sutil, suas possibilidades de interação casual eram reduzidas. Na verdade, o objetivo em si era não ser sutil — era enviar ao mundo uma mensagem clara de que ninguém podia machucar o presidente dos Estados Unidos. Por razões óbvias, isso me deixava feliz. Mas, em justaposição às normas da vida familiar, podia ser um pouco demais.

Esse mesmo pensamento ocorreu a Malia certo dia, quando nós três nos dirigíamos a um evento na escola de Sasha. Ao atravessar um pátio externo, passamos por um grupo de crianças do jardim de infância que aproveitavam o recreio brincando no trepa-trepa e correndo pela área de recreação. Não sei se as criancinhas viram os atiradores de elite espalhados pelos telhados dos prédios, vestidos de preto e os rifles de assalto a postos, mas Malia certamente viu.

Ela olhou dos franco-atiradores para as crianças pequenas, depois para Barack, e, com um olhar de provocação, disse: "Sério, pai? De verdade?".

Barack só pôde sorrir e dar de ombros. Não havia como se esquivar da gravidade do trabalho dele.

Precisamos admitir que nenhum de nós quatro jamais pisava fora da bolha. A bolha nos acompanhava individualmente. Após aquelas negociações iniciais com o Serviço Secreto, Sasha e Malia podiam ir aos bar mitzvahs dos amigos, lavavam carros nos eventos para arrecadação de fundos da escola e até passeavam no shopping. Iam sempre acompanhadas por agentes e muitas vezes por minha mãe, mas pelo menos tinham a mobilidade de seus colegas. Os agentes de Sasha, entre eles Beth Celestini e Lawrence Tucker — a quem todos chamavam de L. T. —, eram adorados na Sidwell. As crianças imploravam a L. T. que as empurrasse no balanço durante o recreio; as famílias se lembravam de mandar cupcakes também para eles quando havia festinhas de aniversário em sala de aula.

Com o tempo, todos nos afeiçoamos aos nossos agentes. Preston Fairlamb comandava meu destacamento de segurança, e Allen Taylor, que tinha trabalhado comigo na época da campanha, assumiu em um período posterior. Quando estávamos em público, eles se mantinham em silêncio e hiperalertas, mas nos bastidores e no avião eles se soltavam, contavam histórias, faziam piadas. Eu os provocava chamando-os de "fofos com pose de durões". Ao longo de tantas horas que passamos juntos e tantos quilômetros percorridos, eles se tornaram verdadeiros amigos. Eu sofria com suas perdas e comemorava junto a vitória de seus filhos. Sempre tive consciência da seriedade do dever deles, dos sacrifícios que estavam dispostos a fazer em nome da minha segurança, e sempre lhes dei o devido valor.

Assim como minhas filhas, eu cultivava uma vida particular em paralelo à oficial. Descobri que havia maneiras de passar despercebida quando precisava, auxiliada pela disposição do Serviço Secreto ser flexível. Em vez do alarde de um comboio, às vezes eu podia me deslocar em um veículo sem identificação e com uma escolta reduzida. Vez por outra fazia compras-relâmpago, entrando e saindo de uma loja antes que dessem pela minha presença. Certa manhã, constatando que Bo tinha estripado ou triturado habilmente todos os brinquedos trazidos pela equipe que fazia nossas compras regulares, eu mesma o levei a uma pet shop. Saboreei o glorioso anonimato, ainda que breve, enquanto escolhia brinquedos mais resistentes. Bo, tão encantado quanto eu com a novidade do passeio, estirava-se à minha frente na coleira.

Toda vez que eu conseguia ir a algum lugar sem causar alvoroço, sentia o prazer de uma pequena vitória, um exercício de livre-arbítrio. Gosto de pequenos prazeres, e não tinha esquecido como era gratificante ir riscando os minuciosos itens de uma lista de compras. Mais ou menos seis meses após a visita à pet shop, foi a vez de uma incursão incógnita a uma Target. Coloquei um boné e óculos escuros, e os agentes de segurança foram de bermuda e tênis, sem os fones de ouvido, e fizeram o melhor que podiam para não causar estranheza seguindo a mim e a minha assistente Kristin Jones pela loja. Perambulamos por todos os corredores. Escolhi alguns cremes para o rosto e escovas de dentes novas. Para Kristin, compramos folhas de amaciante perfumadas para a secadora de roupas e sabão em pó, e encontrei alguns jogos para Sasha e Malia. E pela primeira vez depois de vários anos, comprei um cartão para dar a Barack em nosso aniversário de casamento.

Voltei para casa exultante. Às vezes, as menores coisas pareciam enormes.

Com o passar do tempo, acrescentei novas aventuras à minha rotina. Comecei a jantar fora com amigas, ou ia à casa delas. Às vezes, ia ao parque fazer longas caminhadas às margens do rio Potomac. Nessas ocasiões, alguns agentes iam à frente e outros atrás de mim, mas se mantinham discretos e a certa distância. Nos anos posteriores, comecei a fazer ginástica em academias locais; entrava nas aulas assim que começava e saía tão logo terminasse, para não causar confusão. A atividade mais libertadora de todas acabou sendo o esqui, esporte com o qual eu tinha pouca experiência, mas que rapidamente se tornou uma paixão. Aproveitando os invernos mais pesados que o normal que tivemos nos nossos primeiros dois anos em Washington, fiz algumas viagens de um dia com as meninas e alguns amigos para uma pequena área de esqui chamada Liberty Mountain, nos arredores de Gettysburg. Com capacete, cachecol e óculos de proteção, descobrimos que podíamos nos infiltrar em qualquer multidão. Deslizando por uma pista de esqui, eu estava ao ar livre, em movimento e incógnita — tudo de uma vez. Era como voar.

Os momentos particulares eram importantes. Na verdade, eram tudo — uma maneira de me sentir eu mesma, de continuar sendo a Michelle Robinson do South Side de Chicago, em meio àquele pedaço mais amplo da história. Entrelacei minha antiga vida à minha vida nova, fundi minhas preocupações pessoais a meu trabalho público. Em Washington, fiz alguns novos amigos; mães de colegas de classe de Sasha e Malia e pessoas que conheci no exercício das minhas atribuições. Eram mulheres que se importavam menos com meu sobrenome ou meu endereço e mais com meu jeito de ser. É engraçado como se reconhece rápido quem está ao nosso lado para nos dar apoio e quem está tentando tirar vantagens. Barack e eu às vezes conversávamos sobre isso com Sasha e Malia, durante o jantar; sobre algumas pessoas, crianças e adultos que orbitavam nossos grupos de amigos parecendo um pouco ávidas demais — "sedentas", na nossa definição.

Eu tinha aprendido, muitos anos antes, a importância de manter os amigos verdadeiros. Ainda tinha um contato próximo com o grupo de mulheres que, em Chicago, se reuniam nas manhãs de sábado para as crianças brincarem juntas, no tempo em que ainda carregávamos mochilas de bebê, época na qual nossos filhos arremessavam comida alegremente nas cadeirinhas e todas nós vivíamos tão cansadas que dava vontade de chorar. Foram essas amigas que me mantiveram de pé, fazendo compras para mim quando eu não conseguia ir ao mercado, levando as meninas ao balé quando eu estava atrasada com os prazos no trabalho ou quando apenas precisava de um descanso. Durante a campanha, algumas delas haviam pegado o avião para me dar apoio em eventos nada glamorosos, fornecendo-me lastro emocional quando eu mais precisava. Como qualquer mulher pode confirmar, as amizades femininas são construídas de mil pequenas gentilezas como essas, trocadas em um incessante vaivém.

Em 2011, comecei um esforço deliberado para investir e reinvestir em minhas amizades, reunindo antigas e novas companheiras de vida. A cada dois ou três meses, convidava umas dez ou mais amigas próximas para passarem um fim de semana comigo em Camp David, a casa de campo e retiro presidencial que fica a cerca de cem quilômetros de Washington, nas montanhas do norte de Maryland. Comecei a chamar essas breves viagens de "Acampamento de treinamento intensivo", em parte porque eu de fato obrigava todas a fazer exercícios físicos comigo várias vezes ao dia (em algum momento tentei também banir o vinho e os petiscos, e fui rapidamente rechaçada), mas principalmente porque me agrada a ideia de ser rigorosa em relação a amizades.

Minhas amigas tendem a ser mulheres realizadas e envolvidas com mais atividades do que podiam dar conta, com vida familiar atarefada e emprego desgastante. Eu entendia que nem sempre era fácil fugir da rotina, mas isso era parte do propósito. Estávamos sempre nos sacrificando pelos filhos, pelo cônjuge e pelo trabalho. Depois de anos tentando encontrar equilíbrio na vida, aprendi que não há problema em ajustar as prioridades e cuidar de nós mesmas de vez em quando. Eu ficava felicíssima em levantar essa bandeira em nome das minhas amigas, em criar um motivo — ancorado no poder da tradição — para que algumas mulheres se virassem para seus filhos, colegas de trabalho, companheiros ou companheiras e dissessem: *Desculpa, pessoal, estou fazendo isso por mim.*

Os fins de semana do "Acampamento de treinamento intensivo" se tornaram nosso refúgio, uma oportunidade de nos mantermos conectadas e recarregarmos as baterias. Ficávamos em aconchegantes chalés de madeira cercados por vegetação, indo de lá pra cá em carrinhos de golfe e andando de bicicleta. Jogávamos queimada, fazíamos agachamentos e a posição do cachorro olhando para baixo. Às vezes iam conosco algumas moças da minha equipe. Era um barato ver Susan Sher, de quase setenta anos, rastejando feito uma aranha ao lado de MacKenzie Smith, minha assessora de vinte e poucos anos que foi jogadora de futebol na faculdade. Comíamos refeições saudáveis preparadas por chefs da Casa Branca. Fazíamos séries de exercícios com a supervisão do meu treinador, Cornell, e de vários recrutas navais com cara de bebê que se dirigiam a nós como "senhora". Fazíamos bastante atividade física e conversávamos até não poder mais. Contávamos nossas reflexões e experiências, trocávamos conselhos, contávamos histórias engraçadas e às vezes apenas oferecíamos a reconfortante garantia de que a outra não era a única a ter uma filha adolescente rebelde agindo estranho ou um chefe insuportável. Muitas vezes, bastava ouvir. E no fim do domingo, quando nos despedíamos, prometíamos fazer tudo de novo em breve.

Eu me sentia renovada com minhas amigas. Sempre foi assim e sempre será. Elas me animavam e levantavam meu astral sempre que eu me sentia abatida ou frustrada, ou quando tinha menos acesso a Barack. Elas me apoiavam quando eu sentia as pressões de ser julgada, quando tudo que me dizia respeito, desde a cor do esmalte até a largura dos meus quadris, era dissecado e discutido publicamente. E elas me ajudavam a perseverar e superar as grandes ondas de inquietação que às vezes arrebentavam sem aviso prévio.

Na noite do primeiro domingo de maio de 2011, fui jantar com duas amigas em um restaurante no centro da cidade, e Barack e minha mãe ficaram encarregados das meninas em casa. O fim de semana tinha sido especialmente movimentado. Barack fora arrastado para uma enxurrada de reuniões naquela tarde, e passáramos a noite de sábado no Jantar dos Correspondentes da Casa Branca, ocasião em que Barack fez um discurso com algumas piadas mordazes sobre a carreira de Donald Trump no programa *Celebrity Apprentice* e sobre suas teorias de que ele não era americano. Eu não conseguia ver Trump do meu lugar, mas ele estava presente. Durante o monólogo de Barack, as câmeras deram um zoom no rosto de Trump, mostrando-o impassível mas espumando de raiva por dentro.

Nossas noites de domingo costumavam ser tranquilas e sem trabalho. As meninas geralmente estavam cansadas depois de um fim de semana de esportes e passeios com os amigos. E Barack, se tivesse sorte de conseguir um tempinho livre, estava relaxado depois de uma partida de golfe durante o dia.

Naquela noite, depois de matar a saudade de algumas amigas, cheguei em casa por volta das dez horas. Fui saudada à entrada por um dos porteiros, como sempre, mas soube de imediato que algo estava acontecendo, pois notei um nível de atividade diferente do normal no andar térreo. Perguntei ao porteiro se ele sabia onde o presidente estava.

"Creio que está lá em cima, senhora, preparando-se para o pronunciamento."

E assim entendi que por fim tinha acontecido. Eu sabia que o momento estava chegando, mas não sabia exatamente como ocorreria. Tinha passado os dois dias anteriores tentando agir dentro da completa normalidade, fingindo não saber que algo perigoso e de profunda importância estava para se tornar realidade. Após meses de intenso trabalho de investigação de inteligência de alto nível e semanas de preparação meticulosa, depois de reuniões de planejamento de segurança e avaliações de risco e de uma tensa decisão final, a 11 mil quilômetros da Casa Branca e sob o manto da escuridão, uma equipe de elite dos SEALs da Marinha norte-americana invadira uma misteriosa residência em Abbottabad, no Paquistão, à procura de Osama bin Laden.

Encontrei Barack saindo do nosso quarto. De terno escuro e gravata vermelha, parecia tomado pela adrenalina. Ele vinha carregando havia meses a pressão dessa decisão.

"Pegamos ele. E ninguém se machucou", disse ele.

Nós nos abraçamos. Osama bin Laden estava morto. Nenhuma vida norte-americana fora perdida. Barack assumira um risco enorme — que poderia ter custado sua permanência no cargo — e tudo correra bem.

A notícia já estava percorrendo o mundo. Uma multidão se formou nas ruas ao redor da Casa Branca. As pessoas saíam dos restaurantes, hotéis e residências, e os gritos de comemoração preenchiam a noite. O som ficou tão alto e intenso, superando a barreira das janelas de vidro blindado que supostamente bloqueava todo som externo, que acordou Malia.

Mas naquela noite não havia dentro ou fora. Nas cidades do país inteiro as pessoas tinham saído às ruas, claramente atraídas por um impulso de estarem próximas umas das outras, ligadas não apenas pelo patriotismo, mas pelo luto comunal que havia nascido no Onze de Setembro e pelo alívio depois de anos temendo um novo ataque. Pensei em todas as bases militares que eu já havia visitado, em todos os soldados trabalhando com afinco para se recuperar dos ferimentos, nas muitas pessoas que estavam separadas de um familiar enviado para um lugar distante pela segurança do nosso país, nos milhares de crianças que perderam o pai naquele dia tão terrível e tão triste. Não havia como recuperar nenhuma dessas perdas. Nenhuma morte pode substituir uma vida perdida. Não sei ao certo se a morte de alguém pode ser motivo de comemoração, mas o que os Estados Unidos tiveram naquela noite foi um momento de libertação, uma chance de reafirmar sua resiliência.

23

O tempo parecia ora dar saltos, ora dar voltas, sendo impossível medir seu progresso ou acompanhá-lo. Todos os dias eram cheios. Todas as semanas, meses e anos que passamos na Casa Branca foram cheios. Quando chegava a sexta-feira, eu mal lembrava como tinham sido a segunda e a terça. Às vezes, ao me sentar para jantar, eu ficava me perguntando sobre onde e como tinha sido o almoço. Mesmo agora, ainda acho difícil processar. A velocidade era grande demais, o tempo de reflexão curto demais. Uma única tarde podia englobar dois ou três eventos oficiais, várias reuniões e uma sessão de fotos. Eu podia visitar vários estados num dia só, falar para 12 mil pessoas ou fazer ginástica com quatrocentas crianças no jardim, tudo antes de colocar uma roupa chique e me dirigir a uma recepção quando caísse a noite. Meus dias informais, aqueles sem compromissos oficiais, eram dedicados a Sasha e Malia e à vida delas. E depois eu voltava aos dias "formais" — aos penteados, à maquiagem e ao vestuário. Ao centro da vista pública.

Estávamos caminhando para 2012, ano de campanha para reeleição, e eu sentia que não podia nem deveria descansar. Ainda estava conquistando meu espaço. Os questionamentos sobre o que eu devia e a quem ocupavam minha mente. Eu carregava uma história, e não era a história de presidentes e primeiras-damas. Nunca me identifiquei com a história de John Quincy Adams como me identificava com a de Sojourner Truth, nunca me emocionei com Woodrow Wilson e sim com Harriet Tubman. A luta de Rosa

Parks e a de Coretta Scott King me eram mais familiares do que as de Eleanor Roosevelt ou Mamie Eisenhower. Eu carregava essas histórias junto com as da minha mãe e minhas avós. Nenhuma dessas mulheres célebres jamais teria imaginado possível uma vida como a que eu tinha agora, mas confiavam que sua perseverança acabaria, um dia, rendendo algo melhor para alguém como eu. Eu queria que minha atuação no mundo honrasse o que elas haviam sido.

Tomei para mim essa carga como pressão, uma necessidade fundamental de não estragar as coisas. Embora fosse considerada popular, não deixava de me afetar pelas críticas, pelos que tiravam conclusões a meu respeito baseadas na cor da minha pele. Por isso eu ensaiava meus discursos várias vezes, com a ajuda de um teleprompter instalado no escritório. Insistia para minha equipe que todos os eventos organizados por nós fossem pontuais e transcorressem sem problemas. Insistia ainda mais para minha assessoria política que o alcance dos projetos Let's Move! e Joining Forces fosse ampliado. Tinha como meta não perder nenhuma oportunidade que agora tinha, mas às vezes precisava me lembrar de respirar.

Barack e eu sabíamos que os meses de campanha exigiram mais viagens, mais planejamento estratégico e mais preocupações. Era impossível não se preocupar com a reeleição. Os custos eram enormes. (Barack e Mitt Romney, o ex-governador de Massachusetts que viria a ser o candidato republicano, levantaram no total mais de 1 bilhão de dólares cada um, para realizarem campanhas competitivas.) A responsabilidade também era enorme. A eleição determinaria tudo, do destino da nova lei de cuidados com a saúde à possibilidade de os Estados Unidos se juntarem à comunidade global no combate à mudança climática. Todos que trabalhavam na Casa Branca viviam num limbo, incertos quanto a um segundo mandato. Eu tentava nem pensar na possibilidade de uma derrota, mas ela existia — era uma semente de medo que Barack e eu trazíamos dentro de nós, mas que não ousávamos trazer à tona.

O final de 2011 foi um período especialmente difícil na presidência. Um grupo de congressistas republicanos obstinados se recusava a aprovar a emissão de novos títulos públicos — processo relativamente rotineiro, conhecido como elevação do teto da dívida — caso ele não fizesse dolorosos cortes em áreas como Previdência Social e saúde, nos programas Medicaid e Medicare. Esses cortes atingiriam os mais desassistidos. Paralelamente, as avaliações mensais publicadas pelo Ministério do Trabalho mostravam uma queda constante porém vagarosa no índice de desemprego, indicando que a nação ainda não havia se recuperado devidamente da crise de 2008. E muitos culpavam Barack por isso. No alívio que se seguiu à morte de Osama bin Laden, a aprovação popular havia disparado, o maior número em dois anos, mas poucos meses depois despencaram a níveis inéditos por conta do impasse do teto da dívida e dos temores de uma nova recessão.

Quando se iniciava esse tumulto, fui à África do Sul para uma visita de boa vontade planejada com meses de antecedência. As aulas de Sasha e Malia tinham acabado de terminar e elas puderam ir comigo, assim como minha mãe e meus sobrinhos, Leslie e Avery, já adolescentes a essa altura. Eu ia fazer o discurso de abertura num fórum patrocinado pelos Estados Unidos para jovens líderes africanas de todo o continente, mas também havíamos incluído na minha agenda eventos comunitários ligados à saúde e ao ensino, além de visitas a líderes locais e a funcionários do consulado americano. Nós terminaríamos com uma breve visita a Botsuana, onde nos encontraríamos com o presidente e conheceríamos uma clínica comunitária para o tratamento de pessoas com o vírus HIV. No fim, faríamos um rápido safári antes de voltar para casa.

Fomos instantaneamente arrebatados pela energia da África do Sul. Em Johannesburgo, visitamos o Museu do Apartheid, dançamos e lemos histórias para crianças num centro comunitário de um distrito negro. Num estádio de futebol na Cidade do Cabo, reunimo-nos com organizadores comunitários e agentes da área de saúde que utilizavam programas de esportes para conscientizar as crianças sobre o vírus HIV e fomos apresentados ao arcebispo Desmond Tutu, o lendário teólogo e ativista que ajudou a derrubar o apartheid na África do Sul. Tutu estava com 79 anos, um homem de tronco largo, olhos brilhantes e um riso irreprimível. Ao saber que eu estava no estádio para promover a boa forma física, ele insistiu em fazer flexões comigo na frente de um bando de crianças aplaudindo.

Eu me senti nas nuvens durante esses poucos dias na África do Sul. Foi uma visita totalmente diferente da minha primeira viagem ao Quênia, em 1991, quando passeei com Barack naqueles ônibus coloridos que chamam de *matatu* e ajudei a empurrar o Fusca quebrado de Auma no acostamento de uma estrada de terra. Um terço da minha sensação podia ser efeito do jet lag, mas o restante era inegavelmente algo mais profundo e jubiloso. Era como se entrássemos nas contracorrentes maiores da cultura e da história, subitamente relembrados da nossa relativa pequenez no arco temporal mais amplo. Vendo o rosto das 76 moças escolhidas para comparecer ao fórum por estarem fazendo um trabalho importante em suas comunidades, tive que conter as lágrimas. Elas me instilavam esperança. Ali, me senti velha da melhor maneira possível. Nada menos que 60% da população africana tinha abaixo de 25 anos na época. Ali estavam mulheres, todas com menos de trinta anos e algumas de apenas dezesseis, que estavam montando entidades sem fins lucrativos, treinando outras mulheres a serem empreendedoras e correndo o risco de ser presas por denunciar a corrupção do governo. E agora estavam sendo conectadas, treinadas, incentivadas. Isso, esperava eu, apenas ampliaria o poder delas.

Mas o momento mais surreal ocorrera no começo, no segundo dia da nossa viagem. Minha família e eu fomos à sede da Fundação Nelson Mandela, em Johannesburgo, na companhia da célebre humanitarista Graça Machel, que é esposa de Mandela. Então nos disseram que Mandela em pessoa gostaria de nos receber em sua casa, ali perto.

Fomos imediatamente, claro. Nelson Mandela estava, nessa época, com 92 anos. Meses antes, ficara internado no hospital com problemas pulmonares e, segundo me disseram, raramente recebia visitas. Barack o conhecera seis anos antes, como senador, quando Mandela esteve em visita a Washington. Desde então, uma foto emoldurada do encontro entre ambos decorava a parede de seu escritório. Mesmo as meninas — Sasha com dez anos e Malia prestes a fazer treze — entenderam a grandiosidade do momento. Até minha mãe, sempre imperturbável, parecia um pouco espantada.

Não existia ninguém em vida que tivesse exercido maior impacto no mundo do que Nelson Mandela, pelo menos segundo meus critérios. Ele era um rapaz quando ingressou no Congresso Nacional Africano, nos anos 1940, e começou a contestar bravamente o governo exclusivamente branco e suas arraigadas políticas racistas. Tinha 44 anos quando foi acorrentado e enviado para a prisão por causa de sua militância, e 71 anos quando foi finalmente libertado, em 1990. Sobrevivendo a 27 anos de privação e isolamento como prisioneiro, tendo muitos amigos torturados e mortos sob o regime do apartheid, Mandela conseguiu negociar com os líderes do governo — em vez de combatê-los —, intermediando assim uma transição miraculosamente pacífica para uma verdadeira democracia na África do Sul, e vindo a se tornar seu primeiro presidente.

Mandela morava numa rua arborizada de um bairro residencial, numa casa em estilo mediterrâneo cercada por muros amarelos. Graça Machel nos conduziu por um pátio sombreado de árvores até a casa, onde seu marido estava sentado na poltrona de um aposento amplo e ensolarado. Tinha cabelos brancos ralos e usava uma camisa de batik marrom. Alguém lhe colocara uma manta branca no colo. Diversas gerações de parentes o cercavam, e todos nos receberam com alegria. Algo na luminosidade da sala, na loquacidade da família e no sorriso de lado do patriarca me lembrou minha infância, quando eu ia à casa do meu avô. Eu estava nervosa ao saber que vinha, mas depois fiquei mais à vontade.

A verdade é que não sei bem se Mandela entendeu quem éramos ou o que estávamos fazendo ali. Já idoso, ele parecia distraído e tinha a audição debilitada. "Esta é *Michelle Obama*!", disse Graça Machel, junto ao ouvido dele. "A esposa do presidente americano!"

"Ah, encantadora", Nelson Mandela murmurou. "Encantadora."

Ele me olhava com autêntico interesse, embora, na verdade, eu pudesse ser qualquer pessoa. Ficou claro para mim que ele concedia esse mesmo grau de cordialidade a todos os que cruzavam seu caminho. O contato que tive com Mandela foi profundo e silencioso — talvez até mais profundo por causa do silêncio. Praticamente todas as palavras de sua vida já haviam sido ditas, seus discursos e cartas, seus livros e canções de protesto, tudo já gravado não apenas em sua história, mas na história de toda a humanidade. Pude sentir isso nos breves momentos em que estive com ele — sua natureza digna e vital, que extraíra de um lugar uma igualdade até então inexistente.

Eu continuava a pensar em Mandela cinco dias depois, quando estávamos no avião de volta aos Estados Unidos, sobrevoando a África nos sentidos norte e oeste e em seguida cruzando o Atlântico durante uma longa noite escura. Sasha e Malia dormiam esparramadas debaixo dos cobertores, ao lado dos primos; minha mãe cochilava numa poltrona próxima. Mais atrás, assessores e agentes assistiam a um filme ou cochilavam. Os motores zuniam. Eu me sentia sozinha e não sozinha. Rumávamos para casa — e essa casa era a estranha e familiar cidade de Washington, DC, com seu mármore branco e suas ideologias conflitantes, com tudo o que ainda exigia luta e vitória. Pensei nas jovens africanas que conhecera no fórum de lideranças, que deviam estar voltando para suas comunidades, onde retomariam o trabalho com perseverança para guiá-las por todos os tumultos que tivessem de enfrentar.

Mandela foi preso por causa de seus princípios. Não viu os filhos crescerem, tampouco muitos de seus netos. Tudo isso sem amargura. Tudo isso ainda acreditando que alguma hora prevaleceria a natureza boa de seu país. Ele se empenhou e esperou, tolerante e incansável, para ver isso acontecer.

Voltei para casa inspirada. A vida estava me ensinado que o avanço e a mudança vêm lentamente. Não em dois anos, não em quatro anos, nem mesmo numa vida inteira. Estávamos plantando as sementes da mudança, e talvez nunca víssemos seus frutos. Precisávamos ser pacientes.

Ao longo da segunda metade de 2011, por três vezes Barack apresentou projetos de lei que criariam milhares de empregos, grande parte deles por meio de verbas repassadas aos estados para a contratação de mais professores e socorristas. Por três vezes os republicanos obstruíram o andamento, não permitindo sequer que fossem votadas.

Um ano antes, havia sido divulgado na imprensa que o líder da minoria no Senado, Mitch McConnell, fizera a seguinte declaração a respeito das metas de seu partido: "O mais importante para nós é conseguir que o presidente Obama não chegue ao segundo mandato". Simples assim. Os congressistas republicanos estavam empenhados, acima de tudo, nos fracassos de Barack. Ficou evidente que não priorizavam o bem-estar do país nem no fato de que as pessoas precisavam trabalhar. O próprio poder vinha primeiro.

Aquilo era desmoralizante, exasperante, às vezes arrasador. Sim, era política, mas em sua face mais irascível e despudorada, aparentemente desvinculada de qualquer perspectiva mais ampla. Vinham-me emoções que talvez Barack não pudesse se permitir. Ele se mantinha concentrado no trabalho, geralmente sem se intimidar, superando os baques e buscando negociações onde fosse possível, aferrando-se ao otimismo sóbrio que sempre o guiou, aquela noção realista de que "alguém tem que assumir a tarefa". Fazia quinze anos que ele estava na política. Eu continuava a imaginá-lo como uma velha panela de cobre: temperada pelo fogo, amassada, mas sempre luzidia.

Foi um relativo bálsamo retomar o ritmo de campanha, no final de 2011, pois saíamos um pouco de Washington e voltávamos a comunidades de todo o país, lugares como Richmond e Reno, onde podíamos dar as mãos e abraçar apoiadores, ouvir suas ideias e preocupações. Era uma chance de sentirmos a energia das bases, que sempre foi tão essencial para a visão de democracia de Barack, e de sermos relembrados que os cidadãos americanos são muito menos egoístas do que seus dirigentes. Precisávamos apenas que eles saíssem para votar. No ano anterior, eu ficara desapontada com a abstenção de milhões de pessoas nas eleições intercalares, o que na prática colocou nas mãos de Barack um Congresso dividido que mal conseguia fazer uma lei.

Apesar dos problemas, porém, havia também muitas coisas que despertavam esperança. No final de 2011, os últimos soldados americanos tinham deixado o Iraque e estava em andamento uma retirada gradual das tropas no Afeganistão. Cláusulas importantes da lei de atendimento de saúde acessível (o chamado ObamaCare) tinham passado a vigorar, permitindo que os jovens permanecessem cobertos por mais tempo pelos seguros de saúde dos pais e impedindo que as seguradoras restringissem a cobertura de um paciente. Tudo isso era um avanço, eu dizia a mim mesma, passos rumo a um caminho mais abrangente.

Com um partido político inteiro conspirando para o fracasso de Barack, só nos restava manter o otimismo e seguir em frente. A situação era análoga àquela em que uma mulher perguntou a Malia, durante a aula de tênis, se ela não tinha medo de morrer. No fim das contas, o que se pode fazer além de seguir o jogo e bater a próxima bola?

Então seguimos trabalhando. Nós dois. Eu me lancei às minhas iniciativas. Sob a bandeira do Let's Move!, continuamos a acumular resultados. Minha equipe e eu persuadimos a Darden Restaurants, a empresa-mãe por trás de redes como Olive Garden e Red Lobster, a realizar mudanças no tipo e no preparo dos alimentos que servia. Eles se comprometeram a reformular os cardápios, cortando calorias, reduzindo o sódio e incluindo opções mais saudáveis no menu infantil. Apelamos à consciência e ao faturamento dos executivos, convencendo-os de que a cultura alimentar nos Estados Unidos estava mudando e que eles dariam mostras de bom tino comercial caso se adiantassem nessa nova tendência. A Darden servia anualmente 400 milhões de refeições. Nessa escala, mesmo mudanças pequenas — como retirar do cardápio das crianças as aliciantes fotos de copos de refrigerante gelado — prometiam um impacto efetivo.

O poder de uma primeira-dama é uma coisa curiosa — suave e indefinido como o próprio papel. Mas eu estava aprendendo a utilizá-lo. Não tinha autoridade executiva, não comandava tropas nem participava da diplomacia oficial. A tradição mandava que eu emanasse uma luz suave, agradando ao presidente com minha devoção, agradando à nação sobretudo ao evitar confrontos. Mas eu começava a ver que essa luz, se usada com cuidado, tinha um poder maior. Minha influência consistia em ser uma espécie de excentricidade: uma primeira-dama negra, uma mulher ativa profissionalmente, mãe de duas crianças. Se as pessoas queriam usar as mesmas roupas, sapatos e penteados que eu, precisavam também me ver no contexto em que estava, e por que estava ali. Eu vinha aprendendo a vincular minha mensagem a minha imagem, direcionando o olhar do público americano. Podia usar uma roupa diferente, fazer uma piada e falar sobre o teor de sódio nas refeições infantis sem ser enfadonha. Podia aprovar publicamente uma empresa que estava empenhada em contratar integrantes da comunidade militar, ou me lançar ao chão para uma disputa de flexões ao vivo com Ellen DeGeneres (e ganhar, conquistando o direito vitalício de me vangloriar disso).

Eu era uma filha do *mainstream*, o que constituía um dado positivo. Às vezes Barack se referia a mim como "a voz do povo", pedindo minha opinião sobre slogans e estratégias de campanha pois sabia que eu continuava alegremente mergulhada na cultura popular. Ainda que tivesse passado por locais exclusivos como a Universidade Princeton e o escritório Sidley & Austin, ainda que nos últimos tempos ostentasse ocasionais diamantes e vestidos de gala, nunca parei de ler a revista *People* nem deixei de acompanhar uma boa série de comédia. Assistia muito mais aos programas da Oprah e da Ellen do que o *Meet the Press* ou o *Face the Nation*, e até hoje nada me dá mais prazer que o triunfo da ordem proporcionado pelos programas de reforma de casas.

Com isso quero dizer que eu tinha determinados vínculos com os americanos cuja potência não era percebida por Barack e seus assessores, pelo menos no começo. Em vez de dar entrevistas a grandes veículos da imprensa, comecei a conversar com mães blogueiras extremamente influentes entre um público feminino muito grande e muito antenado. Eu via os jovens da minha equipe com seus celulares, via Malia e Sasha começando a acompanhar as notícias e conversar com amigos pelas redes sociais, e percebi que ali também havia uma oportunidade a ser explorada. Publiquei no Twitter pela primeira vez em meados de 2011, para promover o Joining Forces, e fiquei acompanhando meu post disparar pelo estranho éter sem fronteiras onde as pessoas passavam cada vez mais tempo.

Foi uma revelação. Tudo aquilo foi uma revelação. Com meu poder suave, eu estava descobrindo que podia ter força.

Se os repórteres queriam me seguir, então que eu os levasse aonde os queria. Podiam, por exemplo, acompanhar a mim e a Jill Biden pintando as paredes de uma casa modesta no noroeste de Washington. Não havia nada de muito interessante em duas mulheres com um rolo de pintura na mão, mas era uma forma de chamar a atenção.

Isso atraiu todo mundo à porta do sargento Johnny Agbi, que aos 25 anos estava trabalhando como médico no Afeganistão quando o helicóptero em que estava sofreu um ataque. Ele teve a coluna estraçalhada e sofreu lesões cerebrais, demandando um longo período de recuperação no Walter Reed. Em uma iniciativa conjunta, uma organização sem fins lucrativos chamada Rebuilding Together e a empresa dona da Sears e do Kmart estavam promovendo obras na casa de Agbi, adaptando o andar térreo para o uso de cadeira de rodas — alargando os umbrais das portas e rebaixando a pia da cozinha, por exemplo. Foi a milésima casa a ser reformada para veteranos necessitados, e as câmeras registraram tudo: o soldado, a casa, a boa vontade e a energia dos envolvidos. Os repórteres entrevistaram não só a mim e a Jill, mas também o sargento Agbi e o pessoal que realmente pôs a mão na massa. Para mim, era assim que devia ser. Era isso que os olhos americanos precisavam ver.

No dia da eleição — 6 de novembro de 2012 —, aguardei temerosa e em silêncio. Barack, as meninas e eu estávamos em Chicago, na nossa casa na Greenwood Avenue, enredados no purgatório da espera para saber se toda uma nação nos aceitaria ou rejeitaria. Para mim, foi a eleição mais tensa até então. Senti como se fosse um referendo não só sobre o desempenho político de Barack e a situação do país, mas também sobre o caráter dele e nossa presença na Casa Branca. As meninas haviam estabelecido relações sólidas e alcançado uma normalidade que eu não queria interromper de novo. Tendo aberto mão de mais de quatro anos da nossa vida em família, eu estava tão afetada por tudo aquilo que era impossível não pensar um pouco no lado pessoal.

A campanha nos esgotou mais do que eu previra. Enquanto me dedicava ao trabalho social, fazia coisas como comparecer às reuniões de pais e mestres e monitorar o dever de casa das meninas, eu também passava a campanha fazendo eventos numa média de três cidades por dia, três dias por semana. E o ritmo de Barack foi ainda mais puxado. Nas pesquisas, ele aparecia sistematicamente com uma vantagem muito pequena em relação a Mitt Romney. Para piorar, ele foi muito mal no primeiro debate entre os dois em outubro, gerando uma onda de preocupação entre doadores e assessores. Era nítida a exaustão entre a equipe. Embora decididos a não demonstrar, eles certamente estavam inquietos com a possibilidade de Barack ter que deixar o cargo dali a alguns meses.

Ao longo de toda a campanha, Barack manteve a calma, mas eu notava os efeitos das pressões que sofria. Nas semanas finais, ele estava um pouco pálido e ainda mais magro que o habitual, além de mascar chicletes de nicotina com um vigor extra. Eu via com preocupação de esposa seu esforço em fazer tudo: tranquilizar os militantes, prosseguir na campanha até o final e ainda governar a nação, tudo ao mesmo tempo, inclusive responder a um ataque terrorista contra diplomatas americanos em Benghazi, na Líbia, e coordenar uma reação federal maciça ao furacão Sandy, que devastou a Costa Leste uma semana antes da eleição.

Naquela noite, quando a apuração dos votos na Costa Leste começou a se encerrar, fui para o terceiro andar da nossa casa, onde tínhamos montado uma espécie de salão de beleza, a fim de me preparar para a parte pública da noite. Meredith havia preparado as roupas para mim, minha mãe e as meninas. Johnny e Carl faziam meu cabelo e maquiagem. Mantendo a tradição, Barack tinha ido jogar basquete durante o dia e depois ficara no escritório para dar os retoques finais em sua declaração formal.

Tínhamos uma televisão no terceiro andar, mas a deixei desligada. Quando surgisse alguma notícia, boa ou ruim, eu queria ouvir diretamente de Barack ou de Melissa, ou de alguém próximo de mim. O falatório dos âncoras dos noticiários, com seus mapas eleitorais interativos, sempre mexia com meus nervos. Eu não queria os detalhes; só queria saber como me sentir.

Passava das oito da noite na Costa Leste, o que significava que os primeiros resultados já estavam saindo. Peguei meu BlackBerry e mandei e-mails para Valerie, Melissa e Tina Tchen (que em 2011 se tornara minha nova chefe de equipe), perguntando o que elas sabiam.

Deu quinze minutos, depois trinta, mas ninguém respondeu. O cômodo à minha volta parecia imerso num silêncio estranho. Minha mãe estava lá embaixo, lendo uma revista na cozinha; Meredith preparava as meninas para a noite; Johnny fazia meu cabelo. Era paranoia minha ou as pessoas evitavam me olhar nos olhos? Elas sabiam algo que eu não sabia?

Comecei a ter palpitações. Sentia meu equilíbrio oscilar. Não me atrevia a ligar a TV, de repente imaginando que seriam más notícias. A essa altura, eu já tinha me acostumado a afastar os pensamentos negativos, atendo-me aos positivos até ser obrigada a enfrentar algo desagradável. Mantinha minha confiança encerrada numa pequena fortaleza, no alto de uma montanha dentro do meu coração, mas, a cada minuto que o BlackBerry continuava silencioso no meu colo, eu sentia que as muralhas começavam a ceder e as dúvidas iniciavam a escalada. Talvez não tivéssemos trabalhado com o afinco necessário. Talvez não merecêssemos um segundo mandato. Minhas mãos tremiam.

Eu estava a ponto de desmaiar de ansiedade quando Barack subiu lepidamente pela escada, com seu velho sorriso aberto e confiante. Já havia deixado suas preocupações para trás. "Estamos arrasando", disse ele, aparentando surpresa por eu ainda não saber. "Está praticamente definido."

Fiquei sabendo que, lá embaixo, estavam o tempo todo na maior alegria, a TV no térreo trazendo uma onda constante de boas notícias. O problema comigo foi que meu BlackBerry estava por alguma razão sem sinal, por isso não enviava nem recebia mensagens. Acabei presa na minha cabeça, e ninguém reparou que eu estava aflita, nem as pessoas que estavam na sala comigo.

Barack venceu em todos menos em um dos estados mais disputados. Venceu entre jovens, minorias e mulheres, tal como em 2008. Apesar de tudo o que os republicanos haviam feito para impedi-lo, apesar das várias tentativas de obstruir o exercício da presidência, sua visão prevalecera. Pedíramos aos americanos permissão para continuar trabalhando — para terminar bem —, e recebemos. O alívio foi imediato. *Somos bons o suficiente? Sim, somos.*

Era hora avançada quando Mitt Romney telefonou para admitir a derrota. Mais uma vez, vimo-nos arrumados e bem-vestidos, acenando do alto de um palco, quatro Obamas e um monte de confetes, contentes em ter mais quatro anos.

A certeza que veio com a reeleição me manteve firme. Dispúnhamos de mais tempo para prosseguir em nossas metas. Podíamos ser mais pacientes com nosso avanço rumo ao progresso. Agora tínhamos uma perspectiva de futuro, o que me deixava feliz. Sasha e Malia podiam continuar na escola; nossa equipe podia continuar em seus empregos; nossas ideias ainda tinham importância. E, quando esses quatro anos seguintes se encerrassem, teríamos realmente terminado, o que me deixava mais feliz ainda. Nunca mais teríamos que sair em campanha, não precisaríamos mais penar com a elaboração de estratégias, pesquisas de opinião, debates ou índices de aprovação. Finalmente avistávamos a conclusão da nossa vida política.

A verdade é que o futuro traria suas surpresas — algumas boas, outras indizivelmente trágicas. Mais quatro anos na Casa Branca significavam mais quatro anos estando à frente como símbolos, absorvendo e respondendo a tudo o que surgisse no caminho do nosso país. Barack e eu havíamos baseado a campanha na ideia de que ainda tínhamos energia e disciplina para esse tipo de trabalho, ainda tínhamos força para assumi-lo. E agora o futuro vinha na nossa direção, talvez mais depressa do que percebíamos.

Cinco semanas depois, um homem armado entrou na escola fundamental Sandy Hook em Newtown, Connecticut, e começou a matar crianças.

Eu acabava de fazer um breve discurso na frente da Casa Branca e depois visitaria um hospital infantil quando Tina me puxou de lado para contar o que havia acontecido. Durante o meu discurso, a notícia começara a aparecer no celular dela e de várias outras pessoas, mas elas continuaram ali, procurando ocultar as emoções, enquanto eu falava.

A notícia era tão triste e pavorosa que eu mal consegui processar o que Tina dizia.

Ela comentou que entrara em contato com a Ala Oeste. Barack estava sozinho no Salão Oval.

"Ele pediu que você vá para lá", disse Tina. "Imediatamente."

Meu marido precisava de mim. Essa foi a única vez em oito anos que ele solicitou minha presença no meio de um dia repleto de atividades programadas.

Nós dois reorganizamos nossas agendas para ficarmos juntos, só nós dois, um instante de triste e mútuo consolo. Geralmente, trabalho era trabalho e casa era casa, mas a tragédia em Newtown estilhaçou todas as vidraças e derrubou todas as cercas para nós como para muita gente. Quando entrei no Salão Oval, Barack e eu nos abraçamos em silêncio. Não havia nada a dizer. Não havia palavras.

O que muitos não sabem é que o presidente vê quase tudo, ou pelo menos está inteirado de praticamente todas as informações disponíveis relacionadas ao bem-estar do país. Sendo um homem prático, atento aos fatos, Barack sempre preferia saber mais, e não menos. Procurava ter a visão mais ampla e mais próxima possível de todas as situações, por piores que fossem, para poder oferecer uma resposta bem fundamentada. A seu ver, isso era parte de sua responsabilidade, e ele fora eleito para encarar as coisas de frente em vez de desviar o olhar, para se manter firme enquanto os demais temiam desabar.

Por isso, quando cheguei, ele já estava informado sobre as minúcias do horrendo crime. Sabia das poças de sangue no chão das salas de aula, das vinte crianças do primeiro ano e dos seis professores que tiveram o corpo estraçalhado pelos disparos de uma semiautomática. Ainda assim, sua dor e seu horror não se comparavam aos dos socorristas que entraram na escola para proteger o prédio e evacuar os sobreviventes da chacina; não eram nada em comparação à dor e ao horror dos pais, que foram impedidos de entrar e tiveram de suportar uma espera interminável no ar gélido, rezando para reverem os filhos. E não eram absolutamente nada em comparação à dor e ao horror daqueles que esperaram em vão.

Aquelas imagens deixaram uma marca indelével no espírito de Barack. Eu via nos olhos dele que estava destroçado, suas convicções abaladas. Ele começou a me relatar algumas coisas, mas parou, para me poupar de uma dor ainda maior.

Assim como eu, Barack tem um profundo e genuíno amor pelas crianças. É um pai muito afetuoso, de tempos em tempos, ele levava crianças ao Salão Oval para lhes mostrar o lugar. Pegava bebês no colo. Sempre aproveitava o tempo que tivesse para visitar uma feira de ciências em alguma escola ou um evento desportivo juvenil. No ano anterior, ele adicionara todo um novo grau de prazer a sua existência ao se oferecer como treinador-assistente do Vipers, o time de basquete de Sasha no ensino fundamental.

A proximidade das crianças tornava tudo mais leve. Ele compreendia, mais do que ninguém, o potencial perdido com a morte daquelas vinte crianças.

Manter a compostura depois de Newtown foi provavelmente a tarefa mais difícil de sua vida. Quando Malia e Sasha voltaram da escola, nós dois fomos encontrá-las na residência, dando-lhes um abraço apertado, tentando disfarçar nossa premente necessidade de tocá-las, simplesmente tocá-las. Era difícil saber o que dizer ou não dizer a elas sobre o tiroteio. E, em toda a nação, outros pais enfrentavam o mesmo desafio.

Barack deu uma coletiva de imprensa naquele dia, procurando palavras capazes de constituir algum consolo. Enquanto as câmeras fotográficas disparavam cliques freneticamente, ele enxugava as lágrimas, entendendo que não havia consolo possível. O máximo que podia fazer era oferecer sua determinação — que supôs que também seria adotada por cidadãos e legisladores de todo o país — em prevenir novos massacres, e faria isso com a aprovação de leis básicas e sensatas sobre a venda de armas.

Eu me limitei a apoiá-lo, já que não me sentia preparada. Em quase quatro anos como primeira-dama, muitas vezes prestara consolo. Orei com pessoas que perderam a casa à passagem de um tornado em Tuscaloosa, no Alabama, enormes trechos da cidade tendo sido derrubados num instante, como um castelo de cartas. Abracei homens, mulheres e crianças que perderam entes queridos na Guerra do Afeganistão, ou que foram atingidos pelos disparos de um extremista numa base militar do Texas, ou mesmo nas violentas ruas do bairro. Nos quatro meses anteriores, eu visitara sobreviventes dos tiroteios de massa num cinema em Colorado e dentro de um templo sikh em Wisconsin. Era sempre devastador. Nesses encontros, sempre tentei oferecer minha faceta mais calma e receptiva, emprestar minha força fazendo-me presente e atenciosa, sentando-me em silêncio junto ao sofrimento de outras pessoas. No entanto, dois dias após o massacre de Sandy Hook, quando Barack foi a Newtown para se pronunciar numa vigília de orações pelas vítimas, não consegui me recompor e ir com ele. Estava tão abalada que não tinha força disponível. Em meus quatro anos como primeira-dama já haviam ocorrido matanças demais — mortes absurdas, que poderiam ter sido evitadas, e o equivalente em inação. Não sabia que consolo poderia dar a alguém que perdera um filho de seis anos dentro da escola.

Como tantos outros pais e mães, apenas me aferrei às minhas filhas, medo e amor entrelaçados. Estávamos perto do Natal, e Sasha estava entre as crianças locais escolhidas para integrar o Balé de Moscou em duas apresentações de O *quebra-nozes*, ambas no mesmo dia da vigília em Newtown. Barack conseguiu se infiltrar de fininho no ensaio final e assisti-la sentado nos fundos antes de se dirigir a Connecticut. Eu compareci à apresentação, ao fim do dia.

Foi um espetáculo lindo, sobrenatural, como são todas as versões dessa história — o príncipe numa floresta enluarada e o cortejo rodopiante de doces. Sasha fazia o papel de um camundongo, com uma malha preta, orelhas peludas e rabo comprido, fazendo sua participação enquanto um trenó enfeitado passava sob uma chuva de flocos cintilantes imitando neve, ao som crescente da música orquestral. Fiquei de olhos pregados nela. Meu ser inteiro agradecia por sua existência. No palco, com os olhos brilhando de fascínio, no começo parecendo nem acreditar que estava ali, como se achasse a cena toda irreal e deslumbrante. E era mesmo. Ela ainda era nova o suficiente para se entregar por inteiro àquilo, pelo menos por ora, permitindo-se viver alguns momentos num paraíso onde ninguém falava e todos dançavam, e onde sempre havia um feriado pela frente.

Tenham paciência comigo, pois as coisas não vão ficar necessariamente mais fáceis. Seria diferente se os Estados Unidos fossem um lugar simples com uma história simples. Se eu pudesse narrar apenas as partes pacíficas e agradáveis da minha participação em sua história. Se não houvesse retrocessos. E se todas as tristezas, quando viessem, no final se revelassem ao menos redentoras.

Mas meu país não é assim, e nem eu. Não vou tentar ajustar minha história para forçá-la a assumir um formato perfeito.

O segundo mandato de Barack foi mais fácil que o primeiro em muitos aspectos. Foram quatro anos iniciais aprendendo muito, cercando-nos das pessoas certas, construindo sistemas que no geral funcionavam bem, de modo que agora podíamos evitar alguns pequenos erros e ineficiências. A começar pelo dia da posse, em janeiro de 2013, quando solicitei que a plataforma de onde assistiríamos ao desfile fosse totalmente aquecida, para nossos pés não congelarem. A fim de preservar nossas energias, demos apenas dois bailes naquela noite, em vez dos dez a que comparecemos em 2009. Tínhamos ainda quatro anos pela frente, e, se eu aprendera alguma coisa, foi a relaxar e tentar ir com calma.

Sentada ao lado de Barack durante o desfile, depois que ele renovara o juramento de lealdade ao país, observei o fluxo de carros e as bandas de música marchando em formação rápida e ágil, já capaz de apreciar mais do que na primeira vez. De onde eu estava, não conseguia distinguir bem o rosto dos executantes. Eram milhares deles, cada qual com sua história. Outros milhares tinham ido a Washington para se apresentar nos vários outros eventos que precederam a posse, além das dezenas de milhares de pessoas que foram assistir.

Mais tarde, fiquei querendo quase freneticamente ter enxergado uma pessoa específica, uma menina negra esbelta com uma fita dourada no cabelo e uniforme azul de baliza. Ela viera com a banda da escola Martin Luther King Jr., do South Side de Chicago, para se apresentar em alguns dos eventos paralelos. Queria crer que, de alguma maneira, eu tivera ocasião de vê-la entre a enorme cascata de gente percorrendo a cidade naqueles dias. Era Hadiya Pendleton, jovem em ascensão, com quinze anos, que pegou um ônibus para a capital com os colegas da banda para viver um grande momento. Hadiya morava com os pais e o irmão pequeno, a cerca de três quilômetros da nossa casa. Era uma das melhores alunas do colégio e gostava de dizer às pessoas que queria estudar em Harvard. Tinha começado a planejar sua festa de aniversário de dezesseis anos. Gostava de comida chinesa e de cheeseburguer, e de tomar sorvete com os amigos.

Eu soube dessas coisas várias semanas depois, no enterro dela. Oito dias após a posse, Hadiya Pendleton levou um tiro fatal num parque de Chicago, não muito longe de sua escola. Estava com um grupo de amigos sob uma cobertura de metal perto de um playground, esperando passar a chuva torrencial. Foram confundidos com membros de uma gangue e receberam uma saraivada de balas de um rapaz de dezoito anos, de outra gangue. Hadiya foi atingida nas costas, quando tentava correr para se proteger. Dois amigos seus ficaram feridos. Tudo isso às 14h20 de uma terça-feira.

Gostaria de tê-la visto viva, nem que fosse apenas para ter uma lembrança a doar à mãe dela agora que o número de lembranças da filha se tornara subitamente finito, itens a serem reunidos e preservados.

Fui ao funeral de Hadiya porque me pareceu o certo a ser feito. Como não acompanhara Barack à cerimônia fúnebre em Newtown, agora era minha vez de comparecer. Tinha a esperança de que minha presença ajudasse a atrair os olhares para as inúmeras crianças inocentes que eram alvejadas quase todos os dias nas ruas das cidades — e que isso, junto com o horror de Newtown, ajudasse a motivar os americanos a exigir leis sensatas sobre a venda e o porte de armas. Hadiya Pendleton vinha de uma família trabalhadora muito unida, bastante parecida com a minha. Em termos simples, eu podia tê-la conhecido. Eu podia ter sido ela no passado. E, se naquele dia Hadiya tivesse tomado outro caminho para casa, ou mesmo se movido quinze centímetros para a esquerda e não para a direita quando os disparos começaram, ela poderia ser eu.

"Fiz tudo o que devia", disse-me a mãe dela quando nos encontramos, logo antes de começar o funeral, as lágrimas correndo dos olhos castanhos. Cleopatra Cowley-Pendleton era uma mulher afetuosa, de voz meiga e cabelo curto que trabalhava com atendimento ao cliente numa empresa de análise de crédito. No dia do enterro da filha, usava uma enorme flor cor-de-rosa na lapela. Ela e o marido, Nathaniel, sempre zelaram ciosamente pela filha; incentivaram-na a se inscrever no King, uma escola pública muito seleta, e, para que não lhe sobrasse muito tempo para ficar na rua, matricularam-na em aulas de vôlei, animação de torcida e num ministério de dança na igreja. Tal como meus pais fizeram por mim, eles se sacrificaram para que ela pudesse ter contato com outras coisas além do bairro. Naquele mesmo ano, Hadiya iria para a Europa com a banda, e parece que tinha adorado a visita a Washington.

"Lá é tudo tão limpo, mãe", ela contou para Cleopatra quando voltou. "Acho que vou entrar para a política."

Em vez disso, Hadiya Pendleton foi uma das três pessoas que morreram naquele mesmo dia de janeiro, em episódios separados de violência com armas de fogo em Chicago. Foi a 36ª vítima de violência armada naquele ano em Chicago, e ainda era apenas o 29º dia do ano. Desnecessário dizer que quase todas as vítimas eram negras. Apesar de todas as suas aspirações e toda a sua dedicação, Hadiya se tornou um símbolo de algo negativo.

O funeral estava lotado, mais uma comunidade destroçada se apinhando na igreja e tentando processar a visão de uma adolescente num caixão forrado de seda roxa. Cleopatra se levantou e falou sobre a filha. Os amigos de Hadiya se levantaram e contaram histórias sobre ela, todas pontuadas por um sentimento maior de indignação e impotência. Eram meninos e meninas perguntando não só *por quê*, mas *por que tantas vezes*. Havia adultos importantes ali naquele dia — não só eu como o prefeito da cidade, o governador do estado, Jesse Jackson pai e Valerie Jarrett, entre outros —, todos se espremendo nos bancos, lidando intimamente com a dor e a culpa enquanto o coro cantava com uma força que fazia estremecer o piso da igreja.

Era importante fazer mais do que apenas consolar. Ao longo da vida, já ouvi muitas palavras vazias de pessoas importantes, coisas que se diz da boca para fora em momentos de crise, sem que se siga nenhuma ação. Eu estava decidida a ser alguém que falava a verdade, usando, quando podia, minha voz para incentivar os que não a tinham, e a não me fazer ausente aos necessitados. Percebia que, quando eu aparecia em algum lugar, tal aparição era um tanto teatral vista de fora — um súbito turbilhão vindo rapidamente, impulsionado pelo séquito de carros, agentes, assessores e a mídia, e eu no centro dele. Surgíamos para logo desaparecermos. Eu não gostava do que isso causava nos meus contatos com as pessoas. Às vezes elas gaguejavam ou silenciavam na minha presença, sentindo-se desconfortáveis. Por isso, geralmente eu tentava me apresentar com um abraço, para desinflar um pouco o momento e diminuir um pouco aquela ostentação, apresentando-nos em carne e osso.

Eu procurava estabelecer relações com as pessoas que encontrava, em especial com aquelas que normalmente não tinham acesso ao mundo onde eu agora vivia. Queria compartilhar o máximo que pudesse daquele brilho. Convidei os pais de Hadiya Pendleton para se sentarem ao meu lado durante o Discurso Sobre o Estado da União de Barack, alguns dias depois do funeral, e os recebi na Casa Branca para a Corrida dos Ovos de Páscoa. Cleopatra, que se tornara firme defensora da prevenção à violência, voltou para outros encontros sobre o tema. Fiz questão de escrever cartas às meninas da escola londrina Elizabeth Garrett Anderson, que haviam me emocionado profundamente, incentivando-as a conservarem a esperança e continuarem se esforçando, mesmo em condições adversas. Em 2011, eu tinha visitado a Universidade de Oxford acompanhada de 37 moças da Garrett Anderson. Levei não as melhores alunas, mas aquelas cujos professores pensavam que ainda não haviam atingido todo o seu potencial. O objetivo era lhes dar uma ideia das possibilidades, mostrar-lhes o que o esforço poderia trazer em retorno. Em 2012, recebi na Casa Branca alunas da escola durante a visita oficial do primeiro-ministro britânico. Era importante me dirigir múltiplas vezes e de múltiplas formas às crianças, para que elas sentissem que tudo aquilo era real.

Eu sabia que meus sucessos iniciais eram fruto do amor sólido e das altas expectativas que me cercaram na infância, tanto em casa quanto na escola. Foi essa percepção que motivou meu programa de mentoria na Casa Branca e esteve no centro de uma nova iniciativa educacional que estávamos para lançar, chamada Reach Higher. Eu queria incentivar meninos e meninas a se empenharem para frequentar a universidade e não abandonar os estudos. Eu sabia que o diploma de ensino superior se tornaria cada vez mais indispensável para que os jovens ingressassem no mercado de trabalho global. O projeto Reach Higher tinha como missão ajudá-los nesse processo, oferecendo apoio aos orientadores pedagógicos e acesso mais fácil à ajuda financeira federal.

Tive a sorte de contar com pais, professores e mentores que me alimentavam regularmente com uma mensagem simples: *Você tem valor*. Eu queria transmitir essas palavras para uma nova geração. Era a mensagem que eu passava às minhas filhas, que tinham a sorte de vê-la ser diariamente reforçada pela escola e pelas condições privilegiadas em que viviam. Eu estava decidida a repassar alguma versão dessa mensagem a todos os jovens que encontrasse. Queria ser o contrário da orientadora pedagógica que tivera no ensino médio, que me dissera com a maior naturalidade que eu não tinha estofo para entrar em Princeton.

"Todos nós acreditamos que o lugar de vocês é aqui", falei às meninas da Elizabeth Garrett Anderson. Estavam sentadas (muitas delas com ar um tanto intimidado) na antiga sala de jantar da Universidade de Oxford, com seu estilo gótico do Velho Mundo, rodeadas por estudantes e professores universitários convidados a orientá-las naquele dia. Eu falava algo semelhante sempre que recebíamos jovens na Casa Branca — adolescentes da Reserva Sioux de Standing Rock, crianças de escolas locais que apareciam para trabalhar na horta, alunos de ensino médio que vinham para os dias de apresentação das profissões e oficinas de moda, música e poesia, e mesmo crianças em que eu apenas dava um abraço breve mas forte ao longo da corda de segurança. A mensagem era sempre a mesma: *Seu lugar é aqui, você tem valor, tenho você em alta consideração*.

Mais tarde, um economista de uma universidade britânica publicou um estudo avaliando o desempenho nos exames das alunas da Elizabeth Garrett Anderson e concluindo que as médias gerais tinham dado um salto significativo desde que comecei a travar contato com elas — o equivalente a passar de uma média C para A. O mérito por isso cabia às meninas, aos professores e ao trabalho que eles faziam juntos, mas a boa notícia também confirmava a ideia de que os jovens dão mais de si quando sentem que recebem mais. Havia um poder em mostrar às crianças minha consideração.

Dois meses após o funeral de Hadiya Pendleton, voltei a Chicago. Eu havia orientado Tina, que também era advogada e trabalhara por muitos anos na prefeitura, a se dedicar em reunir apoio para a prevenção da violência na cidade. Tina era uma profissional com grande domínio técnico, além de generosa, dona de uma risada contagiante e um dinamismo raro de se ver. Ela sabia quais mecanismos acionar, dentro e fora do governo, para causar um impacto na escala que eu pretendia. Além disso, por caráter e por experiência, sua voz nunca se deixava abafar, sobretudo em mesas dominadas por homens, onde tinha presença frequente. Durante todo o segundo mandato de Barack, ela batalhou junto ao Pentágono e a vários governadores para que reduzissem as exigências burocráticas, a fim de que os veteranos e cônjuges de militares pudessem construir melhor as suas carreiras. Também ajudou a elaborar uma nova iniciativa gigantesca do governo, centrada em promover a educação de garotas em escala mundial.

Após a morte de Hadiya, Tina acionara seus contatos locais, incentivando filantropos e executivos de Chicago a atuarem em parceria com o prefeito, Rahm Emanuel, visando à ampliação dos programas comunitários para jovens em risco por toda a cidade. Em questão de semanas, seu empenho ajudou a obter o compromisso de doação de 33 milhões de dólares. Num dia fresco de abril, Tina e eu pegamos um avião para participar de uma reunião de líderes comunitários em que seria discutido o empoderamento dos jovens e para encontrar um novo grupo juvenil.

Naquele mesmo inverno, o programa de rádio estatal *This American Life* dedicara duas horas contando as histórias de estudantes e equipes de ensino da escola William R. Harper Senior, em Englewood. No ano anterior, 29 alunos e ex-alunos da escola tinham sido alvejados, com oito vítimas fatais. São números assombrosos, mas o triste fato é que as escolas urbanas de todo o país vinham enfrentando níveis epidêmicos de violência armada. Em meio a toda a discussão sobre o empoderamento da juventude, era preciso nos sentarmos com os jovens e ouvir o que tinham a dizer.

Quando eu era jovem, Englewood era um bairro com problemas, mas não necessariamente tão mortal como era agora. Durante o penúltimo ano do colégio, eu ia até Englewood toda semana para ter aulas de biologia nos laboratórios de uma faculdade comunitária. Agora, anos depois, enquanto meu comboio passava por uma sucessão de casas decrépitas e lojas fechadas, por terrenos baldios e construções incendiadas, a impressão que tive foi de que as únicas lojas ainda abertas eram as de bebidas.

Fiquei pensando na minha infância e no meu bairro, em como a palavra "gueto" soava como uma ameaça. Agora eu entendia que a mera sugestão do termo fizera com que famílias estáveis de classe média se transferissem para áreas mais afastadas do centro, por medo de uma redução no valor de seu imóvel. "Gueto" designava um lugar ocupado por negros e pessoas sem perspectivas. Era um rótulo que anunciava fracasso e por isso mesmo acelerava sua vinda. Fazia mercearias e postos de gasolina fecharem, minava o esforço de escolas e educadores de instilar um senso de dignidade nas crianças. Era uma palavra da qual todos queriam fugir, ainda mais por ser tão rápida em se associar a uma comunidade.

A Harper ficava no meio de West Englewood, uma construção grande de tijolinho marrom, com várias alas. Fui recebida pela diretora, Leonetta Sanders, uma afro-americana ágil que estava na escola fazia seis anos, e duas assistentes sociais escolares que se dedicavam à vida das 510 crianças matriculadas na Harper, a maioria delas oriunda de famílias de baixa renda. Uma das assistentes sociais, Crystal Smith, era vista com frequência pelos corredores da Harper no intervalo das aulas, distribuindo palavras de incentivo entre os alunos, transmitindo sua alta consideração por eles com exclamações como "Estou tão orgulhosa de você!" e "Vejo que você tem se esforçado!". Ela gritava "Já gostei de ver!" a cada boa escolha que acreditava que aqueles estudantes fariam.

Na biblioteca da escola, juntei-me a um círculo de 22 alunos — todos afro-americanos, a maioria do terceiro e quarto anos. Eles se instalaram em cadeiras e sofás; usavam calça de brim e camiseta polo. Muitos estavam ansiosos para falar. Expuseram o medo que sentiam todos os dias, todas as horas, das gangues e da violência. Alguns contaram que os pais eram ausentes ou viciados; dois tinham cumprido pena em centros de detenção de menores. Um rapaz chamado Thomas tinha presenciado, no ano anterior, uma grande amiga levar um tiro e morrer, aos dezesseis anos. Na mesma ocasião, seu irmão mais velho, a quem um disparo deixara parcialmente paralisado, foi atingido e ferido. Praticamente todos os jovens ali presentes haviam perdido alguém — um amigo, um parente, um vizinho — devido a uma arma de fogo. Em contraste, poucos já tinham ido ao centro da cidade para ver o lago ou visitar o píer.

A certa altura, uma das assistentes sociais exclamou para o grupo: "Sol e 26 graus!". Todos no círculo assentiram, pesarosos. Não entendi a razão. "Digam à sra. Obama", ela falou. "O que passa pela cabeça de vocês quando acordam de manhã e ouvem a previsão do tempo dizendo que vai fazer sol e 26 graus?"

Ela sabia a resposta, mas queria que eu ouvisse.

Todos os alunos da Harper concordaram: um dia assim não era bom. Quando fazia tempo bom, as gangues ficavam mais ativas e havia mais tiroteios.

Aqueles meninos e meninas tinham se adaptado à lógica confusa ditada pelo ambiente, evitando sair quando o tempo estava bom, mudando o trajeto de ida e volta da escola com base nas variações das lealdades e territórios das gangues. Às vezes, o caminho mais seguro para casa era andar no meio da rua, com carros passando em alta velocidade dos dois lados. Assim eles viam melhor as brigas em andamento ou possíveis atiradores. E, vendo antes, tinham mais tempo para fugir.

Os Estados Unidos não são um país simples. Suas contradições me dão vertigens. Eu estivera em eventos democratas de arrecadação de fundos em enormes apartamentos de cobertura de Manhattan, tomando vinho com mulheres ricas que se diziam ardorosamente interessadas nas questões da infância e educação e logo depois se inclinavam com ar conspiratório para me dizer que seus maridos, grandes investidores de Wall Street, nunca votariam em ninguém que sequer pensasse em aumentar seus impostos.

E agora eu estava na Harper, ouvindo jovens que contavam como faziam para continuar vivos. Eu admirava a resistência deles e queria desesperadamente que não fosse tão necessária.

Um deles me olhou com franqueza. "É legal que você esteja aqui e tal", disse ele, dando de ombros, "mas o que você vai fazer na prática?"

Para eles, eu representava Washington, DC, tanto quanto o South Side. E, quanto a Washington, senti que mereciam saber a verdade.

"Para ser sincera", comecei, "sei que vocês enfrentam muita coisa por aqui, mas ninguém vai salvá-los tão cedo. A maior parte do governo não está nem tentando. Muitos nem sabem que vocês existem." Expliquei àqueles estudantes que o progresso é lento, eles não podiam ficar sentados esperando alguma mudança. Muitos americanos não queriam pagar mais impostos, e o Congresso não conseguia sequer aprovar um orçamento, muito menos superar rixas partidárias, de modo que não haveria investimentos de bilhões de dólares na educação nem nenhuma reviravolta mágica para a comunidade deles. Mesmo depois do horror de Newtown, o Congresso parecia decidido a obstruir qualquer medida que ajudasse a evitar que as armas caíssem em mãos erradas. Os legisladores estavam mais interessados nas doações de campanha feitas pelos lobistas das armas do que em proteger a vida de jovens e crianças. A política é um caos, admiti. Por esse lado, eu não tinha nada de muito animador ou encorajador a dizer.

Adotei outro discurso, que vinha diretamente da minha identidade. *Usem a escola*, aconselhei.

Aqueles jovens tinham acabado de passar uma hora me contando histórias trágicas e inquietantes, mas lembrei a eles que essas mesmas histórias também mostravam a sua persistência, independência e capacidade de superação. Ali estavam eles, frequentando uma escola que lhes fornecia ensino gratuito, e nessa escola havia todo um grupo de adultos empenhados e dedicados que acreditavam no valor deles. Cerca de um mês e meio depois, graças a doações de empresários locais, um grupo de alunos da Harper foi à Casa Branca se encontrar com Barack e comigo, e também para visitar a Universidade Howard, conhecer o que, afinal, era uma faculdade. Torci para que conseguissem enxergar a si mesmos quando chegassem lá.

Nunca fingi que as palavras ou os abraços de uma primeira-dama são capazes de mudar a vida de alguém, nem que existe um caminho fácil para superar tudo que aqueles jovens da Harper enfrentavam. Nenhuma história é simples assim. E, claro, todos nós ali sentados naquele dia, na biblioteca, sabíamos disso. Mas eu estava ali para rechaçar a velha narrativa fatalista do que era ser um jovem negro nos centros urbanos americanos, prenunciando o fracasso e acelerando sua chegada. Se eu podia ressaltar os pontos fortes daqueles estudantes e lhes dar um vislumbre de um caminho adiante, sempre o faria. Fazer essa pequena diferença estava ao meu alcance.

24

Em 2015, Malia anunciou que tinha sido convidada para o baile de formatura por um garoto de quem ela meio que gostava. Ela estava com dezesseis anos, no penúltimo ano do colégio. Para mim e Barack, ainda era nossa menininha, com as mesmas pernas compridas e o mesmo entusiasmo, embora parecesse um pouco mais adulta a cada dia que passava. Estava quase da minha altura e começando a pensar na faculdade. Era boa aluna, curiosa e dona de si, sua atenção aos detalhes quase equiparável à do pai. Malia vinha demonstrando um fascínio por filmes e pela produção cinematográfica, tanto que certa noite, meses antes, tinha cismado em ir atrás de Steven Spielberg durante um jantar na Casa Branca a que ele compareceu, e o encheu de perguntas a ponto de Spielberg lhe propor um estágio numa série de TV que estava produzindo. Nossa menina estava encontrando seu caminho.

Por razões de segurança, nossas filhas não podiam andar no carro de outras pessoas. Malia já podia dirigir sozinha com sua habilitação provisória, ainda que acompanhada por agentes em outro veículo, mas desde que se mudara para Washington, aos dez anos, nunca tinha andado de ônibus nem de metrô, assim como nunca pegara carona com ninguém. Abrimos uma exceção para a noite da formatura.

O rapaz chegou para buscá-la em um terno preto, passou pela verificação de segurança no portão e seguiu pelo Gramado Sul, tomando o mesmo caminho por onde chegavam os chefes de Estado e outros dignitários, até entrar, muito resoluto (e corajoso), na Sala de Recepção Diplomática.

No elevador, Malia tinha pedido a mim e a Barack: "Por favor, peguem leve, tá?", já começando a ficar constrangida. Eu estava descalça, Barack de chinelo. Malia usava uma saia longa preta e uma blusa elegante que deixava os ombros à mostra. Estava linda, parecia ter uns 23 anos.

Na minha opinião, conseguimos pegar leve, mas Malia até hoje ri ao recordar o episódio, que descreve como um tanto aflitivo. Barack e eu cumprimentamos o rapaz, tiramos algumas fotos e nos despedimos de nossa filha com um abraço. Talvez fosse injusto que nos tranquilizássemos em saber que os seguranças de Malia seguiriam na cola do carro do rapaz até o restaurante onde eles jantariam, e ficariam de guarda discretamente durante o baile inteiro.

Para um pai ou uma mãe, não era um modo ruim de criar duas adolescentes: sabendo que adultos atentos as seguiam o tempo todo, prontos para livrá-las de qualquer emergência. Para um adolescente, porém, é compreensível que fosse um saco. Tal como muitos outros aspectos da vida na Casa Branca, cabia--nos avaliar o que isso significava para nossa família — onde e como traçar as linhas divisórias, de que modo equilibrar as exigências da presidência e as necessidades de duas meninas começando a amadurecer.

Quando as meninas entraram no ensino médio, estabelecemos um horário de dormir: primeiro às onze horas, depois passamos para meia-noite. E, segundo elas, cobrávamos isso com um vigor maior que o dos pais de muitos de seus amigos. A qualquer preocupação com a segurança ou o paradeiro delas, bastaria recorrer aos agentes, mas eu tentava evitar isso, pois era importante que elas confiassem nos seguranças. Então, eu fazia o que imagino que seja comum: recorria a uma rede de mães e pais dos outros alunos para me manter informada. Todos compartilhávamos o que sabíamos sobre aonde o grupo ia e se algum adulto iria junto. Claro que nossas meninas sofriam uma pressão maior por causa do pai; afinal, qualquer coisa que aprontassem poderia virar manchete de jornal. Barack e eu reconhecíamos a injustiça disso. Nós dois tínhamos ultrapassado limites e feito besteiras na adolescência, felizmente sem termos sido vigiados por uma nação inteira.

Malia tinha oito anos quando Barack se sentou na beira de sua cama e perguntou se ela achava bom que ele concorresse à presidência. Hoje fico pensando que na época ela não tinha muitos meios de saber como seria; nenhum de nós tinha. Uma coisa era ser uma criança na Casa Branca, outra coisa era tentar sair de lá uma adulta. Como Malia ia adivinhar que um dia iria ao baile de formatura com um bando de homens armados a tiracolo? Ou que tirariam fotos quando ela fumasse um cigarro escondido e as venderiam para sites de fofocas?

Nossas meninas estavam se formando numa época inaudita. Em junho de 2007, cerca de quatro meses depois que Barack anunciou sua pré-candidatura à presidência, a Apple acabara de lançar o iPhone, e vendeu 1 milhão deles em menos de três meses. Antes que ele terminasse o segundo mandato, esse número estava em quase 1 bilhão. Ele era o primeiro presidente de uma nova era — a era que abalava e derrubava todas as normas referentes à privacidade, que incluía selfies e hackeamento de dados, Snapchat e Kardashians. Nossas filhas estavam mais envolvidas nesse mundo do que nós, em parte porque a mídia social regia a vida dos adolescentes, em parte porque a rotina delas as colocava em contato mais próximo do público do que a nossa. Quando andavam por Washington com os amigos depois da escola ou nos finais de semana, Malia e Sasha viam desconhecidos apontando o celular para elas ou discutiam com os adultos que pediam — até exigiam — para tirarem uma selfie juntos. "Você sabe que eu sou uma adolescente, não sabe?", às vezes dizia Malia ao recusar.

Barack e eu fazíamos o possível para resguardá-las de uma exposição excessiva, recusando todos os pedidos da mídia e evitando incluí-las em eventos públicos. Os próprios agentes que as escoltavam nos apoiavam tentando ser mais discretos em público, usando bermuda e camiseta em vez de terno, e trocando a escuta convencional e o microfone de pulso por fones intra-auriculares, para se misturarem melhor entre os adolescentes. Éramos veementemente contrários à publicação de qualquer foto das nossas filhas fora de algum evento oficial, e o porta-voz da Casa Branca deixava isso muito claro para a mídia. Melissa e outras pessoas da equipe faziam isso valer sempre que uma imagem indevida aparecia num site de fofocas, despendendo longas diatribes telefônicas para que fosse removida.

Para proteger a privacidade das meninas, era preciso encontrar outras formas de saciar a curiosidade do público por nossa família. No início do segundo mandato de Barack, adotamos uma nova cadelinha: Sunny, um espírito independente que parecia não ver o menor sentido em aprender a fazer as necessidades lá fora, tendo uma nova moradia daquele tamanho. Os cães traziam leveza a tudo. Eram provas vivas e fofas de que a Casa Branca era um lar. Sabendo que não teriam praticamente acesso algum a Malia e Sasha, as equipes de comunicação da Casa Branca começaram a solicitar os cachorrinhos para aparições oficiais. Às vezes minha pasta vespertina de aprovações e compromissos continha um pedido de "participação de Bo e Sunny" numa visita de jornalistas ou de crianças. Eles eram mobilizados quando repórteres vinham se informar sobre a importância do comércio e das exportações ou, mais tarde, ouvir Barack se manifestar em favor de Merrick Garland, sua escolha para a Suprema Corte. Bo estrelou um vídeo para promover a tradicional Caça aos Ovos de Páscoa. Ele e Sunny posaram comigo para fotos de uma campanha on-line instando que as pessoas se inscrevessem nos planos de assistência à saúde. Eram excelentes embaixadores, impermeáveis a críticas e indiferentes à fama.

Como todas as crianças, chegou um momento em que Sasha e Malia já não tinham mais idade para certas coisas. Desde o primeiro ano na Casa Branca, elas acompanhavam Barack todo outono em um ritual público que era provavelmente o mais ridículo do cargo: indultar um peru vivo às vésperas do Dia de Ação de Graças. Nos primeiros cinco anos, elas sorriam e davam risadinhas enquanto o pai contava piadas batidas. Na sexta vez, já com treze e dezesseis anos, estavam crescidas demais até para fingir que achavam graça. Poucas horas depois da cerimônia daquele ano, corriam por toda a internet fotos das duas entediadas — Sasha com ar blasé e Malia de braços cruzados — ao lado do presidente, da mesa e do desavisado peru. A manchete do USA Today resumiu bem: "Malia e Sasha Obama não aguentam mais o perdão do peru".

A presença delas na cerimônia do perdão e em praticamente todos os eventos da Casa Branca se tornou totalmente opcional. Eram adolescentes felizes, bem ajustadas, ativas e com relações sociais que não tinham nada a ver com os pais. Como pais, nosso controle sobre elas é apenas parcial. Malia e Sasha tinham seus próprios programas, por isso pouco se impressionavam mesmo com os mais divertidos dos nossos.

"Não quer descer para ver Paul McCartney tocar?"

"Mãe, por favor. Não."

Era comum música alta no quarto de Malia. Sasha e as amigas ficaram com mania de assistir a programas de culinária na TV a cabo e às vezes tomavam conta da cozinha para decorar biscoitos ou preparar vários pratos. As duas gostavam muito do relativo anonimato de que gozavam quando saíam em excursões da escola ou em férias com a família de amigas (os agentes sempre na cola). O que Sasha mais adorava era escolher seus lanches no Aeroporto Internacional Dulles antes de embarcar num voo comercial lotado, pelo simples fato de ser tão diferente do complicado ritual na Base Andrews, que se tornara a norma da nossa família.

Viajar conosco, no entanto, tinha suas vantagens. Durante o governo de Barack, nossas meninas assistiram a uma partida de beisebol em Havana, andaram pela Grande Muralha da China e visitaram o Cristo Redentor numa noite enevoada cheia de magia. E também podia ser uma chatice, principalmente quando tentávamos atender a coisas sem relação com a presidência. No penúltimo ano de Malia no colégio, por exemplo, nós duas passamos um dia visitando universidades em Nova York. Correu tudo bem por um tempo. Visitamos o campus da NYU rapidamente, contribuindo para isso o fato de ser cedo e muitos estudantes ainda não terem se levantado. Percorremos as salas de aula, espiamos um quarto do dormitório e conversamos com o reitor, depois fomos em busca de um almoço adiantado para partirmos para a segunda visita.

O problema é que não tem como esconder o séquito de carros de uma primeira-dama, muito menos em Manhattan em pleno dia de semana. Quando acabamos de comer, já havia umas cem pessoas na frente do restaurante, e a comoção só atraía mais comoção. Quando saímos, topamos com dezenas de celulares erguidos na nossa direção e nos afogamos nas aclamações. Tudo na melhor das intenções — "Venha para Columbia, Malia!", gritavam —, mas não muito proveitosa para uma garota que precisava refletir com calma sobre seu futuro.

Logo vi o que precisava fazer: ficar de fora e deixar que Malia fosse visitar a universidade seguinte sem mim. Kristin Jones, minha assistente pessoal, a acompanhou. Sem minha presença, as chances de Malia ser reconhecida diminuíam, ela poderia andar mais depressa e com um número muito menor de agentes. Talvez conseguisse, ou melhor, provavelmente conseguiria parecer uma jovem qualquer andando pelo campus. Eu lhe devia a chance de tentar.

Kristin, uma californiana de quase trinta anos, era como uma irmã mais velha para as meninas. Ela chegara ao meu gabinete como estagiária e, junto com Kristen Jarvis, que até pouco tempo antes era minha diretora de viagens, tinha um papel muito importante na vida da nossa família, preenchendo algumas dessas estranhas lacunas geradas por nossas intensas agendas e pela natureza impeditiva de nossa fama. "As Kristins", como dizíamos, nos substituíam muitas vezes. Eram o elo entre nossa família e a Sidwell, comparecendo às reuniões e interagindo com professores, treinadores e outros pais quando Barack e eu não podíamos ir. As Kristins protegiam Malia e Sasha, eram amorosas e muito mais descoladas do que eu jamais seria aos olhos das meninas. Elas confiavam cegamente nas Kristins, as procuravam em busca de conselhos para tudo, desde roupas e mídia social até a crescente aproximação dos garotos.

Naquela tarde, enquanto Malia percorria Columbia, fiquei sozinha numa sala designada pelo Serviço Secreto — no subsolo de um dos prédios do campus —, e ali permaneci incógnita até ela terminar a visita. Lamentei não ter levado um livro para ler. Admito que foi doloroso ficar ali, acometida por uma solidão provavelmente pouco relacionada ao fato de estar matando tempo numa sala sem janelas, e sim à percepção de que, gostasse eu ou não, o futuro se aproximava — nossa primeira filha estava crescendo e logo sairia de casa.

Ainda não estávamos no fim, mas eu já começava a fazer um balanço, pesando ganhos e perdas, avaliando o que fora sacrificado e o que podíamos contar como avanço tanto em nosso país quanto em nossa família. Será que tínhamos feito tudo que podíamos? Será que sairíamos incólumes daquilo?

Pensava no passado e procurava entender em que momento minha vida tinha chegado a uma bifurcação em que se distanciara da existência previsível e supercontrolada que eu fantasiara para mim — salário fixo, uma casa para viver até o fim da vida, dias com rotina. Em que ponto eu decidira diferente disso? Quando permitira que o caos se instalasse? Será que tinha sido na noite de verão em que abaixei a casquinha de sorvete e me inclinei para beijar Barack pela primeira vez? Ou no dia em que finalmente deixei para trás as organizadas pilhas de documentos e a minha carreira como associada num escritório de advocacia, certa de que encontraria algo mais gratificante?

Às vezes minha mente vagava no tempo, retornava ao salão da igreja em Roseland, na Far South Side de Chicago, aonde, 25 anos antes, eu fora para acompanhar Barack em um encontro em que ele falaria para um grupo do bairro que lutava contra o desamparo e a indiferença. Naquela noite, ouvi algo familiar expresso de uma maneira nova. Eu sabia que era possível viver em dois planos ao mesmo tempo, ter os pés no chão, mas voltados na direção do progresso. Era o que eu havia feito quando menina na Euclid Avenue, era o que meus familiares — e os marginalizados, de modo geral — sempre haviam feito. Só se chega a algum lugar construindo uma realidade melhor, mesmo que, de início, apenas na própria cabeça. Ou, como Barack disse naquela noite, podemos viver no mundo como ele é, mas ainda podemos trabalhar para criar o mundo que deveria ser.

Eu o conhecia fazia poucos meses, mas, retrospectivamente, vejo que foi ali o ponto de guinada. Naquele momento, sem dizer uma palavra, decidi por uma vida nossa, esta vida.

Passados tantos anos, eu me sentia grata pelo progresso que via. Em 2015, ainda ia de tempos em tempos ao Hospital Walter Reed, mas a cada visita parecia diminuir o número de feridos. Os Estados Unidos tinham menos militares em risco no exterior, menos soldados precisando de cuidados médicos, menos mães sofrendo. Isso, para mim, era progresso.

Progresso era que os Centros de Controle de Doenças registrassem redução nos índices de obesidade infantil, especialmente entre as crianças de dois a cinco anos. Progresso era que 2 mil estudantes do ensino médio de Detroit aparecessem para me ajudar a celebrar o College Signing Day, feriado que ajudamos a difundir como parte do programa Reach Higher, para marcar o dia em que os jovens assumiam compromisso com as suas faculdades. Progresso era a decisão da Suprema Corte, rejeitando a contestação de uma parte essencial da nova lei de saúde no país e na prática garantindo que a principal realização de Barack no âmbito doméstico — que todo americano tivesse direito a assistência médica — se mantivesse firme e intocada mesmo depois que ele deixasse a presidência. Progresso era uma economia que vinha sofrendo uma sangria de 800 mil postos de trabalho por mês quando Barack entrou na Casa Branca e que agora completava quase cinco anos seguidos de aumento na oferta de empregos.

Tudo isso comprovava que, como país, éramos capazes de construir uma realidade melhor. Mas, apesar disso, vivíamos no mundo tal como ele é.

Um ano e meio depois do massacre de Newtown, o Congresso não havia aprovado uma única medida para o controle de armas. Bin Laden se fora, mas o Estado Islâmico chegou. O índice de homicídios em Chicago aumentava em vez de diminuir. Um adolescente negro chamado Michael Brown foi baleado por um policial em Ferguson, no Missouri, e o corpo ficou horas largado no meio da rua. Um adolescente negro chamado Laquan McDonald recebeu dezesseis tiros da polícia em Chicago, nove deles nas costas. Um garoto negro chamado Tamir Rice foi baleado pela polícia, em Cleveland, quando brincava com uma arma de plástico. Um negro chamado Freddie Gray morreu por negligência quando estava sob custódia policial, em Baltimore. Um negro chamado Eric Garner foi morto pela polícia com uma chave de braço durante sua detenção, em Staten Island. Tudo isso provava a presença de algo pernicioso e inalterável nos Estados Unidos. Na primeira eleição de Barack, vários comentaristas fizeram afirmações ingênuas de que nosso país entrava numa era "pós-racial", em que a cor da pele deixaria de ter importância. Esses fatos mostravam que eles estavam muito equivocados. Obcecados pela ameaça do terrorismo, muitos americanos deixavam de ver o racismo e o tribalismo político que dilaceravam a nação.

No final de junho de 2015, Barack e eu fomos a Charleston, na Carolina do Sul, para nos reunir com outra comunidade enlutada. Era o funeral de um pastor chamado Clementa Pinckney, um dos nove mortos num tiroteio motivado por questões raciais, ocorrido pouco antes numa igreja episcopal metodista africana conhecida simplesmente como Mother Emanuel. As vítimas, todas afro-americanas, haviam acolhido em seu grupo de estudos bíblicos um rapaz branco de 21 anos, desempregado, desconhecido de todos. Ele ficou sentado algum tempo com o grupo; depois, quando as pessoas inclinaram a cabeça em oração, o rapaz se levantou e começou a atirar. No meio dos disparos, consta ter dito: "Tenho que fazer isso porque vocês estupram as nossas mulheres e estão tomando o nosso país".

Depois de dizer algumas comoventes palavras em tributo ao reverendo Pinckney e de reconhecer o momento profundamente trágico, Barack surpreendeu a todos ao puxar a congregação a cantar uma versão lenta e emocionante de "Amazing Grace". Foi uma invocação singela de esperança, um apelo à perseverança. Todos presentes se uniram ao coro. Por mais de seis anos, Barack e eu vivêramos cientes de que éramos uma provocação. Enquanto as minorias de todo o país começavam a ocupar espaços mais importantes na política, nos negócios e no entretenimento, nossa família se tornara o exemplo de maior destaque. Nossa presença na Casa Branca foi celebrada por milhões de americanos, mas também contribuiu para alimentar medos e ressentimentos reacionários entre outros milhões. Era um ódio antigo e profundo, agora mais perigoso que nunca.

Convivíamos com ele como família e convivíamos com ele como nação. E seguíamos em frente, com toda a dignidade possível.

No mesmo dia do ofício fúnebre em Charleston — 26 de junho de 2015 —, a Suprema Corte dos Estados Unidos proferiu uma decisão histórica, declarando o direito de casais do mesmo sexo se casarem em todos os cinquenta estados do país. Foi o ponto culminante de uma batalha jurídica que vinha sendo travada metodicamente havia décadas, estado por estado, corte por corte, e que, como em todas as lutas por direitos civis, exigira persistência e coragem de muita gente. Ao longo do dia, eu ouvira notícias de americanos exultantes. Uma multidão transbordando de alegria entoava "O amor venceu!" na escadaria da Suprema Corte. Casais afluíam às prefeituras e às sedes dos condados para exercer um direito agora constitucional. Os bares gays abriram cedo. Bandeiras com arco-íris ondulavam nas ruas de todo o país.

Isso nos ajudou a nos animar durante aquele triste dia na Carolina do Sul. De volta à Casa Branca, trocamos as roupas de luto, jantamos rapidamente com as meninas e Barack foi à Sala dos Tratados para ver um pouco de ESPN e pôr o trabalho em dia. Eu me dirigia ao meu quarto de vestir quando vi um brilho arroxeado por uma das janelas do lado norte da residência, e lembrei que nossa equipe planejava a ideia de iluminar a Casa Branca com as cores do arco-íris, em referência à bandeira do orgulho gay.

Olhando pela janela, vi que uma multidão se reunira na Pennsylvania Avenue sob o lusco-fusco do verão, para ver as luzes. A rampa norte estava ocupada pelos funcionários do governo que haviam ficado até mais tarde para ver a Casa Branca transformada em comemoração ao reconhecimento das uniões homoafetivas. A decisão alcançara e comovera muita gente. De onde eu estava, era possível ver a exuberância, mas não se ouvia nada. Este era um aspecto esquisito da nossa realidade. A Casa Branca era uma fortaleza silenciosa, fechada, quase todos os sons eram bloqueados pela espessura das vidraças e das paredes. O helicóptero Marine 1 podia descer num dos lados da casa, com a hélice levantando um verdadeiro vendaval e sacudindo os galhos das árvores, e dentro da residência não escutaríamos nada. Geralmente eu percebia que

Barack chegara em casa não pelo barulho do helicóptero, mas pelo cheiro do combustível, que de alguma maneira conseguia entrar nos aposentos.

Eu gostava de me recolher no silêncio protegido da residência ao final de um longo dia, mas aquela noite era diferente, tão paradoxal quanto o próprio país. Depois de um dia de luto em Charleston, eu estava diante de uma festa gigantesca, que começava logo adiante da minha janela. Centenas de pessoas com os olhos na nossa casa. E eu queria vê-la como elas a viam. De repente, fiquei louca de vontade de participar da comemoração.

Fui à Sala dos Tratados.

"Quer ir lá fora ver as luzes?", perguntei a Barack. "Tem um montão de gente lá fora."

Ele riu.

"Você sabe que eu não dou conta de um montão de gente."

Sasha estava no quarto dela, mexendo no iPad.

"Quer ir ver as luzes do arco-íris comigo?", perguntei.

"Não."

Só restava Malia, que me surpreendeu um pouco ao topar na hora. Enfim eu tinha encontrado minha parceira. Íamos sair para uma aventura — lá fora, onde o povo se reunia —, e sem pedir permissão a ninguém.

O protocolo era avisarmos os agentes do Serviço Secreto postados ao lado do elevador sempre que quiséssemos deixar a residência, fosse para ver um filme no andar de baixo ou levar os cães para passear. Mas hoje não. Malia e eu simplesmente passamos direto, sem fazer contato visual. Contornamos o elevador e descemos depressa por uma escada estreita. Eu ouvia o ruído dos sapatos sociais nos degraus atrás de nós, os agentes tentando nos alcançar. Malia me deu um sorrisinho travesso; não estava acostumada a ver a mãe infringindo as regras.

Ao chegar ao andar de Estado, seguimos até as altas portas duplas que dão para o Pórtico Norte. Foi quando ouvimos uma voz.

"Olá, senhora! Posso ajudar?" Era Claire Faulkner, a porteira no plantão noturno, uma morena simpática e de fala mansa. Imaginei que ela tivesse sido avisada pelos agentes que cochichavam nos transmissores de pulso atrás de nós.

Sem me deter, falei para ela, olhando por cima do ombro:

"Ah, a gente vai lá fora ver as luzes."

Claire ergueu as sobrancelhas. Não lhe demos atenção. Chegando à porta, levei a mão à grossa maçaneta dourada e puxei. A porta não se mexeu. Nove meses antes, um intruso empunhando uma faca conseguira saltar uma cerca e entrar por essa mesma porta, correndo pelo andar de Estado, até ser agarrado por um agente do Serviço Secreto. Por causa disso, a segurança passara a deixá-la sempre trancada.

Eu me virei para o grupo atrás de nós, que agora incluía um segurança uniformizado do Serviço Secreto de camisa branca e gravata preta.

"Como se abre essa coisa?", perguntei a ninguém específico. "Deve ter uma chave."

"Senhora", disse Claire, "não sei se é essa a porta que quer. Todas as câmeras neste momento estão apontadas para o lado norte da Casa Branca."

Era um bom argumento. Eu estava toda despenteada, de chinelo de dedo, shorts e camiseta. Não eram os trajes apropriados para uma aparição pública.

"Certo", respondi. "Mas não tem como chegarmos lá sem sermos vistas?"

Malia e eu agora estávamos numa cruzada. Não desistiríamos assim tão fácil. Íamos sair.

Então alguém sugeriu tentarmos uma das portas de serviço do térreo, onde os caminhões faziam entregas de alimentos e materiais de escritório. Nosso grupo se encaminhou para lá. Malia enganchou o braço no meu. Agora estávamos eufóricas.

"Vamos sair!", exclamei.

"Ô se vamos!", respondeu ela.

Descemos por uma escada de mármore, percorremos os tapetes vermelhos, contornamos os bustos de George Washington e Benjamin Franklin, passamos pela cozinha e, de repente, estávamos lá fora. O ar úmido de verão bateu nos nossos rostos. Vaga-lumes piscavam no gramado. E então lá estava: o zunido do público, as pessoas celebrando e gritando de alegria do outro lado dos portões de ferro. Levamos dez minutos para sair da nossa casa, mas tínhamos conseguido. Estávamos ali fora, num dos cantos do gramado, fora da vista do público, mas com uma linda visão em close da Casa Branca, iluminada de orgulho.

Malia e eu nos apoiamos uma na outra, felizes por termos chegado até ali.

Como é comum na política, novos ventos já começavam a se formar e soprar. No segundo semestre de 2015, a campanha presidencial estava a todo vapor. O lado republicano tinha inúmeros candidatos, entre eles governadores como

John Kasich e Chris Christie, senadores como Ted Cruz e Marco Rubio, e mais de uma dúzia de outros. Enquanto isso, os democratas rapidamente reduziam os nomes até se tornar uma escolha entre Hillary Clinton e Bernie Sanders, o senador liberal e há muito tempo independente de Vermont.

Donald Trump anunciara sua pré-candidatura em junho. De dentro da Trump Tower, em Manhattan, ele lançava invectivas contra os imigrantes mexicanos — "estupradores", acusava — e os "perdedores" que dizia estarem comandando o país. Imaginei que fosse só jogo de cena, que ele estivesse atraindo a atenção da mídia só porque podia. Nada em sua conduta sugeria que ele realmente pretendesse governar.

Eu estava acompanhando a campanha, mas não de forma tão intensa como nos anos anteriores. Andava ocupada na minha quarta iniciativa como primeira-dama, chamada Let Girls Learn, que Barack e eu lançáramos juntos na primavera. Era um projeto ambicioso, envolvendo todo o governo, com o objetivo de ampliar o acesso ao ensino para garotas adolescentes de todo o mundo. Durante meus quase sete anos como primeira-dama até então, eu sempre me surpreendera com o que havia de promissor e ao mesmo tempo de vulnerável nas jovens, desde as imigrantes que conhecera na Elizabeth Garrett Anderson até Malala Yousafzai, a adolescente paquistanesa que sofreu ataques brutais do Talibã e viera à Casa Branca para conversar comigo, com Barack e Malia sobre sua campanha pela educação das meninas. Fiquei horrorizada quando, cerca de seis meses após a visita de Malala, 276 alunas nigerianas foram sequestradas pelo grupo extremista Boko Haram, aparentemente com a intenção de incutir em outras famílias nigerianas o medo de mandar as filhas para a escola. Pela primeira e única vez durante a presidência, isso me motivou a substituir Barack em seu discurso semanal à nação. Falei, emocionada, sobre a necessidade de nos esforçarmos mais para proteger e encorajar as jovens do mundo inteiro.

Essa questão me tocava intimamente. A educação foi o instrumento básico de mudança na minha vida, minha alavanca para subir na sociedade. Era chocante que tantas garotas — mais de 98 milhões no mundo, segundo estatísticas da Unesco — não tivessem acesso a isso. Algumas não podiam estudar porque precisavam trabalhar para ajudar a família. Outras vezes, a escola mais próxima ficava distante ou era muito cara, ou elas corriam o risco de serem atacadas no caminho. Em muitos casos, asfixiantes normas de gênero se combinavam com forças econômicas para manterem as meninas sem instrução — na prática, vedando-lhes oportunidades futuras. Parecia existir uma ideia — assombrosamente dominante em certas partes do mundo — de que não valia a pena colocar uma moça na escola, mesmo quando estudos mostravam de maneira sistemática que a educação de meninas e mulheres, permitindo-lhes o ingresso no mercado de trabalho, aumentava significativamente o PIB de um país.

Barack e eu estávamos empenhados em mudar as noções sobre o valor de uma jovem para a sociedade. Ele conseguiu levantar centenas de milhões de dólares em recursos durante o seu governo, passando pela Usaid (Agência dos Estados Unidos para o Desenvolvimento Internacional) e pelo Corpo da Paz, e também pelos departamentos de Estado, de Trabalho e de Agricultura. Nós dois intercedemos junto aos governos de outros países por financiamento de programas educacionais para meninas, ao mesmo tempo incentivando empresas privadas e grupos de pesquisa a contribuir para a causa.

A essa altura, eu sabia criar certo alarido em defesa de uma causa. Entendia que era natural a indiferença que os americanos sentiam em relação às lutas de povos em países distantes, por isso tentei situar a questão internamente, chamando celebridades como Stephen Colbert para emprestarem seu poder midiático em eventos e nas redes sociais. Recrutei a ajuda de Janelle Monáe, Zendaya, Kelly Clarkson e outros talentos para lançarem uma música pop muito bonita, escrita por Diane Warren, chamada "This Is for My Girls", cuja renda gerada seria destinada para a educação feminina em nível mundial.

Por último, fiz algo que me amedrontou um pouco: cantar no divertidíssimo programa de James Corden, *Carpool Karaoke*, no final de noite, nós dois passeando pelo Gramado Sul num carro preto. Soltamos a voz em "Signed, Sealed, Delivered I'm Yours", em "Single Ladies" e, no final — a razão primordial que me fez aceitar o convite —, "This Is for My Girls", com a presença de Missy Elliott, que entrou no carro conosco e engrossou o coro. Ensaiei com diligência por semanas, decorando cada nota de cada música. A ideia era fazer algo leve e divertido, mas por trás, como sempre, havia um trabalho e um objetivo maiores: aproximar as pessoas da questão. Meu segmento com James teve 45 milhões de visualizações no YouTube em três meses, fazendo nosso esforço valer 100%.

No final de 2015, Barack, as meninas e eu fomos passar o Natal no Havaí, como sempre fazíamos, alugando uma casa grande com janelas amplas que davam para a praia, com a companhia dos habituais amigos da família. Como fizéramos nos últimos seis anos, aproveitamos o dia de Natal para visitar os soldados e suas famílias numa base dos fuzileiros navais próxima. E, como sempre foi com Barack, as férias eram férias apenas em termos — mal chegavam a ser férias, na verdade. Ele fazia e recebia ligações, lia os relatórios diários, consultava uma pequena equipe de assessores, assistentes e redatores de discursos que ficavam hospedados num hotel próximo. Quando realmente chegasse a hora, será que ele ainda lembraria o que era relaxar? Será que um de nós dois saberia parar quando tudo aquilo acabasse? Como seria quando enfim fôssemos a algum lugar sem o cara com a bola nuclear?

Eu me permitia sonhar um pouco, mas ainda não conseguia imaginar como tudo terminaria.

De volta a Washington para nosso último ano na Casa Branca, sabíamos que agora a corrida contra o relógio era para valer. Comecei uma longa série de "últimos" — o último Governors' Ball, a última Corrida dos Ovos de Páscoa, o último Jantar dos Correspondentes da Casa Branca. Barack e eu também fizemos uma última viagem juntos ao Reino Unido, que incluía uma rápida visita a nossa amiga, a rainha.

Barack sempre sentiu um apreço especial pela rainha Elizabeth. Dizia que ela lhe lembrava sua avó Toot, sempre prática e direta. Pessoalmente, eu ficava assombrada com sua eficiência, uma habilidade nitidamente desenvolvida por necessidade ao longo de toda uma vida passada sob os olhos públicos. Alguns anos antes, Barack e eu ficáramos de pé ao lado dela e do príncipe Philip para receber os cumprimentos das pessoas. Nessa ocasião, observei com espanto como a rainha conseguia despachar pessoas rapidamente com uma saudação sucinta e amistosa que não deixava espaço para conversas, enquanto Barack emanava um ar descontraído, quase convidando para um bate-papo e respondendo gravemente a perguntas, atrapalhando assim o avançar da fila. Depois de tantos anos, eu ainda tentava apressá-lo.

Numa tarde de abril de 2016, nós dois pegamos um helicóptero na residência do embaixador americano em Londres para o Castelo de Windsor, na região rural a oeste da cidade. Nossa equipe nos avisou que a rainha e o príncipe Philip estavam planejando nos encontrar na hora em que chegássemos, e então nos conduziriam pessoalmente ao castelo, para o almoço. Fomos informados de antemão sobre o protocolo: saudaríamos o casal real formalmente antes de entrar no veículo deles para o curto trajeto. Eu me sentaria na frente, ao lado do príncipe Philip, com 94 anos, que estaria dirigindo, e Barack iria no banco de trás, ao lado da rainha.

Seria a primeira vez em mais de oito anos que andaríamos num veículo dirigido por alguém que não era do Serviço Secreto. Parecia uma questão importante para nossas equipes de segurança, assim como o protocolo era importante para os organizadores, que se afligiam incessantemente com nossos movimentos e interações para garantir que cada pequena coisa saísse certa.

Só que, depois de pousarmos no terreno do palácio e apresentarmos nossas saudações, a rainha deu um piparote naquilo tudo, fazendo um gesto para que eu fosse com ela no banco traseiro da Range Rover. Fiquei paralisada, tentando lembrar se alguém me preparara para essa possibilidade, se era mais cortês aceitar ou insistir que Barack tomasse seu devido assento ao lado dela.

A rainha entendeu imediatamente minha hesitação. E não quis nem saber.

"Eles lhe deram alguma regra quanto a isso?", perguntou ela, descartando todo aquele alvoroço com um aceno de mão. "Bobagem. Sente-se onde quiser."

Os discursos de formatura eram um ritual de primavera muito importante para mim, quase sagrado. Todos os anos, eu fazia vários deles, escolhendo uma variedade de cerimônias de conclusão do ensino médio e de faculdade, dando preferência a escolas que normalmente não tinham oradores de grande destaque (Princeton e Harvard, me desculpem, mas vocês estão bem sem mim). Em 2015, eu voltara a Chicago para falar na formatura da Martin Luther King Jr., a escola em que Hadiya Pendleton se formaria se estivesse viva. Durante a cerimônia, foi deixada uma cadeira vazia em sua memória, decorada com girassóis e um pano roxo por colegas de turma.

Em minha última série de discursos de formatura como primeira-dama, incluí a historicamente negra Jackson State University, no Mississippi, aproveitando a oportunidade para falar sobre a busca pela excelência. Falei também na Faculdade da Cidade de Nova York, ressaltando o valor da diversidade e da imigração. E em 26 de maio, que calhou de ser o dia em que Donald Trump abocanhou a indicação como candidato oficial à presidência pelo Partido Republicano, eu estava no Novo México falando para uma turma de americanos nativos de uma pequena escola de ensino médio, quase todos já encaminhados para a universidade. Quanto mais eu me aprofundava na experiência de primeira-dama, mais segura me sentia para falar sem rodeios e com franqueza sobre o que era ser marginalizado por raça e por gênero. Minha intenção era dar aos jovens uma perspectiva para pensarem o ódio que aflorava nos noticiários e no discurso político, além de lhes oferecer um pouco de esperança.

Procurava transmitir a única mensagem sobre mim mesma e minha posição no mundo que me parecia realmente capaz de significar alguma coisa. E a mensagem era que eu conhecia a invisibilidade. Vivera a invisibilidade. Vinha de uma história de invisibilidade. Eu gostava de contar que era tataraneta de um escravo chamado Jim Robinson, que provavelmente estava enterrado num túmulo sem identificação em alguma fazenda da Carolina do Sul. E, ao subir ao palanque diante de estudantes que estavam pensando no futuro, eu era uma prova de que era possível, pelo menos de algumas maneiras, superar a invisibilidade.

A última cerimônia de formatura a que compareci naquele ano foi pessoal: a de Malia, na Sidwell Friends, em um dia ensolarado de junho. A oradora foi nossa grande amiga Elizabeth Alexander, a autora de um poema que Barack recitou em seu primeiro discurso de posse, o que deixou Barack e eu na plateia entregues à emoção. Eu sentia orgulho de Malia, que logo iria passar algumas semanas na Europa com amigos e, depois de um ano sabático, iria para Harvard. Sentia orgulho de Sasha, que completava quinze anos naquele mesmo dia e estava contando as horas para o show da Beyoncé, sua escolha em vez de uma festa de aniversário. Ela passaria boa parte do verão em Martha's Vineyard, na casa de amigos da família, até que Barack e eu chegássemos para as férias. Faria novos amigos e teria seu primeiro emprego em uma lanchonete. Eu sentia orgulho também de minha mãe, sentada ao lado, ao sol, com vestido preto e sapatos de salto alto, que conseguira viver na Casa Branca e percorrer o mundo conosco continuando a ser sempre e integralmente a mesma.

Sentia orgulho de todos nós, por termos feito quase tudo.

Barack estava ao meu lado, numa cadeira dobrável. Eu via as lágrimas aflorando por trás de seus óculos escuros, enquanto olhava Malia atravessando o palanque para pegar o diploma. Estava cansado, eu sabia. Três dias antes, havia feito um discurso fúnebre para um amigo da faculdade de direito que trabalhara para ele na Casa Branca. Dois dias depois, um extremista abriu fogo dentro de uma casa noturna gay em Orlando, na Flórida, matando 49 pessoas e ferindo 53. A gravidade de suas funções nunca diminuía.

Ele era um bom pai, atento e presente como o próprio pai nunca fora, mas também fizera sacrifícios ao longo do caminho. Tornara-se pai quando já estava na política. Os eleitores e suas necessidades sempre estiveram conosco.

Devia ser um pouco doloroso perceber que logo teria mais tempo e mais liberdade, porém no momento em que nossas filhas começavam a alçar voo.

Mas precisávamos deixar que partissem. O futuro era delas, como deveria ser.

No final de julho, durante um voo, passei por uma tempestade violenta, o avião oscilando e mergulhando ao se aproximar da Filadélfia, onde eu ia falar pela última vez numa convenção democrata. Foi talvez a pior turbulência que enfrentei na vida e, enquanto Caroline Adler Morales, minha diretora de comunicação, em estágio de gravidez muito adiantado, receava que o estresse da situação acelerasse o parto e Melissa, que mesmo em circunstâncias normais já tinha medo de voar, se encolhia na poltrona, eu só conseguia pensar: "Por favor, aterrisse a tempo de eu ensaiar meu discurso". Fazia tempo que eu me sentia à vontade nos maiores palcos, mas a preparação ainda ajudava muito.

Em 2008, durante a primeira disputa presidencial de Barack, ensaiei vezes e mais vezes meu discurso para a convenção até saber de cor cada vírgula, em parte porque eu nunca discursara assim, ao vivo na televisão, e também porque o investimento pessoal era muito alto. Ia pisar no palco logo depois de ser demonizada como uma negra raivosa que não amava seu país. Meu discurso naquela noite me permitiu humanizar a mim mesma, expondo quem eu era com minha própria voz, acabando com as caricaturas e os estereótipos com minhas próprias palavras. Quatro anos depois, na convenção em Charlotte, na Carolina do Norte, falei com ardor e sinceridade sobre o que eu vira em Barack durante o primeiro mandato: que ele ainda era o mesmo homem de princípios com quem me casara e que eu entendera que "ser presidente não muda, e sim revela quem você é".

Dessa vez, eu subia ao palco por Hillary Clinton, adversária de Barack nas brutais primárias de 2008 mas que se tornara sua leal e eficiente secretária de Estado. Nunca me senti tão veemente em relação a outro candidato quanto me sentia em relação ao meu marido, o que às vezes me dificultava fazer campanha pelos outros, mas defini um código de conduta quando precisava falar publicamente sobre algo ou alguém na esfera política: dizer apenas aquilo em que acreditava totalmente e sentia por completo.

Fui correndo para o centro de convenções assim que pousamos na Filadélfia, tendo tempo apenas para trocar de roupa e ler duas vezes meu discurso. Então fui e expus minha verdade. Falei sobre meus receios iniciais em criar nossas filhas na Casa Branca e sobre o orgulho que eu nutria pelas jovens inteligentes que elas se tornaram. Disse que confiava em Hillary porque ela entendia as exigências do cargo e possuía uma liderança nata, e porque suas qualificações eram das melhores na história. E reconheci a dificuldade na escolha que agora se apresentava ao país.

Desde criança, sempre acreditei que é importante falar contra os bullies sem descer ao nível deles. E, para ser clara, agora estávamos enfrentando um bully, um homem que, entre outras coisas, humilhava as minorias e mostrava desprezo pelos prisioneiros de guerra, pondo em risco a dignidade do nosso país em quase todos os seus pronunciamentos. Eu queria que os americanos entendessem que as palavras têm importância, que a linguagem de ódio que ouviam na TV não refletia a verdadeira natureza do país, e que tínhamos o poder de votar contra isso. Era à dignidade que eu queria fazer um apelo — à ideia de que, como nação, podíamos nos aferrar à coluna mestra que sustentara minha família por gerações. A dignidade sempre nos fez perseverar. Era uma escolha; nem sempre a mais fácil, mas era a escolha que as pessoas que eu mais respeitava na vida sempre tomavam, dia após dia. Barack e eu tínhamos um lema que tentávamos seguir na vida, e o apresentei naquela noite, no palco: *Quando eles descem, nós nos elevamos.*

Dois meses depois, faltando poucas semanas para a eleição, apareceu um vídeo de Donald Trump num momento de descuido, vangloriando-se a um apresentador de TV em 2005 de ter atacado sexualmente mulheres, usando uma linguagem tão baixa e vulgar que os meios de comunicação ficaram num dilema se poderiam citá-la sem violar os padrões de decência. No final, esses padrões foram simplesmente reduzidos para dar espaço à voz do candidato.

Quando ouvi aquilo, mal consegui acreditar. E aí também havia algo dolorosamente familiar na ameaça e na jocosidade machista daquela gravação.

Posso machucar você e sair impune. Era uma expressão de ódio em geral excluída do convívio, mas ainda persistia no âmago de nossa sociedade supostamente esclarecida — viva e aceita a ponto de alguém como Donald Trump utilizá-la sem a mais vaga preocupação. Todas as mulheres que conheço notaram aquilo. Todas as pessoas que algum dia foram estigmatizadas notaram aquilo. Era exatamente isso que tantos de nós tínhamos a esperança de que nossos filhos nunca precisassem, mas provavelmente experimentariam. A dominação, e mesmo sua ameaça, é uma forma de desumanização. É a espécie mais repulsiva de poder.

Fiquei fervendo de raiva depois de ouvir a gravação. Eu estava com um discurso agendado para um comício de campanha de Hillary na semana seguinte e, em vez de fazer uma apresentação direta endossando suas capacidades, senti a necessidade de abordar as palavras de Trump — de contrapor minha voz à dele.

Elaborei minhas notas num quarto de hospital do Walter Reed, onde minha mãe passava por uma cirurgia nas costas. Meus pensamentos voavam. Eu já fora escarnecida e ameaçada muitas vezes, desprezada por ser negra, mulher e franca. Sentira a ridicularização do meu corpo, o espaço literal que eu ocupava no mundo. Vira Donald Trump assediar Hillary Clinton durante um debate, seguindo-a enquanto ela falava, ficando próximo demais, procurando diminuir a presença dela com a sua. *Posso machucar você e sair impune.* As mulheres suportam essas indignidades a vida inteira, na forma de assobios, de apalpadas, de assédio, de opressão. Tudo isso nos fere. Suga nossa força. Alguns ferimentos são tão pequenos que mal se veem; outros são profundos, escancarados, deixando cicatrizes permanentes. Ambos os tipos se acumulam. Carregamos esses ferimentos por toda parte: ao ir e voltar da escola e do trabalho, cuidando dos filhos em casa, nos locais de culto, a qualquer momento em que tentamos avançar.

Os comentários de Trump foram mais um golpe em mim. Eu não podia me calar ante sua mensagem. Com a ajuda de Sarah Hurwitz, a hábil redatora que me assessorava desde 2008, pus minha fúria em palavras. Apresentei-as num dia de outubro em Manchester, New Hampshire, depois que minha mãe se recuperou da cirurgia. Falando para uma multidão vibrante de energia, expus claramente meus sentimentos. "Isso não é normal. Não é política como costuma ser. É uma desgraça. É intolerável." Expressei minha raiva e meu medo, assim como minha convicção de que, com aquela eleição, os americanos entendiam a verdadeira natureza da escolha que fariam. Pus todo o meu coração naquele discurso.

Então voltei para Washington, rezando para que tivessem me ouvido.

À medida que o outono avançava, Barack e eu começamos a planejar nossa mudança em janeiro, tendo decidido ficar em Washington para que Sasha terminasse o ensino médio na Sidwell. Malia, enquanto isso, estava na América do Sul, num ano sabático, saboreando a liberdade de estar o mais longe possível da agitação política. Pedi a minha equipe que continuasse firme até o final, mesmo quando precisavam pensar em encontrar um novo emprego, mesmo quando a batalha entre Hillary Clinton e Donald Trump se intensificava diariamente e desviava nossa atenção.

Em 7 de novembro de 2016, na véspera da eleição, Barack e eu demos um pulo na Filadélfia para nos reunirmos a Hillary e família num último comício perante uma multidão, no Independence Mall. O clima era positivo, de boas expectativas. Eu me sentia animada com o otimismo que Hillary projetava naquela noite e nas várias pesquisas que lhe davam uma confortável dianteira. E me sentia animada ao julgar saber quais qualidades os americanos tolerariam e quais não tolerariam num líder. Não tinha apostas, mas as perspectivas me pareciam boas.

Era a primeira vez em muitos anos que Barack e eu não tínhamos nenhum papel a desempenhar numa noite de eleição. Não havia nenhuma suíte de hotel reservada para a espera, nenhuma bandeja de canapés, nem televisão trovejando em algum canto. Não havia nenhum penteado, maquiagem ou roupa a providenciar, nem instruções para nossas filhas, nem preparação de nenhum discurso em horas avançadas da noite. Não tínhamos nada para fazer, e vibrávamos com isso. Era o começo da nossa saída, um gostinho do que poderia ser o futuro. Estávamos empenhados, claro, mas o momento que vinha pela frente não era nosso. Iríamos meramente presenciá-lo. Sabendo que levaria algum tempo até que os resultados saíssem, convidamos Valerie para assistir a um filme no telão da Casa Branca.

Não me lembro de absolutamente nada do filme — nem do título, nem mesmo do gênero. Estávamos apenas passando o tempo no escuro. Eu continuava a pensar no fato de que o mandato de Barack estava no fim. O que se seguiria em termos mais imediatos eram as despedidas, dezenas e dezenas delas, todas emocionadas, conforme o pessoal que amávamos e a quem tanto tínhamos a agradecer começasse a deixar a Casa Branca. Nosso objetivo era fazer o que George e Laura Bush haviam feito para nós: tornar a transição do poder a mais tranquila possível. Nossas equipes já começavam a preparar agendas de compromissos e listas de contatos para seus sucessores. Antes de partir, muitos integrantes da equipe da Ala Leste deixaram bilhetes sobre suas mesas desejando boas-vindas e se prontificando a ajudar os que chegassem.

Ainda estávamos mergulhados nas atividades do dia a dia, mas também começávamos a nos programar seriamente para o que vinha a seguir. Barack e eu estávamos felizes em permanecer em Washington, mas queríamos construir um legado no South Side de Chicago, que se tornaria a sede do Centro Presidencial Obama. Também planejamos criar uma fundação, cuja missão seria incentivar e fortalecer uma nova geração de líderes. Nós dois tínhamos muitos planos, mas o principal era criar mais espaço e oferecer mais suporte aos jovens e suas ideias. Eu também sabia que precisávamos de uma folga, por isso começara a procurar um local discreto para alguns dias de tranquilidade em janeiro, logo após a posse do novo presidente.

Só precisávamos do novo presidente.

Quando o telão subiu e as luzes se acenderam, uma mensagem nova vibrou no celular de Barack. Vi que ele olhou de relance e depois olhou outra vez, franzindo levemente as sobrancelhas.

"Hmm. Os resultados na Flórida estão meio estranhos."

Não havia tensão em sua voz, apenas uma ponta de atenção, uma brasa quente brilhando de repente na grama. O celular vibrou outra vez. Meu coração começou a bater um pouco mais depressa. Eu sabia que as mensagens vinham de David Simas, assessor político de Barack, que estava acompanhando as apurações na Ala Oeste e entendia a álgebra exata, condado por condado, do mapa eleitoral. Se fosse acontecer algum cataclismo, Simas logo perceberia.

Examinei bem o rosto do meu marido, sem saber se estava preparada para ouvir o que ele me diria. Não parecia algo bom. Senti então um peso de chumbo no estômago, minha ansiedade se transformando em pavor. Quando Barack e Valerie começaram a comentar os resultados iniciais, avisei que ia subir. Fui até o elevador, querendo fazer uma única coisa: deixar tudo aquilo de lado e dormir. Compreendi o que provavelmente se passava, mas não estava pronta para enfrentar a verdade.

Enquanto eu dormia, a notícia foi confirmada: os eleitores americanos haviam escolhido Donald Trump para suceder a Barack como presidente dos Estados Unidos.

Eu preferia ignorar o fato enquanto fosse possível.

Acordei em uma manhã escura e chuvosa. Um céu cinzento cobria Washington, e só consegui classificá-lo de fúnebre. O tempo parecia se arrastar. Sasha foi para a escola, debatendo-se por dentro com sua incredulidade. Malia ligou da Bolívia, mostrando enorme perplexidade. Falei para nossas meninas que as amava e que tudo ia dar certo. Continuei repetindo isso para mim mesma.

No final, Hillary Clinton obteve quase 3 milhões de votos a mais, porém Trump ganhou no Colégio Eleitoral por causa de menos de 80 mil votos espalhados entre Pensilvânia, Wisconsin e Michigan. Não sou uma pessoa política e assim não tentarei fazer uma análise dos resultados. Não tentarei especular quem foram os responsáveis nem o que houve de injusto. Só gostaria que mais gente tivesse comparecido às urnas. E sempre vou me indagar o que terá levado tantas mulheres, especialmente, a escolher para a presidência um misógino em detrimento de uma candidata de qualificação excepcional. Mas era esse o resultado com que agora viveríamos.

Barack passara grande parte da noite acordado, acompanhando os dados, e, como já acontecera tantas vezes, recorreram a ele para se apresentar como símbolo de firmeza, para ajudar a nação a superar o choque. Não o invejei pela tarefa. Ele fez um rápido discurso pela manhã, no Salão Oval, para reanimar sua equipe e por volta do meio-dia, no Jardim das Rosas, apresentou à nação várias observações sérias, mas tranquilizadoras, conclamando — como sempre fazia — à união e à dignidade, pedindo que respeitassem uns aos outros e às instituições erguidas pela democracia.

Naquela tarde, sentei-me no meu gabinete na Ala Leste com toda a minha equipe, comprimindo-nos nos sofás e cadeiras trazidos de outras salas. Eu me cercara de muitas mulheres e minorias, inclusive vários descendentes de imigrantes, e muitos deles estavam às lágrimas, sentindo-se completamente vulneráveis. Haviam se entregado a suas tarefas porque acreditavam profundamente nas causas que promoviam. Eu lhes dizia a cada vez que deveriam se orgulhar de quem eram, que seu trabalho era importante e que uma única eleição não era capaz de lançar por terra oito anos de mudança.

Nem tudo estava perdido. Era essa a mensagem que precisávamos difundir. Era no que eu realmente acreditava. Não era o ideal, mas era nossa realidade — o mundo como ele é. Precisávamos ser fortes e manter os pés apontados na direção do progresso.

Agora estávamos no fim, de fato. Eu me via dividida, olhando o passado e olhando o futuro, remoendo uma pergunta em especial: o que permanece?

Éramos a 44ª família presidencial e apenas a 11ª a completar dois mandatos. Éramos e sempre seríamos a primeira família negra. Eu queria que futuros pais, ao levarem os filhos em visita à Casa Branca, tal como eu levara Malia e Sasha quando Barack era senador, pudessem lhes mostrar alguma lembrança do tempo em que nossa família esteve ali. Pensei que seria importante registrar nossa presença na história mais ampla do lugar.

Nem todo presidente encomendou um jogo de porcelana oficial, por exemplo, mas fiz questão que fizéssemos isso. No segundo mandato de Barack, também resolvemos redecorar a Sala de Jantar da Família, situada logo adiante da Sala de Jantar de Estado, dando-lhe um ar moderno e abrindo-a pela primeira vez ao público. Colocamos na parede norte da sala uma maravilhosa pintura abstrata de Alma Thomas, em amarelo, vermelho e azul — *Ressurreição* —, que foi a primeira obra de arte feita por uma negra a ser incorporada ao acervo permanente da Casa Branca.

A marca mais duradoura, porém, ficava no lado de fora. A horta persistiu por sete anos e meio, produzindo quase uma tonelada de alimentos por ano. Sobreviveu a nevascas, chuvas torrenciais e granizos devastadores. Alguns anos antes, quando vendavais derrubaram a Árvore de Natal Nacional, de mais de doze metros de altura, a horta sobrevivera ilesa. Antes de deixar a Casa Branca, quis lhe garantir uma permanência ainda maior. Ampliamos a área para 260 metros quadrados, mais do que o dobro do tamanho original. Acrescentamos algumas trilhas de cascalho e bancos de madeira, além de uma aconchegante pérgula erguida com madeira proveniente das propriedades dos presidentes Jefferson, Madison e Monroe e da casa de infância de Martin Luther King Jr. Então, numa tarde de outono, atravessei o Gramado Sul para dedicar oficialmente à horta a posteridade.

Naquele dia, juntaram-se a mim defensores e apoiadores que haviam colaborado em prol da nutrição e saúde infantil, além de uma dupla de estudantes da turma original do quinto ano da Escola Fundamental de Bancroft, agora praticamente adultos. A maior parte da minha equipe estava lá, inclusive Sam Kass, que deixara a Casa Branca em 2014 mas veio para a ocasião.

Olhando a multidão na horta, fiquei emocionada. Senti-me grata a todas as pessoas da minha equipe que haviam se dedicado totalmente ao trabalho, classificando e organizando as cartas escritas à mão, conferindo os dados que eu apresentava nos discursos, voando de um lado a outro do país para preparar nossos eventos. Eu vira muitos deles assumindo maior responsabilidade e amadurecendo profissional e pessoalmente, mesmo sob os mais implacáveis holofotes. O peso de sermos "o primeiro", "a primeira", "os primeiros" não recaía apenas sobre os ombros da nossa família. Por oito anos, aqueles jovens otimistas — e alguns profissionais experientes — nos deram respaldo. Melissa, que fora minha primeira contratação de campanha, quase uma década antes, e que considerarei uma grande amiga pelo resto da vida, continuou comigo na Ala Leste até o final do mandato, bem como Tina, minha admirável chefe de equipe. Kristen Jarvis fora substituída por Chynna Clayton, jovem muito trabalhadora de Miami que logo se tornou mais uma irmã mais velha para nossas meninas e foi fundamental para que minha vida corresse sem maiores percalços.

Todas essas pessoas, integrantes e ex-integrantes da equipe, faziam parte da família. E eu tinha orgulho do que havíamos feito.

Em todos os vídeos que rapidamente se espalhavam pela internet — fazendo par de dança com Jimmy Fallon, enterrando uma cesta com LeBron James, cantando um rap com Jay Pharoah para incentivar os estudos —, nosso objetivo não era sermos o tópico mais popular do Twitter durante algumas horas; ia além disso. E alcançamos resultados. Agora, 45 milhões de crianças consumiam lanches e almoços mais saudáveis; 11 milhões de estudantes faziam sessenta minutos diários de atividades físicas, no nosso programa Let's Move! Active Schools. Crianças e jovens, no geral, consumiam mais cereais e produtos integrais. A era das enormes porções de fast-food chegava ao fim.

O meu trabalho com Jill Biden no Joining Forces ajudava a persuadir empresas a contratar ou oferecer estágios a mais de 1,5 milhão de veteranos de guerra e cônjuges de militares. Dando andamento a uma das primeiras preocupações que eu ouvira durante a campanha, conseguimos que todos os cinquenta estados colaborassem em firmar acordos de licenciamento profissional, o que ajudaria a evitar que a carreira de cônjuges de militares parasse a cada vez que precisassem se mudar.

Na educação, Barack e eu mobilizamos bilhões de dólares para facilitar o acesso de meninas de todo o mundo à instrução que elas tanto merecem. Agora, mais de 2800 voluntários do Corpo da Paz estavam treinados para implementar programas semelhantes em outros países. E, nos Estados Unidos, minha equipe e eu contribuímos para que um maior número de jovens se inscrevesse para o auxílio estudantil federal, apoiamos os orientadores pedagógicos e elevamos o College Signing Day a uma data nacional.

Barack, enquanto isso, conseguiu reverter a crise econômica mais grave desde a Grande Depressão. Ele ajudou a intermediar o Acordo de Paris, relativo à mudança climática, trouxe de volta dezenas de milhares de soldados do Iraque e do Afeganistão, liderou o esforço de encerrar efetivamente o programa nuclear do Irã. Mais 20 milhões de pessoas ganharam acesso ao seguro-saúde. E cumprimos dois mandatos no cargo sem um grande escândalo. Ativemo-nos, nós e todos que trabalharam conosco, aos mais elevados critérios de ética e decência, ao longo de todo o percurso.

Para nós, algumas mudanças eram mais difíceis de avaliar, mas pareciam igualmente importantes. Seis meses antes da cerimônia da horta, Lin-Manuel Miranda, o jovem compositor que eu conhecera num dos primeiros eventos artísticos promovidos na Casa Branca, voltou para se apresentar novamente. Seu riff de hip-hop sobre Alexander Hamilton se transformara numa sensação da Broadway, transformando-o em um sucesso global. *Hamilton* era uma celebração musical da história e da diversidade americanas, reformulando nosso entendimento dos papéis que as minorias desempenham na nossa história nacional e ressaltando a importância das mulheres por tanto tempo ofuscadas por homens poderosos. Eu assistira ao musical off-Broadway e gostei tanto que fui outra vez, quando chegou aos grandes palcos. Era envolvente e divertido, doloroso e ao mesmo tempo entusiasmante — a melhor obra de arte, de qualquer meio, que já vi.

Lin-Manuel trouxe grande parte do elenco a Washington, um grupo multirracial muito talentoso. Os artistas passaram a tarde com jovens de escolas de ensino médio locais — potenciais dramaturgos, bailarinos e rappers passeando pela Casa Branca, escrevendo letras e improvisando com seus ídolos. No final da tarde, fomos todos juntos assistir a uma apresentação na Sala Leste. Barack e eu nos sentamos na primeira fila, cercados por jovens de todas as etnias e proveniências, e nos emocionamos profundamente quando Christopher Jackson e Lin-Manuel cantaram a balada "One Last Time" como número de encerramento. Ali estavam dois artistas, um negro e outro porto-riquenho, sob um candelabro de 115 anos, rodeados por imponentes e vetustos retratos de George e Martha Washington, cantando que se sentiam "em casa nessa nação que fizemos". O poder e a verdade daquele momento permanecem comigo até hoje.

Hamilton me emociona porque trata do tipo de história que eu mesma vivi. É sobre os Estados Unidos que inclui a diversidade. Refleti depois sobre isto: somos inúmeros os que passamos a vida inteira carregando nossas histórias ocultas, sentindo receio ou vergonha quando nossa verdade integral não corresponde ao ideal estabelecido. Crescemos sendo bombardeados de mensagens que alegam existir apenas uma maneira de ser americano — alegam que, se temos a pele escura ou o cabelo crespo, se não amamos de uma determinada maneira, se falamos outra língua ou nascemos em outro país, então aqui não é o nosso lugar. Até que alguém ouse começar a contar essa história de outra maneira.

Cresci com um pai incapacitado numa casinha pequena, sem muitos recursos, num bairro que ensaiava a decadência, e também cresci rodeada de amor e de música numa cidade múltipla, num país onde a instrução pode nos levar longe. Eu não tinha nada, ou tinha tudo — depende de como você queira contar essa história.

Quando nos aproximávamos do final do governo de Barack, eu pensava nos Estados Unidos dessa mesma forma. Amava meu país, com todas as maneiras como podemos contar sua história. Por quase uma década, tive o privilégio de percorrê-lo, conhecendo suas estimulantes contradições e seus conflitos acerbos, sua dor e seu persistente idealismo, e, acima de tudo, sua resiliência. A visão que tive foi pouco usual, talvez, mas penso que o que vivi durante aqueles anos foi o mesmo que muitos viveram: uma sensação de progresso, o reconforto da compaixão, a alegria de presenciar o invisível e o não dito encontrarem alguma luz. Um vislumbre do mundo como poderia ser. Esta era nossa aposta de permanência: uma geração rigorosa, que compreendeu o que era possível — e que, para ela, era ainda mais possível. Independentemente do que viesse depois, esta era uma história que podia ser nossa.

Epílogo

Barack e eu saímos definitivamente da Casa Branca em 20 de janeiro de 2017, acompanhando Donald e Melania Trump à cerimônia de posse. Naquele dia, eu sentia tudo ao mesmo tempo: cansaço, orgulho, distração, impaciência. Porém, tentava manter a postura, pois câmeras de TV acompanhavam cada gesto nosso. Barack e eu estávamos decididos a fazer a transição com dignidade e compostura, para encerrar aqueles oito anos com nosso decoro e ideais intocados. Agora era a hora final.

Naquela manhã, Barack fez uma última visita ao Salão Oval, onde escreveu à mão uma mensagem a seu sucessor. Reunimo-nos no andar de Estado para nos despedirmos dos funcionários permanentes da Casa Branca: mordomos, porteiros, chefs de cozinha, arrumadeiras, floristas e tantos outros que cuidaram de nós com carinho e profissionalismo e agora estenderiam essas mesmas cortesias à família que logo mais se mudaria para lá. Essas despedidas foram especialmente penosas para Sasha e Malia, pois o tempo que tinham passado ali, vendo muitas daquelas pessoas quase todos os dias, correspondia à metade de suas vidas. Abracei todos e tentei não chorar quando nos deram de presente de despedida duas bandeiras americanas: a que foi hasteada no primeiro dia de Barack na presidência e a que foi hasteada em seu último dia, como esteios simbólicos do começo e do fim da experiência da nossa família.

Sentada pela terceira vez no palco da posse, na frente do Capitólio, eu tentava conter as emoções. A vibrante diversidade das duas ocasiões anteriores desaparecera e fora substituída por um ar de desalentadora uniformidade, o tipo de cena esmagadoramente branca e masculina com que me deparei tantas vezes na vida, sobretudo nos espaços mais privilegiados, nos vários corredores do poder aos quais eu viera a ter acesso desde que saí da minha casa de infância. O que eu aprendera com a experiência de trabalhar em ambientes profissionais liberais — desde o recrutamento de novos advogados para a Sidley & Austin às contratações para a Casa Branca — é que hegemonia atrairá mais hegemonia enquanto não houver um esforço deliberado em contrabalançá-la.

Olhando para as cerca de trezentas pessoas sentadas no palco naquela manhã, os prezados convidados do presidente eleito, ficou claro para mim que dificilmente haveria tal esforço na nova Casa Branca. Alguém do governo Barack poderia dizer que era uma percepção errada, que a cena não refletia a realidade ou os ideais do presidente. Mas, neste caso, talvez refletisse. Ao me dar conta disso, fiz os ajustes da minha própria imagem: parei sequer de tentar sorrir.

Uma transição é exatamente a definição da palavra: a passagem de um estado de coisas a outro. Põe-se a mão sobre a Bíblia, repete-se um juramento. A mobília de um presidente sai para dar lugar à do outro. Esvaziam-se guarda-roupas para logo serem novamente preenchidos. Num piscar de olhos, há novas cabeças em novos travesseiros — novos temperamentos, novos sonhos. E quando o mandato acaba, quando você deixa a Casa Branca para trás, terá de se reencontrar em muitos aspectos.

Estou em um momento de recomeço, em uma nova fase da vida. Pela primeira vez em muitos anos, não tenho nenhuma obrigação como esposa de político, não levo o peso de expectativas alheias. Tenho duas filhas praticamente adultas que já não precisam mais tanto de mim. Tenho um marido que não carrega mais o peso da nação sobre os ombros. Minhas responsabilidades de antes — para com Sasha e Malia, Barack, minha carreira e meu país — mudaram e agora me permitem pensar de outra maneira sobre o que virá. Tenho mais tempo para refletir, para ser eu mesma. Aos 54 anos, continuo avançando e espero não parar.

Para mim, ter uma história não significa chegar a algum lugar ou alcançar algum objetivo. Entendo-a mais como um movimento adiante, um meio de evoluir, uma maneira de tentar, continuamente, ser uma pessoa melhor. É uma jornada sem fim. Tornei-me mãe, mas ainda tenho muito a ensinar e a aprender com minhas filhas. Tornei-me esposa, mas continuo a me adaptar e aceitar o verdadeiro significado de amar e construir uma vida com outra pessoa. Tornei-me, em certa medida, uma figura de poder, e mesmo assim há momentos em que ainda me sinto insegura ou desconsiderada.

É um processo, são passos ao longo de um caminho. Tornar-se exige paciência e rigor em igual medida. Tornar-se é nunca desistir da ideia de que é necessário avançar.

Como me perguntam isso frequentemente, vou responder aqui, com toda a clareza: não pretendo concorrer a cargos oficiais, jamais. Nunca fui fã de política, e minha experiência nos últimos dez anos pouco contribuiu para mudar minha mente nesse sentido. Continuo a me espantar com a maldade — com a rixa cega entre o azul e o vermelho, essa ideia de que temos que escolher um lado e nos prender a ele, incapazes de ouvir e ceder, às vezes até de ser cortês. Acredito de fato que a política, em sua melhor forma, pode ser um meio para mudanças positivas, mas essa simplesmente não é minha praia.

Isso não significa que eu não me interesse profundamente pelo futuro do nosso país. Desde que Barack deixou o cargo, tenho lido notícias que reviram meu estômago. À noite, fico acordada na cama, furiosa com o que anda acontecendo. É angustiante ver como o comportamento e a agenda política do atual presidente têm levado muitos americanos a duvidarem de si mesmos e a duvidarem e temerem uns aos outros. É penoso ver programas compassivos, montados com tanto cuidado, sofrerem retrocessos, enquanto se perdem alguns dos nossos aliados mais próximos e os setores vulneráveis da sociedade ficam expostos e são desumanizados. Às vezes me pergunto a que ponto vamos chegar.

No entanto, não permito a desesperança. Nos momentos de maior aflição, respiro fundo e relembro a dignidade e a decência de tantas pessoas que encontrei ao longo da vida, os inúmeros obstáculos que já foram vencidos. Espero que outros façam o mesmo. Todos nós temos um papel na democracia. Precisamos nos lembrar do poder de cada voto. Continuo conectada a uma força que é maior e mais poderosa do que qualquer eleição, qualquer dirigente ou qualquer noticiário: o otimismo. É uma forma de fé, um antídoto ao medo. O otimismo reinava no pequeno apartamento da minha família na

Euclid Avenue. Eu o via no meu pai, que se locomovia como se não tivesse nenhum problema físico, como se a doença que um dia lhe tiraria a vida simplesmente não existisse. Eu via o otimismo na obstinada confiança que minha mãe depositava em nosso bairro, em sua decisão de manter suas raízes ali, mesmo quando o medo levou muitos vizinhos a recolherem seus pertences e irem embora. O otimismo foi também o que primeiro me atraiu em Barack quando ele apareceu na minha sala na Sidley, com um largo sorriso cheio de esperança. Mais tarde, foi o otimismo que me ajudou a vencer minhas dúvidas e vulnerabilidades, o suficiente para ter confiança de que, se eu permitisse que minha família levasse uma vida extremamente pública, conseguiríamos continuar seguros e também felizes.

E o otimismo é o que me ajuda hoje. Como primeira-dama, eu o vi em lugares surpreendentes. O otimismo acompanhava o soldado ferido no Walter Reed, que rejeitava a piedade com um bilhete na porta, relembrando a todos que era forte e positivo. O otimismo estava em Cleopatra Cowley-Pendleton, que canalizou parte de seu luto pela filha na luta por mudanças na legislação que rege o porte de armas de fogo. Estava também na assistente social da Escola Harper que fazia questão de anunciar a todo volume seu amor e apreço pelos alunos toda vez que cruzava com eles no corredor. E está sempre entranhado no coração das crianças. Todos os dias elas acordam acreditando na bondade, na magia do que pode existir. Não são céticas: creem até o âmago. Por elas, é nossa obrigação manter a força e continuar batalhando por um mundo mais justo e humano. Temos que permanecer firmes e esperançosos, e reconhecer que ainda precisamos avançar.

Hoje, há retratos de mim e de Barack na National Portrait Gallery, em Washington, o que muito nos lisonjeia. Quem visse nossa infância e nossas circunstâncias dificilmente imaginaria que um dia estaríamos lá. São belas pinturas, mas o que realmente importa é que os jovens as vejam — que nossos rostos ajudem a desfazer a ideia de que só quem tem determinada aparência pode ganhar um lugar na história. Se Barack e eu temos um lugar ali, muitos outros também podem ter.

Sou uma pessoa comum que se viu numa jornada extraordinária. Ao contar minha história, espero abrir espaço para mais histórias e mais vozes, ampliar o caminho para as pessoas e as causas que pertencem a esse lugar. Tive a sorte de entrar em castelos de pedra, em escolas urbanas e cozinhas de Iowa, apenas tentando ser eu mesma, apenas tentando criar conexões. A cada porta que se abriu para mim, procurei abrir a minha a outros. Por fim, o que tenho a dizer é o seguinte: convidemo-nos uns aos outros a entrar. Assim talvez possamos começar a temer menos, a julgar menos, a abandonar os preconceitos e estereótipos que criam divisões desnecessárias. Assim talvez possamos abraçar o que temos em comum. O que importa não é a perfeição. O que importa não é o destino final. Há poder em se fazer conhecer e ouvir, em ter sua própria história, em usar sua voz autêntica. E há beleza em se dispor a conhecer e ouvir os outros. Para mim, é assim que construímos nossa história.

Agradecimentos

Como em tudo o que fiz na vida, estas memórias não teriam sido possíveis sem o amor e o apoio de muitas pessoas.

Eu não seria quem sou hoje sem a presença constante e o amor incondicional de minha mãe, Marian Shields Robinson. Ela sempre foi meu esteio, concedendo-me a liberdade de ser quem sou, mas sempre me mantendo com os pés no chão. Seu amor irrestrito pelas minhas meninas e sua disposição em colocar nossas necessidades à frente das suas deram-me a confiança e a tranquilidade de me arriscar no mundo, sabendo que minhas filhas estavam rodeadas de carinho e segurança em casa.

Meu marido, Barack, meu amor, meu parceiro há 25 anos e o pai extremamente amoroso e dedicado de nossas filhas, tem sido um companheiro de vida que eu mal conseguiria imaginar. Nossa história ainda prossegue, e aguardo ansiosa pelas muitas aventuras que virão. Agradeço-lhe a ajuda e os conselhos para este livro... agradeço-lhe por ler os capítulos com atenção e paciência e por saber exatamente quando dar palpites pontuais.

E meu irmão, Craig — por onde começo? Você é meu protetor desde o dia em que nasci. É quem mais me fez dar risada neste mundo. É o melhor irmão que uma irmã poderia querer, filho, marido e pai atencioso e amoroso. Obrigada por todas as horas que passou com minha equipe, repassando as memórias de nossa infância. Algumas de minhas melhores lembranças escrevendo este livro serão os momentos que passamos juntos, com mamãe, sentados na cozinha, revivendo tantas coisas antigas.

Eu não teria como concluir este livro durante a minha vida sem a equipe de colaboradores incrivelmente talentosa, que simplesmente adoro. Quando conheci Sara Corbett, um ano e pouco atrás, sabia apenas que ela era muito respeitada por meu editor e que não entendia quase nada de política. Hoje eu confiaria minha vida a ela, não só porque tem uma inteligência inquisitiva e assombrosa, mas porque é uma pessoa essencialmente boa e generosa. Espero que este seja apenas o começo de uma longa amizade.

Tyler Lechtenberg foi um integrante valioso do mundo dos Obama por mais de uma década. Ele entrou em nossa vida como uma das centenas de jovens organizadores de campo de Iowa e desde então está conosco como assessor de confiança. Acompanhei sua carreira e o vi se tornar um excelente escritor com um futuro incrivelmente brilhante.

E há minha editora, Molly Stern, cujo entusiasmo, energia e paixão me atraíram instantaneamente. Com sua fé inabalável em meu projeto para este livro, Molly me manteve sempre animada. Minha eterna gratidão a ela e a toda a equipe da Crown, incluindo Maya Mavjee, Tina Constable, David Drake, Emma Berry e Chris Brand, que acompanharam o trabalho desde o início. Amanda D'Acierno, Lance Fitzgerald, Sally Franklin, Carisa Hays, Linnea Knollmueller, Matthew Martin, Donna Passanante, Elizabeth Rendfleisch, Anke Steinecke, Christine Tanigawa, Dan Zitt, todos eles contribuíram para a existência de *Minha história*.

Quero também agradecer Markus Dohle por colocar todos os recursos da Penguin Random House por trás deste trabalho gratificante.

Eu não me sairia bem neste mundo como mãe, esposa, amiga e profissional sem minha equipe. Todos os que me conhecem bem sabem que Melissa Winter é a segunda metade de meu cérebro. Mel, obrigada por estar a meu lado ao longo de todo esse processo. E, mais importante, obrigada por amar tanto a mim e a minhas meninas. Não existo sem você.

Melissa é a chefe da minha equipe pessoal. Esse grupo pequeno, mas poderoso, de mulheres inteligentes e dedicadas é que garante que eu esteja sempre focada: Caroline Adler Morales, Chynna Clayton, MacKenzie Smith, Samantha Tubman e Alex May Sealey.

Bob Barnett e Deneen Howell da Williams and Connolly foram guias inestimáveis no processo editorial, e lhes agradeço o apoio e as recomendações.

Um agradecimento especial a todos os que me ajudaram a criar este livro em muitos outros aspectos: Pete Souza, Chuck Kennedy, Lawrence Jackson,

Amanda Lucidon, Samantha Appleton, Kristin Jones, Chris Haugh, Arielle Vavasseur, Michele Norris e Elizabeth Alexander.

Além disso, quero agradecer a incrivelmente talentosa Ashley Woolheater pelas pesquisas exaustivas e a Gillian Brassil pela checagem minuciosa dos dados. Muitos integrantes de minha antiga equipe também ajudaram a confirmar datas e detalhes importantes ao longo desse processo — são numerosos demais para citar um a um, mas sou grata a todos eles.

Agradeço a todas as mulheres maravilhosas em minha vida que me mantiveram motivada. Vocês sabem quem são e o que significam para mim... minhas amigas, minhas mentoras, minhas "outras filhas"... e um agradecimento muito especial a Mama Kaye. Todas vocês me auxiliaram durante esse processo de escrita e me ajudaram a me tornar uma mulher melhor.

O ritmo frenético de minha vida como primeira-dama deixava pouco tempo para registros tradicionais. É por isso que agradeço muito à minha querida amiga Verna Williams, atualmente reitora interina e docente de direito na Cátedra Nippert na Faculdade de Direito da Universidade de Cincinnati. Fiz muito uso das 1100 páginas, aproximadamente, de transcrições de nossas conversas semestrais gravadas durante nossos anos na Casa Branca.

Tenho muito orgulho de tudo o que fizemos na Ala Leste. Quero agradecer a todos os homens e mulheres que dedicaram a vida a ajudar nossa nação, os membros do Gabinete da Primeira-Dama — cuidando dos programas de ação, montando as agendas, administrando, integrando a assessoria de imprensa, escrevendo discursos, cuidando de eventos sociais e da correspondência. Agradeço às equipes, aos servidores públicos da Casa Branca e aos funcionários que foram responsáveis por montar todas as minhas iniciativas — Let's Move!, Reach Higher, Let Girls Learn e, claro, Joining Forces.

O Joining Forces sempre terá um lugar especial em meu coração porque me permitiu um raro contato com a força e a superação de nossa excepcional comunidade militar. A todos os militares, veteranos e famílias de militares, agradeço-lhes por seus serviços e sacrifícios em prol do país que todos nós amamos. À dra. Jill Biden e toda a sua equipe — foi realmente uma dádiva e uma alegria trabalhar ao lado de todos vocês nessa iniciativa tão importante.

A todos os líderes e defensores da área pedagógica e nutricional, agradeço por realizarem o trabalho diário, árduo e ingrato, de garantir que todas as nossas crianças tenham o amor, o apoio e os recursos de que precisam para alcançar seus sonhos.

Agradeço a todos os integrantes do Serviço Secreto dos Estados Unidos, assim como a suas famílias, cujo sacrifício diário lhes permite cumprirem tão bem seus deveres. Especialmente aos que serviram e continuam a servir a minha família, minha eterna gratidão pela dedicação e pelo profissionalismo.

Agradeço às centenas de homens e mulheres que se empenham diariamente em fazer da Casa Branca um lar para as famílias que têm o privilégio de residir em um dos nossos mais estimados monumentos — porteiros, chefs de cozinha, mordomos, floristas, jardineiros, arrumadeiras e equipes técnicas. Sempre serão uma parte importante da nossa família.

Por fim, quero agradecer a todos os jovens que conheci durante o período em que fui a primeira-dama. A todas as jovens almas promissoras que tocaram meu coração ao longo desses anos — aos que ajudaram a cultivar minha horta, aos que dançaram, cantaram, cozinharam e partilharam as refeições comigo; aos que se mantiveram abertos ao amor e à orientação que eu tinha a oferecer; aos que me deram milhares de abraços gostosos e calorosos, abraços que ergueram meu ânimo e me permitiram prosseguir mesmo em meus momentos mais difíceis. Agradeço por me darem sempre uma razão para ter esperança.

Créditos das imagens

Páginas 1 a 4: Todas as fotografias são cortesia do arquivo da família Obama-Robinson.

Página 5: (*a partir do topo*) © Public Allies, cortesia de Phil Schmitz; cortesia da Universidade de Medicina de Chicago; cortesia do arquivo da família Obama-Robinson.

Página 6: (*a partir do topo*) © David Katz, 2004; © David Katz, 2004; © Anne Ryan, 2007.

Página 7: (*a partir do topo*) © Callie Shell/Aurora Photos; © Callie Shell/Aurora Photos; cortesia do arquivo da família Obama-Robinson.

Página 8: (*a partir do topo*) © David Katz, 2008; © Spencer Platt/Getty Images; © David Katz, 2008.

Página 9: (*a partir do topo*) Foto por Chuck Kennedy, McClatchy/Tribune; © Mark Wilson/Getty Images.

Página 10: (*canto superior esq.*) Foto por Joyce N. Boghosian, cortesia da Biblioteca Presidencial Barack Obama; (*canto superior dir.*) © Karen Bleier/AFP/Getty Images; (*canto inferior esq.*) foto por Lawrence Jackson, Centro Presidencial George W. Bush; (*canto inferior dir.*) foto oficial da Casa Branca por Samantha Appleton.

Página 11: (*a partir do topo*) Foto por Samantha Appleton, cortesia da Biblioteca Presidencial Barack Obama; foto por Chuck Kennedy, cortesia da Biblioteca Presidencial Barack Obama; foto por Pete Souza, cortesia da Biblioteca Presidencial Barack Obama; foto por Samantha Appleton, cortesia da Biblioteca Presidencial Barack Obama.

Página 12: (*a partir do topo*) Foto por Lawrence Jackson, cortesia da Biblioteca Presidencial Barack Obama; foto por Samantha Appleton, cortesia da Biblioteca Presidencial Barack Obama; foto por Chuck Kennedy, cortesia da Biblioteca Presidencial Barack Obama.

Página 13: (*a partir do topo*) Foto por Pete Souza, cortesia da Biblioteca Presidencial Barack Obama; foto por Pete Souza, cortesia da Biblioteca Presidencial Barack Obama; foto por Chuck Kennedy, cortesia da Biblioteca Presidencial Barack Obama.

Página 14: (*a partir do topo*) Foto por Lawrence Jackson, cortesia da Biblioteca Presidencial Barack Obama; foto por Amanda Lucidon, cortesia da Biblioteca Presidencial Barack Obama; foto por Pete Souza, cortesia da Biblioteca Presidencial Barack Obama.

Página 15: (*canto superior esq.*) Foto por Pete Souza, cortesia da Biblioteca Presidencial Barack Obama; (*canto superior dir.*) foto por Samantha Appleton, cortesia da Biblioteca Presidencial Barack Obama; (*meio*) foto por Pete Souza, cortesia da Biblioteca Presidencial Barack Obama; (*parte inferior*) cortesia do arquivo da família Obama-Robinson.

Página 16: (*a partir do topo*) Foto por Amanda Lucidon, cortesia da Biblioteca Presidencial Barack Obama; foto por Lawrence Jackson, cortesia da Biblioteca Presidencial Barack Obama.

Páginas de abertura: Todas as fotografias são cortesia do arquivo da família Obama-Robinson.

Páginas finais: (*da esq. para a dir.*) Cortesia do arquivo da família Obama-Robinson; cortesia do arquivo da família Obama-Robinson; cortesia do arquivo da família Obama-Robinson; © Callie Shell/Aurora Photos; © Susan Watts/New York Daily News/Getty Images; © Brooks Kraft LLC/Corbis/Getty Images; foto por Ida Mae Astute © ABC/Getty Images.

1ª EDIÇÃO [2018] 15 reimpressões

ESTA OBRA FOI COMPOSTA PELA ABREU'S SYSTEM EM INES LIGHT E IMPRESSA EM OFSETE PELA LIS GRÁFICA SOBRE PAPEL PÓLEN SOFT DA SUZANO S.A. PARA A EDITORA SCHWARCZ EM MAIO DE 2021

A marca FSC® é a garantia de que a madeira utilizada na fabricação do papel deste livro provém de florestas que foram gerenciadas de maneira ambientalmente correta, socialmente justa e economicamente viável, além de outras fontes de origem controlada.